KU-349-967

9030 0000 124915

RIVAGE MORTEL

DU MEME AUTEUR AUX ÉDITIONS GRASSET

LA POURSUITE, coll. « Grand Format », 2009.

série DIRK PITT

VENT MORTEL, coll. « Grand Format », 2007.
ODYSSEE, coll. « Grand Format », 2004.
WALHALLA, coll. « Grand Format », 2003.
ATLANTIDE, coll. « Grand Format », 2001.
RAZ DE MAREE, coll. « Grand Format », 1999.
ONDE DE CHOC, 1997.
L'OR DES INCAS, coll. « Grand Format », 1995.
SAHARA, 1992.
DRAGON, 1991.
TRESOR, 1989.

Avec Dirk Cussler

LE TRESOR DU KHAN, coll. « Grand Format », 2009.

série NUMA

Avec Paul Kemprecos

LE NAVIGATEUR, coll. « Grand Format », 2010.
TEMPETE POLAIRE, coll. « Grand Format », 2009.
A LA RECHERCHE DE LA CITE PERDUE, coll. « Grand Format » 2007.
MORT BLANCHE, coll. « Grand Format », 2006.
GLACE DE FEU, coll. « Grand Format », 2005.
L'OR BLEU, coll. « Grand Format », 2002.
SERPENT, coll. « Grand Format », 2000.

série OREGON

Avec Jack Du Brul

QUART MORTEL, coll. « Grand Format », 2008.

Avec Craig Dirgo

PIERRE SACREE, coll. « Grand Format », 2007.
BOUDDHA, coll. « Grand Format », 2005.

série CHASSEURS D'EPAVES

CHASSEURS D'EPAVES, NOUVELLES AVENTURES, 2006.
CHASSEURS D'EPAVES, 1996.

CLIVE CUSSLER

JACK DU BRUL

RIVAGE MORTEL

roman

Traduit de l'anglais (États-Unis)
par
JEAN ROSENTHAL

BERNARD GRASSET
PARIS

L'édition originale de cet ouvrage a été publiée par Berkley, en 2006,
sous le titre :

SKELETON COAST

Photo de couverture .
© Gettyimages

ISBN 978-2-246-72581-7
ISSN 1263-9559

1

Désert du Kalahari
1896

Il n'aurait jamais dû leur ordonner de laisser les fusils sur place. Sa décision risquait maintenant de leur coûter la vie. Mais avait-il vraiment eu le choix ? Leur dernier cheval de bât s'était mis à boiter, les obligeant à redistribuer le chargement et à abandonner du matériel. Comme il était hors de question de se séparer des outres gonflées d'eau que transportaient les bêtes ainsi que des sacoches bourrées de pierres brutes, ils avaient dû renoncer aux tentes, aux sacs de couchage, aux trente livres de vivres, aux fusils Martini-Henry des cinq hommes et au stock de munitions. Pourtant, même après ces économies de poids, les chevaux survivants demeuraient lourdement chargés et, à cause du soleil qui commençait à écraser le désert de ses rayons, personne n'espérait que les montures tiendraient jusqu'à la fin de la journée.

H.A. Ryder savait qu'il n'aurait jamais dû accepter de leur faire traverser le désert du Kalahari. Il connaissait bien l'Afrique : à la grande époque de la ruée sur le Kimberley, il avait abandonné le Sussex et sa ferme en plein déclin pour les gisements de diamants grâce auxquels il espérait faire fortune. A son arrivée, en 1868, il ne restait plus une seule concession, ni sur Colesberg Kopje, la petite colline où on avait découvert les premiers diamants, ni autour, dans un rayon de plusieurs kilomètres. Ryder s'était donc rabattu sur le ravitaillement de cette armée de chercheurs de diamants.

Avec deux chariots et des centaines de sacs de sel destiné à conserver le gibier, accompagné de deux guides indigènes, il parcourait des centaines de kilomètres carrés. Une existence solitaire que Ryder s'était pourtant pris à apprécier, tout comme il en était venu à aimer cette terre pour ses couchers de soleil magnifiques, ses forêts denses, ses torrents à l'eau aussi claire que du verre et ses horizons qui semblaient impossibles à atteindre. Il apprit la langue des diverses tribus, celle des Matabélés, des Mashonas et des farouches guerriers hereros. Il parvenait même à comprendre certains des claquements de langue et des sifflements qu'utilisaient les Bochimans du désert pour communiquer entre eux.

Il avait été guide de safari et, grâce à lui, de riches Anglais et Américains avaient pu accrocher des trophées aux murs de leurs demeures. Il avait aussi, des jours durant, repéré des itinéraires pour permettre à la compagnie du télégraphe de tendre des lignes sur le tiers méridional du continent. Il s'était trouvé pris dans une douzaine d'escarmouches où il avait abattu dix fois autant d'hommes. Il connaissait, il comprenait les Africains, et percevait encore mieux le côté sauvage de ce pays. C'est pourquoi il savait qu'il n'aurait jamais dû accepter de guider ces gens, depuis Bechuanaland, à travers l'immensité du désert et de se lancer dans une course folle jusqu'à la mer. Mais il avait été incapable de résister à l'attrait d'une forte rémunération et au mirage d'une fortune vite gagnée.

S'ils parvenaient à s'en sortir, si le désert indifférent ne les gardait pas à jamais, H.A. Ryder se trouverait alors à la tête de la fortune dont il avait rêvé, lorsqu'il avait décidé de venir en Afrique.

« Vous croyez qu'ils sont toujours là, H.A. ? » Ryder plissa les yeux – des fentes à peine visibles dans son visage parcheminé – en direction du soleil qui se levait. Il ne distinguait à l'horizon que des voiles miroitantes de chaleur qui se déployaient avant de se dissoudre aussitôt, tels des rideaux de fumée de sable éblouissant. Avec le jour arrivait le vent qui balayait la crête des dunes et poussait vers eux des nuages qui leur cinglaient le visage. « Mais oui, mon garçon, répondit-il sans même regarder l'homme planté à son côté.

— Comment pouvez-vous en être si sûr ? »

H.A. se tourna vers Jon Varley, son compagnon.

« Ils nous suivront jusqu'aux portes de l'enfer à cause de ce que nous leur avons fait. » L'assurance qu'il sentit dans la voix rauque de H.A. fit pâlir Varley sous son hâle. A l'instar de Ryder, les quatre autres hommes du groupe étaient tous des Anglais venus chercher fortune en Afrique, mais aucun n'avait acquis l'expérience de leur guide. « Nous ferions mieux d'y aller », poursuivit Ryder. Ils avaient voyagé dans la relative fraîcheur de la nuit. « Nous pouvons faire encore quelques kilomètres avant que le soleil soit trop haut.

— Nous devrions camper ici », intervint Peter Smythe, le plus novice de la troupe, et qui, de loin, supportait le plus mal cette randonnée.

Peu après leur arrivée dans la mer de sable, il avait perdu de sa superbe et marchait maintenant du pas traînant d'un vieillard. Des croûtes blanches s'étaient formées aux coins de ses yeux et de sa bouche, et son regard avait perdu de son éclat.

Ryder lui jeta un bref regard et perçut aussitôt ce qui n'allait pas : depuis dix jours, depuis le dernier puits où ils avaient empli cantines et jerrycans d'une eau saumâtre, tous avaient droit à la même ration ; or l'organisme de Smythe semblait avoir besoin de s'hydrater davantage que celui des autres. H.A. connaissait à une goutte près la quantité d'eau restante et, s'ils ne trouvaient pas un autre puits dans le désert, Smythe serait le premier à mourir.

L'idée de lui donner une ration supplémentaire ne vint même pas à l'esprit de Ryder.

« On continue. »

Se tournant vers l'ouest, il considéra l'image même du terrain qu'ils avaient déjà parcouru : des dunes de sable se succédant sans fin jusqu'à l'horizon. Avec la lumière qui se reflétait sur le désert infini, le ciel prenait des tons cuivrés. Ryder examina sa monture : elle souffrait, et il en éprouva un sentiment de culpabilité – plus vif à vrai dire que celui que lui inspirait le jeune Smythe –, car la pauvre bête n'avait d'autre choix que de le porter dans cet environnement impitoyable ; il dégagea de la pointe de son couteau une pierre coincée dans le sabot du cheval puis ajusta la couverture de selle aux endroits où les courroies des sacoches risquaient de l'irriter. La robe jadis lustrée de l'animal était terne et pendait, flasque, sur les parties où la chair avait commencé à fondre.

Il caressa la ganache de la bête et lui murmura à l'oreille quelques mots d'apaisement. Pas question pour les hommes d'enfourcher des chevaux qui ployaient déjà sous un chargement pourtant bien allégé. Il reprit les rênes et se remit en marche. Ses brodequins s'enfonçaient dans le sable qui crissait et se dérobait sous ses pas, menaçant de les faire culbuter tous les deux au premier faux pas de l'un ou de l'autre. H.A. ne regardait pas en arrière : aux hommes le choix de suivre ou de mourir sur place.

Il marcha une heure tandis que le soleil, impitoyable, continuait à s'élever dans le ciel sans nuages. Il glissa entre ses dents un caillou bien lisse pour tenter de faire croire à son corps qu'il n'était pas sérieusement déshydraté. Lorsqu'il s'arrêta pour essuyer le bandeau de son chapeau à larges bords, la chaleur brûla aussitôt sa calvitie déjà rougie. Il aurait voulu continuer encore une heure, mais il entendait les hommes peiner derrière lui – ils n'en étaient pourtant pas encore au point où il envisagerait de les abandonner ; il les conduisit alors sur la pente d'une dune particulièrement haute et se mit à dresser une sorte de tente avec des couvertures de cheval. Les hommes s'affalèrent sur le sol, reprenant leur souffle tandis qu'il installait leur piètre campement.

H.A. examina Peter Smythe : un liquide clair s'écoulait de ses lèvres, ses cloques étaient à vif, et ses pommettes semblaient avoir reçu un fer chauffé au rouge. Ryder lui rappela de seulement desserrer ses lacets : ils avaient tous les pieds si enflés que s'ils se déchaussaient, ils ne pourraient plus remettre leurs chaussures. Ils ne le quittaient pas des yeux jusqu'à ce qu'il finisse par tirer deux bidons d'une sacoche. Il en déboucha un et, aussitôt, flairant l'odeur de l'eau, un des chevaux poussa un hennissement. Les autres s'approchèrent et son cheval effleura de sa tête l'épaule de H.A.

Pour ne pas en perdre une goutte, Ryder versa une mesure dans une cuvette qu'il tendit à l'animal. Celui-ci lapa l'eau bruyamment et on entendit son estomac gargouiller au contact du liquide, le premier depuis trois jours. Il versa encore un peu d'eau et, une nouvelle fois, fit boire le cheval. Puis, malgré la soif qui le dévorait et les regards furibonds de ses compagnons, il renouvela l'opération pour chacune des montures.

« S'ils meurent, vous mourez », se contenta-t-il de préciser, et ils savaient qu'il avait raison.

Les chevaux, qui n'avaient eu droit qu'à un seul litre d'eau, acceptèrent quand même de se nourrir quand il ouvrit les sacs d'avoine que transportait l'un d'eux. Ce fut seulement après avoir entravé chacune des bêtes que Ryder fit boire les hommes, les rationnant encore plus sévèrement – une unique gorgée pour chacun. Quand il rangea les bidons dans sa sacoche, aucune protestation ne s'éleva, car H.A. était le seul du groupe à avoir déjà traversé cette étendue désertique ; ils s'en remettaient à lui pour arriver à bon port.

Les couvertures ne donnaient qu'une ombre pitoyable dans cette fournaise qu'était le Kalahari, un des endroits les plus chauds et les plus secs du monde, où il arrivait que la pluie ne tombe qu'une fois par an et souvent pas du tout pendant des années. Le soleil martelait la terre sans répit et les hommes gisaient, plongés dans une torpeur léthargique, n'esquissant un mouvement que lorsque le soleil mordait brutalement de ses rayons une main ou une jambe découverte. Ils gisaient là avec leur soif, leur souffrance, mais surtout avec leur cupidité, car ces hommes poursuivaient encore un but, ces hommes si près d'acquérir une richesse qu'aucun d'eux n'avait imaginée.

En atteignant son zénith, le soleil parut plus fort encore, si bien que le seul fait de respirer se transformait en une lutte entre le besoin d'aspirer un peu d'air et l'envie d'empêcher cette chaleur brûlante de pénétrer dans leur corps et d'enflammer leurs poumons.

La chaleur n'avait fait que s'accroître et un poids étouffant plaquait les hommes au sol. Ryder ne se souvenait pas d'une épreuve aussi terrible lorsque, bien des années auparavant, il avait traversé le désert. Le soleil semblait être tombé du ciel pour s'abattre sur la terre, furieux que de simples mortels tentent de le défier. Il y avait de quoi y perdre la raison ; ils supportaient cependant cette interminable journée en priant que le jour s'achève enfin.

La chaleur, aussi subitement qu'elle s'était abattue sur eux, déclina à mesure que le soleil descendait vers l'horizon en peignant sur le sable des bandes rouges, mauves et roses. Les hommes émergèrent de leur abri en s'époussetant. Ryder gravit la dune qui les avait protégés du vent et, armé d'une longue-vue pliante, scruta le désert à la recherche de leurs poursuivants ; il ne vit que le moutonnement des dunes. Que le léger vent qui soufflait sans répit eût effacé leurs traces ne le réconforta guère. Les hommes qui leur donnaient la chasse comptaient parmi les meilleurs traqueurs du monde : ils les retrouveraient dans cette mer de sable sans repère aussi sûrement que si Ryder avait semé des cailloux sur son passage.

Et H.A. n'avait aucun moyen d'estimer le terrain gagné sur sa troupe pendant la journée par ces êtres doués d'une résistance surhumaine au soleil et à la chaleur. D'après ses estimations, il comptait cinq jours d'avance au moment où il avait abordé le désert, avance qui n'était plus maintenant que d'une journée – il en était persuadé – et qui, demain, aurait diminué de moitié. Et ensuite ? Ils regretteraient alors d'avoir abandonné leurs armes quand les chevaux avaient commencé à boiter.

Leur unique chance : trouver ce soir assez d'eau pour les chevaux, ce qui leur permettrait de les monter de nouveau.

Il ne restait plus assez du précieux liquide pour leur donner à boire et les hommes n'auraient que la moitié de la ration distribuée au lever du jour. Ryder lui-même commençait à trouver la situation difficilement supportable. Ce filet d'eau lui semblait juste humecter sa langue et non étancher la soif qui, désormais, rongeait son estomac. Il se força à manger un peu de bœuf séché.

En regardant les visages émaciés qui l'entouraient, H.A. sut que la marche de la nuit serait un supplice. Peter Smythe ne pouvait s'empêcher de vaciller sur place. Jon Varley ne valait guère mieux. Seuls, les deux frères Tim et Tom Watermen paraissaient en forme, mais ils avaient vécu en Afrique plus longtemps que Smythe et Varley : ils avaient en effet travaillé une dizaine d'années comme garçons de ferme dans un grand élevage de bétail près du Cap et leur corps était plus acclimaté au soleil.

H.A. passa ses mains dans ses favoris en côtelette pour se débarrasser du sable accroché à ses poils grisonnants. Lorsqu'il se pencha pour lacer ses chaussures, il eut l'impression que ses cinquante ans comptaient double. Il souffrait de courbatures dans le dos et dans les jambes, et ses vertèbres craquèrent quand il se redressa.

« C'est tout, les gars, mais vous avez ma parole que ce soir nous boirons notre content, dit-il pour leur remontrer le moral.

— De quoi, de sable ? lança Tom Watermen pour montrer qu'il était encore capable de plaisanter.

— Cela fait mille ans ou davantage que les Bochimans, les San ainsi qu'ils s'appellent eux-mêmes, vivent dans ce désert. On les dit capables de flairer l'eau à plus de cent cinquante kilomètres. Quand j'ai traversé le Kalahari voilà vingt ans, j'avais un guide san, et ce petit bougre trouvait de l'eau là où je n'en aurais jamais cherché. Ils en recueillent sur les plantes quand il y a du brouillard le matin et ils en boivent dans le rumen des bêtes qu'ils tuent avec des flèches empoisonnées.

— Le rumen ? » questionna Varley.

Ryder échangea un regard avec les frères Watermen, comme pour dire que tout le monde devrait connaître ce terme.

« La panse, le premier estomac des animaux tels que la vache ou l'antilope, là où se produit la rumination. Le liquide qu'on y trouve est composé essentiellement d'eau et de suc de plantes.

— J'en goûterais bien en ce moment », marmonna péniblement Peter Smythe. Une goutte de sang perlait à la commissure de ses lèvres craquelées ; il la retint d'un coup de langue avant qu'elle ne tombe par terre.

« Mais le talent le plus remarquable des San est de trouver de l'eau enfouie sous le sable dans le lit de rivières asséchées depuis une génération.

— Savez-vous découvrir de l'eau comme eux ?

— Depuis cinq jours j'ai inspecté le lit de tous les cours d'eau que nous avons franchis », répondit H.A. Les hommes étaient stupéfaits : aucun d'eux ne s'était rendu compte qu'ils en avaient traversé. Le désert leur avait semblé une vaste étendue vide et uniforme. Cette révélation de H.A. – il avait remarqué des oueds – les renforça dans l'idée qu'il saurait les tirer de ce cauchemar. « J'en ai vu un assez prometteur avant-hier, poursuivit Ryder, mais je n'étais pas certain, et nous n'avons pas le temps de nous tromper. J'estime que nous sommes à deux, peut-être trois jours de la côte, ce qui signifie que, dorénavant, le désert reçoit l'humidité de l'océan, sans parler d'un orage de temps en temps. Je trouverai de l'eau, les gars. Vous pouvez en être certains. »

Ryder n'avait pas parlé autant depuis qu'il leur avait demandé de se délester de leurs armes, et cela provoqua l'effet désiré : un grand sourire éclaira le visage des frères Watermen, Jon Varley parvint à redresser les épaules et le jeune Smythe cessa même de vaciller.

Les derniers rayons du soleil plongeaient dans le lointain Atlantique tandis qu'une lune blême s'élevait derrière eux dans le ciel qui se tapissa bientôt de myriades d'étoiles. Il planait sur le désert un silence de sanctuaire, troublé seulement par le froissement du sable sous les semelles ou les sabots des chevaux ainsi que par le crissement du cuir des harnais. Ils avançaient d'un pas régulier. Leur état d'épuisement, dont H.A. avait bien conscience, ne lui faisait pas oublier les hordes qui les poursuivaient.

A minuit, il donna le signal de la première halte. La nature du désert avait légèrement changé. S'ils continuaient à s'enfoncer dans le sable jusqu'à la cheville, il leur arrivait de plus en plus fréquemment, dans des creux, de rencontrer des morceaux de cailloux. H.A. avait repéré quelques anciens points d'eau dans des cuvettes dont le sol durci avait été creusé par des élans du Cap et des antilopes à la recherche d'une nappe d'eau souterraine ; mais, en l'absence de traces humaines, H.A. supposa qu'elles étaient asséchées depuis des millénaires. Il se garda bien de faire part de sa découverte à ses compagnons, mais sa conviction ne fit que se renforcer : ils allaient bientôt trouver un puits.

Il accorda aux hommes une double ration d'eau, persuadé qu'avant le lever du jour, ils pourraient de nouveau remplir leurs gourdes et faire boire les chevaux. S'il ne le faisait pas, inutile de toute façon de les rationner car, dès le lendemain, leurs noms s'ajouteraient à la liste des victimes du désert. Ryder donna à son cheval la moitié de sa ration mais les autres burent la leur sans se soucier des bêtes de charge.

Un nuage égaré masqua la lune une demi-heure après qu'ils eurent repris leur marche et, une fois disparu, la soudaine clarté mit en évidence un détail qui attira le regard de Ryder. D'après sa boussole et la position des étoiles, il avait suivi une direction plein ouest ; brusquement, il tourna vers le nord, sans aucun commentaire de la part des hommes ; attiré par le sol qui craquelait sous ses pas, il dépassa ses compagnons, atteignit l'endroit qu'il recherchait et tomba à genoux.

Ce n'était qu'une infime ondulation du sol plat de la vallée, large d'à peine un mètre. Du regard il balaya le terrain, et eut un sourire crispé en découvrant des fragments de coquilles d'œuf ; l'une d'entre elles était même presque intacte, à l'exception d'une longue fêlure qui en sillonnait la surface bien lisse. L'œuf était gros comme son poing et un trou bien rond avait été percé dans le haut, puis fermé par un bouchon d'herbes sèches mélangées à de la gomme. Il s'agissait là d'une des possessions les plus précieuses des San car, sans ces œufs d'autruche, ils ne disposaient d'aucun moyen pour transporter l'eau.

H.A. sentait presque leurs fantômes le contempler du haut de la rive du cours d'eau disparu – minuscules petits points couronnés de roseaux et portant pour tout vêtement une ceinture de cuir brut bordée de poches où ranger leurs œufs d'autruche ainsi qu'un carquois pour les petites flèches empoisonnées qui leur servaient à chasser le gibier.

« Qu'avez-vous trouvé, H.A. ? » demanda Jon Varley en s'agenouillant dans la poussière auprès du guide. Ses cheveux jadis d'un brun étincelant pendaient mollement sur ses épaules, mais son regard de pirate continuait de briller dans ses yeux, les yeux d'un homme qui rêvait sans cesse de fortunes glanées sur un seul coup et prêt à risquer la mort pour voir ses fantasmes se réaliser.

« De l'eau, M. Varley. » Bien qu'il fût de vingt ans son aîné, H.A. s'efforçait toujours de s'adresser avec déférence à ses clients.

« Quoi ? Comment ça ? Je ne vois rien. »

Les frères Watermen étaient assis à l'écart, sur un rocher, Peter Smythe affalé à leurs pieds. Tim l'aida à s'adosser à la pierre ; sa tête dodelinait sur sa poitrine et son souffle était anormalement faible.

« L'eau sous la terre, comme je vous l'ai dit.

— Comment la trouve-t-on ?

— On creuse. »

Sans un mot de plus, les deux hommes se mirent à gratter la terre qu'un Bochiman avait péniblement entassée pour combler le précieux puits afin qu'il ne s'assèche pas. H.A. avait de grandes mains si calleuses qu'elles pouvaient lui servir de pelles et s'enfonçaient dans le sol friable sans se soucier des éclats de silex. Varley avait les mains d'un joueur, lisses et manucurées, mais il creusait avec autant d'ardeur – la soif qui le dévorait l'aidait à ignorer ses coupures et ses écorchures sanglantes.

Cinquante centimètres environ et toujours pas trace d'eau. Il leur fallut agrandir le trou car ils étaient beaucoup plus grands que les guerriers bochimans chargés de creuser ces puits. Ils avaient atteint une profondeur d'à peu près un mètre quand de la boue resta collée à la paume de Ryder. Il roula la poignée entre ses doigts et obtint une petite boule qu'il pressa; à la lueur des étoiles, il vit perler une minuscule goutte d'eau.

Varley poussa un cri de joie et H.A. esquissa même un de ses rares sourires.

Ils redoublèrent leurs efforts, projetant autour d'eux des poignées de boue. Ryder dut poser une main sur l'épaule de Varley quand il lui sembla qu'ils avaient creusé assez profondément.

Les autres, massés autour du puits, observaient dans un silence impatient le fond de l'excavation qui s'éclaircissait peu à peu grâce au reflet de la lune dans l'eau de la nappe souterraine qui suintait dans le trou. H.A. arracha un pan de sa chemise et, l'utilisant comme filtre, plongea sa gourde dans l'eau boueuse ; il mit plusieurs minutes à l'emplir à moitié ; quand il la retira de l'excavation, on entendit un clapotis qui arracha un gémissement à Peter.

« Voilà, jeune homme, dit Ryder en brandissant le bidon. » Peter tendit une main avide, mais Ryder refusa de lâcher prise. « Doucement, mon garçon. Buvez lentement. »

Mais Smythe n'entendit même pas le conseil de H.A. ; il avala goulûment une première gorgée qui lui déclencha une violente quinte de toux, et l'eau qu'il avait dans la bouche se perdit dans le sable du désert. Quand il eut repris son souffle, il se remit à boire, plus calmement, l'air penaud. Récupérer assez d'eau pour que les hommes aient leur content et puissent enfin faire leur premier repas depuis des jours demanda quatre heures.

« H.A. ! »

Tim Watermen s'était approché du bord de la rivière pour se soulager à l'écart. Sa silhouette se découpant sur le ciel de l'aube, il agitait son chapeau en tendant le bras vers le soleil levant.

Ryder tira sa longue-vue de sa sacoche, escalada la colline comme un possédé et bouscula Watermen ; ils s'écroulèrent tous deux dans la poussière. Ryder, sans laisser à Tim le temps de protester, lui plaqua une main sur la bouche et murmura :

« Ne criez pas. Le son porte loin dans le désert. »

Allongé sur le sol, H.A. déploya sa longue-vue et colla son œil à l'oculaire.

Regarde-les arriver, se dit-il. *Dieu qu'ils sont magnifiques.*

Ces cinq hommes avaient été réunis à cause de la haine farouche que Peter Smythe vouait à son père ; Lucas Smythe, un personnage redoutable, prétendait avoir eu une vision de l'archange Gabriel, lequel lui aurait dit de vendre tout ce qu'il possédait et de partir pour l'Afrique répandre la parole de Dieu parmi les sauvages. Sans s'être jamais montré particulièrement religieux avant cette vision, Smythe se plongea dès lors dans la Bible avec une frénésie telle que, quand il voulut s'inscrire à la Société missionnaire de Londres, on envisagea de refuser sa candidature au véritable fanatique qu'il était devenu. On finit cependant par l'accepter, ne fût-ce que pour se débarrasser de sa présence insistante. On l'envoya, avec sa femme peu enthousiaste et son fils, au Bechuanaland remplacer un missionnaire emporté par la malaria.

Loin des contraintes de la société, dans une petite mission au cœur du pays herero, Smythe devint un tyran religieux prêchant le culte d'un Dieu vengeur qui exigeait une totale abnégation et un châtiment sévère pour les transgressions les plus mineures. Il n'hésitait pas à frapper Peter à coups de canne si ce dernier avait marmonné les derniers mots d'une prière ou à le priver de dîner s'il n'avait pas pu réciter tel ou tel psaume comme son père le lui demandait.

Lorsque la famille arriva, le roi herero, Samuel Maharero, qui avait été baptisé quelques décennies auparavant, était en très mauvais termes avec les autorités coloniales et évitait soigneusement le ministre allemand envoyé sur son territoire par la Société rhénane des Missions. Lucas Smythe et sa famille profitèrent donc de la protection du roi, même si Maharero n'écoutait que d'une oreille peu convaincue les discours de Smythe évoquant à tout propos le soufre et les feux de l'enfer.

Le jeune Peter avait beau partager l'amitié des nombreux petits-enfants du roi, la vie dans le voisinage du kraal royal était plutôt ennuyeuse pour l'adolescent et, en outre, ponctuée de moments de terreur quand l'Esprit-Saint s'emparait de son père ; il n'avait qu'une envie, s'enfuir.

Il prépara donc son évasion, mettant dans la confidence Assa Maharero, un des petits-fils du roi et son meilleur ami. Lors des nombreuses conversations où ils envisageaient plan après plan, Peter Smythe fit une découverte qui allait changer sa vie.

Il se trouvait dans un *rondoval*, une hutte circulaire dans laquelle les Hereros engrangeaient le fourrage destiné à nourrir leurs milliers de têtes de bétail quand les champs étaient trop desséchés. Peter était venu des douzaines de fois dans cet endroit choisi par Assa et lui-même comme cachette et n'avait pourtant encore jamais remarqué qu'on avait pioché le sol le long du mur fait de boue et d'herbe mélangées ; on l'avait ensuite damé, mais son regard perçant avait repéré la différence.

En creusant avec ses mains il découvrit, sous une mince couche de terreau, une douzaine de grandes cruches en terre, grosses à peu près comme sa tête et fermées par une membrane de cuir tendue sur le dessus. Il en retira une et constata qu'elle était lourde et que quelque chose heurtait les parois.

Peter desserra avec précaution les coutures autour du bord et fit tomber une poignée de cailloux, apparemment quelconques. Il se mit soudain à trembler car, grâce à la faible lumière qui filtrait dans la hutte, il venait de réaliser qu'il tenait dans ses mains six diamants bruts – le plus petit de la taille de l'ongle de son pouce, et le plus grand deux fois plus gros.

A cet instant précis, Assa passa la tête sous la voûte de la porte et vit ce que son ami avait découvert. Terrifié, il se retourna aussitôt pour vérifier qu'il n'y avait pas d'adultes dans les parages : à l'autre extrémité de l'enclos, deux jeunes garçons surveillaient du bétail et une femme passait à une centaine de mètres de là, un ballot d'herbe juché sur sa tête. Il se précipita alors dans le *rondoval* et arracha la cruche des mains de Peter abasourdi.

« Qu'est-ce que tu as fait ? souffla Assa dans son anglais bizarrement teinté d'accent allemand.

— Rien, s'écria Peter d'un ton coupable. J'ai vu que quelque chose était enterré là et j'ai juste voulu voir ce que c'était, voilà tout. »

Assa tendit la main et Peter laissa tomber les pierres dans sa paume. Le jeune prince les fit passer sous le couvercle entrebâillé.

« Tu ne dois jamais sous peine de mort parler de cela à qui que ce soit.

— Ce sont des diamants, n'est-ce pas ?

— Oui, fit Assa en regardant son ami droit dans les yeux.

— Mais comment cela se fait-il ? Il n'y a pas de diamants ici. Ils sont tous dans la colonie du Cap, du côté de Kimberley. »

Assa s'assit en tailleur devant Peter, déchiré entre le serment qu'il avait prêté à son grand-père et la fierté de ce qu'avait accompli sa tribu. Mais il avait treize ans (trois ans de moins que Peter), et le plaisir juvénile de se vanter l'emporta sur sa promesse solennelle.

« Je vais t'expliquer, mais ne le répète jamais.

— Je le jure, Assa.

— Depuis qu'on a découvert des diamants, des hommes de la tribu herero sont partis travailler dans les mines de Kimberley. A la fin de leur contrat, qui durait un an, ils rentraient chez eux avec la paie que leur donnaient les mineurs blancs, mais avec autre chose aussi : des pierres qu'ils avaient volées.

— J'avais entendu raconter qu'ils ne quittaient pas la mine avant d'avoir été fouillés... sur tout le corps.

— Nos hommes s'entaillaient la peau pour glisser ensuite les pierres dans la plaie. Quand la blessure cicatrisait, il ne restait aucune trace. Rentrés chez eux, ils rouvraient la chair avec une sagaie et récupéraient les pierres pour en faire présent à mon arrière-grand-père, le chef Kamaharero qui les avait envoyés dans le sud, à Kimberley.

— Mais, Assa, certaines de ces pierres sont grosses : on aurait dû les remarquer.

— Il y a des guerriers hereros qui sont gros aussi, rétorqua Assa en riant puis, redevenant sérieux, il poursuivit son récit : Cela a duré des années, au moins vingt ans, et puis les mineurs blancs ont découvert la ruse des Hereros. Une centaine d'entre eux ont été arrêtés et même ceux qui n'avaient pas encore caché de pierres ont été reconnus coupables. On les a tous exécutés. Et, quand le moment sera venu, nous nous servirons de ces pierres pour nous débarrasser du joug du bureau colonial allemand, reprit-il les yeux brillants, et nous vivrons de nouveau en hommes libres. Maintenant, Peter, jure-moi encore une fois que tu ne révéleras à personne que tu as découvert le trésor. »

Peter regarda bien en face son jeune ami et déclara : « Je le jure. »

Il respecta son serment moins d'un an : âgé d'à peine dix-sept ans, il quitta la petite mission située au centre de l'enceinte royale, sans dire à personne qu'il partait, pas même à sa mère – non sans remords d'ailleurs car elle devrait supporter seule dorénavant les vertueuses tirades de Lucas Smythe.ine dix-sept ans, il quitta la petite mission située au centre de l'encein

Peter s'était toujours senti l'étoffe d'un survivant. Assa et lui avaient souvent campé dans le veldt, pourtant, lorsqu'il arriva à un comptoir distant de quatre-vingts kilomètres de la mission, il était presque mort de soif et d'épuisement. Il dépensa là les quelques pièces qu'il avait gardées du cadeau d'anniversaire de sa mère. Son père ne lui donnait jamais rien, estimant que la seule naissance que devait célébrer la famille était celle de Jésus-Christ.

Son modeste pécule lui permit tout juste de payer le convoyeur qui l'emmena jusqu'à Kimberley sur un chariot attelé de vingt bœufs retournant vers le sud avec un chargement d'ivoire et de viande salée. Le convoyeur était un homme d'un certain âge coiffé d'un grand chapeau blanc et arborant des favoris extrêmement fournis. H.A. Ryder était flanqué de deux frères à qui le bureau colonial du Cap avait promis de verts pâturages – malencontreusement, ils étaient déjà occupés par les Matabélés ; aussi, n'ayant aucune envie d'affronter une armée, avaient-ils choisi de regagner le sud. Jon Varley, un homme maigre au profil aquilin, complétait ce petit groupe.

Peter, durant les semaines de leur lente progression vers le Cap, ne parvint pas à comprendre ce que faisait Varley ni ce qui l'avait amené si loin de la colonie du Cap ; il savait seulement qu'il ne lui accordait pas la moindre confiance.

Un soir, au camp, après le franchissement périlleux d'une rivière où Peter avait sauvé la vie d'un des bœufs de Ryder en sautant sur le dos de l'animal et en le montant comme un cheval jusqu'à la rive, Varley exhiba une réserve de liqueur qu'il avait cachée – un cognac du Cap qui brûlait comme de l'alcool pur ; tous le dégustèrent cependant autour du feu en savourant un plat de pintades abattues à la carabine par Tom Watermen ; ils en vidèrent deux bouteilles entières.

Peter n'avait jamais goûté d'alcool et, contrairement aux autres, le cognac lui monta à la tête dès les premières gorgées.

On se mit, bien entendu, à parler prospection puisque être à l'affût d'une trouvaille constituait une seconde nature pour tous ceux qui se trouvaient dans le bush : chaque jour, semblait-il, quelqu'un découvrait un nouveau gisement de diamants, une nouvelle mine d'or ou de charbon qui faisait aussitôt de lui un millionnaire.

Peter savait qu'il aurait dû se taire – il en avait fait la promesse à Assa – mais il voulait être admis par ces rustres qui parlaient d'un air entendu de choses dont lui-même ignorait tout. Ils avaient roulé leur bosse, surtout Varley et H.A., et Peter tenait absolument à gagner leur respect. Alors, d'une voix que le cognac rendait pâteuse, il leur parla de la douzaine de cruches pleines de diamants bruts dans le kraal du roi Maharero.

« Comment sais-tu ça, mon petit ? avait sifflé Varley. Parce que ton père est prédicateur en Hereroland. Je te reconnais maintenant. J'ai rencontré ton paternel il y a deux ans quand je suis allé voir le roi pour une histoire de concessions de chasse sur sa terre. Il vit chez les Hereros depuis quoi, six ans maintenant ?

— Presque sept, corrigea fièrement Peter. Ils me connaissent et me font confiance. »

Et, moins d'un quart d'heure plus tard, ils discutaient de la possibilité de voler les cruches. Peter ne donna son accord au projet qu'après avoir obtenu des autres la promesse que chacun se contenterait d'une jarre pour en laisser sept aux Hereros ; sinon, il ne leur révélerait pas leur emplacement.

Dans un comptoir à quelque cent cinquante kilomètres plus au sud, H.A. Ryder vendit son chariot ainsi que son précieux chargement pour la moitié de la somme que l'ivoire lui aurait rapportée à Kimberley et acheta ensuite de bons chevaux et l'équipement nécessaire à chacun. Il avait déjà décidé de la route qu'ils emprunteraient pour sortir du territoire des Hereros, la seule qui leur permettrait de s'échapper une fois le vol découvert. Le comptoir se trouvait au terminus d'une ligne télégraphique récemment posée. Les hommes attendirent trois jours que Ryder eût pris des arrangements avec un négociant qu'il connaissait au Cap. H.A. accepta sans sourciller la somme astronomique qu'on lui réclamait pour ce qu'il avait commandé, en se disant que s'il ne devenait pas millionnaire – et donc capable de payer sa dette – il serait un cadavre gisant sous le soleil brûlant du Kalahari.

Impossible de s'introduire dans le kraal sans que leur présence soit aussitôt signalée, mais H.A. était connu du roi et le père de Peter avait sûrement hâte de voir revenir son fils, même si ce dernier s'attendait plus à recevoir une vigoureuse correction qu'à être fêté comme l'enfant prodigue de retour au bercail.

Samuel Maharero en personne accueillit les cavaliers lorsqu'ils arrivèrent enfin au kraal – le trajet depuis la frontière avait duré une semaine. H.A. bavarda une heure durant avec le roi, dans sa langue, lui donnant des nouvelles du monde extérieur puisque, sur ordre du bureau colonial allemand, ce dernier était en exil. Puis le roi expliqua, au grand soulagement de Peter, que ses parents venaient de partir pour le bush où son père devait baptiser des femmes et des enfants et qu'ils ne reviendraient pas avant le lendemain.

Le chef les autorisa à passer la nuit dans le kraal mais refusa à H.A. la permission de chasser sur les terres hereros comme il l'avait fait quatre ans plus tôt.

« On peut toujours tenter sa chance, Votre Altesse.

— L'obstination est un défaut de l'homme blanc. »

Cette nuit-là, ils s'étaient glissés dans le *rondoval.* La hutte était bourrée de fourrage et ils avaient dû fouiner comme des souris pour atteindre l'endroit où étaient cachés les diamants. Quand John Varley déterra une seconde jarre et en vida le contenu dans une sacoche, Peter Smythe comprit qu'on l'avait dupé. Les Watermen, à leur tour, versèrent dans leurs sacs le contenu de plusieurs cruches. Seul H.A. respecta sa promesse et se contenta d'une seule cruche.

« Si vous ne les prenez pas, je vais me servir, souffla Varley dans l'obscurité.

— Comme vous voudrez, répondit Ryder. Mais moi, je suis un homme de parole. »

De toute façon, ils ne disposaient pas d'assez de sacs pour toutes les pierres et, après avoir bourré leurs poches et tout ce qu'ils purent trouver, ils laissèrent quatre grandes jarres intactes. H.A. referma la cachette et s'employa à effacer au mieux toute trace de leur vol. Au lever du jour, ils quittèrent le campement en remerciant le roi de son hospitalité. Maharero demanda à Peter s'il avait un message pour sa mère : tout ce qu'il put dire, ce fut qu'il était navré.

*

Allongé sur la crête de la dune au-dessus du point d'eau, H.A. prit le temps d'observer un moment les hommes du roi.

Quand ceux-là s'étaient lancés à la poursuite des voleurs, ils formaient un *impi* complet, soit une véritable armée d'un millier de guerriers. Mais, ils avaient parcouru quelque huit cents kilomètres, et la traversée du désert avait éclairci leurs rangs. H.A. estimait qu'ils n'étaient plus qu'une centaine, les plus robustes, qui, malgré la faim et la soif qui les rongeaient eux aussi, continuaient d'avancer. Le soleil était assez haut maintenant pour faire étinceler les lames affûtées de leurs sagaies, ces longs javelots qu'ils utilisaient pour faire plier ceux qui se dressaient sur leur route.

H.A. avertit Tim Watermen d'une tape sur la jambe, et ils se laissèrent glisser ensemble jusqu'au creux où les autres s'étaient rassemblés. Les chevaux avaient senti le brusque changement d'humeur : ils frappaient le sol du sabot et leurs oreilles frémissaient comme s'ils avaient perçu l'approche du danger.

« En selle, les gars, ordonna Ryder en prenant les rênes que lui tendait Peter Smythe.

— On remonte ? demanda-t-il. Pendant la journée ?

— Mais oui, mon garçon. Sinon les guerriers Maharero accrocheront tes tripes en guise de guirlande à sa hutte. Allons-y. Nous n'avons même pas deux kilomètres d'avance sur eux et je ne sais pas combien de temps les chevaux seront capables de supporter la chaleur. »

Ryder savait que, s'ils n'avaient pas trouvé d'eau la veille au soir, les Hereros se seraient abattus sur eux comme une meute de chiens sauvages. Mais, quand il se remit en selle, une seule de ses gourdes était encore pleine. Ils sortirent ensemble du fond de l'oued puis reprirent leur file indienne ; dès qu'ils eurent abandonné l'ombre de la petite vallée, le soleil se remit à brûler les nuques et les dos.

H.A. leur imposa quelque temps un trot régulier qui leur fit regagner plusieurs kilomètres sur les Hereros. Le soleil impitoyable cuisait la terre et la sueur qui ruisselait de leurs pores séchait aussitôt. H.A., malgré la protection des larges bords de son grand chapeau, était contraint d'avancer en plissant les yeux pour atténuer la lumière aveuglante qui se reflétait sur les dunes.

Il était déjà difficile de se reposer à l'ombre d'un parasol lorsque le Kalahari se transformait en four, mais tenter de traverser cette immensité désertique alors que le soleil brûlait de tout son éclat devenait la pire épreuve qu'ait jamais connue H.A. Entre la chaleur insoutenable et la violence de la lumière, son crâne lui semblait en ébullition. Et boire une brève gorgée d'eau ne faisait que lui ébouillanter la gorge et lui rappeler la soif qui le dévorait.

Ryder perdait la notion du temps et devait se concentrer pour penser à vérifier sur la boussole qu'ils se dirigeaient bien vers l'ouest. Les repères étaient si rares qu'il naviguait au jugé ; ils continuaient cependant car il n'existait pas d'alternative.

Le vent, tout comme le soleil, ne les lâchait pas. H.A. estimait qu'ils se trouvaient à environ trente kilomètres de l'Atlantique Sud et s'attendait d'ailleurs à recevoir la brise de l'océan en plein visage ; or le vent continuait à les pousser dans le dos. Ryder se prit à douter – pourvu que sa boussole fonctionne et que l'aiguille indiquant l'ouest ne les entraîne pas plus loin au cœur du désert brûlant – et ne cessait de consulter sa boussole ; par bonheur ses compagnons, qui s'étiraient sur une longue file, ne pouvaient pas voir la consternation qui se lisait sur son visage.

Le vent forcissait ; quand Ryder se retournait vers les autres, il constatait que le sommet des dunes s'effilochait. De longs panaches de sable étaient projetés d'une crête à l'autre, des grains de sable lui piquaient la peau et le faisaient larmoyer. Il n'aimait pas cela. Ils allaient bien dans la bonne direction, mais pas le vent. S'ils étaient pris dans une tempête de sable sans aucun moyen pour se protéger, ils n'avaient guère de chances de survivre.

Aussi envisagea-t-il de faire halte pour dresser un abri, en tenant compte des menaces de tempête, de la proximité possible de la côte ainsi que de la présence de guerriers résolus à les tuer jusqu'au dernier. Encore une heure et le soleil se coucherait. Il tourna le dos au vent et poussa son cheval qui, même si son pas était moins vif, progressait plus rapidement qu'un homme à pied.

Arrivé au sommet d'une dune, H.A. découvrit avec stupéfaction qu'il n'y en avait pas d'autre : à ses pieds les eaux grises de l'Atlantique Sud, des vagues se brisant sur une plage immense et lui apportant pour la première fois une bouffée iodée.

Il mit pied à terre, les jambes et le dos endoloris par cette longue chevauchée. N'ayant pas la force de pousser un cri de joie, il resta là silencieux, l'ombre d'un sourire retroussant ses lèvres tandis que le soleil plongeait dans les eaux froides et sombres.

« Qu'y a-t-il, H.A. ? Pourquoi vous arrêtez-vous ? » lui cria Tim Watermen qui, encore à une vingtaine de mètres, abordait la dernière dune.

Ryder se retourna et vit que le frère de Tim approchait suivi de près par le jeune Smythe cramponné au dos de sa monture ; on n'apercevait pas encore Jon Varley.

« On est arrivés. »

Il n'avait pas à en dire plus. Tim éperonna sa monture pour parvenir au sommet de la dune et, en découvrant l'océan, poussa un cri de triomphe. Il descendit de sa selle et vint serrer l'épaule de H.A.

« Pas une seconde je n'ai douté que vous réussiriez, M. Ryder. Pas une seule seconde.

— Vous auriez dû, s'esclaffa H.A. Je peux vous assurer que moi, j'en ai douté. »

Quelques minutes plus tard, ils étaient tous rassemblés. Varley semblait le plus mal en point, et H.A. le soupçonna d'avoir bu dans la matinée le plus clair de sa ration d'eau.

« Alors, ricana Varley dans les rafales de vent, on est arrivés à l'océan ! Et après ? Cette bande de sauvages est toujours à nos trousses et de plus, au cas où vous ne le sauriez pas, on ne peut pas boire ça », ajouta-t-il en désignant l'Atlantique d'un doigt tremblant.

H.A. ne releva pas ; il tira sa grosse montre de sa poche et en inclina le cadran vers le soleil couchant pour voir l'heure.

« A moins de deux kilomètres en remontant la plage, il y a une colline. Il faut qu'on y soit dans une heure.

— Pourquoi une heure ? demanda Peter.

— Nous verrons si je suis le brillant navigateur que vous espérez tous. »

Cette dune, la plus élevée, culminait à une soixantaine de mètres ; sur sa crête, un vent violent obligeait les chevaux à zigzaguer. L'air était chargé de poussières qui s'épaississaient de plus en plus. Ryder ordonna aux frères Watermen et à Jon Varley de surveiller la plage vers le nord, tandis que Peter et lui regardaient vers le sud.

A sept heures à la montre de H.A., le soleil était déjà couché. *Ils auraient déjà dû envoyer le signal.* Son estomac se serra : c'était sans doute trop demander que d'atteindre un point précis de la côte après avoir traversé des centaines de kilomètres d'étendue désertique. Ils pouvaient très bien avoir raté de cent ou deux cents kilomètres le lieu du rendez-vous.

« Là ! » cria Peter en tendant le bras.

H.A. scruta les ténèbres. Une minuscule boule rouge incandescente brillait un peu plus bas tout près du rivage. Elle resta visible une seconde puis disparut.

Quand on se tient au niveau de la mer on peut voir un objet à environ cinq kilomètres avant que la courbure de la terre n'arrête le regard. En escaladant le tertre, H.A. avait étendu leur champ de vision à près de trente kilomètres aussi bien vers le nord que vers le sud. Compte tenu de l'altitude atteinte par la fusée, il estima que le lieu de rendez-vous devait se situer à une trentaine de kilomètres plus bas sur la côte. Il les avait donc bel et bien amenés en vue de leur point de ralliement, et ce après leur avoir fait traverser le désert : il avait accompli là un exploit remarquable.

Malgré quelque quarante-huit heures de torture, sans dormir, la perspective d'arriver presque au bout de leurs épreuves avec un véritable trésor en récompense soutint les hommes durant ces derniers kilomètres. Les falaises protégaient la vaste plage de la tempête de sable qui prenait de l'ampleur, mais la poussière tombait comme un nuage sur la crête des vagues qui semblaient alourdies par les tonnes de sable qui s'abattaient sur elles.

A minuit, ils distinguèrent les feux d'un petit navire mouillé à une centaine de mètres du rivage : un cargo au charbon d'une soixantaine de mètres de long avec une coque en acier. Ses superstructures, dominées par une haute cheminée, étaient regroupées sur l'arrière ; à l'avant, quatre panneaux d'écoutille donnant accès aux cales et desservis par quatre petits mâts de charge. Le sable giflait le cargo, et H.A. ne pouvait pas savoir si les chaudières étaient encore sous pression : la tempête masquait la lune, empêchant de distinguer si de la fumée sortait de la cheminée.

Lorsqu'ils arrivèrent à la hauteur du navire, H.A. tira de sa sacoche une petite fusée de détresse, le seul objet – à l'exception des pierres – qu'il avait refusé d'abandonner. Il l'alluma et la brandit à bout de bras, en criant à pleins poumons pour tenter de dominer le vacarme de la tempête. Ses compagnons l'imitèrent aussitôt, sachant que dans quelques minutes ils seraient en sûreté.

Un projecteur monté sur la passerelle volante s'alluma ; son faisceau, jaillissant des tourbillons de sable, se posa sur le petit groupe et révéla les hommes dansant dans la lumière et les chevaux qui reculaient, effrayés. On mit aussitôt un doris à la mer qui, grâce à deux matelots souquant vigoureusement, atteignit bientôt la plage. Un troisième personnage était assis à l'arrière de l'embarcation. Les rescapés se précipitèrent dans l'eau pour accueillir le canot dont la quille glissait sur le sable.

« C'est toi, H.A. ? lança une voix.

— Et comment, Charlie ! »

Charles Turnbaugh, second du HMS *Rove*, sauta du doris et s'avança, de l'eau jusqu'aux genoux.

« C'est l'histoire la plus incroyable que j'aie jamais entendue ! Tu as vraiment fait ça ? »

H.A. saisit une de ses sacoches et la secoua, mais le vent, trop fort, empêcha d'entendre les pierres bringuebaler à l'intérieur.

« Disons seulement que tu as eu raison de faire le déplacement. Depuis combien de temps nous attends-tu ?

— Depuis cinq jours, et nous avons lancé une fusée chaque soir à sept heures, comme tu l'avais demandé.

— Vérifie donc le chronomètre de ton bateau, il retarde d'une minute. Mais, écoute, Charlie, reprit-il au lieu de faire les présentations, une centaine de clowns hereros nous courent après, alors plus tôt nous quitterons la plage et franchirons l'horizon, mieux ça vaudra. »

Turnbaugh dirigea les hommes épuisés vers le canot.

« On peut quitter la plage, mais pour l'horizon, il va falloir attendre un moment.

— Que se passe-t-il ? interrogea Ryder en le prenant par le bras.

— Nous nous sommes échoués avec la marée descendante : les hauts fonds et les bancs de sable n'arrêtent pas de bouger sur cette côte. Mais ne t'inquiète pas : avec la prochaine marée, nous nous retrouverons à flot.

— Oh, fit Ryder avant de monter à bord du doris, juste une chose. As-tu un pistolet ?

— Hein ? Pourquoi ? »

H.A. tourna la tête en direction des chevaux, de plus en plus terrifiés à mesure que la tempête forcissait.

« Je crois que le capitaine a un vieux Webley, dit Turnbaugh.

— J'aimerais que tu ailles me le chercher.

— Ce ne sont que des chevaux, marmonna Varley, bien installé dans le canot.

— Qui méritent mieux que de mourir sur cette plage perdue après ce qu'ils ont fait pour nous.

— Je te l'apporte », coupa Charlie.

H.A. aida à pousser à l'eau la petite embarcation et attendit avec les chevaux, en leur parlant doucement tout en leur caressant la tête et l'encolure. Turnbaugh revint un quart d'heure plus tard et, sans un mot, lui tendit l'arme. Au bout d'une minute, H.A. embarqua dans le doris et resta immobile tandis que les marins ramaient vers le cargo.

Il retrouva ses compagnons dans le carré : ils engloutissaient des assiettes de nourriture et buvaient de l'eau à s'en donner la nausée. H.A. ne but que quelques gorgées pour laisser son corps se réhydrater peu à peu. Le capitaine James Kirby accompagné de Charlie et de l'officier mécanicien entra juste au moment où H.A. mastiquait sa première bouchée d'un reste de ragoût.

« H.A. Ryder, tu es vraiment increvable », lança d'une voix tonnante le capitaine, un gaillard aux cheveux bruns et drus dont la barbe couvrait la moitié de sa poitrine. Si un autre que toi m'avait proposé une chose pareille, je lui aurais dit d'aller se faire voir. »

Les deux hommes échangèrent une cordiale poignée de mains.

« Au prix que tu me demandes, je savais que tu aurais attendu jusqu'à la Saint-Glinglin.

— A propos », fit Kirby en haussant ses sourcils broussailleux.

Ryder laissa tomber sa sacoche sur le plancher et en desserra d'un geste théâtral les courroies pour faire durer le plaisir. Il ouvrit enfin le rabat, fouilla à l'intérieur à la recherche d'une pierre qui lui parût d'une taille convenable, puis la posa sur la table. Il y eut un frémissement général. Le carré n'était éclairé que par deux lanternes accrochées au plafond, mais elles suffirent à faire étinceler le diamant de tout son éclat.

« Voilà qui devrait te payer de tes ennuis, déclara H.A., impassible.

— Et qui me laissera un peu de monnaie », murmura Kirby en touchant la pierre pour la première fois.

A six heures le lendemain matin, une main calleuse secoua H.A. ; il essaya de l'ignorer et se retourna sur l'étroite couchette qu'il occupait quand Charlie Turnbaugh était de quart.

« Bon sang, H.A ! Debout !

— Qu'est-ce qu'il y a ?

— On a un problème. »

Le ton grave de Turnbaugh tira aussitôt Ryder de son sommeil. Il se leva d'un bond et chercha ses vêtements. Un nuage de poussière s'éleva quand il enfila son pantalon et sa chemise.

« Que se passe-t-il ?

— Il faut le voir pour y croire. »

Ryder sentit que la tempête soufflait plus fort que jamais. Le vent hurlait autour du navire comme une bête cherchant à le saisir dans ses serres, et des rafales plus violentes faisaient par moments frémir la coque tout entière. Une lumière grisâtre filtrait par la vitre mais on distinguait à peine l'avant du *Rove*, pourtant à moins de cinquante mètres. H.A. comprit aussitôt le problème : l'ouragan avait déversé sur le pont du cargo une quantité de sable telle que, malgré la marée montante, son poids plaquait le bateau au fond. En outre, la distance entre eux et le rivage – d'une centaine de mètres récemment encore – avait maintenant diminué de moitié.

C'était l'éternel combat qui opposait le Kalahari et l'Atlantique, une lutte entre l'érosion due aux vagues et le formidable volume de sable que les eaux écumantes engloutissaient. La bataille se poursuivait depuis l'aube des temps, remodelant sans cesse le tracé de la côte. Sans guère se soucier du vaisseau pris dans ce tourbillon.

« J'ai besoin de tout le monde pour déblayer, dit Kirby. A la tombée de la nuit, si la tempête ne se calme pas, le bateau sera bloqué. »

Turnbaugh et Ryder secouèrent chacun leurs hommes et, à l'aide des pelles à charbon de la salle des machines, des casseroles de la cambuse et même du tub de la salle d'eau du capitaine, ils foncèrent dans l'ouragan. Des foulards protégeant leur visage, par un vent si fort qu'ils ne pouvaient pas échanger un mot, ils poussèrent à l'eau des montagnes de sable, maudissant la tempête car chaque pelletée qu'ils précipitaient par-dessus bord semblait leur revenir au visage.

Autant essayer de retenir la marée : ils parvinrent à dégager un panneau d'écoutille pour constater que la quantité de sable avait doublé sur les trois autres. Cinq aventuriers et la majeure partie d'un équipage de vingt hommes ne pouvaient pas grand-chose face à un ouragan qui avait balayé des milliers de kilomètres carrés de terre desséchée. La visibilité était pratiquement nulle, les hommes peinaient, à l'aveuglette, les yeux fermés pour éviter les rafales qui les assaillaient de tous côtés.

Au bout d'une heure d'efforts épuisants, H.A. s'approcha de Charlie.

« Ça ne sert à rien. Il faut attendre et espérer que la tempête se calmera, répéta-t-il à trois reprises dans l'oreille de Turnbaugh.

— Tu as raison », reconnut Charlie.

Ils rappelèrent leurs hommes qui regagnèrent en trébuchant les superstructures, laissant à chaque pas des cascades de sable.

Même dans l'escalier, on avait du mal à s'entendre.

« Doux Jésus, faites que cela finisse, murmurait Peter, au bord des larmes.

— Tout le monde est là ? demanda Charlie.

— Je crois que oui, fit H.A. affalé contre une cloison. Tu as fait l'appel ? »

Turnbaugh comptait ses gens quand on entendit un coup frappé contre l'écoutille.

« Bon Dieu, cria une voix, il y a encore quelqu'un dehors. »

Varley, le plus proche du panneau, fit glisser les loquets. Le vent ouvrit aussitôt la porte et une rafale s'engouffra à l'intérieur, décapant la peinture des cloisons sur son passage. Personne, peut-être un bout de ferraille qui avait heurté l'écoutille.

Varley se précipita pour refermer le panneau ; il y était presque parvenu quand une lame d'acier étincelante émergea de son dos. Du sang coulait de la plaie et se mit, quand on retira le fer de la blessure, à arroser les hommes abasourdis. Jon s'effondra sur le pont, des gémissements étouffés sortant de ses lèvres tandis que sa chemise se teintait de cramoisi. Une silhouette sombre portant pour tout vêtement des plumes piquées sur un pagne enjamba le corps de Varley, une sagaie à la main. Derrière lui, d'autres formes s'apprêtaient à donner l'assaut, leurs cris de guerre rivalisant même avec la violence de la tempête.

« Des Hereros », murmura H.A., résigné devant la horde de guerriers déferlant à l'intérieur du cargo.

La tempête, un de ces phénomènes naturels qu'on observe une fois par siècle, fit rage une semaine entière et bouleversa à jamais la côté du sud-ouest de l'Afrique. Des dunes altières avaient été nivelées alors que d'autres avaient atteint des hauteurs nouvelles. Des baies profondes avaient laissé la place à de longues péninsules de sable qui s'enfonçaient dans les eaux froides de l'Atlantique Sud. En certains endroits, le continent avait gagné quelque huit kilomètres, quinze ailleurs : le Kalahari avait remporté une victoire sur son vieil ennemi. Celui qui s'intéresserait au tracé de ces rivages perdus devrait commencer par redessiner de vastes portions de la carte du littoral, mais les marins, eux, en savaient assez pour se tenir à l'écart de cette côte traîtresse.

Le rapport officiel signalait le *Rove* comme perdu corps et biens en mer. Et il n'était pas loin de la vérité, à cela près que l'épave gisait non pas sous des centaines de mètres d'eau, mais à l'intérieur des terres sous un tas de sable blanc pur qu'une douzaine de kilomètres séparait de l'endroit où les eaux glacées du courant de Benguela viennent marteler la Côte des Squelettes en Namibie.

2

Laboratoires Merrick-Singer
Genève, Suisse
De nos jours

L'ŒIL RIVÉ SUR L'OCULAIRE DE son microscope, Susan Donleavy observait ce qui se déroulait sur la plaque de verre tel un dieu de la mythologie s'amusant au spectacle que lui offraient les mortels. Et il s'agissait bien de cela puisque, sur la plaque, s'animait sa création, un organisme de sa fabrication auquel elle avait insufflé la vie tout comme les dieux avaient pétri l'homme dans l'argile.

Elle resta immobile près d'une heure, fascinée par ce qu'elle regardait, stupéfaite de constater des résultats aussi positifs dès les premiers stades de ses travaux. Au mépris de tout principe scientifique mais se fiant à son instinct, Susan Donleavy ôta la plaque du microscope, la posa sur la paillasse à côté d'elle puis se dirigea vers un rafraîchisseur industriel installé contre une cloison à l'autre bout de la pièce pour y puiser quelques litres d'une eau maintenue à exactement vingt degrés Celsius.

L'eau était stockée là depuis moins d'une journée, pompée dans le laboratoire dès qu'elle avait été recueillie. La nécessité de conserver des échantillons d'eau fraîche constituait l'une des dépenses principales de ses expériences – une procédure presque aussi coûteuse que la mise en séquence des gènes de ses sujets.

Elle ouvrit le récipient et respira le parfum un peu âcre de l'eau de l'océan. Elle plongea un compte-gouttes dans le liquide pour en aspirer une petite quantité qu'elle transféra ensuite sur une plaque de verre. Quand elle l'eut soigneusement centrée sous le microscope, elle scruta le royaume de l'infiniment petit. L'échantillon grouillait de vie : ces quelques millimètres cubes d'eau recélaient des centaines de zooplanctons et de diatomées, des créatures unicellulaires qui formaient le premier maillon de la chaîne alimentaire de l'océan tout entier.

Les animaux et les plantes microscopiques étaient semblables à ceux qu'elle venait d'étudier, mais ceux-là n'avaient pas été génétiquement modifiés.

Une fois certaine que l'échantillon d'eau n'avait pas été dégradé dans le transport, elle en versa une petite quantité dans un flacon en verre. En le tenant au-dessus de sa tête, elle réussissait à distinguer, grâce à la lumière des rampes fluorescentes du plafond, certaines des plus grosses diatomées. Susan était si absorbée par son travail qu'elle n'entendit pas la porte du labo s'ouvrir ; de toute façon, étant donné l'heure tardive, elle ne s'attendait pas à être dérangée.

« Qu'est-ce que vous avez là ? »

De surprise, elle faillit faire tomber son vase.

« Dr Merrick ! Je ne savais pas que vous étiez ici !

— Je vous l'ai déjà dit, appelez-moi Geoff. »

Susan fronça les sourcils : Geoffrey Merrick n'était pas un mauvais type certes, mais elle n'appréciait guère son affabilité exagérée, sa façon de considérer que ses milliards ne devaient en rien affecter le comportement des gens à son égard, notamment celui des collaborateurs de Merrick-Singer qui en étaient encore à préparer leur doctorat. A cinquante et un ans, il entretenait sa forme en skiant à longueur d'année, allant chercher la neige en Amérique du Sud quand l'été arrivait sur les Alpes suisses ; il mettait une certaine vanité à préserver son physique ; un lifting lui avait cependant un peu trop tendu la peau du visage. Détenteur d'un doctorat de chimie, Merrick avait néanmoins abandonné depuis longtemps les travaux de laboratoire, et préférait consacrer son temps à surveiller la société de recherche qui portait son nom et celui de son ex-associé.

« S'agit-il du produit floconneux que votre directeur de thèse m'a montré il y a quelques mois ? demanda Merrick en prenant le flacon des mains de Susan pour l'examiner.

— Oui, docteur, enfin Geoff, répondit Susan, incapable de mentir pour se débarrasser de lui.

— L'idée m'avait paru intéressante, même si je n'ai pas la moindre idée de son utilité éventuelle, déclara Merrick. Mais je pense que c'est ce que nous faisons tous ici : poursuivre les idées qui nous passent par la tête pour voir où elles nous entraîneront. Comment se présente le projet ?

— Pas mal, je pense », dit Susan, un peu inquiète car Merrick, malgré son amabilité, l'intimidait. En fait la plupart des gens l'intimidaient, depuis le directeur du laboratoire jusqu'aux vieilles dames à qui elle louait son appartement et au patron de l'établissement où elle prenait son café matinal. « Je m'apprêtais à tenter une expérience pas très scientifique.

— Bien, observons-la ensemble. Allez-y, je vous en prie. »

Susan, sentant que ses mains commençaient à trembler, posa le flacon sur une étagère. Elle reprit ensuite la première plaque de verre, celle sur laquelle était étalé le phytoplancton qu'elle avait manipulé et, avec une pipette propre, en préleva un échantillon qu'elle injecta dans le flacon.

« Je ne me souviens pas des détails de votre travail, dit Merrick qui regardait par-dessus son épaule. Que devrions-nous voir ? »

Susan s'écarta légèrement pour dissimuler que sa présence la mettait mal à l'aise.

« Nous savons que la paroi de la cellule des diatomées et de ce phytoplancton est en silice. Ce que j'ai fait, enfin ce que j'essaie de faire, c'est de trouver le moyen de faire fondre cette paroi et d'augmenter la densité du fluide à l'intérieur de la vacuole. Mes échantillons manipulés devraient attaquer les diatomées intactes dans l'eau pour déclencher une frénésie de reproduction et, si tout se passe bien... »

Elle s'interrompit pour enfiler un gant isolant avant de reprendre le flacon. Elle l'inclina et l'eau, au lieu de se répandre aussitôt, glissa sur le verre, aussi visqueuse que de l'huile. Elle redressa alors le flacon : pas une seule goutte n'avait coulé sur la paillasse.

Merrick applaudit, ravi comme un enfant par le tour de prestidigitation qu'elle venait d'accomplir devant lui.

« Vous avez rendu l'eau comme gluante.

— Un peu, je crois. En fait, les diatomées se sont regroupées de façon à retenir l'eau dans une matrice de leur fluide. L'eau est toujours là, elle est juste en suspension.

— Ça alors ! Bien joué, Susan, vraiment bien joué !

— Ce n'est pas une réussite totale, rectifia Donleavy. La réaction est exothermique : elle produit de la chaleur. Une température d'environ soixante degrés Celsius dans de bonnes conditions. Voilà pourquoi j'ai besoin de ce gant épais. Le gel ne se dissout qu'au bout de vingt-quatre heures, quand les diatomées manipulées meurent. Je n'arrive pas à comprendre comment se produit cette réaction. Je sais qu'il s'agit manifestement d'un phénomène chimique, mais je ne sais pas comment l'arrêter.

— Je persiste à penser que c'était un début prometteur. Dites-moi, vous avez sûrement une idée de ce que nous pourrions faire avec cette invention : chercher à transformer de l'eau en substance visqueuse ne vous est pas venu comme ça. Comme le Dr Singer et moi lorsque nous avons commencé à travailler sur des procédés organiques destinés à recueillir le soufre : nous pensions en effet à d'éventuelles applications dans la réduction des émissions des centrales thermiques. Il y a certainement quelque chose derrière votre projet. »

Susan tressaillit; elle aurait pourtant dû se douter que Geoffrey Merrick voulait en venir quelque part.

« Vous avez raison, reconnut-elle. Je pensais à la possibilité d'installer des bassins avec des plantes susceptibles de purifier l'eau, et peut-être même capables d'empêcher les nappes de pétrole de polluer la mer.

— C'est exact. Je me souviens de votre dossier personnel : vous êtes originaire d'Alaska.

— Oui, de Seward en Alaska.

— Vous aviez environ dix ans quand l'*Exxon Valdez* a heurté un récif et déversé tout son pétrole dans la baie du Prince-Guillaume. Un choc certainement pour vous et votre famille, une rude épreuve.

— Pas vraiment, fit Susan en haussant les épaules. Mes parents tenaient un petit hôtel et, grâce à la présence des équipes de nettoyage, ils ne s'en sont pas mal tirés. Mais j'avais beaucoup d'amis dont les parents ont tout perdu. Ceux de ma meilleure amie ont même divorcé parce que son père a perdu son travail à la conserverie.

— Ces recherches présentent donc pour vous un intérêt personnel.

— Comme pour tous ceux qui se soucient de l'environnement, répliqua Susan hérissée par son ton condescendant.

— Comprenez ce que je veux dire, répondit-il en souriant. Vous ressemblez au chercheur qui travaille sur le cancer et dont un parent est mort de leucémie, ou au garçon qui devient pompier parce que sa maison a brûlé quand il était enfant. Vous luttez contre un démon qui a marqué votre enfance. La motivation par la vengeance n'est pas répréhensible, Susan. Qu'il s'agisse de se venger du cancer, du feu ou d'un cauchemar écologique. Cela vous concentre sur votre travail mieux qu'un simple salaire. Je vous applaudis et, à en juger par ce que j'ai vu ce soir, je crois que vous êtes sur la bonne voie.

— Merci, murmura timidement Susan, mais je suis encore loin du but, il me faudra des années peut-être. Il y a une différence entre réussir une petite expérience dans un tube à essai et arrêter une marée noire.

— Poussez vos idées jusqu'au bout, voilà tout ce que je peux dire. Allez là elles vous entraînent sans vous soucier du reste. »

Des banalités peut-être, mais pas pour Geoffrey Merrick qui avait parlé avec sincérité et conviction.

« Je vous remercie... Geoff, bredouilla-t-elle en croisant son regard pour la première fois depuis qu'il était entré dans le laboratoire. Ce que vous dites compte beaucoup pour moi.

— Et, qui sait, conclut-il avec un sourire, vous allez peut-être finir par sauver la réputation du paria que je suis devenu pour les mouvements écologiques après avoir breveté nos filtres à soufre ; mon invention, a-t-on prétendu, ne contribuait pas assez à stopper la pollution. »

Après le départ de Merrick, Susan revint à ses flacons et à ses éprouvettes. Portant des gants de protection, elle prit le tube empli de ses diatomées génétiquement modifiées et l'inclina de nouveau. Dix minutes s'étaient écoulées depuis qu'elle l'avait remué et, cette fois, l'échantillon d'eau qui se trouvait au fond resta englué au verre comme s'il y était collé ; et il lui fallut renverser complètement le flacon brûlant pour que le liquide commence à suinter vers le bas comme de la mélasse glacée.

Susan songea aux phoques et aux oiseaux de mer qu'enfant elle avait vus mourir et reprit son travail avec acharnement.

3

Fleuve Congo
Au sud de Matadi

La jungle finirait par engloutir la plantation abandonnée et la jetée de bois longue de cent mètres bâtie le long du fleuve. La maison principale, à moins de deux kilomètres à l'intérieur des terres, avait déjà cédé aux assauts de la pourriture et de la végétation et, avant peu, le quai serait emporté et l'entrepôt métallique voisin s'effondrerait. Son toit ployait déjà tel un cheval au dos trop cambré et la rouille en écaillait la peinture. C'était un endroit perdu, hanté, que même la lumière laiteuse d'une lune presque pleine ne parvenait pas à animer.

Un gros cargo, étrave dans le sens du courant et machines en arrière toute, s'approchait de la jetée, écrasant de sa présence la masse de l'entrepôt. L'eau bouillonnait sous la poupe dans les efforts que faisait le navire pour rester sur place, équilibre délicat à trouver surtout compte tenu des remous et des courants bien connus du Congo.

Gesticulant, un talkie-walkie collé à ses lèvres, le capitaine arpentait la passerelle arrière et criait des ordres au timonier et à l'officier mécanicien qui maniait avec précaution les régulateurs afin de maintenir exactement là où il le voulait les 170 mètres du cargo.

Sur le quai, des hommes en salopette noire suivaient la manœuvre ; le seul à ne pas être armé d'une kalachnikov portait un gros étui à sa ceinture ; il se frappait la cuisse avec une cravache et, malgré l'obscurité, arborait des lunettes d'aviateur aux verres argentés.

Auprès du capitaine, un grand Noir – crâne rasé coiffé d'une casquette de pêcheur grec et muscles puissants gonflant sa vareuse blanche d'uniforme – se tenait un homme un peu plus petit, moins musclé, mais plus impressionnant à cause de l'évidente autorité qui émanait de lui, depuis son regard vigilant jusqu'à son allure souple et détachée. La passerelle dominait le quai de ses trois étages, aussi ne risquait-on pas de surprendre leur conversation. Le capitaine donna un coup de coude à son compagnon qui observait les hommes armés sans paraître s'intéresser à la délicate manœuvre d'arrimage.

« Notre chef rebelle a l'air de sortir d'une agence de figurants, vous ne trouvez pas, Président ?

— Rien ne manque en effet, depuis le stick jusqu'aux Ray-Ban, reconnut le Président. Bien sûr, ne nous privons pas de faire nous aussi notre numéro, *Capitaine* Lincoln. Pas mal, le coup du talkie-walkie. »

Lincoln regarda l'appareil qu'il tenait dans sa grosse patte : il n'y avait même pas mis les piles. Il eut un petit rire. Comme, de tout l'équipage, Lincoln était l'Afro-Américain le plus représentatif, Juan Cabrillo, le véritable capitaine du cargo, l'avait désigné pour tenir son rôle dans cette opération. Cabrillo savait que l'émissaire envoyé par Samuel Makambo, le chef de l'Armée de la Révolution congolaise, serait plus à l'aise pour discuter avec un homme de la même couleur de peau.

Lincoln jeta un dernier coup d'œil par-dessus le bastingage pour s'assurer que le cargo était bien amarré.

« Bien, lança-t-il dans la nuit. Larguez les grelins. »

A l'avant et à l'arrière, des matelots firent passer les gros cordages par les écubiers. Sur un signe de leur commandant, deux des rebelles se débarrassèrent de l'arme qu'ils portaient en bandoulière pour attacher les bouts aux bittes couvertes de rouille. A l'arrière du navire, l'eau continuait à écumer tandis que les machines battaient arrière pour lutter contre le courant, faute de quoi le cargo aurait arraché les bittes du bois pourri de la jetée pour se laisser emporter par le fleuve.

Il ne fallut à Cabrillo qu'un moment pour estimer d'un coup d'œil la position du bateau, calculer la vitesse du courant, la force du vent, l'action du gouvernail et la puissance des machines, puis il fit un signe de tête à Lincoln.

« Au travail. »

Les deux hommes descendirent sur la passerelle éclairée par deux veilleuses aux ampoules rouges dont l'étrange lumière faisait encore davantage ressortir le délabrement : plancher recouvert d'un linoléum crasseux, craquelé et écaillé dans les coins, poussière tapissant l'intérieur des hublots encroûtés à l'extérieur par une couche de sel, rebords jonchés de cadavres d'insectes; une des aiguilles du chadburn au cuivre terni était cassée depuis longtemps et il manquait plusieurs manetons à la barre. Le navire ne disposait que de rares instruments de navigation, et la radio, dans le réduit situé derrière la passerelle, ne portait pas à plus d'une douzaine de milles.

Cabrillo fit un signe au timonier, un Chinois à l'air concentré d'une quarantaine d'années qui lança un regard ironique au Président. Cabrillo et Franklin Lincoln descendirent une succession de coursives éclairées de loin en loin par de petites ampoules protégées par un grillage et débouchèrent bientôt sur le pont principal où les attendait un autre membre de l'équipage.

« Prêt à jouer au bijoutier de la brousse, Max ? » lança Juan.

Max Hanley, le doyen en second du bord, paraissait à peine ses soixante-quatre ans. Certes, ses cheveux rouquins lui laissaient un front légèrement dégarni et il avait pris un peu de brioche, mais dans une bagarre il se défendait vaillamment; il était au côté de Cabrillo depuis le jour où Juan avait fondé la Corporation, la société qui possédait et gérait le vieux cargo. Un respect mutuel les liait, né d'innombrables dangers affrontés et surmontés de concert.

Hanley prit un porte-documents posé sur le pont aux planches vermoulues.

« Tu sais ce qu'on dit : "Les diamants sont le meilleur ami d'un mercenaire."

— Je ne les ai jamais entendus dire ça, observa Lincoln.

— Mais si. »

Il leur avait fallu un mois, d'innombrables discussions et plusieurs réunions clandestines pour arriver à se mettre d'accord. L'affaire était pourtant simple : en échange d'un quart de livre de diamants bruts, la Corporation livrait à l'Armée de la Révolution de Samuel Makambo cinq cents kalachnikovs, deux cents grenades antichars, cinquante lance-roquettes et cinquante mille cartouches de 7.2. Makambo n'avait pas souhaité savoir où le capitaine d'un vieux cargo avait pu se procurer de telles quantités de matériel militaire et Cabrillo avait préféré ignorer d'où le chef rebelle tenait autant de diamants.

Makambo avait davantage besoin d'armes que de soldats – il pouvait enrôler dans ses rangs des garçons d'à peine treize ans ; aussi cet arrivage lui permettait-il d'espérer que ses efforts pour renverser un gouvernement vacillant avaient maintenant de bonnes chances d'aboutir.

Un matelot abaissa la passerelle pour permettre à Cabrillo et Hanley, précédés de Lincoln, de descendre sur le quai. L'officier qui commandait le groupe de rebelles abandonna sa garde prétorienne et, s'avançant vers Franklin Lincoln, lui adressa un salut militaire impeccable auquel ce dernier répondit en portant nonchalamment deux doigts à la visière de sa casquette.

« Capitaine Lincoln, je suis le colonel Raïf Abala, de l'Armée de la Révolution congolaise », se présenta-t-il en un anglais où se mêlaient traces d'accent français et intonations indigènes, d'un ton neutre et dénué de la moindre inflexion. Sans retirer ses lunettes de soleil, il continua à frapper son stick contre la couture de son pantalon de camouflage.

« Colonel, répondit Lincoln en levant les bras pour permettre à un aide de camp au visage grêlé de s'assurer qu'il n'était pas armé.

— Notre chef suprême, le général Samuel Makambo, vous adresse ses salutations ainsi que ses regrets de n'avoir pu vous accueillir en personne. »

Cela faisait un an que Makambo conduisait l'insurrection à partir d'une base secrète située au cœur de la jungle et personne ne l'avait vu depuis qu'il avait pris les armes. Il avait réussi à déjouer toutes les tentatives du gouvernement pour infiltrer son quartier général, n'hésitant pas à faire massacrer les dix soldats d'élite qui avaient tenté de s'engager dans l'ARC avec ordre de l'assassiner. A l'instar de Ben Laden ou d'Abimael Guzmán, l'ancien chef du Sentier lumineux au Pérou, Makambo jouissait du prestige que lui conférait, malgré les milliers de victimes qu'avait déjà occasionnées sa tentative de coup d'Etat, son apparente invincibilité.

« Vous apportez les armes ?

— Vous les verrez dès que mon associé ici présent aura examiné les pierres, fit Lincoln en désignant Max d'un geste négligent.

— Comme convenu, acquiesça Abala. Venez. »

Une table avait été installée sur le quai, un projecteur alimenté par un générateur portable l'éclairait. Abala enjamba une des chaises et, posant son stick sur la table, s'assit devant un sac de toile sur lequel était imprimé en français le nom d'une société alimentaire. Face à lui, Max tira d'un porte-documents une balance électronique, quelques poids, un assortiment de cylindres gradués en plastique contenant un liquide transparent, ainsi que des carnets, des crayons et une petite calculette. Des gardes se tenaient derrière Abala, d'autres, plus nombreux, derrière Max Hanley, tandis que Cabrillo et Lincoln étaient flanqués par deux hommes qui semblaient prêts à les tailler en pièces sur un geste du colonel. On sentait dans l'air humide de la nuit la tension presque palpable de la violence.

Abala posa une main sur le sac de toile et regarda Lincoln.

« Capitaine, je pense que le moment est venu de me donner une preuve de votre bonne foi. J'aimerais voir le container qui transporte mes armes.

— Cela n'était pas prévu dans nos accords », répondit Lincoln d'une voix légèrement soucieuse qui fit ricaner l'aide de camp d'Abala.

« Comme je le disais, reprit celui-ci d'un ton lourd de menace, il s'agit d'une simple preuve de votre bonne foi. D'un geste de bonne volonté de votre part. » Ôtant la main posée sur le sac, il leva un doigt : une vingtaine de soldats surgirent de l'obscurité. Abala, d'un signe, les congédia aussitôt et ils disparurent dans les ténèbres aussi rapidement qu'ils étaient apparus. « Ils seraient capables de tuer votre équipage et de s'emparer de leurs armes. Voilà un geste de bonne volonté de ma part. »

Lincoln n'avait pas le choix : il se tourna donc vers le navire et agita la main au-dessus de sa tête à l'adresse d'un matelot posté contre le bastingage. L'homme acquiesça d'un signe et, quelques instants plus tard, un petit moteur diesel se mit en marche. Le mât de charge central de la plage arrière se déplaça en grinçant, de gros câbles s'enroulèrent sur des poulies rouillées pour extraire des profondeurs de la cale un container standard d'une douzaine de mètres de long, semblable aux centaines de milliers utilisés dans la marine marchande. La grue le souleva par l'écoutille et le fit pivoter pour le déposer sur le pont. Deux hommes d'équipage ouvrirent les panneaux, s'introduisirent dans le container puis appelèrent le grutier qui effectua une nouvelle manœuvre pour faire passer le caisson par-dessus le bastingage ; le chargement s'immobilisa à quelque deux mètres cinquante au-dessus du quai.

Les hommes qui se trouvaient à l'intérieur en illuminèrent alors le contenu avec des torches électriques : des rangées de kalachnikovs au canon luisant de graisse alignées le long des parois ainsi que des caisses d'un vert sombre. Un matelot en ouvrit une et posa sur son épaule un tube de lance-roquettes comme pour une démonstration lors d'une exposition d'armement. Deux des jeunes rebelles applaudirent. Même Raïf Abala ne parvint pas à réprimer l'esquisse d'un sourire.

« Voilà jusqu'où va ma bonne foi », conclut Lincoln une fois les deux matelots remontés à bord.

Sans un mot, Abala répandit sur la table le contenu du sac. Rien ne reflète plus naturellement la lumière que des diamants taillés et lissés, mais, à l'état brut, les pierres restent ternes. Elles s'étalaient sur le bois comme des fragments de cristal, la plupart comme des pyramides à quatre côtés dont les bases se confondaient, d'autres comme de vulgaires cailloux sans forme. Leur couleur allait du blanc pur au jaune sale et, si certains semblaient intacts, la plupart étaient fendus et brisés. Mais Max releva aussitôt qu'aucun ne pesait moins d'un carat. Chez les diamantaires de New York, Tel-Aviv ou Amsterdam, leur valeur totale dépassait de loin celle du contenu total du container, mais telle était la nature du commerce : Abala avait la possibilité de trouver toujours davantage de diamants, il n'en allait pas de même pour les armes.

Max saisit la plus grosse pierre, un cristal d'au moins dix carats ; dûment taillé et poli pour obtenir une pierre de quatre ou cinq carats, il vaudrait, selon son éclat et sa couleur, environ quarante mille dollars. Il l'examina avec une loupe de joaillier, la tournant et la retournant à la lumière, en faisant la moue, la reposa sans commentaire pour en inspecter une autre, puis une autre encore. A plusieurs reprises, il hocha la tête comme s'il était déçu par ce qu'il voyait, puis il chaussa une paire de lunettes qu'il avait tirée de la poche de sa chemise et, prenant un de ses carnets, griffonna quelques lignes avec son porte-mine.

« Qu'est-ce que vous écrivez ? interrogea Abala, soudain intimidé par l'air savant de Max.

— Qu'il s'agit plutôt de gravier que de pierres précieuses », déclara Max d'un ton cinglant que rendait encore plus déplaisant son épouvantable accent hollandais. (Devant cette insulte Abala bondit presque de son siège, mais d'un geste Max lui fit signe de se rasseoir.) Mais, au premier abord, je les juge acceptables pour notre transaction. (Il prit dans la poche de son pantalon une plaque de topaze taillée dont la surface était sillonnée de profondes griffures.) Comme vous le savez, reprit-il doctement, le diamant est la substance la plus dure qui existe au monde. Dix sur l'échelle de Mohs, pour être exact. On utilise souvent le quartz, qui occupe la septième place, pour faire croire aux ignorants qu'ils font l'affaire du siècle. (De la même poche, il sortit un morceau de cristal octogonal qu'il frotta avec force contre la plaque de topaze. Le tranchant glissa sans laisser de marque.) Vous le constatez, la topaze est plus dure que le quartz et on ne peut donc pas la rayer. Elle occupe en fait le huitième rang sur l'échelle de Mohs. (Il prit alors un des plus petits diamants et le passa contre la topaze. Avec un crissement à donner le frisson, le bord de la pierre fit une profonde entaille dans le bleu de la topaze.) Nous avons donc ici une substance plus dure que celle qui occupe la huitième place sur l'échelle de Mohs.

— Du diamant », lança Abala avec suffisance.

Max soupira comme devant un étudiant qui vient de commettre un impair ; il se complaisait à jouer les gemmologues.

« Ou du corindon, au neuvième rang sur l'échelle de Mohs. La seule façon de s'assurer qu'il s'agit de diamant est d'en mesurer le poids spécifique. »

Abala, bien qu'ayant pratiqué à maintes reprises le commerce du diamant, n'en connaissait guère plus que leur valeur. Hanley avait piqué son intérêt et lui avait fait baisser sa garde.

« Qu'est-ce que le poids spécifique ? demanda-t-il.

— Le rapport du poids d'un corps au volume d'eau qu'il déplace.

Celui du diamant est exactement de 3,52. » Max manipula un moment sa balance, la calibrant avec une série de poids de cuivre qu'il transportait dans une boîte doublée de velours. Une fois l'instrument réglé, il posa la plus grosse des pierres sur le plateau. « Zéro deux cent vingt-cinq grammes. Onze carats et demi. » Il ouvrit un des cylindres gradués de plastique, y laissa tomber la pierre, puis nota dans son carnet le volume d'eau déplacé. Il enregistra alors le chiffre sur la calculette. Après avoir lu le nombre qui s'inscrivait, il lança à Raïf Abala un regard mauvais. Celui-là, l'œil brillant d'indignation, fit avancer ses guerriers. Le canon d'une arme s'appuya contre les côtes de Juan. Sans se laisser démonter par cette soudaine manifestation agressive, Max garda un air impassible puis laissa un sourire éclairer son visage. « Trois virgule cinquante-deux. Voilà, messieurs, un vrai diamant. »

Le colonel Abala se rassit lentement, et les doigts qui frôlaient la gâchette des fusils reprirent une position plus détendue. Juan était furieux contre Hanley : ce dernier jouait un peu trop bien son rôle.

Max testa au hasard huit autres pierres qui donnèrent toutes le même résultat.

« J'ai respecté ma part de notre accord, déclara Abala. Un quart de livre de diamants contre les armes. »

Tandis que Hanley vérifiait d'autres échantillons, Lincoln conduisit Abala au container ouvert en faisant signe à un matelot de le descendre sur le quai. Les piliers de bois qui soutenaient la jetée gémirent sous la charge. Cinq soldats rebelles les accompagnaient. A la lueur d'une torche électrique, Abala et ses hommes choisirent dix kalachnikovs dans différentes rangées puis, à l'aide d'une machette, dégagèrent une centaine de chargeurs de leur emballage de papier huilé.

Veillant à ne pas quitter Abala d'une semelle, au cas où les soldats tenteraient quelque chose, Lincoln regarda les hommes introduire laborieusement les cartouches de cuivre étincelant dans les chargeurs des kalachs. Juan, qui portait sous son large sweat-shirt un gilet pare-balles, escortait Max pour les mêmes raisons. On fit dix essais sur les fusils d'assaut : deux rafales de trois coups suivies de quatre tirs séparés en visant une cible fixée sur le côté du hangar. La fusillade retentit jusqu'à l'autre rive du fleuve, affolant des oiseaux par douzaines. Un soldat se précipita jusqu'à l'entrepôt pour inspecter les dégâts et lança un cri d'encouragement. Abala grommela :

« Bien. Très bien. »

Pendant ce temps, Hanley, revenu près de la table, poursuivait son inspection ; il posa le sac vide sur la balance et en nota le poids sur son carnet. Puis, armé d'une grande louche, et sous le regard vigilant d'un des officiers d'Abala, il remit les diamants bruts dans le sac et effectua une nouvelle pesée en soustrayant du total le poids qu'il venait de relever. Il jeta un rapide coup d'œil à Cabrillo.

« Il manque huit carats », lui murmura-t-il.

Huit carats soit, selon les pierres, quelques dizaines de milliers de dollars.

« Je me contenterai de partir d'ici vivant. Laisse tomber », répondit Juan en haussant les épaules.

Cabrillo appela Lincoln qui était en train d'examiner un des lance-roquettes avec Abala et un rebelle aux airs de sergent de carrière.

« Capitaine Lincoln, les autorités portuaires ne vont pas nous garder notre poste d'amarrage à Boma. Nous devrions lever l'ancre.

— Vous avez raison, M. Cabrillo, dit Lincoln en se tournant vers lui. Je vous remercie. Colonel, reprit-il à l'adresse d'Abala, je regrette de ne pas avoir davantage d'armes à vous proposer, mais cela a vraiment été une surprise pour moi et mon équipage de tomber sur cette cargaison.

— Eh bien, si ce genre de surprise se renouvelle, vous savez comment nous contacter. »

Ils revinrent vers la table.

« Tout est réglé ? demanda-t-il à Max.

— Oui, capitaine, tout est en ordre. »

Le sourire d'Abala se fit plus onctueux car c'était à dessein qu'il les avait trompés sur le poids des diamants : il savait pertinemment que la supériorité numérique de ses effectifs les intimiderait assez pour leur faire accepter quelques pierres de moins que convenu. Les diamants manquants se trouvaient dans la poche de son blouson et iraient grossir son compte en Suisse.

« Alors, messieurs, partons. »

Lincoln reprit à Max le sac et se dirigea vers la passerelle de service, Cabrillo et Hanley allongeant le pas pour le suivre. Juste au moment où ils allaient s'engager sur les premières marches, les hommes d'Abala intervinrent. Les deux soldats les plus proches de la rampe s'avancèrent pour barrer le passage aux Blancs, des dizaines de rebelles jaillirent de la brousse en tirant des coups de feu en l'air et en vociférant, tandis qu'un petit groupe fonçait sur le container pour tenter de le décrocher du câble de la grue.

L'effet de surprise aurait été total si l'équipe de la Corporation ne s'était pas attendue à ce coup fourré.

Une seconde avant qu'Abala eût donné le signal de l'assaut, Cabrillo et Lincoln s'étaient mis à courir, rejoignant les deux rebelles au pied de la passerelle sans leur laisser le temps de les mettre en joue. Lincoln, d'une poussée, fit basculer le plus jeune entre le cargo et le quai pendant que Juan enfonçait ses doigts dans la gorge de l'autre avec assez de vigueur pour lui donner un haut-le-cœur ; avant qu'il reprenne son souffle, Juan lui arracha sa kalachnikov et lui donna un coup de crosse dans le ventre. L'homme s'écroula.

Cabrillo se retourna et couvrit d'un feu nourri Max et Lincoln qui grimpaient la rampe. En même temps, il pressa un bouton sous le bastingage, et les deux mètres de la partie supérieure de la passerelle se redressèrent brusquement. Ses bords métalliques et son extrémité relevée à la verticale protégeaient maintenant les trois hommes de la fusillade dont les arrosait la troupe d'Abala. Les balles sifflaient audessus de leurs têtes puis s'écrasaient contre le flanc du navire ou ricochaient sur les parois de la passerelle tandis que le trio restait blotti dans son cocon blindé.

« Comme si on ne les avait pas vus venir », lança calmement Max dans ce fracas assourdissant.

De l'intérieur du cargo, un matelot actionnait les commandes de la passerelle : elle s'éleva au-dessus du quai et les trois rescapés s'engouffrèrent dans les superstructures du navire. Juan prit aussitôt les choses en main et appuya sur le bouton d'un téléphone intérieur.

« Au rapport, M. Murphy. Où en sommes-nous ? »

Dans les profondeurs du bateau, l'officier de tir Mark Murphy surveillait un écran de contrôle branché sur une caméra de télévision installée au sommet d'un des cinq mâts de charge du cargo.

« Maintenant que la passerelle est relevée, il n'y a plus que deux types qui tirent. Je crois qu'Abala essaie d'organiser un assaut. Il a rallié une centaine d'hommes et il est en train de leur donner des ordres.

— Et le container ?

— Les hommes ont presque fini de libérer les filins. Attendez. Voilà, tout est détaché.

— Dites à M. Stone de se préparer à appareiller.

— Président ? fit Murphy, hésitant. Nous sommes encore amarrés aux bornes.

— Arrachez-moi ça, lança Cabrillo tout en tâtant un filet de sang près de son oreille. (Un éclat de peinture projeté par le ricochet d'une balle l'avait écorché.) Je vous laisse. »

Leur bateau ne déparait peut-être pas au bord de la jetée délabrée mais il dissimulait un secret que, hormis l'équipage, peu de gens connaissaient. Sa coque criblée de rouille et son aspect peu soigné ne constituaient en effet qu'un décor destiné à masquer le véritable potentiel de l'*Oregon*, en fait un navire espion privé appartenant à la Corporation et commandé par Juan Cabrillo qui l'avait conçu et veillait sur lui avec amour.

Sous des dehors peu flatteurs, le navire abritait un des systèmes d'armement les plus sophistiqués au monde : missiles de croisière et torpilles achetés à un amiral russe véreux, canons Gatling de 30 mm et une pièce de 120 mm utilisant la même technologie de ciblage que celle du char Abrams M1A2, sans parler de mitrailleuses à servo-commande pour repousser les abordages. Toutes ces armes étaient soit montées derrière les plaques le long de la coque, soit camouflées sous des barils rouillés disposés à des emplacements stratégiques sous le bastingage. Sur ordre du capitaine, les couvercles se soulevaient pour dégager les tubes guidés par des caméras ultrasensibles.

Plusieurs étages sous la passerelle, là où se tenaient Cabrillo et Lincoln quand l'*Oregon* avait accosté, se trouvait le centre opérationnel, le cerveau du navire. C'était de là que son équipage, constitué d'anciens militaires et d'ex-agents de la CIA, dirigeait l'ensemble du pseudo-cargo, depuis les machines jusqu'au système de positionnement de toutes les armes. Il disposait également d'un équipement de radars et de sonars des plus perfectionnés.

De ce centre opérationnel, Eric Stone, le fin barreur de l'*Oregon*, avait amené le navire à quai en utilisant les propulseurs avant et arrière et les données du GPS, le tout en liaison avec un superordinateur qui calculait la vitesse du vent, des courants et une douzaine d'autres facteurs : le même ordinateur qui calculait l'exacte dose de rétropropulsion nécessaire pour maintenir la position de l'*Oregon* dans le courant du Congo.

Cabrillo et Max pénétrèrent dans un petit réduit qui empestait la térébenthine tandis que Lincoln partait retrouver Eddie Seng et les autres spécialistes des opérations à terre au cas où on aurait besoin d'eux pour empêcher les rebelles d'atteindre le pont. Juan tourna les robinets de l'évier fixé à la paroi comme les cadrans d'un coffre-fort : la cloison du fond s'ouvrit, révélant l'amorce d'un couloir.

Dans ce passage secret, le linoléum fatigué et la peinture écaillée de la passerelle et des autres superstructures avaient disparu ; on y découvrait un bon éclairage, des lambris en acajou et une épaisse moquette ; au mur, une marine de Winslow représentant un baleinier et, au fond, dans une vitrine, une armure du seizième siècle complète avec épée et masse.

Ils passèrent devant les portes de plusieurs cabines et parvinrent au centre opérationnel, une salle aussi high-tech que la salle de contrôle de mission de la NASA, avec postes d'ordinateur et un mur entier occupé par un énorme écran sur lequel défilait la scène chaotique qui se déroulait sur le quai. Mark Murphy et Eric Stone étaient assis aux postes avant, juste sous l'écran de contrôle, et Hali Kasim, le chef des transmissions du bord, se tenait à droite. Le long de la cloison du fond, deux spécialistes suivaient sur un moniteur les systèmes intégrés de sécurité pendant qu'un peu plus loin Max Hanley surveillait le fonctionnement des machines magnétohydrodynamiques révolutionnaires dont était équipé l'*Oregon*.

« Je reçois deux objets qui approchent, annonça Hali, son visage sombre teinté par les reflets verts de l'écran radar. Ils doivent voler en rase-mottes : sans doute des hélicos. Arrivée sur site dans quatre minutes.

— On ne connaît aucun rapport précisant que Makambo possède des hélicoptères, observa Mark Murphy en se tournant vers le Président. Mais Hali vient de recevoir un bulletin signalant le vol de deux hélicos dans une exploitation pétrolière. On a peu de détails mais il semblerait que les appareils ont été détournés. »

Juan hocha la tête, ne sachant pas trop comment interpréter cette information.

« Un mouvement sur notre arrière ! » cria Eric Stone qui avait abandonné le grand moniteur pour regarder la vue transmise par une caméra montée sur la plage arrière.

Deux patrouilleurs venaient en effet de déboucher d'une courbe du fleuve. Les lumières au-dessus du poste de pilotage ne permettaient pas de distinguer s'ils étaient armés, mais Mark Murphy au poste d'armement consulta une banque de données énumérant les bâtiments militaires congolais.

« Ce sont des Swift Boats de fabrication américaine.

— Tu plaisantes ? » lança Max qui avait servi sur ce genre de bateaux durant deux campagnes au Vietnam.

Murphy continua imperturbable :

« Déplacement : douze tonnes ; équipage : douze hommes ; armement : six mitrailleuses de calibre 50. Vitesse de pointe : vingt-cinq nœuds. Il est précisé que les forces fluviales du Congo sont également équipées de mortiers et peut-être de Stingers. »

La situation s'aggravant de seconde en seconde, Cabrillo se décida :

« Hali, passe-moi Benjamin Isaka. Dis-lui que des éléments de ses forces militaires ont entendu parler de notre mission et ne savent pas que nous sommes de leur côté ; ni que les hommes de Makambo se sont emparés de deux de leurs Swift Boats. Eric, secoue-toi. Murph, veille au grain mais ne tire pas sans mon ordre. Si nous étalons notre puissance de feu, Abala va comprendre qu'il s'est fait avoir et laissera les armes où elles sont. A propos, Hali ? »

Hali Kasim repoussa sur son front une mèche de cheveux noirs et pianota brièvement le clavier de son ordinateur.

« Les codes RDF sont activés et émettent cinq sur cinq.

— Excellent. Qu'est-ce que tu en dis, mon vieux ?

— Tu sais, répondit Max Hanley, que nous ne fonctionnons que sur les batteries de sauvegarde. Je ne peux pas te donner plus de vingt nœuds. »

L'*Oregon* était équipé du système de propulsion maritime le plus sophistiqué jamais conçu : les machines magnétohydrodynamiques utilisaient des bobines supraconductrices refroidies à l'hélium liquide pour libérer les électrons de l'eau de mer. L'électricité servait alors à alimenter quatre grosses pompes à réaction situées à l'arrière. Les machines étaient capables de pousser le navire de onze mille tonnes à des vitesses approchant celle d'un canot de course offshore et, comme elles fonctionnaient à l'eau de mer, l'*Oregon* possédait un rayon d'action pratiquement illimité. Un incendie ayant éclaté deux ans auparavant sur un bateau de croisière équipé de machines magnétohydrodynamiques, la plupart des services de sécurité maritime du monde en avaient interdit l'usage en attendant qu'on procède à de nouveaux essais : voilà pourquoi l'*Oregon* battait pavillon iranien, un Etat qui ne se souciait guère de la loi maritime.

Amarré sur le Congo à quelque quatre-vingts milles nautiques de l'océan Atlantique, l'*Oregon* baignait dans de l'eau douce et ne pouvait donc pas faire fonctionner ses machines. Il lui fallait compter sur l'énergie stockée dans les rangées de puissantes batteries zinc-argent pour pousser l'eau dans les pompes.

Pour avoir travaillé en étroite collaboration avec les architectes navals et les ingénieurs maritimes lors de l'aménagement du navire, Cabrillo savait que, même avec un courant favorable, les batteries ne tiendraient pas plus de soixante milles nautiques à plein régime, soit vingt de moins avant que le fleuve se jette dans la mer.

« M. Stone, que va donner la marée dans les trois heures à venir ? demanda Cabrillo à son homme de barre.

— Marée haute dans deux heures trente », répondit Eric Stone sans même avoir besoin de consulter la banque de données. Ses fonctions lui imposaient de surveiller cinq jours à l'avance les tableaux de marées et les bulletins météo avec la diligence d'un comptable traquant une erreur d'un penny dans ses livres.

« Ça va être juste, remarqua Juan. Bon, Eric, sortons d'ici avant que les hommes d'Abala lancent leur assaut.

— A vos ordres, Président. »

Eric Stone s'empressa d'activer le pompage. Sans le gémissement des compresseurs et de l'équipement annexe qu'exigeaient les machines magnétohydrodynamiques, le bruit de l'eau chassée dans les canalisations se réduisait à un grondement sourd qui se répercutait dans tout le navire. Il actionna les propulseurs avant et arrière et le lourd bateau commença à s'éloigner du quai tout en tirant sur ses amarres.

Sentant leur proie leur échapper, les rebelles massés sur le quai ouvrirent le feu avec leurs armes automatiques. Des balles criblèrent l'*Oregon* sur toute sa longueur. Dans la fusillade, les baies vitrées de la passerelle et les hublots volèrent en éclats. Des étincelles jaillirent de la coque dont le blindage repoussait sans mal les projectiles. Un tableau spectaculaire, mais les rebelles ne parvenaient cependant qu'à écailler la peinture et détruire des plaques de verre aisément remplaçables.

Sur l'arrière, les patrouilleurs qui approchaient ajoutaient au vacarme le crépitement de leurs mitrailleuses. Pour effectuer sa livraison, l'*Oregon* avait navigué avec un faible tirant d'eau en utilisant les citernes à ballast, ce qui exposait son gouvernail à la vue des soldats qui arrivaient en amont. Ces derniers concentrèrent donc leur tir sur son axe, espérant le séparer de sa commande et faire du gros navire le jouet des courants et des remous. Contre un bateau normal, cette stratégie aurait été valable : s'il le fallait, dans un port, le gouvernail de l'*Oregon* pouvait faire tourner le navire sous le regard vigilant des fonctionnaires de la rade, mais sa maniabilité était essentiellement due aux embouts de ses tuyères bien protégées sous la ligne de flottaison.

Sans se soucier du tir des assaillants, Eric Stone surveillait grâce à sa télévision en circuit fermé les bittes de fonte plantées dans le quai. Les grelins se tendaient au fur et à mesure que le navire s'éloignait de la jetée. Deux terroristes audacieux se précipitèrent comme des rats vers l'amarre arrière, fusil en bandoulière, et Stone emballa sur le propulseur arrière. Dans un grand bruit de bois pourri se déchiquetant, la bitte s'arracha du quai comme une dent gâtée, et sa lourde masse la fit se balancer comme un pendule pour finalement heurter le flanc de l'*Oregon* avec le fracas d'une énorme cloche.

Un rebelle tomba et fut aussitôt aspiré par les ailettes du propulseur arrière quand Eric inversa la rotation pour corriger la trajectoire du navire ; de l'autre côté de la coque n'émergea qu'une tache sombre qui teinta les eaux de rouge avant de se diluer dans le courant. L'autre tireur parvint à se cramponner au filin que les cabestans automatiques remontaient ; lorsqu'il atteignit l'écubier, il grimpa à bord du bateau où l'attendaient Eddie Seng et Franklin Lincoln qui avaient suivi sa tentative sur l'écran de surveillance accroché à leur gilet de combat.

Eddie était entré à la Corporation après sa retraite prématurée de la CIA et, bien que n'ayant pas l'expérience acquise par Lincoln au cours de sa carrière dans les SEAL, les forces spéciales de la Marine, il compensait par une détermination inébranlable. Aussi Juan avait-il fait de lui le chef des opérations à terre.

Le rebelle découvrit Lincoln le considérant dans le viseur d'un fusil de combat Franchi SPAS-12 et sentit contre sa tempe le canon du pistolet Glock d'Eddie.

« A toi de choisir, mon ami », lui proposa calmement Eddie.

Le terroriste lâcha prise et plongea dans l'eau écumante.

Eric regagna le centre opérationnel pour observer la seconde bitte d'amarrage qui, en dépit de tous les efforts, refusait de s'arracher du quai ; de larges fentes s'ouvraient dans le bois dont les madriers cédaient peu à peu. Un morceau de quai d'environ cinq mètres se disloqua, précipitant à l'eau trois autres soldats, tandis qu'une autre section de la jetée tremblait sur ses bases.

« Nous voici libres, annonça-t-il.

— Parfait », répondit Juan en consultant son écran de contrôle. Les hélicos, à deux minutes de vol, se rapprochaient à cent cinquante kilomètres à l'heure. Les machines volées à la compagnie pétrolière étaient sans doute des appareils puissants munis de tous les perfectionnements. Cabrillo savait l'*Oregon* capable, grâce à l'arsenal dissimulé à bord, d'abattre tous les soldats encore sur le quai, de descendre les deux hélicos et de réduire en épaves les patrouilleurs qui les poursuivaient – mais tel n'était pas le but de la mission qu'on leur avait confiée.

« Montez à vingt nœuds.

— Vingt nœuds, à vos ordres. »

Le gros cargo accéléra sans heurt malgré le poids du fragment de quai encore attaché à la bitte. Le feu des armes automatiques qui tiraient du rivage cessa bientôt, mais les mitrailleuses des deux patrouilleurs continuaient à arroser l'*Oregon* de projectiles de 50 mm.

« Attention, cria Mark Murphy. Lance-roquettes. »

Des véhicules, que les hommes d'Abala avaient dû cacher dans la savane, suivaient maintenant l'*Oregon* qui filait sur les eaux du Congo. Le petit missile jaillit de la brousse, rasa le fleuve et frappa l'étrave. Le blindage du navire protégea l'intérieur mais quand l'engin roula sur le pont, l'explosion fut assourdissante. Presque aussitôt, une nouvelle roquette sortit d'un lanceur qu'un tireur portait sur son épaule depuis le pont d'un des patrouilleurs. Cette fois le missile arriva sous un angle très bas, passant assez près du bastingage arrière pour brûler la peinture et atteignit de plein fouet la cheminée du cargo. Malgré le blindage qui protégeait le dôme radar sophistiqué de l'*Oregon*, la grenade explosa quand même avec assez de force pour mettre le système hors d'usage.

« Touché », cria Hali en constatant que son écran devenait blanc. Il se rua hors du centre opérationnel tandis que les équipes du service incendie et les spécialistes de l'électronique étaient automatiquement dépêchés sur les lieux par l'ordinateur central.

Linda Ross, une frêle créature avec des taches de rousseur et une voix aiguë de petite fille s'installa sans perdre un instant au poste que venait de quitter Hali.

« Les hélicos sont à une minute, Président, et la dernière image captée par le radar montrait droit devant du trafic remontant le fleuve. »

Juan augmenta la résolution des caméras tournées vers l'avant. Le fleuve était noir comme de l'encre, les collines qui le bordaient baignant dans le clair de lune argenté. Au détour d'une courbe apparut un gros ferry fluvial à trois ponts et étrave arrondie. Immédiatement tous les regards se concentrèrent sur l'image transmise par les caméras à infrarouge : sur le pont supérieur se pressait une véritable marée humaine et les deux autres grouillaient eux aussi de passagers remontant vers le port de Matadi.

« Mon Dieu, s'exclama Eric, ils sont au moins cinq cents à bord !

— Et je parierais que ce ferry est prévu pour deux cents passagers au maximum, renchérit Cabrillo. Laissez-le sur bâbord. Je veux que l'*Oregon* soit entre le lance-roquettes et ce rafiot. »

Stone manœuvra les commandes et regarda l'image que donnait le sonar : le lit du fleuve montait rapidement.

« Président, moins de six mètres d'eau sous la quille. Cinq. Trois, capitaine.

— Gardez le cap », ordonna Juan tandis qu'une nouvelle fusillade éclatait en bordure de la savane : tirs de kalachnikovs, chapelets de roquettes, un vrai feu d'artifice.

Des explosions secouaient le cargo qui fonçait vers le ferry sous un ciel illuminé par chaque coup. Un des missiles sortit soudain de sa trajectoire et, un instant, on put croire qu'il allait toucher le ferry mais, à la dernière seconde, son moteur repartit, et il se volatilisa tout près de la coque en arrosant les passagers qui cherchaient désespérément à se mettre à l'abri.

« Max, pousse les machines à fond, lança Juan, horrifié par la brutalité des troupes d'Abala. Il faut absolument protéger ces gens. »

Max lâcha quelques ampères de plus pour actionner les pompes. L'*Oregon* gagna dix nœuds mais, du coup, perdit quelques milles, milles dont ils ne pouvaient se passer.

Le ferry vira vers le milieu du fleuve, laissant à l'*Oregon* juste assez de place pour ne pas s'échouer. Quelques instants plus tard, les Swift Boats se séparèrent pour cerner le cargo. Un canot à moteur qui arrivait dans le sillage du ferry surgit en pleine confusion, un des patrouilleurs l'éperonna, faisant voler en éclats le frêle esquif et ses deux passagers sans même ralentir.

Juan regarda Eric qui tenait les commandes. Manœuvrer un navire de ce tonnage dans le cadre étroit d'un fleuve était déjà difficile mais éviter les autres bateaux tout en essuyant un feu nourri demandait une expérience qui faisait défaut au jeune Stone. Juan avait toute confiance en lui certes, mais il songea quand même qu'il prendrait lui-même la barre en cas d'urgence.

Une voix retentit dans son casque :

« Président, c'est Eddie. J'ai un visuel des deux hélicos. Je ne peux pas lire leur marque mais ils me paraissent assez gros pour transporter au moins dix hommes. Ce serait peut-être le moment de les arroser un peu.

— Négatif. D'abord, les pilotes sont des civils que les hommes de Makambo ont enlevés et obligés à voler. Et ensuite, nous ne devons pas leur révéler nos possibilités ; nous avons déjà eu ce problème en remontant le fleuve. Nous allons déguster, mais ce bon rafiot nous ramènera à la maison. Simplement, préparez-vous tous pour le cas où ils tenteraient de larguer des hommes sur le pont.

— Nous sommes prêts.

— Alors, que Dieu les protège. »

Une heure durant, ils descendirent le Congo, harcelés par les Swift Boats et essuyant le feu des rebelles quand la route passait assez près de la rive. Les hélicos continuaient à survoler l'*Oregon* sans tenter d'atterrir ni de larguer des troupes. Juan supposait qu'ils prendraient le navire à l'abordage quand les tirs de roquettes l'auraient contraint à s'échouer.

Ils passèrent au pied des barrages d'Inga, deux masses de béton élevées sur un affluent du Congo et constituant les principales sources d'électricité de cette région d'Afrique. Au confluent, le navire rencontra de violents remous qui obligèrent Eric à inverser la propulsion pour empêcher l'*Oregon* de se mettre en travers du courant.

« Président, j'ai Benjamin Isaka en ligne, annonça Linda Ross. Je vous le passe sur votre poste.

— Monsieur le Ministre, ici le capitaine Cabrillo. Je présume que vous êtes au courant de notre situation.

— En effet, capitaine. Le colonel Abala veut récupérer ses diamants. Il a volé deux de nos patrouilleurs fluviaux, et un rapport m'informe que dix de nos hommes ont été tués sur le quai de Matadi où ces navires étaient stationnés.

— Il s'est également emparé de deux hélicoptères d'une compagnie pétrolière.

— Je vois, fit Isaka sans se compromettre.

— Un peu d'aide serait la bienvenue.

— Selon notre ami commun à Langley, qui vous a recommandé, vous êtes plus que capable de vous débrouiller tout seul. »

Juan l'aurait étranglé.

« M. Isaka, si j'élimine ses forces, Abala va se méfier des armes qu'il vient d'acheter. Les balises radio qu'elles contiennent sont bien cachées mais pas impossibles à détecter. Le plan prévoyait que les armes, une fois livrées à Makambo dans son quartier général secret, permettraient à vos troupes de le situer une fois pour toutes. En deux jours, vous pouvez mettre un terme à l'insurrection, à condition qu'Abala n'abandonne pas les armes sur le quai à côté de la plantation. »

Depuis que Langston Overholt, de la CIA, avait donné le feu vert pour lui confier cette mission, c'était la quatrième fois que Juan expliquait l'opération à Isaka.

Le feu des mortiers tirant depuis les patrouilleurs étouffa le début de la réponse d'Isaka. Les obus tombèrent assez près pour déverser un véritable mur d'eau sur le flanc de l'*Oregon*.

« ... s'ils partent de Boma maintenant, ils vous rejoindront dans une heure.

— Pourriez-vous avoir l'obligeance de répéter cela, monsieur le Ministre ? »

Mais, soudain, tous ceux qui se trouvaient au centre opérationnel furent projetés en avant : la quille de l'*Oregon* venait de heurter le lit du fleuve ; la brusque décélération fit dégringoler la précieuse vaisselle de porcelaine du mess et brisa un appareil de radiographie de l'infirmerie que le docteur Julia Huxley avait oublié d'arrimer.

Juan fut le premier à se relever.

« Eric, bon sang, qu'est-il arrivé ?

— Nous avons touché un banc de sable que je n'avais pas vu venir.

— Max, les machines ? » Par mesure de précaution, l'ordinateur central avait automatiquement mis hors circuit les machines dès l'instant où le navire s'était échoué. Max, son visage s'assombrissant de seconde en seconde, examina l'écran de contrôle et pianota un moment sur son clavier d'ordinateur. « Max ? répéta Juan.

— La tuyère bâbord est coincée dans la vase. Je peux tirer vingt pour cent de celle de tribord, mais seulement en marche arrière. Si nous essayons d'avancer, nous la bloquerons elle aussi.

— Eric, dit Juan, je prends la barre.

— Le Président prend la barre. Bien, capitaine. »

Les tuyères du propulseur étaient moulées aussi précisément qu'un canon de fusil dans un alliage particulier qui excluait tout risque de cavitation ou de formation de bulles microscopiques susceptibles de provoquer une résistance. Juan savait que la boue et la vase avaient probablement déjà endommagé les tubulures, et risquer d'y faire passer d'autres débris pourrait les mettre hors d'usage. Il s'apprêtait quand même à en prendre la responsabilité.

Il mit en veille la tuyère bâbord et poussa lentement le propulseur en marche arrière, son regard allant des caméras extérieures montrant l'eau bouillonnant sous l'étrave aux cadrans qui enregistraient la situation du réacteur. Il augmenta la puissance jusqu'à vingt-cinq pour cent sachant qu'il imposait aux tuyères un effort aussi violent que s'il les avait frappées à coups de clef anglaise.

L'*Oregon* refusait toujours de bouger, retenu par la vase qui l'immobilisait et par sa propre masse.

Cabrillo fermait déjà les pompes. Plusieurs alternatives s'offraient à lui, dont malheureusement bien peu étaient viables. Il disposait de quinze secondes peut-être pour trouver une solution avant l'arrivée des hélicos et le largage de leurs troupes sur le pont ; il suffirait pourtant de deux brèves rafales de la mitrailleuse Gatling pour les volatiliser, mais elles tueraient les pilotes et révéleraient la redoutable puissance de feu de l'*Oregon*. Et puis resterait encore à affronter les Swift Boats et tous les engins qu'Abala ferait venir quand il se serait rendu compte que le navire s'était échoué. Pas un instant il ne songea à rendre les diamants ou à renoncer à sa mission.

« Max, nous avons un vent arrière, déploie un écran de fumée assez épais pour cacher le navire, puis mets les canons à eau en marche. » Il y en avait quatre, installés aux coins des superstructures, avec un débit de quatre mille litres par minute chacun, et des pompes actionnées par un moteur diesel indépendant. « Leurs jets peuvent aller jusqu'à plus de soixante mètres de hauteur et devraient réussir à empêcher les hélicos de se poser. » Il reprit le microphone. « Eddie, je vais actionner les canons à eau, alors sois prêt. Si cela ne suffit pas à arrêter les hélicos, tes gars sont autorisés à tirer mais uniquement avec des fusils et des pistolets, un armement crédible pour un navire naviguant dans ces parages.

— Bien reçu.

— Et, Eddie, je veux que toi et Lincoln veniez me rejoindre au garage. J'ai une mission à vous confier. Une solution de secours. »

Cabrillo descendit de son fauteuil. Il était à mi-chemin de l'ascenseur qui l'emmènerait, deux étages plus bas, au garage situé au-dessus de la ligne de flottaison de l'*Oregon* quand Hanley l'arrêta.

« La fumée, je comprends, et les canons à eau, ça me paraît un coup de génie, mais qu'est-ce que tu mijotes pour Lincoln et Eddie ?

— Dans une demi-heure, j'aurai remis ce rafiot à flot. »

Au cours des années qu'ils avaient passées ensemble, Max avait appris à ne jamais douter du Président quand il faisait ce genre de déclarations ; il ne savait simplement pas comment Juan allait réussir l'impossible.

« Tu as un moyen de nous alléger de deux mille tonnes ?

— Mieux que ça. Je vais faire monter de trois mètres le niveau du fleuve. »

4

Sud de la baie de Walvis
Namibie

DES TOURBILLONS D'UN SABLE AUSSI fin que de la poussière balayaient la route, provoqués par le contact de l'air plus frais venu du désert avec l'asphalte encore chaud, bien que le soleil fût couché depuis longtemps ; le clair de lune baignait d'un blanc pâle les dunes du désert tout proche.

Hormis le vent et le clapotis des vagues sur la plage, seul bougeait le 4×4 solitaire : malgré la proximité du port de Walvis Bay et de Swakopmund – à une trentaine de kilomètres seulement, on aurait pu croire qu'il était la dernière voiture sur terre.

Assise à la place du conducteur, Sloane McIntyre frissonna.

« Pourrais-tu prendre le volant ? » demanda-t-elle à son compagnon.

Il s'exécuta tandis qu'elle enfilait un gros chandail à capuchon, s'y prenant à deux mains pour glisser sous le col ses longs cheveux et les étaler sur ses épaules ; leurs reflets cuivrés comme les dunes au crépuscule faisaient ressortir le gris lumineux de ses yeux.

« Je continue à dire que nous aurions dû attendre le matin pour obtenir un permis d'accès à Sandwich Bay, répéta Tony Reardon qui ne cessait de geindre depuis qu'ils avaient quitté leur hôtel. Tu sais combien les autorités locales sont pointilleuses quand il s'agit de laisser entrer des touristes dans les zones sécurisées.

— Nous nous dirigeons vers une réserve d'oiseaux, Tony, pas vers une de ces concessions minières accordées par les compagnies d'exploitation de diamants, rétorqua Sloane.

— C'est quand même illégal.

— De toute façon, je n'aime pas la façon dont Luka a essayé de nous dissuader de chercher Papa Heinrick, comme s'il avait quelque chose à cacher.

— Qui ça, Papa Heinrick ?

— Non, notre illustre guide, Tuamanguluka.

— Pourquoi dis-tu cela ? Depuis notre arrivée, Luka n'a cessé de nous aider. »

Sloane lui lança un regard en coulisse : son compagnon, dans la lueur du tableau de bord, lui faisait penser à un jeune garçon entêté.

« Tu n'as pas l'impression, justement, qu'il s'est montré un peu trop empressé ? Combien de chances avions-nous de tomber à notre hôtel sur un guide qui, précisément, connaisse tous les pêcheurs de Walvis Bay et qui, en plus, soit capable de nous arranger une excursion en hélicoptère avec une des agences de voyages spécialisées ?

— Simple coup de chance.

— Je ne crois pas à la chance. Quand nous avons mentionné à Luka le vieux pêcheur qui nous avait parlé de Papa Heinrick, il a fait tout son possible pour nous dissuader de le rechercher : il a commencé par dire que Heinrick n'était qu'un ramasseur de coquillages et qu'il ne connaissait rien au-delà de la plage ; et puis il a prétendu qu'il était un peu dérangé. Comme ça ne marchait pas, il a alors affirmé que Heinrick était un type dangereux soupçonné d'avoir tué un homme. Etait-ce notre impression après avoir parlé avec le premier pêcheur qui a cité le nom de Papa Heinrick ? reprit Sloane. Non. Il disait que Papa Heinrick avait oublié plus de choses au sujet des eaux au large de la côte des Squelettes qu'aucun homme n'en avait jamais su. Voilà à peu près ce qu'il disait. Il me paraît donc la personne rêvée à interroger à propos de notre projet ; or, précisément, notre guide si complaisant ne veut pas que nous lui parlions. Tony, ça sent mauvais, et tu le sais.

— Nous aurions pu attendre demain matin. »

Sloane ne releva pas, puis ajouta :

« Tu sais que chaque minute compte. Quelqu'un va finir par comprendre ce que nous cherchons et, dès cet instant, la côte grouillera de curieux. Le gouvernement en interdira l'accès, fermera les pêcheries et décrétera la loi martiale. Tu n'as jamais participé à ce genre d'expédition. Moi, si.

— Et tu as découvert quelque chose ? interrogea Tony d'un ton irrité, car il connaissait la réponse.

— Non, reconnut Sloane. Mais ça ne signifie pas que je ne sais pas ce que je fais. »

Contrairement à ce qui se passe dans la quasi-totalité de l'Afrique, les routes de Namibie sont bien entretenues, on n'y rencontre pas de nids-de-poules, et le 4×4 Toyota filait dans la nuit. Pourtant, dans un virage bordé de tas de sable, les pneus s'enfoncèrent jusqu'à la jante ; Sloane enclencha le crabotage et s'engagea sur des buttes qui auraient immobilisé n'importe quel véhicule ordinaire. Vingt minutes plus tard, ils atteignirent une aire de stationnement protégée des cyclones par une clôture élevée ; des panneaux accrochés au grillage interdisaient à tout véhicule d'aller plus loin.

Ils avaient atteint Sandwich Bay, un vaste lagon marécageux alimenté en eau douce par des nappes souterraines et qui accueillait jusqu'à cinquante mille oiseaux migrateurs par an. Sloane gara la camionnette mais n'arrêta pas le moteur. Sans attendre Tony, elle sauta à terre et, ses bottes s'enfonçant dans le sable, se dirigea vers l'arrière de la Toyota où étaient rangés une pompe électrique fonctionnant sur la batterie de la voiture et un canot pneumatique qu'elle eut tôt fait de gonfler ; puis elle prépara son matériel, s'assurant au passage de la puissance des piles des torches électriques. Ils portèrent l'embarcation chargée des sacs et des pagaies jusqu'à l'eau puis s'installèrent. Le lagon, abrité du large, était calme comme un lac.

« D'après le pêcheur, Papa Heinrick habite au sud du lagon », dit Sloane tandis qu'ils poussaient le canot avec leurs pagaies.

Malgré ce qu'elle avait déclaré à Tony, elle savait très bien que soit ils décrocheraient le gros lot, soit ils perdraient purement et simplement leur temps. Suivre des rumeurs, des demi-vérités et de vagues allusions menait le plus souvent à une impasse, mais ainsi se présentait son métier : un processus souvent monotone aboutissant à l'illumination fulgurante d'une découverte, instant qu'elle ne connaissait pas encore ; cela suffisait pourtant à la faire avancer, à lui faire supporter la solitude, la fatigue, le stress et la présence d'abrutis pessimistes comme Tony Reardon.

Tandis qu'ils pagayaient vers le sud, ils virent quelques poissons jaillir des eaux sombres du lagon et, de temps en temps, au milieu des roseaux, un oiseau hérisser ses plumes. Il leur fallut une heure et demie pour atteindre l'extrémité sud qui semblait aussi banale que le reste : un rempart de roseaux, les seules plantes capables de survivre dans une eau aussi saumâtre. Sloane promena le faisceau de sa torche sur le rivage ; ce ne fut qu'au bout d'une vingtaine de minutes, durant lesquelles elle sentit monter son anxiété, qu'elle repéra enfin une étroite brèche dans les hautes herbes, à l'endroit où un petit ruisseau se faufilait jusqu'au lagon.

Elle tendit le doigt sans rien dire, et Tony manœuvra le petit esquif dans l'ouverture.

Les roseaux, plus hauts qu'eux, formaient au-dessus de leur tête une sorte de voûte qui masquait le clair de lune. Le courant étant faible, ils progressèrent sans difficulté sur une centaine de mètres avant d'arriver à un petit étang niché dans la forêt d'herbes aquatiques ; en son centre un îlot qui devait rester à peine hors de l'eau à marée haute. La lumière de la lune révélait une cabane rudimentaire faite de bois flottant et de morceaux de caisses ; en guise de porte, une couverture clouée au linteau et, juste devant, un feu dont les braises rougeoyaient encore sous une couche de cendres. Sur la droite, un râtelier où séchait du poisson, des barils rouillés pour recueillir l'eau douce et un canot amarré à une souche par un unique filin, sa voile ferlée autour du mât, son gouvernail et ses dérives attachés à l'intérieur ; son fond plat ne permettait certainement pas de pêcher au large et Luka, songea Sloane, avait sans doute raison quand il prétendait que Papa Heinrick ne s'aventurait jamais loin de la plage.

Un campement rudimentaire certes mais où pouvait très bien vivre quiconque aimait la nature.

« Qu'est-ce qu'on fait ? » chuchota Tony une fois le canot échoué. Sloane s'approcha de la porte et, après avoir vérifié qu'elle avait bien entendu un ronflement humain – et non le murmure du vent ou du ressac –, elle revint sur ses pas ; elle s'assit sur le sable, prit son ordinateur portable dans son sac et se mit à taper, en se mordillant la lèvre.

« Sloane ? murmura Tony un peu plus fort.

— Nous attendons qu'il se réveille, répondit-elle.

— Mais si ce n'est pas Papa Heinrick ? Si c'est quelqu'un d'autre ? Des pirates, des bandits ou je ne sais quoi ?

— Je te l'ai déjà dit, je ne crois pas à la chance. Je ne crois pas non plus aux coïncidences. Le fait de découvrir une cabane à l'endroit exact dont on nous a parlé signifie que nous avons trouvé Papa Heinrick. Je préfère lui parler le matin plutôt que d'effrayer ce vieux bonhomme en pleine nuit. »

Le léger ronflement qui venait de l'intérieur de la cabane ne changea ni de timbre ni de volume, pourtant la couverture s'écarta soudain devant un Africain vêtu seulement d'un cache-sexe ; parcheminé, les jambes arquées, et si maigre qu'on voyait toutes ses côtes et des creux au-dessus et au-dessous de ses clavicules ; il avait un gros nez épaté et des oreilles proéminentes ornées de sortes de pendentifs en corne, le tout complété par des cheveux d'un blanc de neige et des yeux d'un jaune brillant.

Il continua à ronfler et Sloane le crut un instant en état de somnambulisme ; mais il se gratta sans manière l'entrejambe et cracha dans le feu.

Sloane se leva et constata qu'elle dominait le Namibien de trente bons centimètres : il a certainement, songea-t-elle, du sang de Bochiman dans les veines pour être d'aussi petite taille.

« Papa Heinrick, nous sommes venus de très loin pour vous rencontrer. Les autres pêcheurs de Walvis Bay disent que vous êtes le plus sage d'entre eux. » Papa Heinrick, bien que parlant anglais – Sloane s'en était assurée –, ne donna aucun signe de compréhension ; mais encouragée par le fait que le petit gnome avait cessé de faire semblant de ronfler, elle poursuivit. « Nous aimerions vous poser quelques questions sur les endroits où vous pêchez, sur les coins difficiles où il vous arrive de perdre vos lignes ou vos filets. Accepteriez-vous de nous répondre ? »

Heinrick retourna dans sa cabane, laissant retomber la couverture pour masquer l'entrée. Il ressortit quelques instants plus tard, drapé dans une sorte d'édredon, des draps cousus ensemble et remplis de duvet dont de petites plumes s'échappaient par les coutures à chacun de ses mouvements. Il s'éloigna de quelques pas pour uriner dans l'eau en se grattant le ventre d'un air songeur.

Il revint s'accroupir près du feu, tournant le dos à Tony et à Sloane ; ses vertèbres pointaient dans son dos en formant une rangée de perles noires. Il souffla sur les braises pour les ranimer et jeta quelques bouts de bois dans le feu pour obtenir une petite flamme.

« Il y a beaucoup d'endroits dans ces eaux où il est difficile de pêcher, déclara-t-il enfin sans se retourner d'une voix étonnamment basse pour une aussi petite carcasse. Je les ai tous essayés et je mets au défi n'importe qui de suivre Papa Heinrick là où il va. J'ai perdu assez de lignes pour aller d'ici jusqu'à Cape Cross. Et retour, ajouta-t-il comme pour les défier de contester ses dires. J'ai aussi perdu assez de filets pour recouvrir tout le désert de Namibie. J'ai lutté contre des mers qui arrachent des sanglots aux autres hommes et transforment leurs entrailles en eau. J'ai pris des poissons plus gros que le plus grand bateau et j'ai vu des choses à rendre fous les autres. » Il se retourna enfin, révélant à la lueur vacillante du feu un éclat démoniaque dans son regard ; il sourit en découvrant des dents qui se chevauchaient, gloussa puis se mit à rire en glapissant ; une quinte de toux l'arrêta. Quand il eut repris son souffle, il cracha une nouvelle fois dans le feu. « Papa Heinrick ne révèle pas ses secrets. Je sais des choses que vous voudriez connaître, mais vous ne les saurez jamais parce que je ne souhaite pas que vous les connaissiez.

— Et pourquoi donc ? fit Sloane en s'accroupissant à côté de lui.

— Papa Heinrick est le meilleur pêcheur de tous les temps. Pourquoi est-ce que je te répondrais ? Pour que tu deviennes ma rivale ?

— Je ne veux pas pêcher dans tes eaux. Je recherche un vaisseau qui a coulé il y a bien longtemps. Mon ami et moi, continua-t-elle en désignant Tony, voulons retrouver ce bateau parce que... Parce qu'on nous a engagés pour récupérer quelque chose appartenant à un homme riche qui l'a perdu au moment du naufrage. Nous croyons que vous pouvez nous aider.

— Cet homme riche te paie ? demanda sournoisement Heinrick.

— Un peu, oui. »

Le pêcheur agita la main comme une chauve-souris voletant dans la nuit.

« Papa Heinrick n'a pas besoin d'argent.

— Qu'est-ce qu'il vous faudrait pour nous aider ? » demanda tout à coup Tony.

Sloane, se doutant de ce que le vieil homme pourrait exiger, lança à son compagnon un regard furibond.

« Toi, je ne t'aiderai pas », déclara le vieil homme à Tony, puis, en regardant Sloane : « Toi, je t'aiderai. Tu es une femme, tu ne pêches pas, alors tu ne deviendras jamais ma rivale. »

Sloane se garda bien de lui dire qu'elle avait grandi à Fort Lauderdale et passé tous ses étés comme mousse à bord du bateau d'excursion de son père avant d'en prendre le commandement quand, à cinquante ans, il avait été atteint par la maladie d'Alzheimer.

« Merci, Papa Heinrick. » Elle prit dans son sac une grande carte et la déploya près du feu sous la lumière de la torche que tenait Tony. Elle représentait la côte namibienne avec, signalés par des étoiles marquées au crayon, des douzaines de sites proches du rivage : la plupart groupés autour de Walvis Bay, quelques autres répartis le long de la côte. « Ce sont les endroits où les nombreux pêcheurs que nous avons interrogés nous ont dit qu'ils perdaient leurs lignes ou leurs filets. Nous pensons que l'épave d'un navire pourrait se trouver à l'un de ces emplacements. Selon vous, est-ce qu'il manque quelque chose ? »

Heinrick examina la carte avec attention en suivant du doigt le tracé du littoral. Quand il leva enfin les yeux vers elle, Sloane y décela un grain de folie, comme s'il vivait dans une réalité qu'elle était incapable de partager.

« Cet endroit-là, je ne connais pas. »

Déconcertée, Sloane désigna Walvis Bay et en prononça le nom, puis son doigt descendit plus au sud.

« Ici, continua-t-elle, nous sommes à Sandwich Bay. Et ici, c'est Cape Cross.

— Je ne comprends pas. Cape Cross est là, fit Heinrick en montrant résolument le nord. Ça ne peut pas être ici », ajouta-t-il en pointant un site sur la carte.

Et Sloane comprit que, malgré toute une vie passée en mer, Papa Heinrick n'avait jamais vu une carte marine. Elle réprima un grognement.

Deux heures durant, elle discuta avec le vieux pêcheur des endroits où il avait perdu des filets, où ses lignes s'étaient emmêlées. Comme le désert continuait sous l'océan sur des centaines de kilomètres au-delà des côtes, seule une saillie rocheuse ou l'épave d'un navire auraient pu arracher des lignes ou déchirer des filets. D'après les indications de Papa Heinrick cela se situait à deux jours de navigation vers le sud-ouest en partant de Sandwich Bay ou à cinq jours de mer cap nord-ouest. Chaque site décrit par lui correspondait à la carte qu'elle avait tracée après des journées de conversation avec les pêcheurs ou les organisateurs d'excursion en mer de Walvis.

Papa Heinrick était pourtant le seul à mentionner un certain site que Sloane estimait à près de soixante-dix milles nautiques au large, à l'écart de tous les autres. D'ailleurs, aucun des autres capitaines n'avait même jamais parlé d'avoir pêché dans cette zone. Papa Heinrick disait qu'il n'y avait pas grand-chose là-bas pour attirer les poissons et qu'il n'était allé jusque-là que parce qu'un coup de vent imprévu l'avait fait dériver de ce côté.

Sloane entoura l'endroit sur sa carte, notant au passage que la profondeur dépassait cinquante mètres, à la limite de ses possibilités de plongée, mais que c'était faisable. Trop profond toutefois pour que l'eau, même la plus claire, permette de discerner la silhouette d'un navire sur le lit de sable – et pas davantage depuis l'hélicoptère qu'ils comptaient louer pour explorer les autres sites.

« Il ne faut pas aller là », l'avertit Papa Heinrick en voyant l'air songeur de Sloane.

Cette remarque la tira de sa rêverie.

« Pourquoi donc ?

— La mer est pleine de grands serpents de métal. C'est mauvais.

— Des serpents de métal ? » ricana Tony.

Le vieil homme se leva d'un bond, l'air furieux.

« Tu ne crois pas Papa Heinrick ? tonna-t-il, aspergeant Reardon d'une pluie de postillons. Il y en a des douzaines, de trente mètres de long ou davantage, qui se tordent et fouettent l'eau. L'un d'eux a failli couler mon bateau en essayant de me manger. Il a fallu quelqu'un comme moi pour s'en tirer car je suis le plus grand marin du monde. Toi, tu aurais mouillé ton froc de peur et tu serais mort en pleurant comme un enfant. » Il se retourna vers Sloane, la lueur un peu folle de son regard s'étant légèrement accentuée. « Papa Heinrick t'a prévenue. Va là-bas et tu te feras sûrement dévorer toute crue. Maintenant, laisse-moi. »

Il reprit sa place, accroupi auprès du petit feu qui fumait, en se balançant sur ses talons tout en marmonnant dans une langue que Sloane ne comprenait pas.

Elle le remercia de son aide, mais il ne répondit rien. Tony et elle regagnèrent le canot pneumatique et quittèrent le campement isolé de Papa Heinrick. Quand ils débouchèrent de l'ouverture au milieu des roseaux, Tony poussa un grand soupir.

« Ce type est complètement dingue. Des serpents de métal ? Tu te rends compte ?

— “Il y a plus de choses au ciel et sur la terre, Horatio, que n'en peut rêver notre philosophie.”

— Qu'est-ce que ça veut dire ?

— C'est un vers de *Hamlet* qui signifie que le monde est plus étrange qu'on ne peut l'imaginer.

— Alors, tu crois ce bonhomme ?

— Tu parles de ces serpents géants en métal ? Non, mais il a vu là-bas quelque chose qui lui a fait peur.

— Un sous-marin qui faisait surface, je parierais. Ceux de la marine sud-africaine patrouillent certainement dans ces eaux-là.

— Ça se pourrait, reconnut Sloane. Et nous avons plus qu'assez de sites à examiner sans aller chercher des serpents de mer ou des sous-marins. Cet après-midi, nous verrons Luka et nous réfléchirons à la meilleure manière de procéder. »

Ils regagnèrent leurs chambres du super chic Swakopmund Hotel juste à l'heure où le soleil se levait. Sloane prit une longue douche pour laver le sable et le sel qui lui collaient à la peau. Elle avait besoin de s'épiler, mais elle remit cette corvée à plus tard et resta sous le jet pour que l'eau chaude détende bien les muscles de ses épaules et de son dos.

Une fois essuyée, elle se coula nue entre les draps de son lit, et rêva de serpents monstrueux qui se battaient dans l'océan.

5

TOUT EN SE DIRIGEANT VERS le garage installé à l'arrière des superstructures, Juan Cabrillo, son portable collé à l'oreille, prenait connaissance des dégâts qu'on lui communiquait. Les cales étaient sèches, ce qui n'avait rien de surprenant : la vase qui composait essentiellement le lit du fleuve ne risquait pas d'endommager la coque. En revanche, le préoccupaient davantage les deux grandes portes de la quille : elles s'ouvraient vers l'extérieur pour mettre directement à la mer les deux sous-marins de poche que transportait le navire et qu'on utilisait pour des explorations ou des exfiltrations clandestines : le premier, muni d'un bras articulé, pouvait descendre à trois cents mètres, l'autre, plus petit, un Discovery 1 000, était réservé aux plongées moins profondes.

Le technicien de service à ce poste le soulagea quand il lui signala que les portes n'avaient pas été endommagées et que les deux submersibles reposaient, en sécurité, dans leur berceau.

Juan atteignit le garage des embarcations situé au niveau de la ligne de flottaison, un vaste hangar éclairé par de petites ampoules rouges et où flottaient des relents d'eau de mer et d'essence. Devant la grande porte aménagée dans le flanc de l'*Oregon,* des matelots s'affairaient autour d'un Zodiac pneumatique ; le gros moteur hors-bord dont il était équipé pouvait le pousser à plus de quarante nœuds, mais il disposait également d'un petit moteur électrique pour les opérations exigeant silence et discrétion. Le garage abritait aussi un canot d'assaut SEAL capable d'atteindre une vitesse encore plus élevée tout en transportant dix hommes armés.

Eddie et Lincoln arrivèrent peu après ; Eddie Seng tenait la barre quand Lincoln faisait fonction de capitaine. Impossible d'imaginer deux hommes au physique plus dissemblable : Lincoln et sa puissante musculature acquise en soulevant des poids des heures durant dans la salle de gymnastique du bord, Eddie, mince comme une lame pour avoir pratiqué toute sa vie les arts martiaux.

Tous deux portaient un treillis de combat noir et un ceinturon pourvu de cartouchières, de poignards et de matériels divers, et étaient munis d'un fusil d'assaut M-4A1, la version des M-16 utilisée par les Forces spéciales.

« Quel est le programme, patron ? s'informa Eddie.

— Vous le savez, nous sommes échoués et nous n'avons pas le temps d'attendre les pluies de printemps. Vous vous souvenez du barrage, deux milles en amont ?

— Tu veux qu'on le fasse sauter ? s'exclama Lincoln, incrédule.

— Non, non. Contentez-vous de vous y introduire, ensuite vous ouvrirez les vannes. Je doute qu'il soit gardé mais, dans le cas contraire, évitez autant que possible qu'il y ait mort d'hommes. Vous ne pourrez certainement pas nous rattraper une fois que le flot nous aura atteints, alors on se retrouvera à Boma, sur la côte.

— Ça me semble un bon plan, lança Lincoln, convaincu qu'ils rempliraient sans peine leur mission.

— Eric, fit Juan en prenant un micro fixé à la cloison, j'ai besoin de savoir quand on pourra ouvrir le garage pour lancer un Zodiac. Où sont les patrouilleurs ?

— Le premier est en position stationnaire, et je crois qu'il va recommencer à tirer au mortier, l'autre vient de passer sur notre arrière et remonte sur notre bâbord.

— Rien sur la rive ?

— Avec les jumelles à infrarouges on voit que c'est clean de ce côté-là, mais tu sais comme moi qu'Abala n'a pas l'intention de perdre de temps dans les parages.

— Bon, merci. »

D'un signe, Juan commanda l'ouverture de la porte : le panneau commença à coulisser vers le haut, et la puanteur et la moiteur de la jungle s'engouffrèrent aussitôt à l'intérieur du garage. L'air, tellement humide qu'on aurait presque pu le boire, transportait en outre l'âcre odeur chimique du rideau de fumée que Max avait déployé sur le navire. La rive du fleuve était sombre et couverte d'une épaisse végétation. Malgré les assurances d'Eric, Juan sentait qu'on les observait. L'*Oregon* étant très haut sur l'eau, la rampe de lancement dominait le fleuve d'un mètre cinquante. Lincoln et Eddie poussèrent le canot dessus et, dès qu'il toucha l'eau, plongèrent à leur tour ; ils émergèrent aussitôt et se hissèrent à bord de l'embarcation. Eddie rassembla leur équipement tandis que Lincoln démarrait le moteur électrique. A petite vitesse et sous le couvert de l'obscurité, le Zodiac était presque invisible.

Ils s'éloignèrent de l'*Oregon* en zigzaguant autour des panaches des canons à eau qui tenaient à distance – une trentaine de mètres – les deux hélicoptères.

Eddie imaginait la scène dans le cockpit des hélicos : les rebelles menaçant les pilotes de la compagnie pétrolière tout en sachant que le jet des canons à eau noierait les turbines de l'appareil et le ferait piquer dans le fleuve.

Une fois sortis du rideau de fumée, ils constatèrent que les deux patrouilleurs croisaient assez loin pour permettre à Lincoln de lancer le moteur hors-bord. Le quatre-temps, quoique bien assourdi, émettait malgré tout un grondement sourd qui résonnait de plus en plus sur l'eau à mesure que le canot prenait de la vitesse.

A quarante nœuds, impossible de s'entendre, aussi les deux hommes remontaient-ils le courant, plongés chacun dans ses pensées, mais poussés par la même décharge d'adrénaline et prêts à tout. Ils n'entendirent le vrombissement du bateau qu'au moment où celui-ci surgit de derrière un petit îlot situé près de la rive.

Lincoln vira à tribord, évitant de peu la collision ; il reconnut le visage terrifié de l'aide de camp du colonel Abala à l'instant même où l'officier rebelle l'apercevait. Lincoln mit les gaz à fond tandis que l'autre effectuait un brusque demi-tour pour se lancer à sa poursuite. Avec lui, sur la vedette – équipée de deux moteurs hors-bord et pourvue d'une coque effilée conçue pour filer au-dessus de l'eau –, quatre hommes armés de kalachnikovs.

« Tu le connais ? cria Eddie.

— Oui, c'est le bras droit d'Abala. »

Une gerbe d'écume jaillissant dans son sillage, le bateau rebelle commençait à gagner du terrain.

« Lincoln, s'il a une radio, notre plan est à l'eau.

— Bon sang. Je n'avais pas pensé à ça. Tu as une idée ?

— Laisse-le nous rattraper, répondit Eddie en passant un des fusils à Lincoln.

— Et quand je vois le blanc de leurs yeux, je tire ?

— Tu parles ! Descends-les dès qu'ils seront à portée.

— OK, accroche-toi. »

Lincoln coupa les gaz : le Zodiac retomba sur l'eau, vira complètement, son fond plat ricochant comme un caillou sur le fleuve, puis s'immobilisa en dansant sur les vagues qu'il avait créées ; mais il en aurait fallu davantage pour faire trébucher Lincoln et Eddie. Ils épaulèrent et attendirent que le bateau des rebelles, lancé à quatre-vingts kilomètres à l'heure, fût à deux cent cinquante mètres pour ouvrir le feu ; les rebelles leur répondirent par une rafale de kalachnikovs qui, mal ajustée à cause de la vitesse trop élevée de leur vedette, ne fit que soulever de petits geysers dans l'eau très en avant et sur la gauche du Zodiac ; en revanche, le patrouilleur se rapprochant de seconde en seconde, la précision du tir des membres de la Corporation s'améliorait.

Lincoln envoya trois salves : elles criblèrent de trous le petit pare-brise et arrachèrent des fragments de fibre de verre à l'étrave. Eddie qui, lui, se concentrait sur le pilote, tira calmement coup après coup jusqu'à ce que ce dernier s'écroulât : le patrouilleur dériva quelques instants avant que quelqu'un reprenne la barre tandis que les trois occupants vidaient leurs chargeurs. Une rafale siffla aux oreilles d'Eddie et de Lincoln, mais ils restèrent impassibles et continuèrent à tirer sur la vedette jusqu'à ce qu'il ne restât plus qu'un seul rebelle, blotti derrière la barre et protégé par la longueur de l'étrave.

Couvert par le feu continu d'Eddie, Lincoln recula jusqu'au moteur qui tournait au ralenti. Le navire rebelle n'était plus qu'à cinquante mètres, fonçant toujours comme un requin prêt à saisir sa proie : de toute évidence, le pilote avait l'intention de les éperonner. Lincoln le laissa venir.

Quand la vedette ne fut plus qu'à une quinzaine de mètres, il poussa les gaz à fond et le Zodiac bondit en avant. Eddie tenait déjà une grenade dégoupillée qu'il lança dans le cockpit du patrouilleur au moment où la coque les frôlait : la grenade roula sur pont et, quelques secondes plus tard, les réservoirs de carburant s'embrasèrent dans une explosion spectaculaire ; la coque bascula sur l'eau, des débris et les restes de l'équipage volèrent dans les airs dans un jaillissement d'essence enflammée.

« Touché à droite », annonça Lincoln manifestement satisfait.

Cinq minutes plus tard, le Zodiac s'arrêtait le long d'un ponton de bois, près de la base de l'énorme barrage d'Inga : un gigantesque mur d'acier et de béton armé contenant les eaux d'un immense lac de retenue qui dominait le Congo se dressait au-dessus d'eux. La quasi-totalité de l'électricité produite par le barrage étant utilisée pendant la journée dans les mines de Shaba, autrefois province du Katanga, seul un filet d'eau s'écoulait par le déversoir. Ils halèrent le canot sur la berge et, sans se soucier du niveau qu'atteindrait l'eau, l'amarrèrent à un arbre. Puis ils chargèrent leur arsenal en vue de la longue ascension qui les attendait : une succession d'escaliers creusés dans la façade de l'ouvrage.

Ils parvenaient à la moitié de l'escalier quand une fusillade déchira le silence de la nuit : des d'obus, des fragments de ciment, des balles giclèrent autour d'eux. Les deux hommes se plaquèrent au sol et ripostèrent aussitôt. Tout en bas, deux embarcations venaient de s'amarrer au ponton, des rebelles se mirent à tirer depuis le quai tandis que d'autres se précipitaient dans l'escalier.

« Je crois que le second d'Abala disposait quand même d'une radio », déclara Eddie en lâchant sa kalachnikov pour prendre son pistolet Glock. Il fit feu rapidement tandis que, de son côté, Lincoln arrosait le ponton des balles de 5.56 de son fusil d'assaut.

Deux claquements secs du Glock, et les trois rebelles qui s'étaient lancés dans l'escalier dégringolèrent les marches. Le temps d'introduire un nouveau chargeur dans une kalachnikov, un seul fusil continua à tirer sur Lincoln ; une rafale balaya le dernier rebelle, il tomba dans les eaux du fleuve qui eurent tôt fait d'entraîner son corps.

Au-dessus d'eux, s'était déclenchée une sirène d'alarme.

« Allons-y », lança Lincoln, et ils s'élancèrent en grimpant les marches par deux ou trois. Arrivés au sommet du barrage, ils découvrirent le lac de retenue et, tout au bout de l'ouvrage, un petit bâtiment carré dont les fenêtres étaient allumées. « La salle de contrôle ? murmura Lincoln.

— Probablement, répondit Eddie en replaçant son micro. Président, c'est Eddie. Lincoln et moi sommes sur le barrage, nous approchons de la salle de contrôle.

— Bien reçu. Prévenez-moi quand vous serez prêts à ouvrir les vannes.

— Entendu. »

Pliés en deux pour éviter que leur silhouette ne se détache sur le ciel étoilé, ils traversèrent en courant le sommet du barrage. A leur gauche, le réservoir, un grand lac qui étincelait au clair de lune. A droite, un à-pic d'une trentaine de mètres au-dessus de gros rochers entassés à la base du barrage.

Quand ils arrivèrent au blockhaus, une construction en béton d'un étage avec une seule porte et deux fenêtres, ils purent constater que, derrière, se trouvaient les vannes et la conduite forcée qui détournaient l'eau vers les turbines installées dans une longue construction à la base du barrage. Le débit d'eau était suffisant pour alimenter en électricité la ville de Mabati.

Eddie, Lincoln à ses côtés, tendit le bras et tenta d'ouvrir la porte : elle était fermée à clef. Eddie montra du doigt la serrure à son compagnon, comme si celui-là en avait la clef, et lui adressa un clin d'œil. En effet, à la Corporation, on faisait appel à Frank Lincoln quand il s'agissait de forcer une serrure ; on racontait qu'à la suite d'un pari avec Linda Ross, il avait même ouvert le coffre où Juan rangeait ses armes ; mais, pour l'heure, il répondit à son partenaire par un haussement d'épaules et en se tâtant les poches : il avait oublié de prendre ses outils.

Eddie, non sans avoir levé les yeux au ciel, fouilla dans une des petites poches accrochées à sa ceinture ; il moula autour de la poignée une petite boule de plastic explosif Semtex et y introduisit un détonateur électronique, puis Lincoln et lui reculèrent de quelques pas.

Il s'apprêtait à déclencher le détonateur quand un garde en uniforme noir, une torche électrique dans une main et un pistolet dans l'autre, surgit devant le blockhaus. Lincoln visa et, d'une balle, fit tomber par terre le revolver qui le menaçait ; le garde, serrant son bras contre sa poitrine, s'écroula avec un hurlement. Lincoln se précipita vers lui en tirant de son harnachement une paire de menottes en câble souple ; il examina la blessure et, après avoir constaté avec soulagement qu'elle n'était que superficielle, il ligota le garde.

« Désolé, mon vieux », lui dit-il avant de rejoindre Eddie, qui fit sauter la charge. La poignée vola en éclats et Lincoln, couvert par la kalachnikov d'Eddie, ouvrit la porte.

La salle de contrôle était vaste et éclairée : le long des murs, des rangées de cadrans et de commandes ainsi que des comptoirs supportant des ordinateurs démodés. Les trois opérateurs qui assuraient le service de nuit levèrent les bras dès que Lincoln et Eddie, en déboulant dans la pièce, leur eurent crié de se coucher par terre. Sous la menace des fusils, ils se jetèrent sur le sol, les yeux agrandis par la terreur.

« Faites ce qu'on vous dit et personne ne sera blessé », lança Eddie. Une rapide reconnaissance des lieux révéla à Lincoln l'existence, derrière le centre de contrôle, d'une salle de conférences déserte et de toilettes également inoccupées à l'exception d'un cafard gros comme son doigt. « Est-ce que l'un de vous parle anglais ? demanda Eddie en passant les menottes aux trois Africains.

— Moi, fit l'un dont le badge sur sa combinaison bleue annonçait qu'il s'appelait Kofi Baako.

— Bon, Kofi, comme je l'ai dit, nous ne vous ferons aucun mal, mais je veux que vous me montriez comment on ouvre les vannes d'urgence.

— Ça va vider le réservoir ! »

Eddie désigna un téléphone à plusieurs lignes, dont quatre des cinq voyants clignotaient.

« Tu as déjà contacté tes supérieurs et je suis sûr qu'ils sont en train d'envoyer des renforts. Les vannes ne resteront donc pas ouvertes plus d'une heure. Maintenant montre-moi comment on les manœuvre. » Kofi Baako hésitant encore, Eddie tira son pistolet de son étui en prenant soin de ne pas le braquer sur les trois hommes. « Tu as cinq secondes, ajouta-t-il en haussant le ton.

— Le panneau là-bas, se décida Baako. Les cinq commandes du

haut débranchent les systèmes de sécurité, les cinq à côté ferment les circuits des moteurs qui actionnent les portes, et les cinq du bas ouvrent les vannes.

— Peut-on les fermer manuellement ?

— Oui, d'une salle à l'intérieur du barrage où il y a de grandes manivelles qu'on fait tourner à la main. Il faut deux hommes pour les manœuvrer. »

Tandis que Lincoln restait posté près de la porte pour surveiller l'éventuelle venue d'autres gardes, Eddie abaissa les interrupteurs les uns après les autres tout en observant quels boutons lumineux du panneau passaient du rouge au vert. Avant de s'attaquer à la dernière rangée, il prit une nouvelle fois son micro.

« Président, c'est moi. Prépare-toi. J'ouvre les vannes.

— Ça n'est pas trop tôt. Abala a transporté les mortiers des patrouilleurs sur la rive : encore deux salves et ils nous auront dans leur ligne de mire.

— Parés pour la grosse vague, dit Eddie en abaissant les dernières manettes. » Sitôt la dernière commande en position, un bruit sourd commença à se faire entendre, d'abord faible, puis atteignant un grondement qui fit vibrer l'ouvrage : les vannes se relevaient et un mur d'eau dévalait la façade du barrage dans un fracas de tonnerre. Il frappa le fond, jaillit dans un bouillonnement assourdissant et forma ensuite une vague de près de trois mètres de haut qui s'abattit sur le fleuve, inondant les rives, arrachant sur son passage arbres et buissons. « Ça devrait suffire, commenta Eddie en vidant son chargeur dans le tableau de commande.

— Et nous donner un peu de temps », ajouta Lincoln.

Ils laissèrent les techniciens menottés à une table et redescendirent l'escalier. Le bruit et la fureur de l'eau dévalant la paroi du barrage étaient maintenant presque palpables, et des nuages d'écume trempaient leurs vêtements.

Lorsqu'ils furent arrivés en bas et qu'ils eurent tiré le Zodiac jusqu'au bord du fleuve, les eaux s'étaient assez calmées pour qu'ils puissent mettre le canot à flot et se laisser entraîner par le courant vers leur rendez-vous à Boma.

Pendant ce temps, à bord de l'*Oregon*, Juan commençait à s'inquiéter. Abala avait fait débarquer les mortiers après s'être rendu compte de leur inefficacité à partir des vedettes, trop instables ; ses hommes tiraient désormais de plus en plus près de leur cible : le dernier obus était tombé à six ou sept mètres du bastingage tribord.

Et, pour encore aggraver ses problèmes, arrivaient en amont des embarcations indigènes de plus en plus nombreuses, chargées à ras bord de rebelles. Les canons avaient beau fonctionner à merveille, ils n'étaient que quatre – dont deux employés en permanence afin d'empêcher les hélicoptères d'approcher suffisamment pour que des hommes puissent sauter sur le pont du cargo. Juan, depuis la coupole du radar, avait demandé à Hali Kasim de coordonner les transmissions pour permettre à Linda Ross de guider les opérations des combattants sur la rive. N'utilisant que des fusils et des armes de poing, ils se précipitèrent vers le côté du navire dont un bateau se rapprochait dangereusement ; ils firent feu sur les rebelles tout en évitant leurs tirs nourris.

« Parfait, s'exclama Hali depuis le centre de transmissions. Mes techniciens ont repris le contrôle du radar.

— Pourrez-vous apercevoir la vague ? lui demanda Juan.

— Désolé, Président, mais à cause des courbes du fleuve, je ne la verrai que quand elle arrivera sur nous.

— C'est mieux que rien », remarqua Juan. Un autre obus de mortier frappa l'eau tout près du cargo, le manquant cette fois de quelques centimètres. Les rebelles étaient presque à portée. Les prochains tirs toucheraient l'*Oregon* dont les ponts n'étaient pas protégés par des blindages aussi lourds que ceux des flancs. « Préparez-vous pour le contrôle des dégâts, ordonna-t-il sur le téléphone intérieur du cargo. Nous allons recevoir quelques pruneaux.

— Dieu du ciel ! cria Hali.

— Quoi ?

— Accrochez-vous ! »

Juan comprit instantanément en découvrant la vague, à la fois sur l'écran du radar et sur un moniteur relié aux caméras de l'arrière : elle allait d'une rive à l'autre ; haute de plus de trois mètres et se déplaçant à quelque vingt nœuds, une véritable muraille d'eau déferlait sur eux. Un des patrouilleurs essaya de virer de bord pour prendre le mascaret de plein fouet mais, surpris au milieu de sa manœuvre, il fut heurté par le travers et se retourna aussitôt, précipitant dans le maelström ses matelots qui se fracassèrent sur la coque de leur propre bateau.

Des pirogues disparurent sans laisser trace de leur passage et les rebelles massés sur la rive pour tirer sur l'*Oregon* partirent se réfugier sur les hauteurs tandis que l'eau balayait tout sur son passage.

Juan lâcha les commandes un instant, avant que la vague frappe l'*Oregon*, fléchit les doigts – comme un pianiste s'apprêtant à attaquer une ouverture impossible – puis les reposa délicatement sur les touches et sur le manche qui contrôlaient la manœuvre de son navire. Il régla sur vingt pour cent la puissance des machines au moment où le flot soulevait de la vase l'arrière du cargo. Comme s'il était pris dans un tsunami, le navire bondit de zéro à vingt nœuds à l'instant précis où deux obus de mortier explosaient dans son sillage – s'ils avaient atteint leur but, ils auraient fait sauter les panneaux arrière et détruit l'hélicoptère Robinson R44 garé sur un ascenseur rétractable.

Juan vérifia les indications de pression, la température des cylindres, la vitesse par rapport au lit du fleuve et par rapport au courant, la position exacte du bateau et son cap. L'*Oregon* ne se déplaçait en réalité qu'à trois nœuds par rapport au courant, mais il dévalait le fleuve à près de vingt-cinq nœuds, emporté par la formidable pression de l'eau qui s'échappait du barrage d'Inga.

« Max, préviens-moi dès que le second tube sera dégagé, cria-t-il. Je n'ai pas assez de puissance pour gouverner. »

Il augmenta la pression, luttant contre le courant qui menaçait de précipiter le navire sur un îlot qui venait de surgir au milieu du chenal. Ses doigts dansaient sur le clavier. Il poussa les propulseurs avant et arrière afin de maintenir le navire droit et à peu près au milieu du fleuve tandis que les profondeurs de la forêt défilaient sous ses yeux.

Ils s'engouffrèrent dans une courbe du fleuve, le flot les poussant vers la rive opposée contre laquelle un petit cargo qui remontait vers l'amont avait été projeté, son arrière dépassant toujours dans les remous du Congo. Juan mit toute la puissance dans les propulseurs, tout en virant à tribord toute. La coque, dans un effrayant grincement de tôles, frotta le petit cargo, mais ils passèrent.

« Ça va laisser une éraflure sur la peinture », plaisanta Eric, bien que fasciné par la maîtrise avec laquelle Juan avait manœuvré et conscient qu'il n'en aurait pas été capable.

Ils continuèrent leur course vers l'aval, emportés au milieu des eaux bouillonnantes comme une feuille dans un caniveau, et parvenant tout juste à garder le cap. Puis, enfin, Juan parvint à tirer plus de puissance des machines, mais il devait lutter sans cesse contre le courant pour empêcher l'*Oregon* de s'échouer ou de s'enfoncer dans la berge sablonneuse. A un moment, pendant que le navire se creusait un sillon dans le lit envasé du fleuve, ils touchèrent un banc de sable qui les freina brutalement. Juan crut même un instant qu'ils allaient être immobilisés, l'ordinateur ayant stoppé les réacteurs des propulseurs ; heureusement la force du courant suffit à les entraîner et, sitôt la quille libérée, l'*Oregon* reprit de la vitesse comme un sprinter jaillissant des starting-blocks.

Malgré le danger, ou peut-être à cause de cela, Cabrillo réalisa qu'il éprouvait du plaisir à relever ce défi qui mettait à l'épreuve son habileté et les possibilités de son navire face aux caprices des flots déchaînés : le véritable combat épique que l'homme livre à la nature. Il appartenait à cette catégorie d'hommes que rien ne fait reculer ; pourtant il connaissait ses limites et ne se serait pas cru en mesure de maîtriser la situation à laquelle il s'était trouvé confronté. Chez d'autres que lui, cela aurait pu passer pour un excès d'assurance. Chez Juan Cabrillo, il s'agissait d'une absolue confiance.

« Le frottement sur le sable a dégagé le second propulseur, annonça Max. Mais vas-y quand même doucement en attendant que j'envoie une équipe inspecter les dégâts. »

Juan engagea le second propulseur et sentit aussitôt le navire réagir, si bien qu'il y eut rapidement de moins en moins recours. Il vérifia la vitesse – vingt-huit nœuds par rapport au fond et huit par rapport au courant. Plus qu'assez pour contrôler le cargo ; de plus, maintenant qu'ils avaient parcouru plusieurs milles, le fleuve était redevenu plus calme. Quant aux troupes du colonel Abala, ou bien elles avaient été emportées par le flot ou bien elles étaient loin derrière, et les deux hélicos qu'ils avaient volés avaient disparu peu après le déferlement de la vague.

« Eric, je crois que tu peux nous emmener jusqu'à Boma.

— A vos ordres, Président, répondit Stone. Je prends la barre.

— Sacrément bien piloté, si je puis me permettre, le félicita Max Henley en lui posant une main sur l'épaule.

— Merci, mais je n'ai pas très envie de recommencer de sitôt.

— J'aimerais pouvoir dire que nous sommes tirés d'affaire, hélas ce n'est pas le cas ! La batterie n'est plus qu'à trente pour cent de charge. Même avec le courant qui nous pousse, nous nous trouverons à court de jus à dix bons milles de la mer.

— Tu ne me fais pas confiance ? s'attrista Juan. Tu n'as pas entendu Eric annoncer la marée dans... une heure et demie. La mer va remonter à quinze ou vingt milles à l'intérieur des terres et remplir le Congo d'eau saumâtre. Ça équivaut peut-être un peu à faire rouler une voiture de course avec de l'essence ordinaire, mais il y aura probablement assez de salinité pour satisfaire le moteur magnétohydrodynamique.

— Bon sang, fit Max, pourquoi n'y ai-je pas pensé ?

— Pour la même raison qui me vaut d'être plus payé que toi : je suis plus malin, plus astucieux et bien plus bel homme.

— Et avec ça, d'une humilité à toute épreuve. Dès notre arrivée à Boma, reprit Max, redevenant sérieux, j'enverrai quelques-uns de mes ingénieurs regarder les tuyères mais, d'après les données de l'ordinateur, je crois que tout fonctionne. Peut-être pas à cent pour cent, mais mes gars m'assurent qu'on n'a pas besoin de les réaligner. »

Même s'il portait le titre de président au sein de la Corporation et s'il assumait les charges de la gestion quotidienne d'une entreprise en plein essor, Max adorait son rôle de chef mécanicien de l'*Oregon*, et il était extrêmement fier de ses machines ultrasophistiquées.

« Tant mieux. Je ne tiens pas à rester à Boma plus que le temps nécessaire. Dès que nous aurons récupéré Lincoln et Eddie, je veux que nous rallions la haute mer au cas où le ministre Isaka ne pourrait pas nous couvrir après l'ouverture des vannes de leur barrage, précisa Juan.

— Bien raisonné. Il est possible de vérifier les tuyères en pleine mer à peu près aussi facilement qu'à quai.

— Pas d'autres dégâts ?

— A part un appareil de radiographie endommagé à l'infirmerie et Maurice qui crie comme un putois pour des assiettes et des verres brisés, nous nous en sommes assez bien tirés. »

Commissaire de bord de l'*Oregon*, seul membre de l'équipage plus âgé que Max et seul non-Américain à bord, Maurice était un nostalgique de l'ère victorienne : il avait servi dans la British Navy, régnant sur le mess de nombreux vaisseaux amiraux avant d'être mis à terre à cause de son âge. Il travaillait à la Corporation depuis un an et il était vite devenu le favori de l'équipage : il savait mieux que personne organiser les anniversaires et connaissait les plats préférés de chacun grâce aux confidences des cuisiniers.

« Recommande-lui d'y aller doucement cette fois pour ses achats. Quand nous avons perdu beaucoup de vaisselle en sauvant Eddie, il y a quelques mois, Maurice a tout remplacé... par de la porcelaine Royal Doulton à six cents dollars le couvert.

— Tu mégotes pour de telles broutilles, lança Max en haussant les sourcils.

— Nous avons perdu pour quarante-cinq mille dollars de rince-doigts et de coupes à sorbet !

— Il n'y a pas de quoi fouetter un chat. Tu oublies que j'ai vu les derniers comptes : nous pouvons nous le permettre. »

C'était vrai : la Corporation n'avait jamais connu des finances plus brillantes. Le pari de Juan – fonder sa propre société de sécurité et de surveillance – avait donné des résultats qui surpassaient ses espérances les plus optimistes. Toutefois, il y avait aussi des inconvénients : les besoins de ce genre d'organisations dans le monde d'après la guerre froide constituaient, au vingt et unième siècle, une réalité qui donnait à réfléchir. Il avait compris qu'une fois disparus les effets polarisants de deux superpuissances, les guerres régionales et le terrorisme allaient proliférer tout autour du globe. Etre en position de tirer profit des conflits, à condition de pouvoir choisir son camp, constituait tout à la fois un avantage et une malédiction qui hantait les insomnies de Cabrillo.

« C'est la faute de ma grand-mère, répondit Juan. Elle était capable de vivre une semaine entière sur un dollar et d'avoir encore un peu de monnaie dans sa poche. J'avais horreur d'aller chez elle parce qu'elle achetait toujours du pain rassis pour économiser quelques sous. Elle avait beau le faire griller, ça se sentait, et tu ne peux pas imaginer à quel point les hot dogs au pain dur peuvent être mauvais.

— Bon, en souvenir de ta grand-mère, je dirai à Maurice de s'en tenir, pour cette fois, à de la porcelaine de Limoges », lança Max, et il rejoignit son poste.

Sur ces entrefaites, Hali Kasim, l'air soucieux, s'approcha, un bloc-notes à la main.

« Président, le renifleur a capté ça il y a deux minutes. »

Le renifleur, autrement dit le système sophistiqué de surveillance qui balayait sur des milles à la ronde le spectre électronique autour du navire : il captait tout, depuis les émissions régulières de radio jusqu'aux échanges par téléphones portables cryptés, puis, toutes les demi-secondes, le super-ordinateur du bord triait les données en traquant dans tout ce fatras le moindre fétu de renseignement.

« L'ordi vient de déchiffrer le code. A mon avis, il s'agit soit d'un chiffrage civil extrêmement élaboré, soit d'un chiffrage militaire.

— La source ? demanda Juan à son expert en communications.

— Un téléphone satellite émettant d'une altitude d'environ douze mille mètres.

— Donc d'un appareil militaire ou bien d'un jet privé, les avions de ligne volant rarement au-dessus de dix mille mètres.

— C'est ce que je pense aussi. Malheureusement, nous n'avons saisi que le début de la conversation. Le renifleur s'est arrêté en même temps que le radar et quand il a repris, l'avion était hors de portée. »

Juan lut tout haut l'unique ligne captée :

« ... plus tard. Nous aurons Merrick à l'Oasis du Diable vers quatre heures. Ça ne me dit pas grand-chose.

— Je ne connais pas l'Oasis du Diable mais, quand tu déchargeais les armes sur le quai, Sky News a annoncé l'enlèvement de Geoffrey Merrick et de l'un de ses associés au siège de la société à Genève. Si on fait le rapprochement entre cette information et le message capté par le renifleur, un jet privé transportant Merrick et ses ravisseurs serait passé juste au-dessus de nos têtes au moment où nous avons intercepté la conversation.

— Le Geoffrey Merrick qui dirige la société Merrick-Singer ? suggéra Cabrillo.

— Le milliardaire dont les inventions dans le domaine du charbon propre ont ouvert à l'industrie un monde de possibilités et fait de lui un des hommes de la planète les plus détestés par les groupes écologiques qui croient encore le charbon trop polluant.

— Pas de demande de rançon pour l'instant ?

— Rien aux informations.

— Charge Murph et Linda Ross de travailler là-dessus. Dis-leur que je veux savoir exactement ce qui se passe. Qui a enlevé Merrick ? Qui est chargé de l'enquête ? Qu'est-ce que l'Oasis du Diable et où cela se trouve-t-il ? Tout le tralala. Plus un topo sur Merrick-Singer.

— Pourquoi nous intéresser à lui ?

— Par altruisme, ricana Cabrillo.

— Rien à voir avec le fait qu'il soit milliardaire, hein ?

— Ça me choque que tu puisses penser cela de moi », répliqua Juan qui paraissait sincèrement indigné.

6

JUAN CABRILLO, LES PIEDS SUR son bureau, lisait sur son ordinateur les rapports de situation que lui avaient fournis Eddie et Lincoln. Tous deux évoquaient de façon neutre une succession d'événements qui les avaient certainement inquiétés, chacun insistant sur le rôle de son équipier et minimisant les risques encourus au point que tout cela semblait de la routine. Il nota quelques remarques et classa les rapports dans les archives informatiques.

Il consulta ensuite la météo. La neuvième grosse tempête de l'année sur l'Atlantique était en train de se former au nord ; elle ne présentait pas de danger pour l'*Oregon*, mais il s'y intéressa quand même car trois d'entre elles déjà s'étaient transformées en tornades, alors que la saison commençait à peine. Les météorologues prévoyaient que l'année verrait le nombre de tempêtes atteindre, voire dépasser, celui qu'on avait observé aux Etats-Unis en 2005, année où La Nouvelle-Orléans avait été pratiquement détruite et où la côte du golfe du Texas avait subi des dégâts considérables. Un cycle normal, selon les experts, avec des tornades remarquables par leur fréquence et leur violence ; les écologistes, eux, imputaient le phénomène aux effets du réchauffement climatique. Juan partageait plutôt l'avis des météorologues ; quoi qu'il en soit, la tendance était inquiétante.

Cela dit, le temps sur la côte sud-ouest de l'Afrique s'annonçait beau pour au moins les cinq jours suivants.

Si, la veille au soir, Cabrillo présentait l'aspect négligé d'un officier à bord d'un vieux cargo, ce matin-là, on le retrouvait fraîchement douché, vêtu d'un jean à la coupe parfaite, d'une chemise sur mesure à col ouvert et chaussé de mocassins qu'il portait sans chaussettes. Comme on voyait ses chevilles, il avait enfilé une jambe droite de caoutchouc couleur chair plutôt qu'une de ces prothèses d'aspect trop mécanique. Malgré ses ascendances et son nom latins, ses cheveux courts n'étaient pas blanchis mais plutôt décolorés par le soleil de la Californie où il avait passé le plus clair de sa jeunesse.

On avait abaissé le blindage qui protégeait les hublots, aussi sa cabine était-elle baignée d'une lumière qui faisait briller le teck des lambris, du plancher et du plafond à caissons. De son bureau, il pouvait voir sa chambre dominée par un grand lit à colonnes et, plus loin, sa douche en carrelage mexicain, le jacuzzi en cuivre et le lavabo. Tout cela imprégné du parfum de la lotion de Juan et parfois de l'arôme de ses cigares cubains préférés.

L'élégante simplicité du décor reflétait les goûts éclectiques de Juan. Sur une cloison, un tableau représentant l'*Oregon* fendant les flots d'une mer orageuse et, en face, des vitrines abritant quelques-uns des souvenirs qu'il avait rapportés de ses voyages : une statuette en terre cuite d'un *ushabti* égyptien, une coupe en pierre aztèque, un moulin à prière tibétain, un bout de fanon de baleine, un poignard gurkha, un fragment d'émeraude brute de Colombie et des douzaines d'autres objets. Des meubles essentiellement en bois sombre, un éclairage discret et sur le sol des tapis persans de couleurs vives.

Dans la cabine de Juan – et c'était frappant alors que les gens de mer s'entourent presque tous de portraits de leur femme et de leurs enfants –, on ne voyait aucune photographie ; il avait pourtant été marié mais l'accident d'auto dont son épouse avait été victime en état d'ivresse restait un souvenir douloureux qu'il refusait d'évoquer.

Il but une gorgée de café, son regard s'attardant sur le service en porcelaine, et il sourit.

Deux raisons lui permettaient de recruter, et de garder quelques-uns parmi les membres les plus brillants des forces armées et des services de renseignements des Etats-Unis : il payait bien et ne refusait rien à son équipage – ni une coûteuse porcelaine au mess, ni des chefs étoilés en cuisine, ni même une allocation à chaque nouvelle recrue pour refaire la décoration de sa cabine. Mark Murphy, par exemple, avait consacré le plus clair de son budget à l'achat d'une chaîne stéréo capable de faire tomber les bernacles accrochées à la coque, Linda Ross avait engagé un décorateur new-yorkais pour aménager sa cabine, et Lincoln avait tout englouti dans l'acquisition d'une Harley-Davidson qu'il garait dans la cale.

L'*Oregon* offrait un assortiment complet de salles de musculation et de saunas ainsi que, quand le navire n'était pas en mission, la possibilité de remplir à moitié l'un des réservoirs pour le transformer en une piscine olympique. Les membres de la Corporation vivaient bien mais, ainsi que l'avait montré leur dernière aventure, ils vivaient aussi dangereusement. Ils étaient tous actionnaires ; les officiers touchaient certes la part du lion, mais Juan, à la fin d'une opération, préparait avec un réel plaisir des primes pour les techniciens et le personnel auxiliaire : quelque 500 000 dollars pour le travail qu'ils venaient de terminer.

Il s'apprêtait à taper son rapport à Langston Overholt, son vieux copain de la CIA qui apportait de nombreuses affaires à la Corporation, quand on frappa à sa porte.

Linda Ross et Mark Murphy entrèrent. Linda était vive et menue, Murph un peu gauche et dégingandé avec des cheveux bruns hirsutes, un petit bouc qu'un coup de rasoir ferait disparaître et avait l'habitude de ne porter que du noir. Un des rares à bord sans antécédents militaires, Mark était un authentique génie détenteur – à vingt ans – d'un doctorat de lettres ; engagé au bureau d'études d'un entrepreneur travaillant pour la Défense, il y avait rencontré Eric Stone, alors dans la marine mais avec déjà un contrat en poche pour travailler avec Juan. Eric avait convaincu Cabrillo que le jeune expert en armement ferait une excellente recrue pour la Corporation et, au bout de trois ans, malgré le goût de Murph pour le rock et sa manie de transformer le pont du bateau en piste de skate-board, Juan avait fini par en convenir.

Cabrillo jeta un coup d'œil au vieux chronographe posé sur son bureau.

« Deux hypothèses pour que vous rappliquiez aussi vite : vous avez été éliminés ou, au contraire, vous avez battu tous les records.

— Ni l'une ni l'autre, répondit Murph tout en maintenant en équilibre la pile de papiers qu'il tenait dans ses bras. Et, à propos, je n'aime pas les métaphores sportives parce que, le plus souvent, je ne les comprends pas. »

Ils s'assirent en face de Juan qui écarta un tas de dossiers de son bureau.

« Alors, qu'est-ce que vous avez là ?

— Par où veux-tu commencer ? demanda Linda. Par l'enlèvement ou par la société ?

— Commençons par le fond de l'affaire. »

Juan noua ses doigts derrière sa nuque en contemplant le plafond pendant que Linda attaquait son rapport. Elle aurait pu le trouver grossier de ne pas la regarder dans les yeux, mais c'était un de ses tics quand il se concentrait.

« Geoffrey Merrick, cinquante et un ans. Divorcé et deux grands enfants qui passent leur vie à claquer l'argent de leur père en courant après les paparazzi afin de se retrouver dans les rubriques people. Sa femme, une artiste, habite le Nouveau-Mexique et ne se fait pas remarquer.

« Merrick est sorti du MIT avec un doctorat de chimie la veille du jour où Mark a décroché le sien, et il s'est associé avec un autre ancien élève pour fonder Merrick-Singer, une entreprise de recherche en matières premières. La société a déposé quatre-vingts brevets en quelque vingt-cinq ans d'existence et est passée d'un petit bureau loué dans la banlieue de Boston à un campus près de Genève où travaillent cent soixante personnes.

« Comme tu le sais peut-être, leur brevet le plus important concerne un système de filtre organique capable de retenir jusqu'à quatre-vingt-dix pour cent du soufre de la fumée émise par les centrales thermiques à charbon. Un an après avoir déposé ce brevet, Merrick-Singer a été introduit en Bourse et ses deux fondateurs sont devenus milliardaires. Tout cela non sans de multiples controverses qui durent encore aujourd'hui. Les mouvements écologiques affirment que, même avec les filtres, les centrales à charbon polluent trop et qu'on devrait les fermer. De nombreux procès sont encore en cours et chaque année on voit surgir de nouvelles actions judiciaires.

— Des écoterroristes auraient-ils pu enlever Merrick ? lança Juan.

— C'est une possibilité qu'envisage la police helvétique, répondit Linda. Néanmoins cela paraît peu probable. A quoi cela servirait-il ? Mais, revenons à notre histoire : dix ans après leur introduction en Bourse, Merrick et son associé se sont brouillés. Jusqu'alors ils se comportaient comme deux frères : ensemble à toutes les conférences de presse, et ensemble même pour leurs vacances en famille. Et puis, en l'espace de deux mois, Singer a semblé changer du tout au tout : il s'est mis à prendre le parti des écologistes dans les procès qu'ils intentaient à sa propre société et il a fini par obliger Merrick à lui racheter la totalité de ses actions, soit deux milliards et demi de dollars – Merrick a dû se démener pour trouver une somme pareille. Cela l'a conduit au bord de la faillite.

— Une véritable histoire à la Abel et Caïn, remarqua Mark Murphy.

— Qui, à l'époque, a fait la une de tous les journaux financiers.

— Et Singer, qu'a-t-il fait depuis ?

— Depuis que sa femme l'a quitté, il habite sur la côte du Maine, près de l'endroit où il a passé son enfance. Il y a encore quatre ou cinq ans, il utilisait sa fortune pour soutenir toutes sortes de causes écologiques, dont quelques-unes flirtaient avec l'extrémisme. Et puis, tout d'un coup, il a entamé des actions en justice, pour escroquerie, contre un certain nombre de groupes écologiques en les accusant de l'avoir roulé. Il prétendait que le mouvement dans son ensemble ne représentait qu'un moyen pour les responsables de diverses associations caritatives de se faire de l'argent et qu'ils ne faisaient rien pour aider la planète. Il y a encore pas mal de procès en suspens même si Singer lui-même a presque disparu.

— Il vit en ermite ?

— Non. Il mène une vie discrète. En menant mes investigations, j'ai eu l'impression que Merrick servait de couverture et que Singer était le cerveau, même s'ils partageaient les honneurs. Merrick avait la poignée de main facile, il avait vraiment ses entrées au Capitole et, plus tard, dans les allées du pouvoir à Berne quand ils ont installé le siège de la société en Suisse. Il s'habillait chez les grands tailleurs, alors que Singer s'affichait en jean. Merrick adorait se trouver sous le feu des projecteurs, alors que Singer préférait rester dans l'ombre. Je pense que depuis qu'il a quitté la société, il est redevenu le personnage introverti qu'il a, au fond, toujours été.

— Je ne vois pas là le portrait d'un maître criminel, observa Juan.

— Moi non plus. Il s'agit seulement d'un savant au portefeuille bien garni.

— Nous avons donc affaire à un enlèvement contre rançon – à moins que quelqu'un n'en veuille à Merrick ?

— Depuis la confrontation avec Singer, l'entreprise tourne sans histoires.

— Quelle est la nature exacte de ses activités ?

— Elle se consacre maintenant à la recherche pure sous l'impulsion de Merrick. La société continue à déposer quelques brevets chaque année, rien de bien spectaculaire : une meilleure colle moléculaire pour je ne sais quelle obscure application ou une mousse capable de supporter des températures de quelques dixièmes de degré de plus qu'un autre produit qui se trouve déjà sur le marché.

— Rien qui pourrait être intéressant pour de l'espionnage industriel ?

— Rien à notre connaissance, mais peut-être travaillent-ils sur un projet secret.

— Bon, nous y penserons. Donne-moi quelques détails sur l'enlèvement.

— Merrick et une chercheuse, une certaine Susan Donleavy, ont été vus par un garde de la sécurité dans le bâtiment principal de leur campus hier soir à sept heures : ils bavardaient en sortant de l'immeuble. Merrick avait un dîner et une table réservée pour huit heures. Donleavy, qui vit seule, n'avait apparemment pas de projet.

« Ils ont quitté Merrick-Singer au volant, lui, de sa Mercedes, elle, d'une Volkswagen. On a retrouvé leurs voitures huit cents mètres plus loin. L'examen des traces de pneus a permis à la police de déterminer qu'un troisième véhicule – selon toute probabilité une camionnette, étant donné son empattement – a contraint les deux voitures à quitter la route à grande vitesse : les airbags de la Mercedes se sont déployés, mais celui de la Volkswagen n'a pas bougé. La Mercedes a sans doute été heurtée la première tandis que Susan Donleavy ralentissait quand la camionnette l'a emboutie. La vitre de la voiture de Merrick côté conducteur a été brisée vers l'intérieur si bien qu'on n'a pas pu déverrouiller la portière ; la Volkswagen n'avait pas de verrouillage automatique, et on a donc simplement tiré la conductrice hors de la voiture.

— Comment ont-ils pu conclure à un enlèvement plutôt qu'à un bon Samaritain venu à leur secours pour les conduire à un hôpital voisin ? demanda Cabrillo.

— Parce qu'il n'y a pas d'hôpital dans la région, et la police en a déduit qu'on les a enfermés dans le sous-sol du bon Samaritain.

— Exact.

— Jusqu'à maintenant il n'y a pas eu de demande de rançon et les recherches pour retrouver la camionnette n'ont rien donné. On finira par la récupérer dans un aéroport car nous savons qu'on a fait quitter le pays par avion à Merrick, et selon toute probabilité à Susan Donleavy aussi.

— A-t-on contrôlé les avions-taxis qui ont décollé de Genève hier soir ?

— Eric s'en occupe en ce moment. Il y en a plus de cinquante parce qu'un sommet économique vient de se terminer et que tous les gros bonnets rentraient chez eux.

— Je vois, soupira Juan.

— Il ne s'agit peut-être pas de pure malchance pour nous mais d'un plan délibéré de leur part.

— Très juste.

— Pour l'instant, la police ne sait que faire. Elle attend de connaître les exigences des ravisseurs.

— Et si elles concernaient Susan Donleavy plutôt que Geoffrey Merrick ? suggéra Juan.

— J'en doute, dit Marc en secouant la tête. J'ai consulté son dossier sur la banque de données de la firme : elle travaille dans la société depuis deux ans comme chercheuse en chimie organique et continue à préparer son doctorat. Je l'ai déjà dit : elle vit seule, pas de mari, pas d'enfant. La plupart des employés donnent quelques informations sur leurs sujets d'intérêt ou leurs hobbies. Son CV ne mentionne que ses références professionnelles. Absolument rien de personnel.

— Son enlèvement ne justifierait donc pas la dépense d'un jet privé.

— Quelle que soit la façon de considérer les choses, résuma Linda, la cible, c'était Merrick, et je parie que Donleavy s'est fait ramasser parce qu'elle était un témoin.

— Et cette Oasis du Diable citée sur Internet ? interrogea Juan pour les ramener au problème.

— Nous n'avons pas réussi à en trouver trace sur le Net, répondit Linda. Probablement un nom de code, donc elle peut se trouver n'importe où. En partant de l'endroit où nous avons intercepté l'appel – quand ils signalaient qu'ils arriveraient à quatre heures du matin –, on pourrait situer cette prétendue oasis à l'intérieur d'un cercle assez vaste pour englober toute la pointe orientale de l'Amérique du Sud. A moins qu'ils ne soient repartis vers le nord, vers l'Europe.

— Ça me paraît peu probable. Supposons qu'au départ de la Suisse ils aient piqué directement vers le sud, une telle trajectoire les amenait alors au-dessus de notre position d'hier soir. Quel serait dans ces conditions le lieu d'atterrissage le plus vraisemblable ?

— Quelque part en Namibie, au Botswana, au Zimbabwe ou en Afrique du Sud.

— Et, avec la chance que nous avons, tu paries combien que c'est le Zimbabwe ? marmonna Mark.

— Encore une fois, il peut s'agir non de notre malchance mais du résultat d'un plan délibéré de leur part, intervint Linda. Le dernier endroit où chercher un riche industriel enlevé par des ravisseurs, ce serait en pleine zone de combat. Ils pourraient très bien acheter le gouvernement pour qu'il regarde ailleurs quand ils l'amèneraient là-bas.

— D'accord, concentrez vos recherches sur une Oasis du Diable au Zimbabwe, mais n'écartez aucune hypothèse ; nous continuons à faire route vers le sud en espérant que nous obtiendrons un résultat le temps d'arriver au tropique du Cancer. En attendant, je vais contacter Langston pour voir si la CIA a quelque chose à voir là-dedans et peut-être lui demander de tâter le terrain du côté du gouvernement helvétique ainsi que du conseil d'administration de Merrick-Singer. Histoire de leur faire comprendre qu'ils ont un choix à faire.

— Président, ce n'est pas notre façon habituelle de procéder.

— Je sais, Linda, mais peut-être allons-nous nous trouver au bon endroit au bon moment pour régler tout cela.

— A moins que les ravisseurs ne précisent leurs exigences aujourd'hui, que Merrick-Singer ne verse la rançon et que ce bon Geoffrey ne soit rentré chez lui à temps pour dîner.

— Nous oublions un élément capital, observa Juan avec gravité.

Le faire sortir du pays par avion est un risque qu'ils n'avaient pas besoin de courir dans le cas d'une simple demande de rançon. S'ils n'exigeaient que cela, ils l'auraient planqué quelque part en Suisse, ils auraient formulé leurs conditions et voilà tout. Si leur plan est aussi minutieusement préparé que tu le soupçonnes, leur affaire doit se situer à un autre niveau, dont nous n'avons encore aucune idée. »

Linda Ross hocha la tête : elle comprenait la gravité de la situation.

« Par exemple ?

— Trouvons l'Oasis du Diable et peut-être qu'alors nous saurons. »

7

Pour ne pas avoir à supporter la vibration lancinante du moteur de l'hélicoptère et le fracas du rotor, Sloane avait choisi de serrer au maximum ses écouteurs sur ses oreilles ; seulement ils lui tenaient tellement chaud que ses cheveux collaient à son crâne, et cela durait depuis deux jours – deux jours de vaines recherches.

Même le dos de sa chemise était moite : dès qu'elle changeait de position, elle le sentait adhérer au vinyle du siège. Elle avait vite appris à tenir sa chemise d'une main lorsqu'elle bougeait, faute de quoi le tissu se plaquait contre sa poitrine, ce qui lui valait un sourire paillard de Luka, assis à côté d'elle sur la banquette arrière. Elle aurait préféré s'installer devant, auprès du pilote, mais celui-là prétendait qu'il avait besoin du poids de Tony dans le cockpit pour équilibrer le petit hélico.

Ils se rendaient une dernière fois à Swakopmund, ce qui inspirait à Sloane un mélange de soulagement et de déception. Sept fois, ils avaient survolé l'océan à la recherche des points marqués d'un cercle sur sa carte et sept fois, ils étaient repartis faire le plein de carburant sans avoir rien trouvé d'autre que des formations rocheuses naturelles. Le détecteur de métaux portable qu'ils plongeaient dans l'eau au bout d'une longue corde n'avait décelé aucune présence métallique assez importante pour être une ancre, encore moins un navire.

A cause des heures passées dans la cabine exiguë de l'appareil, elle souffrait de crampes et pensait qu'elle ne se débarrasserait jamais de l'odeur corporelle de Luka. Elle était persuadée que les pêcheurs connaissaient à fond les eaux au large de la côte et pas un instant elle n'avait imaginé qu'elle rentrerait bredouille. Mais maintenant qu'ils regagnaient le petit héliport au milieu des dunes près de Swakopmund, le sentiment d'avoir échoué lui serrait la gorge tandis que la réverbération de l'océan, transperçant les verres de ses lunettes de soleil, lui donnait une affreuse migraine.

Tony se tourna vers elle pour lui faire signe de rebrancher son casque sur le réseau interne de l'hélico. Elle l'avait coupé pour se lamenter toute seule.

« Le pilote dit qu'il n'a pas assez d'essence pour examiner le dernier point sur la carte, celui que nous a indiqué Papa Heinrick.

— Qu'est-ce qu'il a raconté, Papa Heinrick ? » interrogea Luka, en soufflant vers Sloane une bouffée de son haleine fétide.

Sloane s'était abstenue d'évoquer leur visite nocturne au vieux pêcheur un peu fou de Sandwich Bay, car elle se doutait que Luka avait raison et ne voulait pas en convenir.

Regrettant l'intervention de Tony, Sloane haussa les épaules.

« Peu importe. Il déraillait complètement. Nous avons gaspillé plus de deux mille dollars de kérosène à vérifier des informations provenant de sources fiables. Je ne nous vois pas en claquer davantage sur les divagations de Papa Heinrick avec ses histoires de serpents géants.

— Des serpents comment ? s'enquit le pilote.

— Des serpents géants, répéta Sloane, qui se sentait idiote. Il prétend avoir été attaqué par de gigantesques serpents métalliques.

— Delirium tremens certainement, lança le pilote. Tout le monde ici sait que Papa Heinrick a une sacrée descente. Je l'ai vu faire rouler sous la table deux Australiens, et je vous assure que ces deux-là étaient bâtis comme des colosses. Des joueurs de rugby, je crois. S'il a vu des serpents, je vous parie votre dernier rand que c'était après une cuite.

— Des serpents géants, ricana Luka. Est-ce que je ne vous avais pas prévenus que Papa Heinrick était dingue ? Vous perdez votre temps avec lui. Faites confiance à Luka. Je trouverai l'endroit que vous cherchez. Vous verrez. Il y en a encore à vérifier.

— Sans moi, lâcha Tony. Il faut que je sois rentré après-demain et, d'ici là, je n'ai qu'une envie : rester au bord de la piscine.

— Comme vous voudrez, répondit Luka après un coup d'œil aux

jambes nues de Sloane. J'emmènerai moi-même miss Sloane dans un bateau qui va plus loin que cet hélico.

— Je ne crois pas », rétorqua Sloane, assez sèchement pour attirer l'attention de Tony.

Elle le foudroya du regard et il mit un moment à comprendre les intentions de leur guide.

« On verra comment je me sentirai demain matin, hein ? fit-il. Un bateau, l'idée n'est pas si mauvaise.

— Vous perdez votre temps », marmonna le pilote.

Sloane était persuadée qu'il avait raison.

L'appareil arriva vingt minutes plus tard au-dessus de l'héliport poussiéreux ; le souffle des pales fit jaillir un nuage qui dissimula le terrain et transforma la manche à air en un cône rose. Le pilote posa doucement sa machine et coupa aussitôt le moteur. L'effet fut immédiat : le gémissement perçant du rotor déclina et les pales ralentirent leur mouvement. Il ouvrit sa portière avant même d'avoir stoppé, et l'air brûlant et chargé de poussière de l'extérieur remplaça la chaleur moite de la cabine. Cela soulageait malgré tout.

Sloane ouvrit sa portière et descendit en baissant instinctivement la tête car les pales tournaient encore. Elle attrapa son sac puis fit le tour de l'appareil pour aider Tony à décrocher le détecteur de métaux et la bobine de câble du patin gauche. A eux deux ils chargèrent la cinquantaine de kilos de matériel à l'arrière de leur camionnette de location. Sans esquisser le moindre geste pour les aider, Luka tirait furieusement sur sa première cigarette depuis deux heures.

Quand Tony eut réglé le pilote, il ne lui restait plus que deux chèques de voyage qu'il s'était déjà juré de perdre au casino de leur hôtel. Le pilote leur serra la main, les remercia d'avoir utilisé ses services et les quitta sur un ultime conseil :

« Je suis sûr que vous considérez Luka comme une canaille et un menteur, mais il a raison en ce qui concerne Papa Heinrick. Le vieux n'a plus toute sa tête. Vous vous êtes assez amusés à chercher l'épave d'un bateau. Profitez de votre dernier jour de vacances. Allez faire un tour dans les dunes ou bien détendez-vous au bord de la piscine comme le suggère Tony. »

Maintenant que Luka était hors de portée de voix, Sloane répondit :

« Nous avons traversé la moitié du monde. Qu'est-ce qu'une journée supplémentaire de perdue ?

— C'est ce qui me plaît chez vous autres Amerloques. Vous ne renoncez jamais. »

Nouvel échange de poignées de main, puis Luka grimpa à l'arrière du 4 × 4. Ils le déposèrent devant un bar du quartier ouvrier de Walvis Bay où il habitait et lui payèrent sa journée de travail ; mais ils eurent beau lui affirmer qu'ils n'auraient probablement plus besoin de lui, il promit d'être à leur hôtel à neuf heures le lendemain matin.

« Seigneur, geignit Sloane, il est insupportable.

— Je ne comprends pas ton problème avec ce type. D'accord, il devrait prendre une douche et sucer des pastilles de menthe, mais il nous a vraiment aidés.

— Si tu étais une femme assise auprès de lui, tu comprendrais. »

La Namibie ayant été une colonie allemande, Swakopmund présentait une architecture de pur style bavarois – maisons aux ornements tarabiscotés et temples luthériens massifs. Les larges avenues bordées de palmiers étaient bien entretenues malgré le sable du désert qui envahissait tout. L'endroit était devenu grâce au port en eaux profondes de Walvis Bay une escale pour les croisières des amateurs d'aventure.

Tony proposa à Sloane de dîner à l'hôtel et de passer ensuite la soirée au casino mais elle déclina :

« Je préfère aller au restaurant près du phare pour admirer le coucher de soleil.

— Comme tu voudras », répondit Tony tout en se dirigeant vers sa chambre.

Après s'être douchée, Sloane enfila une robe bain de soleil à fleurs, chaussa des ballerines et jeta un chandail sur ses épaules ; elle laissa ses cheveux auburn tomber en cascade sur son dos et mit un peu de fond de teint sur ses pommettes rosies par le soleil. Tony s'était certes comporté en parfait gentleman tout le long du voyage, elle pressentait pourtant qu'après deux heures passées à jouer les James Bond au casino, il risquait de lui faire du plat ; donc, mieux valait ne pas y aller.

Elle descendit Bahnhof Street, regardant au passage les vitrines proposant aux touristes statuettes indigènes et œufs d'autruche peints.

Le vent qui soufflait de l'Atlantique rafraîchissait la ville tout en chargeant l'air de poussière. Arrivée au bout de la rue, elle laissa Palm Beach sur sa droite et continua tout droit sur le Môle, une langue de terre qui protégeait Palm Beach et pourvue à son extrémité d'un petit phare. Deux minutes plus tard, elle arrivait à destination. Surplombant les brisants, le restaurant offrait une vue spectaculaire ; un certain nombre de touristes avaient d'ailleurs eu la même idée que Sloane.

Elle commanda au comptoir une bière allemande et l'emporta jusqu'à un siège libre d'où l'on dominait la mer.

Sloane McIntyre, peu habituée à l'échec, était particulièrement contrariée par le fiasco de ce voyage. Certes, le pari était risqué, mais elle restait persuadée qu'ils avaient de bonnes chances de retrouver le HMS *Rove*.

Au fond, se demanda-t-elle pour la centième fois, combien de chances que la rumeur soit fondée ? Une sur mille ? Sur un million ? Et que lui rapporterait éventuellement cette découverte ? Une tape affectueuse sur l'épaule et une prime ? Cela compenserait-il la mauvaise humeur de Tony, les regards concupiscents de Luka et les radotages de Papa Heinrick ? Furieuse, elle termina sa bière en trois lampées et en commanda une autre pour accompagner un plat de poisson.

Tandis que le soleil se couchait, elle dîna et réfléchit à son existence. Sa sœur : mariée, trois enfants, une carrière ; elle : vivant si rarement dans son appartement londonien qu'elle avait jeté toutes ses plantes pour les remplacer par des fleurs en plastique ; un petit ami qui s'était lassé de ses absences répétées ; mais surtout, comment se faisait-il qu'une femme titulaire d'un master d'économie de Columbia courait les pays du tiers-monde en questionnant les pêcheurs sur les endroits où ils perdaient leurs filets ?

Son repas terminé, elle décida que, dès son retour, elle établirait un bilan sérieux de sa vie et réfléchirait à ce qu'elle voulait en faire. Dans trois ans, elle aurait quarante ans et, même si cela ne lui semblait pas aujourd'hui un âge canonique, elle se souvenait combien cela lui semblait vieux quand elle avait vingt ans. Elle était loin d'avoir atteint ses objectifs de carrière et elle avait l'impression qu'elle ne monterait pas beaucoup plus haut dans les échelons de la société si elle ne prenait pas de mesures énergiques.

C'était pourtant ce qu'elle pensait avoir fait en programmant ce voyage en Namibie ; finalement, il s'avérait un échec, et elle pestait contre elle-même de s'être encore trompée.

Il commençait à faire un peu frais à cause du vent qui venait de la mer ; elle enfila son chandail, régla sa note et laissa un généreux pourboire auquel, selon son guide, le serveur ne s'attendait pas.

Elle choisit pour rentrer à son hôtel un itinéraire qui montrait un peu plus de la vieille ville. Les trottoirs étaient déserts, sauf devant deux ou trois restaurants, et il y avait peu de circulation. La Namibie, pour l'Afrique, paraissait riche ; elle était cependant encore un pays pauvre dont les habitants vivaient au rythme du soleil : à huit heures, la plupart dormaient déjà, aussi ne voyait-on guère de lumières aux fenêtres.

Brusquement le vent cessa, et Sloane entendit des bruits de pas ; elle se retourna et vit une ombre s'esquiver au coin d'une rue. Si l'inconnu avait continué à avancer, elle n'aurait vu là qu'une création de sa paranoïa, mais l'homme (ou la femme) ne voulait pas trahir sa présence et Sloane découvrit en même temps qu'elle ne connaissait pas du tout ce quartier.

Elle situait son hôtel sur sa gauche, à quatre, peut-être cinq rues plus loin et, si elle pouvait arriver à Bahnhof Street qu'il dominait, elle serait tirée d'affaire. Elle se mit à courir, perdit une sandale au bout de quelques pas et se débarrassa prestement de l'autre quand elle entendit son poursuivant râler face à sa réaction avant de se lancer à ses trousses.

Sloane courait aussi vite qu'elle en était capable, ses pieds nus claquant sur le trottoir. Juste avant de tourner à un coin de rue, elle risqua un coup d'œil derrière elle. Ils étaient deux. Elle pensa aux pêcheurs que Tony et elle avaient interrogés, mais ces deux-là étaient blancs. L'un d'eux semblait armé d'un pistolet.

Elle déboula dans le tournant et accéléra encore. Ils gagnaient du terrain, elle le savait, mais si seulement elle réussissait à atteindre l'hôtel, ils battraient à coup sûr en retraite. Coudes au corps, elle s'engagea dans une rue. Les hommes étant momentanément hors de vue, elle se précipita instinctivement dans la première ruelle qui se présenta.

Sloane débouchait presque dans la rue suivante quand son pied heurta une boîte métallique qu'elle n'avait pas vue à cause de l'obscurité. Elle ressentit moins la douleur de son orteil meurtri que la fureur de n'avoir pas remarqué le bidon qui, en retentissant comme un gong, avait alerté ses poursuivants. Elle tourna de nouveau à gauche et, voyant une voiture approcher, se jeta au milieu de la chaussée en agitant frénétiquement les bras. Le véhicule ralentit, et Sloane distingua un homme et une femme à l'avant et des enfants à l'arrière.

La femme dit quelque chose à son mari qui, détournant la tête d'un air coupable, accéléra. Sloane poussa un juron : elle avait perdu de précieuses secondes en espérant que ces gens lui porteraient secours. Elle se remit donc à courir, les poumons en feu.

Un coup de feu claqua et des fragments de ciment jaillirent de l'immeuble, juste derrière elle : à trente centimètres près, la balle se logeait dans son crâne. Luttant contre son envie de se baisser, elle continua à filer comme une gazelle tout en zigzaguant pour empêcher le tireur de bien viser.

Un panneau indiqua Wasserfall Street : elle ne se trouvait donc plus qu'à un demi-bloc de l'hôtel. Elle se mit à courir à une allure dont elle ne se serait pas crue capable et se retrouva sur Bahnhof Street, presque en face de son hôtel. Un flot de voitures s'écoulait dans la grande artère, et des lumières éclairaient comme en plein jour la vieille gare transformée en palace. Se faufilant au milieu de la circulation, elle finit par atteindre l'entrée de l'hôtel. Elle se retourna : les deux hommes sur le trottoir d'en face la regardaient d'un air mauvais. Le tireur avait caché son arme sous sa veste.

« C'était un avertissement ! cria-t-il, les mains en porte-voix. Quittez la Namibie sinon, la prochaine fois, je ne vous raterai pas. »

Sloane aurait aimé le défier, lui faire un bras d'honneur, mais elle ne parvint qu'à s'effondrer sur le sol tandis que les larmes lui montaient aux yeux et que des sanglots la secouaient.

« Ça va, mademoiselle ? lui demanda le portier.

— Très bien », répondit-elle en se relevant.

Elle épousseta son pantalon et, de son poing fermé, s'essuya les yeux. Les deux hommes, quant à eux, avaient disparu. Ses lèvres tremblaient encore, ses jambes restaient un peu molles, mais elle redressa les épaules, leva délibérément son bras droit et tendit son majeur vers le ciel.

8

LES MURS DE PIERRE, POURTANT épais, ne parvenaient pas à étouffer ses cris ; ils absorbaient la chaleur du soleil jusqu'à les rendre intouchables mais laissaient passer les hurlements de Susan Donleavy – comme si on la torturait dans la cellule voisine. Au début, Geoffrey Merrick s'était forcé à écouter, comme si le fait d'être témoin de sa souffrance pouvait apporter quelque réconfort à la jeune femme. Une heure durant, il avait stoïquement supporté, tressaillant chaque fois qu'elle poussait un cri tellement aigu qu'il lui semblait que son crâne allait se briser comme une coupe de cristal. Mais maintenant, assis sur le sol en terre battue de sa cellule, il se bouchait les oreilles avec ses mains et fredonnait pour ne pas l'entendre.

Ils l'avaient emmenée juste après le lever du jour : la prison n'était pas encore étouffante et la lumière qui filtrait par l'unique fenêtre sans carreau, tout en haut du mur, laissait encore un soupçon d'espoir. Le bloc où ils se trouvaient – d'une superficie d'environ trente mètres carrés sur une dizaine de mètres de haut – comportait de nombreuses cellules délimitées par des murs de pierre sur trois côtés et des barreaux de fer sur le quatrième. Au-dessus de lui, deux autres rangées de cellules accessibles par des escaliers métalliques en spirale. Malgré l'aspect vieillot de l'installation, la sécurité qu'assuraient les barreaux était digne des prisons les plus modernes.

Merrick n'avait toujours pas vu le visage de ses ravisseurs, camouflés derrière des cagoules de ski. Grâce à leurs statures différentes, il en avait dénombré au moins trois : un grand costaud toujours en T-shirt sans manche d'athlète, un mince aux yeux bleu clair, et enfin le troisième qui ne se distinguait que par le fait qu'il n'était pas les deux autres.

En trois jours, leurs ravisseurs ne leur avaient pas adressé un seul mot. Dans la camionnette, ils les avaient fait se déshabiller pour passer un survêtement et enfiler des tongs, puis leur avaient ôté montres et bijoux. Ils leur donnaient deux repas par jour. Dans la cellule de Merrick, en guise de toilettes, un trou creusé dans le sol par où s'engouffrait, dès que le vent soufflait, un air brûlant chargé de sable. Depuis qu'ils les avaient jetés en prison, leurs geôliers ne s'étaient montrés que pour leur apporter à manger.

Et puis, ce matin-là, ils étaient venus chercher Susan. Sa cellule se trouvait dans un autre couloir, aussi Merrick ne pouvait-il pas en être sûr, mais il avait eu l'impression qu'ils avaient tiré la jeune femme par les cheveux pour la mettre debout. Il les avaient vus la pousser pour lui faire franchir l'unique porte du bloc, un épais panneau métallique avec des judas.

Susan était pâle et paraissait désespérée. Il l'avait appelée et s'était précipité pour essayer de la toucher, tenter d'esquisser un geste de compassion, mais le plus petit des gardes avait donné un coup de matraque sur les barreaux et Merrick était retombé, impuissant, tandis qu'ils l'entraînaient. A en juger d'après la chaleur qui avait envahi le bâtiment, il estimait que quatre heures s'étaient écoulées depuis. D'abord, le silence, puis les cris : une heure maintenant que l'on torturait Susan.

Au début, Merrick pensait que c'était une question d'argent : que leurs ravisseurs exigeraient une rançon en échange de leur libération. Il savait les autorités suisses inflexibles quand elles avaient à faire à des preneurs d'otages, mais il connaissait aussi l'existence de sociétés spécialisées dans les négociations avec des ravisseurs. La récente recrudescence des enlèvements en Italie avait conduit Merrick à donner pour consigne à son conseil d'administration de contacter ces négociateurs si jamais il était enlevé et de s'assurer de sa libération à n'importe quel prix.

Mais, après un trajet en avion de six heures, les yeux bandés, Merrick ne discernait plus très bien ce qui se passait. Dans la nuit, Susan et lui avaient discuté à voix basse des intentions possibles de leurs ravisseurs. Merrick n'adhérait pas à la théorie de Susan : il s'agirait d'une affaire d'argent dans laquelle elle n'avait été entraînée que parce qu'elle en avait été témoin. On n'avait pas demandé à Merrick de contacter sa société au sujet d'une rançon ; de toute façon, ses collaborateurs savaient-ils même si Susan et lui étaient encore en vie ? Il avait suivi, bien des années auparavant, un entraînement rudimentaire sur la sécurité des chefs d'entreprise et en gardait des souvenirs assez précis pour déceler que ses ravisseurs ne présentaient pas le profil habituel.

Et maintenant, ils torturaient cette pauvre Susan Donleavy, une employée fidèle, dévouée et qui ne levait guère le nez de ses éprouvettes. Merrick se rappelait leur conversation, quelques semaines auparavant, concernant son idée d'empêcher les nappes de pétrole de se répandre sur l'océan grâce à du plancton synthétique. Il s'était bien gardé de lui faire remarquer que, si son objectif était noble, sa méthode lui paraissait un peu bizarre. Son laïus sur la motivation par la vengeance n'était que cela, un discours qu'il avait débité une centaine de fois avec une centaine de variantes. Mieux aurait valu, pour surmonter le traumatisme de son enfance, qu'elle fréquentât un psychiatre plutôt que le laboratoire de Merrick-Singer.

Se rappeler le projet qu'elle avait évoqué l'amena à penser aux autres recherches en cours. Il y avait réfléchi à bien des reprises depuis qu'il s'était retrouvé dans sa cellule. Rien, absolument rien dans leurs travaux ne justifiait cette situation, s'il s'agissait d'une affaire d'espionnage industriel. Aucune nouvelle démarche, aucun brevet révolutionnaire en vue et, à vrai dire, aucun vraiment rentable depuis la mise sur le marché par Dan Singer et lui du filtre à soufre. La société constituait essentiellement pour lui une carte de visite, un projet lui permettant de garder un pied dans les milieux de la recherche chimique et d'être invité à participer à des congrès.

Les hurlements cessèrent : ils ne se calmèrent pas tout simplement, comme cela se produit avec le vent, mais s'arrêtèrent brusquement, ce qui était plus horrible encore.

Geoff Merrick se leva d'un bond et encastra sa tête entre les barreaux pour entrapercevoir la porte du bloc. Quelques minutes plus tard, les verrous glissèrent et la lourde porte de métal s'ouvrit en grinçant.

Deux des gardes traînaient Susan dont les bras étaient passés autour de leur cou, le troisième portait un gros trousseau de clefs. Ils se rapprochèrent, et Merrick put voir du sang séché sur ses cheveux, son survêtement déchiré à l'encolure ainsi que des meurtrissures livides en haut de sa poitrine et sur son épaule. Quand ils arrivèrent devant la cellule de Merrick, elle réussit à tourner son visage vers lui. Le spectacle lui coupa le souffle : elle avait un œil fermé et pouvait à peine ouvrir l'autre ; du sang mélangé à de la bave coulait de ses lèvres écorchées ; elle jeta un coup d'œil dans sa direction, et il perçut un faible battement de paupière.

« Mon Dieu, Susan, je suis vraiment navré. »

Il n'essaya même pas de retenir ses larmes. Elle était si pitoyable à voir que, même devant une parfaite étrangère, il aurait éclaté en sanglots. Qu'elle fût une employée et qu'il fût en partie responsable de ce qu'elle venait de subir lui déchiraient le cœur.

Elle cracha sur la pierre un caillot de sang et murmura d'une voix rauque :

« Ils ne m'ont posé aucune question.

— Espèce de salauds ! lança-t-il aux gardes. Je vous ferai payer ça. Vous n'aviez pas besoin de la traiter de cette façon. Elle est innocente. »

Ils auraient aussi bien pu être sourds car ils ne réagirent absolument pas. Ils se contentèrent de la traîner hors de sa vue. Il entendit la porte de sa cellule s'ouvrir, les gardes laisser tomber leur fardeau, puis le battant claqua et on ferma les verrous.

Merrick décida que, quand viendrait son tour, il résisterait de toutes ses forces. Si on devait le battre, il cognerait d'abord, et il les attendit, les poings serrés, les épaules tendues.

Le plus petit des gardes, celui qui avait les yeux bleus, apparut, tenant quelque chose à la main ; avant même que Merrick eût le temps d'identifier l'objet ou de réagir, l'homme fit feu : un Tazer lui envoya dans le corps une décharge de cinquante mille volts qui paralysa aussitôt ses centres nerveux. Merrick se raidit l'espace d'une seconde puis s'écroula. Quand il reprit connaissance, on l'avait extirpé de sa cellule et déjà traîné jusqu'à la porte principale. Pétrifié par la décharge électrique, il avait perdu toute envie de leur résister.

9

SLOANE AVAIT COIFFÉ UNE CASQUETTE de base-ball pour retenir ses cheveux à cause du vent qui balayait l'avant du bateau de pêche. Des lunettes de soleil panoramiques retenues par un cordon de couleur vive protégeaient ses yeux, et les parties exposées de sa peau étaient enduites de crème solaire. Elle portait un short kaki, une ample saharienne pourvue de nombreuses poches et des chaussures de bateau en toile ; un bracelet en or brillait à sa cheville.

Sur l'eau, elle redevenait l'adolescente qui travaillait sur le bateau paternel au large de la côte est de Floride. Malgré quelques incidents déplaisants avec des passagers s'intéressant plus à elle qu'aux espadons ou aux daurades qu'ils étaient censés pêcher, elle avait connu quand elle avait pris la place de son père alors souffrant des moments formidables. L'air de la mer l'apaisait et se retrouver seule à bord d'un vrai bateau l'aidait à se concentrer.

Le capitaine de la vedette qu'elle avait louée, un Namibien jovial, sentait en elle une âme sœur et, quand elle se tourna dans sa direction, il lui lança un regard entendu que Sloane lui rendit aussitôt. Les deux moteurs diesels qui rugissaient sous le pont rendaient toute conversation impossible, aussi, quittant son siège, demanda-t-il par signes à Sloane de prendre les commandes. Un large sourire éclaira son visage. Le capitaine tapota le cadran du compas pour lui indiquer le cap et lui laissa la barre. Sloane prit sa place et, avec légèreté, posa ses mains sur la barre polie par l'usure.

Il resta debout auprès d'elle deux minutes pour vérifier que leur sillage restait rectiligne puis, rassuré quant aux capacités de sa passagère, il se laissa glisser au pied de l'échelle, fit un signe de tête à Tony Reardon affalé dans le fauteuil de combat et gagna les toilettes.

Sans sa mésaventure de la veille au soir, Sloane aurait abandonné ses recherches, mais cette tentative d'agression l'avait convaincue : elle était bel et bien sur la piste du HMS *Rove*. Sinon, pourquoi lui faire peur ? Elle n'en avait pas parlé à Tony mais, dans la matinée, s'était empressée de téléphoner à son patron pour lui raconter toute l'histoire. Bien qu'il s'inquiétât pour elle, il lui avait donné l'autorisation de prolonger leur séjour d'une journée afin d'inspecter le secteur où Papa Heinrick avait vu ses serpents métalliques géants.

Elle savait que ce n'était pas prudent. N'importe qui aurait tenu compte d'un pareil avertissement et quitté le pays par le premier avion, mais ce n'était pas dans son caractère. De toute sa vie, elle n'avait laissé une tâche inachevée. Même si elle trouvait un livre mauvais, elle le lisait jusqu'à la dernière page. Si difficile que fût un problème de mots croisés, elle s'acharnait jusqu'au bout. Sans doute était-ce également à cause de cet entêtement qu'elle poursuivait des relations vouées à l'échec bien au-delà du terme qu'elle aurait dû y mettre, mais cela lui donnait aussi la force d'affronter quiconque cherchait à l'empêcher de retrouver son épave.

Sloane s'était d'abord assurée, lorsqu'elle lui avait loué la vedette, qu'il ne s'agissait pas du capitaine auquel Tony et elle avaient parlé en préparant leur carte. Puis ils avaient quitté leur hôtel et s'étaient mêlés à un groupe de touristes en quête d'une excursion en mer ; dans le bus, elle avait vérifié que personne ne les suivait. Au moindre indice suspect, elle aurait tout annulé, mais personne ne s'intéressait à eux.

Sloane n'avait confié au capitaine l'endroit exact où elle voulait pêcher qu'après avoir déjà parcouru quelques milles en mer. Il lui avait alors fait remarquer mais sans insister – puisqu'elle payait – qu'on ne trouvait aucune vie sous-marine dans cette zone.

Six heures depuis lors s'étaient écoulées sans histoires, ce qui avait permis à Sloane de se détendre encore un peu plus. Ses poursuivants avaient certainement supposé qu'elle avait pris leur mise en garde au sérieux et qu'elle avait renoncé.

Un vent du sud s'était levé, et une légère houle s'était formée que, grâce à sa large coque, le bateau absorbait sans effort : il roulait à chaque vague puis retrouvait aussitôt sans mal son équilibre. Le capitaine remonta sur le pont et se planta juste derrière Sloane. Il prit des jumelles sous un banc, scruta l'horizon, puis les lui tendit en désignant le sud-ouest.

Sloane ajusta les jumelles et les porta à ses yeux. Un gros navire se profilait à l'horizon, un cargo à une cheminée qui semblait faire route vers Walvis Bay. A cette distance, impossible de distinguer des détails autres que le vague dessin de sa coque sombre et une forêt de mâts de charge à l'arrière et à l'avant.

« Je n'ai encore jamais vu de bateau comme ça par ici, constata le capitaine. Les seuls qui viennent à Walvis sont des caboteurs ou des navires de croisière. Les pêcheurs restent toujours plus près de la côte et les tankers qui contournent Le Cap passent à quatre ou cinq cent milles plus au large. »

Les océans sont divisés en couloirs de navigation presque aussi nettement tracés que des autoroutes. A cause des délais toujours tendus et des centaines de milliers de dollars nécessaires quotidiennement pour faire naviguer les supertankers, les navires ne s'écartaient jamais de plus d'un mille ou deux du trajet le plus direct. Aussi, alors que dans certaines parties de l'océan on observait un trafic maritime intense, d'autres régions ne voyaient-elles jamais passer un navire. Le yacht se trouvait dans une de ces zones mortes – assez loin de la côte pour éviter les caboteurs qui ravitaillaient Walvis Bay, mais trop près pour suivre les couloirs empruntés pour contourner le cap de Bonne-Espérance.

« C'est bizarre, remarqua Sloane, sa cheminée ne fume pas. S'agirait-il d'une épave flottante ? Un bateau pris dans une tempête et que son équipage aurait dû abandonner ? »

Tony remontait l'échelle. Sloane, qui s'interrogeait sur la présence du mystérieux navire et sur le sort de son équipage, ne l'entendit pas arriver et sursauta quand il lui toucha l'épaule.

« Pardon, s'excusa-t-il, mais regarde derrière nous, un autre bateau approche de ce côté. »

Sloane se retourna si brusquement que ses mains posées sur la barre firent pencher l'embarcation à bâbord. Bien qu'il fût difficile d'estimer les distances en mer, elle jugea que le bateau qui fonçait droit sur eux n'était pas à plus de deux milles derrière et que, pour les rattraper, il filait plus vite qu'eux. Elle lança les jumelles au capitaine et poussa à fond la manette des gaz.

« Qu'est-ce qui se passe ? » cria Tony en se penchant en avant tandis que la vedette prenait de la vitesse.

Le capitaine avait ressenti l'appréhension de Sloane : il observa dans les jumelles l'embarcation qui approchait mais ne dit rien pour l'instant.

« Vous le reconnaissez ? lui demanda Sloane.

— Oui. Il vient presque tous les mois à Walvis. C'est un yacht d'à peu près cinquante pieds de long. Je ne connais pas son nom ni celui de son propriétaire.

— Vous voyez quelqu'un ?

— Des hommes sur le pont supérieur. Des Blancs.

— Je veux savoir ce qui se passe ! », rugit Tony, le visage cramoisi. Une fois de plus, Sloane l'ignora. Inutile de les voir pour savoir qui se trouvait sur le bateau derrière eux. Elle tourna doucement la barre et commença à accélérer en direction du cargo, en espérant que ses poursuivants renonceraient s'il y avait des témoins. Seuls en pleine mer, on les tuerait et on saborderait leur bateau, elle en était convaincue. Elle poussa plus fort les gaz mais les diesels donnaient déjà tout ce qu'ils pouvaient. Elle priait le ciel de s'être trompée et que le cargo ne soit pas abandonné : sinon, dans ce cas, le yacht les rattraperait, et on les abattrait. « Bon sang, Sloane, qu'est-ce que tout ça veut dire ? enragea Tony, furieux, en lui attrapant le bras. Qui sont ces gens ?

— Les mêmes à mon avis que ceux qui m'ont poursuivie jusqu'à l'hôtel hier soir.

— Poursuivie ? Comment ça, poursuivie ?

— Je viens de te le dire, lança-t-elle sèchement. Deux hommes m'ont couru après, jusqu'à l'hôtel hier soir. L'un d'eux avait un pistolet. Ils m'ont conseillé de quitter le pays. »

La colère de Tony s'accentua encore et le capitaine lui-même la regarda d'un drôle d'air.

« Et tu n'as pas jugé bon de m'en parler ? Tu as perdu la tête ! Des hommes armés sont à tes trousses et là-dessus tu nous emmènes ici loin de tout ? Mais à quoi tu penses ?

— Je ne croyais pas qu'ils nous suivraient, répliqua Sloane sur le même ton. Bon, j'ai merdé ! Si nous arrivons à nous rapprocher du cargo, ils ne feront rien.

— Dis-moi un peu ce qui se serait passé sans ce cargo ? éructa Tony, la bave aux lèvres.

— Mais il est là, ça va aller.

— Vous avez une arme ? demanda Tony en se tournant vers le propriétaire du bateau.

— Oui, répondit ce dernier avec un hochement de tête, pour le cas où des requins rôderaient dans les parages.

— Eh bien, mon vieux, je vous conseille d'aller la chercher, parce qu'on pourrait en avoir besoin. »

Jusque-là, la vedette avait pris les vagues en douceur, par le travers, mais Sloane ayant changé de cap, elle les prenait désormais de plein fouet, l'écume jaillissant chaque fois qu'ils labouraient la crête d'une lame. Ils étaient durement secoués et Sloane gardait les genoux fléchis pour amortir chaque impact. Le capitaine remonta sur le pont et tendit sans un mot à Sloane un vieux fusil ainsi qu'une poignée de cartouches, la devinant plus forte que Tony. Il reprit sa place à la barre, effectuant de subtiles corrections à chaque vague sur laquelle ils passaient afin de ne pas perdre de vitesse. Le yacht avait gagné au moins un mille alors que le cargo semblait toujours aussi loin.

Elle l'examina à la jumelle, et son cœur se serra : le navire était en piteux état ; la coque, peinte de mille couleurs différentes, paraissait avoir été rafistolée à grand renfort de plaques d'acier. Elle ne distinguait personne sur les ponts ni sur la passerelle, et il était impossible qu'il avançât, même si de l'écume ruisselait à son étrave, puisque pas un filet de fumée ne sortait de sa cheminée.

« Avez-vous une radio ? demanda Sloane au capitaine.

— En bas, répondit-il. Mais elle n'a pas une portée suffisante pour contacter Walvis, si c'est à ça que vous pensez. »

Sloane montra du doigt le cargo.

« Je veux les prévenir de ce qui se passe pour qu'ils préparent une échelle d'abordage. »

Le capitaine jeta par-dessus son épaule un coup d'œil au yacht qui approchait rapidement.

« On sera assez près. »

Sloane se laissa glisser par l'échelle et se précipita dans la cabine.

Elle alluma la radio, un vieil émetteur-récepteur vissé au plafond, et tourna le bouton pour arriver au canal 16, la fréquence internationale de détresse.

« Mayday, mayday, mayday, ici le bateau de pêche *Pinguin* qui appelle le cargo en route vers Walvis Bay. Nous sommes poursuivis par des pirates, répondez, je vous en prie. » Un crépitement de parasites emplit la cabine. Sloane tourna le bouton de l'émetteur et pressa le contact du microphone. « Ici le *Pinguin* qui appelle le cargo non identifié en route vers Walvis. Nous avons besoin d'assistance. Répondez, je vous prie. »

Elle entendit de nouveau des parasites mais, dans le bruit de fond, elle perçut une voix. Malgré le tangage du bateau, les doigts de Sloane manipulaient le bouton de réglage avec la délicatesse d'un chirurgien.

Une voix retentit soudain dans le haut-parleur.

« Vous auriez dû m'écouter hier soir et quitter la Namibie. »

Malgré la distorsion du son, Sloane parvint quand même à reconnaître la voix de la veille au soir et son sang se glaça.

Sloane pétrissait le microphone.

« Laissez-nous tranquilles et nous retournerons à terre, supplia-t-elle. Je partirai par le premier avion. Promis.

— Ce n'est plus une option. »

Elle regarda dehors. Le yacht n'était plus qu'à quelque deux cents mètres, assez près pour qu'elle puisse voir que deux des hommes sur la passerelle tenaient dans les mains quelque chose qui ressemblait à un fusil. Le cargo se trouvait à un mille au moins.

Ils ne s'en tireraient pas.

« Qu'en penses-tu, Président ? » demanda Hali Kasim de son siège dans la salle de transmissions.

Cabrillo était penché en avant dans son fauteuil, appuyé sur l'accoudoir, une main caressant son menton mal rasé. L'écran de contrôle montrait la vue que captait la caméra fixée sur le mât. Corrigée par le stabilisateur, l'image d'une netteté parfaite zoomait sur les deux embarcations qui se rapprochaient de l'*Oregon*. Le bateau de pêche filait péniblement vingt nœuds alors que le yacht frôlait les trente-cinq nœuds.

Cela faisait près d'une heure qu'ils suivaient au radar les deux esquifs mais sans leur attacher trop d'importance puisque les eaux au large de la côte namibienne étaient connues pour être des lieux de pêche. Ce fut seulement quand le premier, dont ils savaient maintenant qu'il s'appelait le *Pinguin*, changea de cap pour intercepter l'*Oregon* qu'on appela dans sa cabine Cabrillo qui s'apprêtait à prendre une douche après une heure passée dans la salle de gymnastique.

« Je n'ai pas la moindre idée de ce qui se passe, finit par dire Juan. Pourquoi des pirates utiliseraient-ils un yacht d'un million de dollars pour faire la chasse à un vieux bateau de pêche à cent cinquante milles de la côte ? C'est louche. Wepps, fais-moi donc un zoom sur ce yacht. Tâchons de voir qui est à bord, si c'est possible. »

Mark Murphy n'était pas de quart, ce fut donc le matelot responsable de l'armurerie qui s'installa aux manettes pour régler la vue qui intéressait Cabrillo. Avec un zoom aussi fort, même les gyroscopes assistés par ordinateur avaient du mal à garder une image stable ; elle restait cependant assez bonne. Le soleil étincelait sur la surface vitrée inclinée sous la passerelle mais, malgré le reflet, Juan pouvait distinguer quatre hommes sur le pont du yacht, dont deux tenaient des fusils d'assaut ; l'un d'eux épaula même son arme et tira une brève rafale en l'air.

Devinant l'ordre qui ne manquerait pas de venir, l'officier préposé aux systèmes d'armes revint sur le *Pinguin* en fuite. Le bateau ne semblait pas avoir été touché ; ils aperçurent une femme aux cheveux roux accroupie derrière une imposte, un fusil à la main.

« Wepps, ordonna Cabrillo. Remonte la mitrailleuse, mais garde le blindage en place. Que le yacht soit toujours dans notre champ de mire et, à tout hasard, prépare les mitraillettes.

— Quatre hommes avec des armes automatiques contre une femme avec un fusil, résuma Hali, songeur. Si nous ne faisons pas quelque chose, elle ne tiendra pas le coup longtemps.

— Je m'en occupe, répondit Cabrillo, puis il se tourna vers son spécialiste des transmissions : Branche-moi sur elle. »

Kasim pressa un bouton sur un de ses trois claviers.

« Vous l'avez. »

Cabrillo ouvrit son micro.

« *Pinguin, Pinguin, Pinguin,* ici le cargo *Oregon.* »

Sur l'écran, ils virent la femme lever brusquement la tête en entendant la radio.

Elle se précipita dans la cabine et, un instant plus tard, sa voix haletante résonna dans la salle des opérations.

« *Oregon,* oh ! Dieu soit loué. J'ai cru un moment votre navire abandonné.

— C'est presque ça », lança Linda Ross, impassible.

Elle n'était pas de quart, mais Juan lui avait demandé de le rejoindre au cas où il aurait besoin de renseignements complémentaires.

« Veuillez préciser votre problème, demanda Juan, comme s'il ne bénéficiait pas d'une vue plongeante de la situation. Vous parliez de pirates.

— En effet, et ils viennent d'ouvrir le feu sur nous avec des mitraillettes. Je m'appelle Sloane McIntyre. Nous sommes à bord d'un bateau de pêche de location et ils viennent de nous approcher.

— Ça ne me paraît pas exact, intervint Linda avec une moue sceptique. Le type du yacht a dit qu'il l'avait déjà avertie une fois.

— Donc, reconnut Juan, elle ment. On vient de lui tirer dessus et elle ment. Intéressant, tu ne trouves pas ?

— Elle doit cacher quelque chose.

— *Oregon,* appela-t-elle, vous êtes toujours là ?

— Nous sommes toujours là », fit Juan en branchant le micro.

D'un coup d'œil à l'écran, il jaugea la situation, estimant l'endroit où chaque embarcation se trouverait dans une minute, puis dans deux. Sur le plan tactique, les perspectives n'étaient pas bonnes. Le pire surtout, agir à l'aveugle. Sloane McIntyre, la reine des trafiquants de drogue d'Afrique du Sud, se faisant canarder par un rival ? Auquel cas elle et ceux qui l'accompagnaient à bord du *Pinguin* n'avaient que ce qu'ils méritaient. D'un autre côté, elle était peut-être totalement innocente. « Alors, pourquoi mentir ? » murmura-t-il.

S'il tenait à protéger les secrets de l'*Oregon*, sa marge d'action serait extrêmement étroite – beaucoup trop, en fait. Le temps de se gratter le menton, il envisagea une douzaine de scénarios, avant de prendre une décision.

« La barre à tribord toute ; il faut que nous nous rapprochions du *Pinguin.* Montez la vitesse à vingt nœuds. Aux machines, assurez-vous que la chaudière à fumée est parée. »

Lorsqu'il était seul en mer, l'*Oregon* ne produisait aucune pollution mais, quand ils croisaient un navire, on actionnait un générateur de fumée spécial pour donner l'impression que le bateau était mû par des moteurs diesels conventionnels.

« Je l'ai allumée il y a deux minutes, répondit le second officier mécanicien au fond de la salle. J'aurais dû le faire dès qu'ils sont arrivés à portée de vision, mais j'ai oublié.

— Ce n'est pas grave. Je doute qu'on l'ait remarqué, dit Juan tout en branchant de nouveau son micro. Sloane, ici le commandant de l'*Oregon*.

— Je vous écoute, *Oregon*. »

Juan s'émerveilla du calme de la jeune femme.

« Nous avons viré de bord pour vous intercepter. Dites au capitaine du *Pinguin* de nous laisser à bâbord, mais ne montrez pas la manœuvre. Je veux amener le yacht à nous dépasser à tribord. Vous comprenez ?

— Nous devons vous passer à bâbord, mais seulement au dernier moment.

— C'est cela. Mais ne nous coupez pas la route en nous serrant de trop près. Le yacht ne pourra pas virer trop sec à la vitesse à laquelle il fonce, alors évitez autant que possible notre lame d'étrave. Je vais descendre notre échelle d'abordage, mais ne vous approchez pas avant que je vous donne le signal. Compris ?

— Nous n'approcherons pas avant votre signal, répéta Sloane.

— Ça va bien se passer, Sloane, dit Juan d'un ton assuré perceptible malgré le crépitement des parasites. Ce ne sont pas nos premiers pirates. »

Sur l'écran de contrôle, il vit les tireurs balayer le *Pinguin* d'une nouvelle rafale, mais ils étaient encore trop loin pour opérer d'un poste aussi peu stable. Aucun projectile ne parut atteindre le bateau de pêche, mais Juan se trouva confirmé dans sa résolution de porter secours à Sloane et ses compagnons.

« Hali, fais descendre l'échelle d'abordage. Wepps, sois prêt à faire feu avec les mitraillettes avant.

— Paré. »

Le *Pinguin* approchait vaillamment, il était maintenant à moins de trois cents mètres de la masse du cargo, le yacht à moins de cent mètres derrière. Juan ne souhaitait pas utiliser la mitrailleuse, mais il comprit qu'il n'avait pas le choix. Le bateau de pêche serait à portée du yacht avant que lui-même ait pu glisser l'*Oregon* entre les deux. Il s'apprêtait à donner l'ordre d'envoyer une brève rafale pour ralentir le yacht quand il vit Sloane se glisser vers l'arrière du *Pinguin*. Elle leva la tête et, les épaules au-dessus de la traverse, tira deux fois avec son fusil sur le yacht.

Elle n'avait aucune chance de le toucher mais cette salve inattendue obligea le navire à ralentir et à approcher plus prudemment, ce qui leur donna les secondes dont ils avaient besoin pour appliquer le plan de Cabrillo.

« Qu'est-ce qui se passe ? fit Max Hanley, surgissant auprès de Juan dans un nuage de la fumée de sa pipe. J'essaie de souffler un peu, et tu fais le mariole, et par-dessus le marché avec quoi ? Un vieux bateau de pêche et un bordel flottant. »

Juan avait renoncé depuis longtemps à comprendre comment fonctionnait le sixième sens de Hanley – qui le tirait de sa cabine quand du grabuge s'annonçait.

« Les types du yacht veulent liquider les occupants du bateau de pêche, et ça n'a pas l'air de les gêner qu'il y ait des témoins.

— Et toi, tu veux jouer les trouble-fête, à ce que je vois. »

Juan lui lança un regard ironique.

« M'as-tu déjà vu ne pas me mêler des affaires des autres ?

— De but en blanc ? Non. »

Max, qui regardait l'écran de contrôle, poussa un juron : le yacht avait brusquement pris de la vitesse, et des salves d'armes automatiques balayaient le *Pinguin* ; des éclats de bois jaillirent de son arrière ventru et le panneau vitré de la porte donnant sur la cabine occupée par Sloane sur le pont inférieur se fracassa ; Sloane était protégée par la grosse traverse, mais le capitaine et un autre homme, sur le pont, étaient terriblement exposés.

Pour esquiver les rafales, le patron namibien accéléra et se mit à zigzaguer tout en fonçant vers le cargo. Sloane continuait de riposter comme elle le pouvait.

Une nouvelle salve tirée du yacht la força à se plaquer par terre ; aussi, allongée sur les planches rugueuses à l'arrière, ne voyait-elle plus l'*Oregon* ; cependant elle sentit le *Pinguin* réagir différemment quand il rencontra les vagues soulevées par la coque massive. L'épaule endolorie par le recul de son arme, elle savait que leur sort reposait désormais entre les mains du capitaine du *Pinguin* et celles du mystérieux commandant de l'*Oregon.* Elle se blottit contre la traverse, haletant d'une peur où se mêlait une certaine excitation – ce même sentiment de défi qui l'avait jetée dans cette aventure.

De l'imposant *Oregon*, Juan et Max regardaient les deux modestes embarcations se rapprocher l'une de l'autre. Le patron du *Pinguin* tenait son cap pour venir côté tribord, le yacht filait un peu plus à droite pour tenir bientôt sa proie à bonne portée.

« Attends de voir un peu », dit Max sans s'adresser à personne en particulier.

S'il avait été le responsable, il aurait suggéré à Sloane de rester près de la radio, et il aurait lui-même donné l'ordre de virer. Puis il comprit que Juan avait eu raison de laisser l'initiative au patron du *Pinguin;* ce dernier connaissait les possibilités de son bateau : il saurait quand changer de cap.

Le *Pinguin* était à trente mètres de l'*Oregon,* si près que la caméra fixée sur le mât ne pouvait plus le suivre. L'officier artilleur passa sur la caméra reliée aux mitraillettes arrière.

Une nouvelle rafale arrosa le petit bateau et, s'ils n'avaient pas été aussi près, Juan aurait renoncé à son plan et envoyé le yacht par le fond avec un tir de mitrailleuse.

« Maintenant », dit-il à voix basse.

Cabrillo n'avait pas activé le microphone, et pourtant le capitaine du *Pinguin* agit comme s'il l'avait entendu : il vira brutalement à gauche, à seulement cinq mètres de l'étrave de l'*Oregon,* et se laissa porter par la lame qui se gonflait sous sa coque.

Le barreur du yacht fit une embardée, comme pour suivre le petit bateau, puis corrigea sa course quand il se rendit compte qu'ils allaient trop vite pour rester dans le sillage du *Pinguin.* Il préféra passer à tribord du cargo et utiliser sa vitesse supérieure pour atteindre de plein fouet l'arrière de sa cible.

« A la barre ! A mon commandement, je veux les deux propulseurs avant tribord poussés à pleine puissance. Vitesse quarante nœuds. »

Juan régla les angles de caméra jusqu'au moment où il aperçut le

Pinguin. Il tenait à être certain de ne pas le broyer en virant de bord. Il estima soigneusement les vitesses et les trajectoires, sachant qu'il risquait des vies pour protéger les secrets de son navire. Le yacht était presque en position, le *Pinguin* presque hors de danger, mais du temps s'était écoulé.

« Allez ! »

Juste quelques touches sur lesquelles appuyer, une légère poussée sur une manette, et le cargo de onze mille tonnes effectua une manœuvre dont aucun autre navire de son tonnage n'était capable. Les propulseurs latéraux se mirent en action, poussant de côté l'étrave de l'*Oregon*, luttant contre l'inertie de sa vitesse et la puissance accrue de ses machines magnétohydrodynamiques qui tournaient encore plus vite.

Pendant une seconde, le yacht et le cargo suivirent des routes parallèles dans des directions opposées puis, soudain, l'*Oregon* vira de 45 degrés et, au lieu de foncer le long de son flanc, le yacht fila droit vers l'étrave à une vitesse cumulée de soixante nœuds. Comme une baleine protégeant son petit, Juan avait placé son navire entre le yacht et le bateau de pêche. Il jeta un coup d'œil à l'écran de contrôle montrant le *Pinguin*. L'*Oregon* l'avait contourné en coupant son sillage et envoyé tanguer sur les rouleaux qu'il soulevait dans sa course.

Comme s'il courait pour traverser une voie avant le passage d'une locomotive, le pilote du yacht tenta, en virant à bâbord, d'éviter l'étrave de l'*Oregon* qui surgissait, pensant gagner de vitesse un navire relativement lent. S'il avait vu le bouillonnement de l'eau derrière, il se serait empressé de couper son moteur en priant le ciel de survivre à l'impact contre la coque.

Mais l'*Oregon* poursuivit son virage et frappa l'avant du yacht qui s'efforçait de tourner plus sec que le cargo.

Au dernier moment, un des tireurs du yacht se précipita pour tirer sur les manettes des gaz.

Un peu trop tard : l'étrave étincelante du yacht vint s'écraser contre la coque blindée de l'*Oregon* à une trentaine de mètres de sa proue. La fibre de verre et l'aluminium ne faisaient pas le poids en face de la solide carapace du vieux cargo : le somptueux yacht se plia en accordéon comme une canette de bière frappée par une masse. Ses turbos diesels jumelés furent arrachés de leur berceau et déchiquetèrent la coque, fracassant les membrures de la charpente. Dans un jaillissement de débris de verre et de plastique, les superstructures du bateau volèrent en éclats. Les quatre hommes, persuadés quelques instants plus tôt qu'ils mèneraient à bien leur mission, furent tués sur le coup.

Un des réservoirs de carburant explosa dans une boule de feu orange dont la flamme lécha le bastingage de l'*Oregon* qui poursuivait son virage, sans se soucier plus du choc qu'un requin attaqué par un poisson rouge. Une nappe de mazout en feu se répandit sur l'océan, dégageant des nuages d'une fumée grasse qui masquèrent les derniers instants du yacht avant qu'il ne sombre dans les profondeurs.

« Stoppez tout, ordonna Cabrillo qui sentit aussitôt la décélération quand on arrêta les pompes.

— Tu les as écrasés comme des mouches, conclut Max en donnant une tape sur l'épaule de Juan.

— Espérons seulement qu'il ne s'agissait pas de protéger un guêpier. *Oregon* appelle *Pinguin*, vous me recevez ?

— *Oregon*, ici le *Pinguin*, répondit Sloane avec un soupir de soulagement presque audible dans le haut-parleur. Je ne sais pas comment vous vous y êtes pris, en tout cas nous sommes trois ici à vous vouer une reconnaissance éperdue.

— Acceptez, vous et vos compagnons, un déjeuner un peu tardif, et nous discuterons de toute cette histoire.

— D'accord, dans un petit moment, *Oregon*. »

Juan avait besoin de comprendre la situation et n'entendait pas lui laisser le temps de mettre au point une version à elle.

« Si vous n'acceptez pas mon invitation, je n'aurai pas d'autre choix que de remettre aux autorités maritimes de Walvis Bay un rapport officiel. »

Il ne l'envisageait absolument pas, mais Sloane l'ignorait.

« Hum, dans ce cas, nous acceptons votre offre avec plaisir.

— Parfait. L'échelle d'abordage est accrochée à bâbord ; un matelot vous escortera jusqu'à la passerelle. Bien, poursuivit Juan à l'adresse de Max, voyons maintenant dans quel nouveau pétrin je nous ai embarqués, Ollie. »

10

GEOFFREY MERRICK LUTTAIT POUR NE pas quitter l'état d'inconscience dans lequel il se sentait si bien ; mais, les effets paralysants du Tazer commençant à s'estomper, il se mit à gémir : il ressentait des fourmillements au bout de ses doigts, de ses orteils ainsi que des brûlures à la poitrine, comme si on l'avait arrosé d'acide aux endroits où les électrodes l'avaient frappé.

« Il revient à lui », dit une voix désincarnée qui semblait venir de très loin.

Merrick la devinait pourtant toute proche : il réalisa qu'en fait c'était son cerveau à lui qui s'était éloigné. Trouvant sa position inconfortable, il essaya de bouger ; en vain : il était menotté et, même s'il sentait à peine le métal qui s'enfonçait dans sa chair, il ne réussissait pas à bouger les bras au-delà de quelques centimètres ; il ne contrôlait toujours pas ses jambes et ne pouvait donc savoir si ses chevilles étaient elles aussi attachées.

Il tenta d'ouvrir les yeux mais les referma aussitôt : il ne s'était jamais trouvé dans une pièce si éclairée qu'il se sentait presque à la surface du soleil.

Merrick attendit un instant et fit une nouvelle tentative en clignant des yeux dans la lumière qui inondait la chambre. Il mit quelques secondes à enregistrer les détails : la pièce, d'une douzaine de mètres carrés, était cernée de murs de pierre identiques à ceux de sa cellule, et il en déduisit qu'on ne l'avait pas sorti de prison ; une grande baie, protégée par des barreaux et dont la vitre semblait avoir été récemment posée, occupait un des côtés. Dehors, le paysage le plus désolé qu'il eût jamais vu, du sable blanc à l'infini qui brûlait sous un soleil impitoyable.

Il tourna alors son regard vers les autres occupants de la pièce, huit personnes assises à une table de bois et qui, contrairement aux gardes, ne portaient pas de masque. Merrick n'en reconnut aucune, sauf deux gardes lui sembla-t-il, le grand et celui aux yeux bleus. Uniquement des Blancs, la plupart âgés de moins de trente-cinq ans. Il avait vécu en Suisse assez longtemps pour reconnaître la coupe européenne de leurs vêtements. Sur la table, un ordinateur portable tourné vers le personnage le plus âgé du groupe, une femme d'une quarantaine d'années à en juger par les fils argentés de sa chevelure. Une web caméra branchée à l'ordinateur était braquée sur Merrick, au bout de la table.

« Geoffrey Merrick, déclara une voix filtrée électroniquement et sortant des haut-parleurs de l'ordinateur, ce tribunal vous a jugé par contumace et reconnu coupable de crimes contre la planète. » Quelques hochements de tête approuvèrent cette sentence. « Le produit breveté par votre société – vos prétendus filtres à soufre – a fait croire aux gouvernements et aux individus que l'utilisation de carburants d'origine fossile – de charbon prétendument "propre" notamment – demeure une solution acceptable. Or ce genre de combustible n'existe pas et, si ce tribunal reconnaît que les centrales équipées de vos appareils ont permis une légère réduction des émissions de soufre, cela ne diminue en rien les milliards de tonnes d'autres gaz et produits toxiques déversés dans l'atmosphère.

« Le succès tactique que vous avez obtenu grâce à la production de ces filtres représente en réalité une défaite stratégique pour ceux d'entre nous qui s'efforcent de sauver notre monde pour les générations futures. Le mouvement écologique ne saurait se laisser ébranler par les tours de passe-passe que pratiquent des gens comme vous ou des sociétés de production d'énergie qui se proclament bio tout en écoulant leurs poisons. Le réchauffement climatique constitue la plus grande menace à laquelle notre planète se soit jamais trouvée confrontée et, chaque fois que des individus comme vous mettent au point une technologie un peu plus propre, le public s'imagine que la menace recule alors qu'elle devient chaque année plus présente.

« Il en va de même des voitures hybrides. Certes, elles consomment moins d'essence, mais la pollution qu'entraîne leur production dépasse de loin ce que le consommateur épargne en conduisant un tel véhicule. Il ne s'agit là que d'un stratagème destiné à donner à une poignée de gens dotés d'une conscience le sentiment qu'ils contribuent à sauvegarder l'environnement alors qu'en réalité ils font le contraire. Ils croient à l'idée erronée que la technologie peut d'une façon quelconque sauver la planète alors que c'est la technologie justement qui l'a condamnée. »

Merrick entendait les mots mais n'arrivait pas à en percevoir la signification. Il ouvrit la bouche pour parler, mais ses cordes vocales encore paralysées ne lui permirent d'émettre qu'une sorte de coassement. Il s'éclaircit la gorge et fit une nouvelle tentative.

« Qui... êtes-vous donc ?

— Des personnes qui ne se laissent pas prendre à votre cirque.

— Notre cirque ? Ma technologie a maintes fois fait ses preuves. Grâce à moi, on produit moins de soufre qu'au début de la Révolution industrielle.

— Et grâce à vous les niveaux de dioxyde et de monoxyde de carbone, particules de cendres, de mercure et autres métaux lourds n'ont jamais été aussi élevés. De même que le niveau de la mer. Les sociétés de production d'énergie considèrent qu'avec vos filtres elles prouvent leurs préoccupations écologiques, alors que le soufre ne constitue qu'un élément infime des toxines qu'elles dégagent. Il faut montrer à l'humanité que la menace pour l'écologie provient de partout.

— Et c'est dans le but de le leur montrer que vous m'enlevez et que vous battez à mort une femme innocente ? » lança Merrick sans songer à son propre sort. Il avait des centaines de fois discuté de ce problème. Oui, ses travaux avaient réduit le niveau de soufre lâché dans l'atmosphère, mais ils avaient aussi entraîné la construction de centrales plus nombreuses ainsi qu'une augmentation de la pollution. Le cercle vicieux classique. Mais, connaissant à fond ces arguments, il se sentit davantage capable de plaider sa cause.

« Elle travaille pour vous, elle n'est donc pas innocente.

— Comment pouvez-vous prétendre une chose pareille ? Vous ne lui avez même pas demandé son nom ni ce sur quoi elle travaille.

— Peu importe les détails de son activité. Le fait qu'elle accepte de travailler pour vous constitue une preuve suffisante de sa complicité et de sa culpabilité. »

Merrick prit une profonde inspiration. S'il voulait sortir de là vivant, il lui fallait trouver un moyen de les convaincre qu'il n'était pas leur ennemi.

« Ecoutez, vous ne pouvez pas me rendre responsable du fait que le monde exige sans cesse de plus grandes quantités d'énergie. Vous voulez purifier l'environnement, alors convainquez les populations d'avoir moins d'enfants. La Chine, à cause de ses douze cents millions d'habitants, va bientôt dépasser les Etats-Unis en matière de pollution. Et l'Inde, avec un milliard, n'est pas loin derrière. Voilà la vraie menace pour la planète. Et qu'importe que l'Europe et l'Amérique deviennent plus écologiques – nous pourrions même revenir aux voitures à chevaux et aux charrues –, elles n'arriveront jamais à neutraliser la pollution produite en Asie. Il s'agit d'un problème mondial, je suis pleinement d'accord avec vous, auquel il faut une solution mondiale. » Impassible, le tribunal écoutait son discours, et le silence de l'ordinateur se prolongeait, lourd de menaces. Finalement Merrick, qui s'efforçait de rester déterminé et de ne pas céder à la peur qui l'envahissait, n'y tint plus et reprit d'une voix stridente, les larmes aux yeux : « Je vous en prie, supplia-t-il, il était inutile de me dire cela. C'est de l'argent que vous voulez ? Je peux en donner à votre organisation autant qu'il lui en faudra. Mais, je vous en prie, laissez-nous partir.

— Il est trop tard », répondit l'ordinateur.

On coupa alors le filtre électronique et la voix naturelle de l'interlocuteur à l'autre bout du fil se fit entendre.

« Nous avons fait ton procès, Geoff, et nous t'avons reconnu coupable. »

Merrick reconnut immédiatement cette voix, même s'il ne l'avait pas entendue depuis des années. Et il comprit : il allait mourir.

11

CABRILLO SE CHANGEA RAPIDEMENT PUIS gagna la passerelle de l'*Oregon* pour accueillir Sloane et ses compagnons escortés par Frank Lincoln. En les entendant monter l'escalier extérieur, il jeta un coup d'œil autour de lui. Sur la passerelle régnaient le désordre et le délabrement habituels ; aucune trace des jouets high-tech de l'équipage risquant de trahir la vraie nature du navire. Nonchalamment accoudé contre la barre à l'ancienne, Eddie Seng en salopette rapiécée et coiffé d'une casquette de base-ball avait repris son poste. Seng était probablement le plus méticuleux des programmateurs de la Corporation ; pour lui aucun détail n'était insignifiant et, s'il n'avait pas cultivé l'amour du risque, il aurait fait un comptable remarquable. Juan nota qu'Eddie avait bloqué les fausses manettes du chadburn sur « Stop » et qu'il avait même remplacé les cartes inutilisées par celles de la côte sud-ouest de l'Afrique.

Juan tapota la vieille carte couverte de taches.

« Délicate attention.

— J'ai pensé que ça vous plairait. »

Juan ne s'était pas demandé à quoi ressemblait Sloane McIntyre. Quand elle franchit la porte, il découvrit des cheveux d'un roux cuivré qui, décoiffés par le vent, lui donnaient un petit air de sauvageonne, une bouche un peu trop large et un nez trop long, petits défauts qui ne se remarquaient presque pas tant son visage était ouvert. Ses lunettes de soleil pendaient sur sa gorge, et il constata que, contrairement aux héroïnes rousses des romans sentimentaux, elle n'avait pas les yeux verts mais gris ; très écartés, ils semblaient embrasser la situation d'un simple regard. Elle avait des rondeurs plutôt qu'un corps anguleux mais la chair sous ses bras restait ferme, et Juan se dit qu'elle devait être bonne nageuse.

Deux hommes l'accompagnaient : un Namibien, le propriétaire du *Pinguin* sans doute, pensa Juan, et un Blanc avec une pomme d'Adam proéminente à l'air revêche. Juan n'arrivait pas à imaginer ce qu'une jolie femme comme Sloane faisait en sa compagnie, mais, à les observer, il devina que Sloane dirigeait les opérations et que son équipier était furieux contre elle.

Cabrillo s'avança, une main tendue.

« Juan Cabrillo, capitaine de l'*Oregon*. Bienvenue à bord.

— Sloane McIntyre. » Poignée de main ferme, regard direct et aucune trace de la crainte qu'elle avait dû ressentir quand on leur avait tiré dessus. « Voici Tony Reardon et Justus Ulenga, le patron du *Pinguin*.

— Comment allez-vous ? fit Reardon avec un accent britannique marqué qui surprit Juan.

— Aucun de vous ne semble avoir besoin de soins médicaux. Je ne me trompe pas ?

— Non, répondit Sloane. Nous allons tous très bien, mais merci de nous poser la question.

— Bon, je suis soulagé, dit Juan, et il le pensait. Je vous proposerais bien d'aller dans ma cabine pour discuter de ce qui vient de se passer, mais elle est un peu en désordre. Descendons plutôt à la cuisine. Je crois pouvoir persuader le cuistot de nous préparer un petit quelque chose », ajouta Juan qui demanda à Lincoln de trouver le steward.

En vérité, la cabine du commandant qu'il utilisait pour accueillir les inspecteurs et les autorités portuaires devant monter à bord était une véritable zone sinistrée spécialement conçue pour donner aux visiteurs l'envie de repartir le plus vite possible. On avait infusé dans les cloisons et la moquette des produits chimiques empestant la cigarette de mauvaise qualité et capables de couper le souffle même à un fumeur invétéré ; quant aux toiles représentant des clowns à l'air pitoyable, ils mettaient la plupart des gens mal à l'aise, ce qui était l'effet recherché. Bref, un cadre qui ne convenait pas pour un entretien. Même si la cuisine et le mess voisin n'étaient pas beaucoup plus reluisants, du moins étaient-ils raisonnablement propres.

Juan leur fit emprunter un escalier intérieur où survivaient des lambeaux de linoléum en les prévenant de faire attention à la rampe que l'on maintenait branlante à dessein. Il les mena au mess, tournant au passage un commutateur commandant une des deux rampes fluorescentes. L'autre interrupteur n'alluma qu'une partie de la deuxième rangée de tubes à néon qui ne cessaient de clignoter tout en émettant un bourdonnement exaspérant. La majorité des inspecteurs des Douanes venus examiner les manifestes préféraient s'asseoir par terre sur la passerelle plutôt que de travailler dans la salle à manger. Le mess proposait quatre tables dépareillées et seize chaises dont deux seulement présentaient une vague ressemblance. Les murs étaient d'une couleur baptisée vert soviétique par Juan, un vert menthe terne des plus déprimants.

Il leur désigna des sièges – face à une caméra miniature dissimulée dans un tableau accroché au mur : Linda Ross et Max Hanley surveillaient l'interview sur un écran de contrôle de la salle des opérations et, au cas où ils voudraient que Juan pose une question précise, ils la lui transmettraient par Maurice, le steward.

Cabrillo croisa les mains sur la table, jeta un bref coup d'œil à ses hôtes avant de s'attarder plus longuement sur Sloane McIntyre qui soutint son regard sans sourciller; il crut même voir un sourire s'esquisser sur ses lèvres. Juan s'attendait à la voir exprimer de la peur ou de la colère après les événements qu'ils venaient de traverser, mais toute cette histoire semblait plutôt l'amuser; contrairement à Reardon, encore manifestement secoué, ou au capitaine du *Pinguin* qui, l'air songeur, espérait sans doute que Juan n'alerterait pas les autorités.

« Bien. Si vous m'expliquiez qui étaient ces individus et pourquoi ils cherchaient à tous vous tuer ? N'oubliez pas que je les ai entendus vous rappeler un avertissement qu'ils vous auraient envoyé par radio hier soir. »

Elle se redressa, réfléchissant visiblement à sa réponse.

« Bon sang, dis-lui donc, lança Tony en constatant que Sloane ne répondait pas tout de suite. De toute façon, maintenant ça n'a plus d'importance. »

Elle lui jeta un regard noir, comprenant que si elle ne parlait pas ouvertement, Tony raconterait tout à Cabrillo. Elle soupira.

« Nous cherchons l'épave d'un navire qui a coulé dans ces eaux à la fin du dix-neuvième siècle.

— Et, laissez-moi deviner, vous pensez qu'il contient un trésor ? » demanda Juan d'un ton plein d'indulgence.

Sloane refusa de laisser passer cette remarque sarcastique.

« J'en suis tellement certaine que j'étais prête à parier nos vies là-dessus. Et quelqu'un d'autre semble croire que cela vaut la peine de tuer pour ça.

— Touché. » Juan tourna les yeux vers Reardon. Ils ne ressemblaient pas à des chasseurs de trésors, mais une telle fièvre était capable de contaminer n'importe qui. « Dans quelles circonstances vous êtes-vous associés ?

— Par un chat sur Internet consacré aux trésors perdus, expliqua Sloane. Nous nous y préparons et nous économisons depuis l'année dernière.

— Décrivez-moi ce qui s'est passé hier soir.

— Je rentrais à l'hôtel en me promenant après avoir dîné de mon côté quand deux hommes ont commencé à me suivre. Je me suis mise à courir et ils m'ont poursuivie, l'un d'eux a sorti un pistolet et m'a tiré dessus. J'ai réussi à atteindre l'hôtel où il y avait beaucoup de monde et ils se sont arrêtés. On m'a crié que le coup de feu constituait un avertissement et que je devais quitter la Namibie.

— Vous les avez reconnus sur le yacht ?

— Oui, les deux avec des mitraillettes.

— Qui savait que vous étiez en Namibie ?

— Vous voulez dire, des amis de chez nous, par exemple ?

— Non, je veux dire qui savait ce que vous faisiez ici ? Avez-vous parlé à quelqu'un de votre projet ?

— Nous avons interrogé de nombreux pêcheurs locaux, intervint Tony.

— L'idée, fit Sloane en lui coupant la parole, était d'explorer les secteurs où les pêcheurs avaient perdu des filets. Le fond de la mer par ici n'est en majeure partie qu'un prolongement du désert, alors je me suis dit que tout ce qui pouvait accrocher un filet venait des hommes, donc d'une épave.

— Pas nécessairement, rétorqua Juan.

— Maintenant, soupira Sloane, nous le savons. Nous avons survolé quantité de sites possibles, et notre détecteur de métaux n'a rien signalé.

— Ça ne m'étonne pas. Les courants ont eu le temps en quelques millions d'années de dégager des excroissances rocheuses susceptibles d'attraper un filet, développa Juan. Vous avez donc parlé à des pêcheurs. A personne d'autre ?

— Luka, répondit-elle en faisant la moue. Il nous servait de guide, mais il ne m'a jamais plu. Et puis le pilote d'hélico sud-africain, un certain Pieter DeWitt. Mais personne ne savait pourquoi nous leur posions des questions à propos de leurs filets et nous n'avons jamais dit à Pieter ou à Luka quel navire nous recherchions.

— Tu oublies Papa Heinrick et ses serpents métalliques géants », déclara Tony, acerbe, et cherchant manifestement à mettre Sloane dans l'embarras.

Juan haussa les sourcils.

« Des serpents géants ?

— Oh, ça n'est rien, dit Sloane. Juste une histoire que nous a racontée un vieux pêcheur un peu dingue. »

On frappa discrètement à la porte. Maurice entra, portant un plateau. Juan réprima un sourire en voyant l'air scandalisé de son steward.

Pour tout dire, Maurice était un homme méticuleux qui se rasait deux fois par jour, cirait ses chaussures chaque matin et changeait de chemise si elle avait un faux pli. Parfaitement à son aise dans le cadre luxueux de l'*Oregon* il affichait, quand il devait venir dans les parties du navire qu'on montrait au public, un air dégoûté.

Pour respecter la comédie qu'on jouait à leurs hôtes, il avait retiré sa veste, sa cravate, et il avait même retroussé les manchettes de son impeccable chemise blanche. Juan disposait d'un dossier complet sur chacun des membres de la Corporation, pourtant il lui manquait une information, l'âge de Maurice que, selon les hypothèses, on situait entre soixante-cinq et quatre-vingts ans ; le plateau chargé d'assiettes et de verres tenait toutefois bien droit sur son bras, pas une goutte ne débordait.

« Thé vert, annonça-t-il avec un accent anglais qui attira l'attention de Tony. Dim sum, beignets et nouilles lo mein au poulet. » Il tira de son tablier un papier plié qu'il tendit à Juan. « M. Hanley m'a demandé de vous remettre ceci. »

Juan déplia le billet tandis que Maurice disposait assiettes, argenterie et serviettes, le tout dépareillé, mais du moins le linge était-il propre.

Elle ment comme elle respire, avait écrit Max.

« C'est évident, dit Juan en regardant la caméra cachée.

— Qu'est-ce qui est évident ? s'informa Sloane après avoir poliment bu une gorgée de thé.

— Hum ! Mon second me rappelle que plus longtemps nous resterons ici, plus tard nous arriverons à notre prochaine escale.

— Et où est-ce, si je puis me permettre cette question ?

— Merci, Maurice, ce sera tout. » Le steward sortit en s'inclinant et Cabrillo répondit à Sloane. « Le Cap. Nous transportons du bois en provenance du Brésil pour le Japon, mais nous embarquons deux ou trois conteneurs au Cap à destination de Mumbai.

— Ce bateau est un vrai tramp, non ? demanda Sloane, visiblement impressionnée. Je ne croyais pas qu'il en existait encore.

— Il n'y en a plus beaucoup. Le transport par conteneurs a presque tout raflé, mais nous sommes encore quelques-uns à ramasser les miettes. » D'un geste, il désigna la pitoyable salle à manger. « Malheureusement, les miettes deviennent si minuscules que nous n'avons pas d'argent à consacrer à l'*Oregon*. Je crois malheureusement que ce vieux rafiot est en train de nous lâcher.

— Quand même, insista Sloane, quelle existence romanesque ! »

Juan fut surpris de la sincérité de son ton. Il estimait depuis toujours que l'existence vagabonde d'un cargo voguant d'une escale à l'autre, cette vie précaire plus imposée que rouage dans la machine industrielle qu'était devenue la marine de commerce, offrait en effet un côté romanesque et une façon de vivre en voie de disparition. Souriant, il salua Sloane en levant sa tasse de thé.

« Oui, c'est parfois vrai. »

Le sourire qu'elle lui lança en retour lui donna un soudain sentiment de complicité.

Il se leva pour reprendre son interrogatoire.

« Capitaine Ulenga, avez-vous entendu parler de serpents métalliques ?

— Non, capitaine, répondit le Namibien en se touchant la tempe. Papa Heinrick déraille un peu. Et, quand il a bu, on n'a pas envie de l'écouter.

— Quel est le nom du bateau que vous recherchez ? » demanda Juan en se tournant vers Sloane. De toute évidence, elle n'avait pas envie de donner trop de précisions, il n'insista donc pas. « Peu importe. Je ne m'intéresse pas aux trésors engloutis. Ni aux serpents métalliques, ajouta-t-il en riant. C'est là que vous alliez aujourd'hui, à l'endroit où ce Heinrick a vu ses serpents ? »

Sloane dut se rendre compte à quel point elle paraissait ridicule aux yeux de Cabrillo, car elle rougit un peu.

« C'était notre dernière piste. Je me disais que puisque nous étions allés si loin, autant poursuivre jusqu'au bout. Cela me paraît un peu stupide maintenant.

— Un peu ? » fit Juan d'un ton moqueur.

Lincoln frappa à la porte du mess.

« Rien de suspect, capitaine.

— Merci, monsieur Lincoln. » Il lui avait demandé de fouiller le *Pinguin*, par acquit de conscience, pour s'assurer qu'il ne transportait pas de produits de contrebande, armes ou drogue. « Capitaine Ulenga, pouvez-vous me parler un peu du yacht qui vous a attaqués ?

— Je l'ai vu deux ou trois fois à Walvis. Il y accoste tous les deux mois environ depuis un an ou deux. Je pense qu'il vient d'Afrique du Sud, parce que je ne vois personne d'autre capable de se permettre un bateau comme celui-là.

— Vous n'avez jamais eu l'occasion de parler à un membre de l'équipage ou à quelqu'un qui les connaisse ?

— Non, monsieur. Ils arrivent, font le plein de mazout et repartent. »

Juan se cala dans son fauteuil, un bras posé sur le dossier, et tenta de rassembler les morceaux du puzzle pour parvenir à une explication cohérente ; en fait, rien ne concordait vraiment. Sloane, il en était convaincu, avait omis dans son récit des éléments cruciaux ; il n'arriverait donc pas à ressembler les pièces et il devait maintenant décider jusqu'où il poursuivrait ses investigations. Secourir Geoffrey Merrick restait sa priorité et, sur ce front, ils avaient suffisamment de problèmes sans y ajouter ceux de Sloane McIntyre. Quelque chose pourtant le tracassait.

Sur ces entrefaites, Tony Reardon prit la parole.

« Nous vous avons dit tout ce que nous pouvions, capitaine Cabrillo. J'aimerais vraiment quitter votre navire et regagner le port : le trajet est long.

— Oui, murmura Juan d'un air distrait, puis il se reprit : Bien entendu, monsieur Reardon. Je ne comprends pas pourquoi on vous a attaqués. Peut-être existe-t-il une épave chargée d'un trésor et vous êtes-vous trop approchés d'un site que des gens explorent. S'ils opèrent sans autorisation du gouvernement, cela expliquerait qu'ils aient recours à la violence. Dans ce cas, ajouta-t-il en regardant Tony et Sloane bien en face, je vous conseille à tous les deux de quitter la Namibie dans les plus brefs délais. » Reardon acquiesça en silence mais Sloane ne semblait pas avoir entendu. Juan n'insista pas : après tout, ce n'était pas son affaire. « Monsieur Lincoln, dit-il, voudriez-vous, je vous prie, raccompagner nos hôtes jusqu'à leur bateau ? S'ils ont besoin de fioul, veillez, je vous prie, à ce qu'on règle ce problème.

— Bien, capitaine. »

Tout le monde se leva. Juan se pencha par-dessus la table pour serrer la main de Justus Ulenda et de Tony Reardon. Quand vint le tour de Sloane, elle le tira légèrement en avant pour lui dire :

« Puis-je vous parler en privé ?

— Naturellement. » Cabrillo se tourna vers Lincoln. « Ramenez ces messieurs sur le *Pinguin*. Je raccompagnerai personnellement mademoiselle McIntyre. »

Une fois le groupe parti, ils se rassirent. Sloane l'examinait comme un joaillier inspecte un diamant qu'il s'apprête à tailler, à l'affût du plus infime défaut susceptible de gâcher la pierre. Puis, sa décision enfin prise, elle se pencha en avant et posa les coudes sur la table.

« Je crois que vous êtes un imposteur.

— Pardonnez-moi », finit-il par balbutier. Juan réprimait difficilement son envie d'éclater de rire.

« Vous. Ce navire. Votre équipage. Rien de tout cela n'est ce qu'il paraît être. »

Cabrillo fit un effort pour rester impassible. Depuis qu'il avait fondé la Corporation – cela faisait des années – et commencé à traîner sa carcasse à travers le monde sur des navires successifs, tous baptisés *Oregon*, personne n'avait jamais imaginé qu'ils n'étaient pas ce qu'ils paraissaient être. Il avait rencontré au cours de ses pérégrinations des responsables portuaires, toutes sortes d'inspecteurs et même un pilote, et aucun n'avait émis le moindre soupçon concernant le navire ou son équipage.

Elle ne sait rien, se dit-il. *Elle va à la pêche.* Certes, ils n'avaient pas fait appel à tous les trucs qu'ils utilisaient habituellement dans un port ou en vue d'une inspection, cependant une non-professionnelle, qui n'était à bord que depuis trente minutes, n'avait aucun moyen de percer à jour leurs supercheries soigneusement montées.

« Cela vous ennuierait de préciser ? demanda-t-il avec nonchalance.

— Oh ! de petits détails, par exemple... Votre timonier portait une Rolex identique à celle de mon père, une montre à deux mille dollars. Un rien trop belle si vous êtes aussi pauvres que vous l'affirmez.

— C'est une fausse, répondit Juan.

— Une copie ne tiendrait pas cinq minutes à l'air marin. Je le sais car j'en ai eu une quand j'avais quinze ans et que je travaillais sur le bateau de pêche de mon père, retraité de la marine commerciale. »

Bon, se dit Juan, *elle n'est pas complètement ignare en matière de bateaux.*

« C'est peut-être une vraie mais qu'il aura achetée à un receleur. Vous n'aurez qu'à le lui demander.

— C'est une possibilité, reconnut Sloane. Votre steward alors ? Je travaille à Londres depuis cinq ans et je sais reconnaître quelqu'un qui s'habille à Londres. Entre ses chaussures Church, son pantalon et sa chemise sur mesure, Maurice porte pour environ quatre mille dollars de fringues. Je ne pense pas qu'il les ait achetées chez un receleur. »

Juan se mit à rire à l'idée de Maurice s'habillant avec des vêtements d'occasion.

« En fait, il est riche comme Crésus mais un peu excentrique, voyez-vous. C'est la brebis galeuse d'une vieille famille ; à dix-huit ans il a touché son héritage et depuis, il court le monde. Il m'a abordé l'an dernier à Mombassa pour se proposer comme steward en précisant que nous n'aurions pas à le payer. Je n'allais quand même pas refuser !

— Certes, fit Sloane d'un ton rêveur.

— Ma parole, c'est la vérité.

— Je n'insisterai pas là-dessus. Mais que dire de vous et de M. Lincoln ? Les Américains ne sont pas nombreux à travailler sur des navires, les Asiatiques étant prêts à faire ce travail pour un salaire dix fois moindre. Si la compagnie propriétaire de ce cargo est aussi pingre que vous le prétendez, l'équipage serait composé de Pakistanais ou d'Indonésiens. » Juan allait répliquer, mais elle lui coupa la parole. « Laissez-moi deviner, on vous paie une bouchée de pain aussi ?

— On ne peut pas dire que je roule sur l'or, mademoiselle McIntyre.

— J'imagine. » Elle se passa une main dans les cheveux. « Voilà les petites choses dont je pensais bien que vous leur trouveriez une explication. Mais, dites-moi maintenant, quand j'ai aperçu votre navire, aucune fumée ne sortait de sa cheminée. »

Oh, oh ! songea Juan, se souvenant que le chef mécanicien n'avait pas déclenché le générateur de fumée tout de suite. Sur le moment, Juan n'y avait pas attaché grande importance, mais cette inadvertance leur retombait dessus.

« J'ai d'abord cru à un navire abandonné, puis je l'ai vu avancer et, quelques minutes plus tard, fumer, assez abondamment d'ailleurs. Autre détail intéressant, la cheminée fumait autant quand vous fonciez sur nous à vingt nœuds que lorsque j'ai remarqué, une fois sur la passerelle, que le chadburn était sur Stop. Et, à propos de foncer, il n'existe aucun moyen de faire virer de cap aussi vite un navire de cette dimension à moins de disposer de propulseurs à direction synchronisée, une technologie mise au point bien après la date de construction de ce cargo. Cela vous ennuierait-il de m'expliquer ?

— Je suis curieux de savoir pourquoi même cela vous intéresse, fit Juan, tentant de biaiser.

— Parce que quelqu'un aujourd'hui a essayé de me tuer, que je veux savoir pourquoi et que je vous crois capable de m'aider.

— Désolé, Sloane, mais je ne suis que le capitaine d'un vieux rafiot bientôt bon pour la casse. Je ne peux pas vous aider.

— Vous niez donc ce que j'ai vu.

— Je ne sais pas ce que vous avez vu, mais je vous assure que l'*Oregon* n'a rien de spécial, pas plus que son équipage. »

Elle se leva et se dirigea droit vers le cadre – le portrait d'une actrice indienne qui avait connu son heure de gloire vingt ans auparavant – derrière lequel avait été montée la caméra miniature. Elle le décrocha de la cloison et la caméra jaillit, suspendue au bout de son fil.

« Ah, vraiment ? » Cette fois, Juan pâlit. « Je l'ai remarquée quand vous avez dit “c'est évident” après avoir lu le billet remis par Maurice. Je présume qu'en ce moment même quelqu'un nous observe. » Elle ne laissa pas à Juan le temps de répondre. « Capitaine Cabrillo, je vous propose un marché. Vous cessez de me mentir et je cesse de vous mentir. Je commencerai même la première, ajouta-t-elle en se carrant sur son siège. Tony et moi ne nous sommes pas rencontrés sur un site Internet. Nous travaillons tous les deux au service de sécurité de la DeBeers et nous recherchons vraiment l'épave d'un navire... qui pourrait bien transporter une cargaison d'un milliard de dollars de diamants. Vous y connaissez-vous en diamants ?

— Tout ce que je sais, c'est qu'ils sont rares, qu'ils coûtent cher et que si vous en offrez un à une femme, autant que ce ne soit pas pour rien. »

Cela la fit sourire.

« En effet ils coûtent cher et si on les offre, ce doit être plutôt pour un oui que pour un non, mais ne croyez pas que les diamants soient si rares que cela. Ils ne sont pas aussi communs que les pierres semi-précieuses, mais on en trouve plus que vous ne l'imaginez. On maintient artificiellement des prix élevés parce qu'une société contrôle à elle seule environ quatre-vingt-quinze pour cent du marché et, notamment, toutes les mines, ce qui lui permet de fixer le prix qu'elle veut. Chaque fois qu'on découvre un nouveau champ diamantifère, les gens de la société sont présents, pour l'acheter et éliminer tout risque de compétition. C'est un cartel si puissant qu'auprès de lui, l'OPEP fait figure d'amateur. La mainmise de la société sur le marché est telle que plusieurs directeurs seraient aussitôt arrêtés pour violation de la loi antitrust s'ils s'avisaient de mettre les pieds aux Etats-Unis. Ils ne laissent sortir les pierres de leurs coffres qu'au compte-gouttes afin que les cours restent constants. Compte tenu de tout cela, qu'arriverait-il selon vous si jamais on déversait sur le marché un milliard de diamants ?

— Les prix chuteraient.

— Et nous perdrions notre monopole en même temps que tout le système s'écroulerait. Et ces femmes couvertes de bijoux se rendraient compte que les diamants qu'elles portent ne sont finalement pas éternels. L'onde de choc frapperait l'ensemble de l'économie mondiale, les cours de l'or et des devises seraient déstabilisés. »

Juan connaissait un peu le problème car seulement deux mois auparavant, lui et son équipage avaient tenté d'inonder le marché mondial de l'or.

« Je comprends votre point de vue, dit-il.

— Si un tel trésor existait, notre bureau disposerait de deux solutions pour éviter que cela ne se produise. La première : attendre que quelqu'un découvre les diamants et, tout simplement, les lui acheter. Méthode coûteuse évidemment, alors nous préférerions adopter la seconde solution.

— Chercher à savoir ce qu'il y a de vrai derrière cette rumeur évoquant un trésor englouti et le trouver vous-mêmes.

— Bingo, fit Sloane en posant un doigt sur le bout de son nez. Comme c'était moi qui avais rassemblé les premiers éléments de cette histoire, on m'a confié la direction de cette expédition. Tony est censé m'assister, mais il n'est absolument bon à rien. Pour ma carrière, ce serait un gros coup : si je découvrais les pierres on me nommerait sans doute vice-présidente.

— D'où provenaient les diamants ? demanda Juan, intéressé malgré lui par son récit.

— C'est une histoire fascinante. A l'origine, ils ont été extraits d'une mine du Kimberley par des membres d'une tribu qu'on appelle les Hereros. Le roi de la tribu savait qu'une bataille se préparait contre les Allemands qui occupaient son pays et il a pensé que, s'il possédait les diamants, il pourrait s'en servir pour acheter la protection des Anglais. Pendant près d'une décennie, ses hommes ont travaillé au Kimberley ; leur contrat terminé, ils rapportaient en cachette des pierres au Hereroland. J'ai appris qu'ils se faisaient une plaie au bras ou à la jambe deux mois avant de signer leur contrat ; quand ils arrivaient au Kimberley, on relevait toutes les anciennes cicatrices dont leur corps était couvert, puis ils s'installaient dans la baraque des mineurs ; un membre de leur tribu présent depuis un moment et qui avait déjà subtilisé dans le puits une pierre suffisamment intéressante rouvrait alors une blessure et glissait le diamant dans la plaie. Quand, un an plus tard, venait l'heure de repartir, les gardes de la baraque des ouvriers vérifiaient le relevé effectué à l'arrivée ; ils rouvraient souvent les blessures récentes pour s'assurer qu'elles ne recelaient pas de pierres, pratique la plus fréquemment utilisée par les fraudeurs après la technique des diamants simplement avalés qui exigeait le recours à de puissants laxatifs. Mais l'ancienne cicatrice figurait sur le relevé et on ne la contrôlait pas.

— Fichtrement habile, observa Juan.

— D'après ce que j'ai pu découvrir, ils avaient accumulé des sacs et des sacs bourrés des pierres les plus grosses et les plus pures quand la tribu a été volée.

— Volée ?

— Par cinq Anglais, dont l'un n'avait pas vingt ans ; ses parents étaient missionnaires en Hereroland. J'ai pu reconstituer l'histoire d'après le journal du père car, après le vol, il s'est lancé à la poursuite de son fils. Son journal ressemble à une liste détaillée des supplices qu'il voulait infliger au jeune garçon quand il l'aurait capturé. Je ne veux pas vous ennuyer avec les détails, mais cet adolescent a rencontré un aventurier de la vieille école, H.A. Ryder, ainsi que trois autres hommes. Ils avaient prévu de câbler au Cap pour qu'un bateau, le HMS *Rove*, les attende au large de la côte de ce qu'on appelait alors le Sud-Ouest africain, une colonie allemande. Ils comptaient traverser à cheval les déserts du Kalahari et de la Namibie pour retrouver le navire au point convenu.

— Et je présume que le *Rove* n'a jamais plus entendu parler d'eux ?

— Il a quitté Le Cap juste après avoir reçu le télégramme de Ryder et a été signalé plus tard comme perdu en mer.

— Admettons que tout cela soit vrai et qu'il ne s'agisse pas d'un mythe comme celui des mines du roi Salomon. Qu'est-ce qui vous fait croire qu'il se trouverait dans cette zone ?

— J'ai tracé une ligne droite en direction de l'ouest depuis l'endroit où les diamants ont été volés jusqu'à la côte. Elle traversait ce qui est certainement la plus redoutable des étendues désertiques de la planète : ils auraient choisi de prendre la route la plus courte. Ce qui situe le lieu du rendez-vous avec le *Rove* à environ cent vingt kilomètres au nord de Walvis Bay.

— Qui nous dit, objecta de nouveau Juan, que le *Rove* n'a pas coulé une semaine plus tard en ralliant Le Cap lors de son voyage de retour, ou encore que les hommes ne sont jamais arrivés à la côte et que les pierres ne se trouvent pas quelque part au beau milieu du désert ?

— Les deux points soulignés par mon patron quand je lui ai parlé de cette affaire. Voici ce que je lui ai répondu : si j'ai réussi à calculer tout cela, quelqu'un d'autre a également pu le faire, et il pourrait y avoir pour un milliard de diamants à deux milles de la côte à un endroit où n'importe qui, équipé d'une bouteille d'oxygène et d'une torche électrique, serait capable de les retrouver.

— Ce à quoi il a répondu ?

— Je vous donne une semaine et Tony Reardon pour vous aider. Et, quoi qu'il arrive, détruisez toutes les preuves que vous aurez rassemblées.

— C'est loin de vous laisser le temps de contrôler un secteur qui doit faire dans les cinq cents kilomètres carrés, observa Juan. Pour le faire convenablement, il vous faudrait un navire capable de remorquer un sonar à balayage latéral ainsi qu'un appareil de détection de métaux. Et même avec cela, le résultat n'est pas garanti.

— Ils n'ont guère cru à mon idée, fit Sloane en haussant les épaules. Mais me donner une semaine, un peu d'argent et Tony représentait plus que je ne pouvais espérer; cela explique aussi pourquoi je cherchais à recueillir des informations auprès des sources locales.

— Je suis curieux... Pourquoi vous êtes-vous adressée à vos supérieurs ? Pourquoi ne pas rechercher vous-même l'épave et garder les diamants si vous les aviez trouvés ? »

Elle fronça les lèvres comme si on venait de l'insulter, ce qui était le cas.

« Capitaine, une telle idée ne m'a jamais traversé l'esprit. Ces diamants ont été extraits d'une mine appartenant à la DeBeers et sont juridiquement propriété de la compagnie. Je ne songerais pas plus à les garder pour moi que je n'entrerais dans une chambre forte pour m'emplir les poches de pierres.

— Pardonnez-moi, s'excusa Juan, charmé par son intégrité. C'était très déplacé.

— Merci. Maintenant que je vous ai dit la vérité, voulez-vous m'aider ? Je ne peux rien vous promettre mais je suis certaine que la compagnie vous indemnisera pour le temps passé si nous réussissons à découvrir le *Rove.* En deux ou trois heures seulement vous pourriez vérifier les coordonnées que m'a données Papa Heinrick. »

Juan resta un moment silencieux, le regard fixé au plafond et l'air songeur. Puis, soudain, il se leva et se dirigea vers la porte.

« Voudriez-vous m'excuser un moment, dit-il à Sloane, puis, s'adressant aux micros dissimulés : Max, rendez-vous dans ma cabine. » Hanley l'y attendait déjà quand Juan déboucha de la coursive ; adossé à une cloison, il tapotait le tuyau de sa pipe contre ses dents, signe chez lui de préoccupation, mais se redressa en voyant arriver le Président. La porte était fermée, et pourtant les relents de fumée de tabac qui imprégnaient le réduit obligèrent Juan à plisser le nez. « Qu'en penses-tu ? lui demanda Juan sans préambule.

— Je pense que nous devrions cesser de glander et faire route vers Le Cap pour prendre l'équipement dont nous aurons besoin si nous voulons récupérer Merrick avant qu'il meure de vieillesse.

— A part ça ?

— Je trouve que tout ça ne tient pas debout.

— Je serais totalement de ton avis si nous n'avions pas été témoins de l'attaque du *Pinguin*, fit Juan d'un ton pensif.

— Tu crois que nous sommes tombés sur quelque chose ? interrogea Max.

— Des types qui se baladent sur un yacht à un million de dollars ne canarderaient pas quelqu'un sans de sacrément bonnes raisons. Dans ce cas, je suis persuadé qu'ils protègent quelque chose. Sloane dit que personne ne savait quelle épave ils recherchaient, alors il est possible qu'ils veillent sur autre chose qu'un prétendu navire au trésor.

— Tu ne crois pas sérieusement à l'histoire des serpents métalliques géants de Papa Heinrick ?

— Max, il y a quelque chose là-dessous. Je le sens, affirma Juan en regardant son ami droit dans les yeux. Tu te souviens de ce que je t'avais dit avant de tomber sur les deux types de la NUMA qui se rendaient en rade de Hong-Kong ?

— Ils recherchaient ce vieux paquebot, le *United States*. C'est au cours de cette mission que tu as perdu ta jambe », ajouta Max, songeur.

Machinalement, Juan se déplaça pour faire porter le poids de son corps sur sa jambe artificielle en fibre de carbone et titanium.

« C'est vrai, confirma Juan, cette mission m'a coûté une jambe. »

Max mâchonna sa pipe et reprit :

« Ça fait bien deux ans, pourtant je me rappelle exactement ce que tu as dit : "Max, j'ai horreur de citer de vieux clichés, mais j'ai mauvaise impression."

— Max, j'ai la même mauvaise impression. »

Max hocha la tête sans rien dire. Dix ans d'amitié lui avaient appris à faire confiance au Président, si bizarre que fût sa requête et malgré tous les risques qu'elle pouvait présenter.

« Que comptes-tu faire ?

— Je ne veux pas retarder davantage l'*Oregon*. Dès que je serai parti, fais route vers Le Cap pour y charger l'équipement dont nous avons besoin. Et envoie tout de suite George et son hélico jeter un coup d'œil à l'endroit où on a repéré les serpents. Je vais demander à Sloane les coordonnées.

— Tu pars pour Walvis Bay ?

— Je veux parler moi-même à Papa Heinrick ainsi qu'au guide de Sloane et au type qui les a emmenés en hélico. Je prendrai un des canots de sauvetage du pont supérieur pour que Sloane ne sache rien de notre garage à bateaux ni d'aucune de nos installations. » Malgré leur air aussi délabré que le reste de l'*Oregon*, les deux canots de sauvetage étaient aussi high-tech que la face cachée du navire. S'ils en avaient le rayon d'action, Juan se sentirait plus à l'aise à leur bord pour traverser l'Atlantique. « Cela ne devrait pas me demander plus d'un jour ou deux, poursuivit-il. Je reprendrai contact avec l'*Oregon* quand vous serez de retour en Namibie. Mais, j'y pense, je viens de passer une heure à la salle de gym, et je ne me suis pas tenu au courant. Quelles sont les dernières nouvelles ? »

Max croisa les bras.

« Tiny Gunderson nous a loué un avion convenable, voilà donc un point réglé. Comme tu le sais, les quads nous attendent au dock Duncan du Cap et Murph a trouvé un bibliothécaire de Berlin capable de déterrer tout ce qui existe concernant l'Oasis du Diable ou, comme nous le savons maintenant, l'*Oase des Teufels.* »

Coup de chance, Linda Ross, pour trouver l'endroit où était détenu Geoffrey Merrick, avait situé – une hypothèse – l'Oasis du Diable en Namibie et avait donc cherché des références en utilisant le nom allemand. Ils recueillirent ainsi quelques renseignements, mais leur enthousiasme fut de courte durée.

Au début du vingtième siècle, le gouvernement impérial allemand ayant décidé de copier la célèbre colonie pénitentiaire dépendant de la Guyane, l'île du Diable, un site perdu d'où toute évasion était impossible et réservé aux criminels les plus endurcis, avait construit une prison de haute sécurité en plein désert dans leur avant-poste colonial le plus isolé. L'édifice, en pierre de taille, était cerné par des centaines de kilomètres de dunes de sable : même si un prisonnier réussissait à s'en évader, il ne saurait où aller et mourrait dans le désert bien avant d'avoir atteint la côte. Contrairement à l'île du Diable ou même à la tristement célèbre prison d'Alcatraz, on n'avait jamais entendu parler jusqu'à la fermeture de la prison en 1916 – l'économie allemande ébranlée par la guerre ne pouvait plus supporter les frais de son entretien – d'une évasion réussie.

L'abandon du pénitencier avait entraîné la suppression de la voie de chemin de fer qui le desservait, si bien qu'on ne pouvait plus y accéder qu'en avion ou grâce à des véhicules tout-terrain, solutions toutes deux imparfaites car, même un petit contingent détenant Merrick détecterait un hélicoptère ou un camion bien avant que Cabrillo ait pu amener ses forces en position d'attaque. Pourtant, à force de mouliner les banques de données archivées et en utilisant les images satellites disponibles, ils avaient presque fini d'échafauder un plan audacieux pour sauver le milliardaire.

« Rien du côté des ravisseurs ou de la société de Merrick ?

— Des ravisseurs, non ; quant à Merrick-Singer, elle est en contact avec deux organismes spécialisés dans les affaires d'otages. »

De telles situations concernaient l'Armée ou la police ; des compagnies privées s'étaient cependant spécialisées dans ce créneau. Bien que ce ne soit pas d'ordinaire leur genre de travail, Hanley présentait la Corporation comme une équipe de sauvetage des victimes d'enlèvements ; et s'ils réussissaient dans leur entreprise, ce sur quoi ils comptaient bien, pourquoi ne pas tirer rémunération de leurs efforts ?

« Et Overholt à Langley ?

— Il ne voit pas d'inconvénient à notre présence ici dès l'instant où cela n'interfère pas avec une prochaine mission. Il m'a confié aussi que Merrick a jadis fourni de substantielles contributions à la campagne du Président et que tous deux avaient à plusieurs reprises skié ensemble. Si nous obtenons des résultats, nos actions à Washington monteront. »

Cabrillo eut un sourire narquois.

« Pour ce que nous faisons, peu importe le cours de nos actions. Quand il s'agit d'opérations aussi particulières que les nôtres, l'Oncle Sam n'a guère le choix. Je te parie que, si nous réussissons cette fois, il s'ensuivra un abondant échange de messages diplomatiques entre l'Administration et le gouvernement namibien et, qu'au bout du compte, tout le monde prétendra que c'était un commando américain en liaison avec les forces locales qui a sauvé Merrick.

— Je ne peux pas croire, fit Max avec une feinte indignation, que tu dises cela de l'agent le plus retors de la CIA.

— Et, si nous échouons, ajouta Juan, il niera avoir été un tant soit peu au courant, bla-bla-bla. Raccompagne Sloane au *Pinguin* pour qu'elle puisse expliquer à Reardon qu'elle reste à bord, et trouve quelqu'un pour mettre à l'eau le canot de bâbord. Je vais prendre une douche et faire mon sac.

— Je ne voulais pas t'en parler, lança Max en s'engageant dans la coursive, mais même contre le vent, tu sens assez fort. »

Sitôt franchie la porte de sa vraie cabine, Juan ôta la chemise blanche virant au gris qu'il avait enfilée pour recevoir Sloane et se débarrassa de ses chaussures. Ayant réglé les robinets dorés de la douche à la température convenable, il se dépouilla du reste de ses vêtements puis s'appuya à la paroi vitrée pour retirer sa jambe artificielle.

Réfléchissant sous les puissants jets d'eau de la douche à sa décision d'aider Sloane McIntyre, il estima qu'il en savait suffisamment pour se fier à son instinct. Il doutait tout autant de la présence dans les parages d'une épave chargée d'un trésor que de celle de monstrueux serpents d'acier. Mais il était indubitable que quelqu'un voulait stopper Sloane dans ses recherches. Il voulait découvrir de qui il s'agissait et ce qu'ils protégeaient.

Après s'être essuyé et avoir remis en place sa jambe artificielle, Juan fourra dans une trousse des affaires de toilette, jeta dans un sac de cuir quelques vêtements de rechange et de solides chaussures. Puis il passa dans son bureau. Il s'assit à sa table de travail et fit pivoter son fauteuil devant l'antique coffre-fort récupéré dans un dépôt de chemin de fer du Nouveau-Mexique. Ses doigts firent tourner le cadran et, après le dernier déclic, il actionna la poignée et ouvrit la lourde porte. Outre des liasses de billets de cent dollars, de vingt livres sterling et d'un assortiment de monnaies diverses, le coffre abritait son arsenal personnel, de quoi démarrer une petite guerre : trois pistolets mitrailleurs, deux fusils d'assaut, une carabine Remington 700, une collection de grenades fumigènes, offensives et aveuglantes, ainsi qu'une douzaine de revolvers. Envisageant les diverses situations auxquelles il pourrait se trouver confronter, il choisit une mitraillette Micro Uzi et un Glock 19. Il aurait préféré le FN Five-SeveN, qui était vite devenu son arme de poing préférée, mais il voulait des munitions interchangeables : le Glock et l'Uzi utilisaient du 9 mm.

Les chargeurs étaient rangés vides pour ménager leurs ressorts et il lui fallut un moment pour les remplir. Il fourra les armes, les chargeurs et une boîte de minutions dans son sac, sous les vêtements, puis s'habilla : pantalon de toile sombre et chemise à col ouvert.

Il se regarda dans le verre d'une gravure accrochée au mur : il serrait les mâchoires et, au fond de son regard, se distinguaient presque les braises de la colère. Il ne devait rien à Sloane McIntyre, pas plus qu'à Geoffrey Merrick, mais il n'était pas plus disposé à les abandonner qu'à laisser une petite vieille plantée au milieu d'un carrefour.

Cabrillo prit le sac posé sur le lit et s'engagea dans l'escalier de la coursive, son corps réagissant déjà à la première décharge d'adrénaline.

12

LES PUCES DE SABLE NE tardèrent pas à découvrir que la prison jadis abandonnée était à nouveau occupée : attirées par l'odeur de corps tièdes, elles avaient en effet réinvesti les lieux pour venir à leur tour infliger leurs tortures. Capables de pondre soixante œufs par jour, les premières à pénétrer dans le pénitencier l'avaient rapidement infesté. Les gardiens s'étaient préparés à combattre à coups de bombes insecticides les abominables insectes, les prisonniers, eux, n'avaient pas cette chance.

Adossé au mur de pierre de sa cellule, Merrick grattait furieusement les piqûres qui couvraient chaque centimètre carré de son corps. Pourtant un caprice pervers du sort faisait qu'il n'était pas mécontent qu'elles l'eussent trouvé car la douleur des morsures et les constants aiguillons des nouvelles attaques détournaient son esprit des horreurs déjà subies et des calamités à venir. Il poussa un juron en sentant un insecte lui mordre le lobe de l'oreille ; il l'attrapa et l'écrasa entre ses ongles, le craquement de la carapace lui arrachant un grognement de satisfaction – petite victoire dans la guerre qu'il était en train de perdre.

L'obscurité qui, faute de clair de lune, régnait dans la cellule s'imposait comme une présence tangible – nuage suffoquant qui semblait envahir la gorge de Merrick chaque fois qu'il ouvrait la bouche et boucher ses oreilles si bien qu'il n'entendait même pas le murmure du vent qui devait pourtant souffler. La prison le privait de l'usage de ses sens. Le sable omniprésent lui avait obstrué le nez, et il ne percevait plus le goût de la nourriture, tout juste capable de ressentir vaguement que sa pitance était autre chose que de la poussière. Ne lui restaient que l'ouïe et le toucher, ce qui, sans rien à écouter et le corps, endolori par tant de journées passées sur un sol de pierre, désormais harcelé par les morsures des puces, ne représentait pas grand-chose.

« Susan ? » appela-t-il ainsi qu'il le faisait à intervalles réguliers depuis qu'il avait regagné sa cellule.

Pas une fois elle n'avait répondu. Peut-être était-elle morte, se disait-il, pourtant il continuait parce que prononcer son nom lui semblait plus rationnel que de céder à une irrésistible envie de hurler.

A son grand étonnement, il crut entendre bouger, émettre une sorte de vagissement de chaton nouveau-né tandis qu'un tissu semblait frotter contre la pierre.

« Susan ! cria-t-il plus fort. Susan, vous m'entendez ? » Cette fois il perçut distinctement un gémissement. « Susan, c'est Geoff Merrick. *Comme si cela pouvait être quelqu'un d'autre ?* se dit-il. Pouvez-vous parler ?

— Dr Merrick ? »

Cette voix épuisée lui parut le son le plus magnifique qu'il eût jamais entendu.

« Oh, Dieu soit loué, Susan. Je vous croyais morte.

— Je... balbutia-t-elle avant qu'une quinte de toux lui arrache une nouvelle plainte. Que s'est-il passé ? J'ai le visage engourdi, le corps aussi... Je crois que j'ai des côtes cassées.

— Vous ne vous souvenez pas ? On vous a battue, torturée. Vous disiez qu'ils ne vous ont même pas posé de questions.

— Ils vous ont frappé aussi ? »

Merrick sentit son cœur se serrer. Malgré sa souffrance et son désarroi, Susan Donleavy se préoccupait de son état. D'autres, à sa place, n'auraient pas posé cette question et auraient continué à s'étendre sur leurs propres blessures. Comme il regrettait, mon Dieu, qu'elle eût été entraînée dans ce cauchemar.

« Non, Susan, fit-il doucement. Absolument pas.

— Tant mieux, répondit-elle.

— J'ai découvert qui nous a enlevés et pourquoi.

— Qui ça ?

— Mon ancien associé.

— Le Dr Singer ?

— Oui, Dan Singer.

— Pourquoi ? Pourquoi vous ferait-il cela ?

— Vous voulez dire : pourquoi *nous* ferait-il cela ? Parce que c'est un malade, Susan, un homme amer, à l'esprit tordu, et qui veut exposer au monde sa vision perverse de l'avenir.

— Je ne comprends pas. »

Merrick non plus n'arrivait pas à s'expliquer les agissements passés de Singer ni ce qu'il s'apprêtait à faire. C'était tellement énorme : Singer avait déjà tué des milliers de gens, à l'insu de tout le monde, et il projetait d'en faire périr des dizaines de milliers d'autres. Et dans quel but ? Pour infliger aux Etats-Unis une leçon sur le contrôle de l'environnement et sur le réchauffement climatique ? En partie seulement – Merrick ne connaissait que trop bien celui qui avait été jadis son meilleur ami.

Il ne fallait pas oublier en effet l'aspect personnel dans tout cela : prouver à Merrick qu'il avait été le cerveau de leur réussite. Au début, ils se comportaient comme des frères ; seulement Merrick était le charmeur, celui qui savait glisser une belle formule au cours d'une interview. Les médias avaient donc rapidement vu en lui le visage de Merrick & Singer et, de ce fait, marginalisé Dan. Merrick n'avait pas imaginé un seul instant que cela puisse gêner son associé : introverti au sein du MIT, pourquoi aurait-il été différent dans le monde réel ? Merrick savait maintenant que tel était pourtant le cas et que Singer lui vouait une haine quasi pathologique.

La personnalité de Singer s'en était retrouvée transformée : il avait quitté l'entreprise qu'il avait aidé à bâtir et s'était précipité en marge du mouvement écologique où il consacrait sa fortune à causer la ruine de Merrick-Singer. Mais cela avait échoué ; il avait alors tourné le dos à ses nouveaux amis écologistes et s'était retiré dans sa maison du Maine pour panser ses plaies.

Si seulement c'était vrai, songea Merrick. Mais Singer avait cultivé sa haine, la laissant croître et s'envenimer jusqu'à concevoir le projet d'une audace et d'une horreur incroyables avec lequel il réapparaissait maintenant, un projet déjà poussé si loin qu'on ne pouvait plus désormais l'arrêter. Il n'avait pas renoncé à sa croisade écologique mais il lui avait donné une autre direction, totalement perverse cette fois.

« Il faut que nous sortions d'ici, Susan.

— Que se passe-t-il ?

— Nous devons l'arrêter. Il a perdu la tête et les adeptes qu'il a rassemblés ne sont autres que des fanatiques de l'environnement qui se fichent pas mal de l'humanité. Et, comme si ce n'était pas assez, il prétend avoir recruté aussi une bande de mercenaires », conclut Merrick en se prenant la tête à deux mains.

C'était sa faute : il aurait dû discerner dès le début la colère de Dan et insister pour qu'ils partagent la lumière des projecteurs ; il aurait dû reconnaître la fragilité de Dan et comprendre à quel point l'attention accordée à Merrick le mettait au supplice. Ainsi, rien de tout cela ne serait arrivé. Il se mit à pleurer puis à sangloter et, accablé par les événements, il ne pensa même plus à leur triste situation, se contentant de répéter « Pardon, pardon » sans vraiment savoir s'il s'adressait à Dan ou à ses futures victimes.

« Docteur Merrick ? Docteur Merrick, je vous en prie, pourquoi le Dr Singer nous traite-t-il ainsi ? »

Merrick décelait l'angoisse dans la voix de la jeune femme, mais il ne savait quoi répondre. Il pleurait à s'en déchirer l'âme, secoué par des sanglots qui se prolongèrent une vingtaine de minutes jusqu'à ce qu'il eût épuisé ses réserves de larmes.

« Pardon, Susan, haleta-t-il quand il fut enfin capable de parler. C'est simplement... Dan Singer me reproche d'être vu par le public comme l'incarnation de la société. Il agit ainsi par jalousie. Vous vous rendez compte ? Tout ça parce que j'étais plus populaire que lui. » Susan Donleavy ne réagissait pas. « Susan ? répéta-t-il, puis, de plus en plus fort : Susan ! Susan ! »

L'écho lui renvoya ce prénom, puis, plus rien. Le silence s'abattit de nouveau sur le bloc de cellules. Merrick fut certain que Daniel Singer venait de faire une nouvelle victime.

13

« ALLEZ VOUS REPOSER EN BAS si vous voulez, proposa Juan en voyant Sloane étouffer un bâillement.

— Non, merci, je vais bien, dit-elle en bâillant de plus belle. Mais je vais reprendre un peu de café. »

Cabrillo tira de son étui le thermos d'argent posé par terre près de lui, son regard balayant machinalement les cadrans du tableau de bord rudimentaire du canot. Le moteur tournait rond, le réservoir était plein aux trois quarts et Walvis Bay ne se trouvait plus qu'à une heure de route.

Max avait appelé une heure après leur départ de l'*Oregon* ; il avait annoncé que George, depuis son hélicoptère, n'avait rien vu d'autre au-dessus du secteur où le vieux pêcheur un peu fou avait signalé ses serpents métalliques qu'un océan lisse et désert. Juan avait alors envisagé un instant de ramener Sloane à son hôtel puis de prendre un vol pour Le Cap afin de rejoindre son navire – solution qui lui paraissait logique. Mais maintenant, quelques heures plus tard, il comprenait ce qui poussait Sloane McIntyre et il était convaincu qu'il avait pris la bonne décision en l'aidant.

Aussi obsédée que lui, elle était incapable de laisser une tâche inachevée et ne reculait pas devant un défi. Quelque chose de mystérieux se passait dans ces eaux et ni elle ni lui ne seraient satisfaits avant d'avoir découvert quoi, même si cela ne concernait en rien leurs occupations respectives. Il admirait sa curiosité et sa ténacité, deux traits de caractère dont il se targuait lui aussi.

Sloane versa un peu de café noir dans le couvercle du thermos, son corps se balançant au rythme des vagues défilant sous la coque. Toujours en short, Sloane avait accepté d'enfiler le gilet de sauvetage orange proposé par Juan qui avait noué le sien autour de sa taille.

L'embarcation contenait des provisions en quantité suffisante pour permettre à quarante personnes de tenir une semaine et disposait d'un désalinisateur miniature capable de fournir une eau potable encore que légèrement salée. Les banquettes de la cabine fermée, qui paraissaient recouvertes d'un vinyle un peu craquelé, étaient en fait en cuir d'agneau très doux qu'on avait délibérément maltraité pour lui donner un aspect minable. Un panneau fixé au plafond révélait quand on l'abaissait une télé à écran plat à son stéréo ainsi qu'une discothèque fournie en DVD. Max avait imaginé – idée perverse – de déclencher le film du *Titanic* si l'équipage devait vraiment mettre à la mer les canots de sauvetage.

Le moindre recoin avait été conçu pour assurer le maximum de confort à quiconque serait contraint d'utiliser l'embarcation. C'était plus un yacht de luxe qu'un canot de sauvetage. On l'avait également construit en pensant à la sécurité des occupants : une fois les panneaux d'écoutille fermés, le bateau pouvait se retourner complètement et se redresser, des harnais à trois points d'attache permettant aux passagers de rester sur leur siège. Et, comme le bateau appartenait à la Corporation, on y avait adjoint quelques petits gadgets que Juan n'avait pas l'intention de montrer à son invitée.

On pouvait commander le bateau depuis deux emplacements différents : soit de l'intérieur, près de l'avant, où l'on était protégé par l'enveloppe en fibre de verre et matériaux composites de la cabine, soit d'une plate-forme à l'arrière, légèrement surélevée, où se tenaient Juan et Sloane afin de profiter du spectaculaire coucher de soleil et de la nuit parsemée d'étoiles qui avait aussitôt suivi. Un petit pare-brise les protégeait des embruns trop violents mais les eaux froides du courant de Benguela remontant de l'Antarctique vers le nord avaient fait chuter la température à quinze degrés Celsius.

Son bol de café serré entre ses mains, elle examina le visage de Cabrillo à la pâle lueur des cadrans du tableau de bord. Un bel homme, dirait-on, aux traits énergiques et bien dessinés avec des yeux d'un bleu clair. Mais ce qui l'intriguait vraiment, c'était ce qui se dissimulait sous cette apparence. Il s'imposait sans mal à son équipage, avec des qualités naturelles de chef aptes à séduire bien des femmes, mais elle pressentait aussi en lui un solitaire. Pas du genre à faire irruption dans un bureau de poste pour tirer des coups de fusil, ni un débile vivant dans le cyberespace, mais quelqu'un qui appréciait la compagnie d'autrui, qui savait qui il était, de quoi il était capable et qui était satisfait de ce qu'il constatait.

Elle devinait qu'il prenait ses décisions rapidement et ne revenait jamais dessus. Un tel niveau de confiance ne pouvait découler que du fait qu'il avait plus souvent raison que tort. Elle se demanda s'il avait bénéficié d'une formation militaire et décida que oui : il avait dû être dans la Marine ; officier probablement, mais, incapable de supporter l'incompétence de ses supérieurs, il avait démissionné. Il était passé de l'existence structurée de l'armée à l'errance en haute mer, en se cramponnant aux habitudes d'autrefois parce qu'il était en vérité né deux siècles trop tard. Elle l'imaginait très bien sur la passerelle d'un grand voilier transportant à travers le Pacifique une cargaison d'épices et de soie.

« Qu'est-ce qui vous fait sourire ? s'enquit Juan.

— Juste une idée : vous vivez dans une époque qui ne vous convient pas.

— Comment cela ?

— Non seulement vous sauvez les demoiselles en détresse, mais en plus vous épousez leur cause. »

Cabrillo bomba le torse et prit une posture héroïque.

« Et maintenant, belle dame, je m'apprête à combattre des serpents de mer métalliques. »

Sloane éclata de rire.

« Puis-je vous poser une question ?

— Allez-y.

— Si vous n'étiez pas le capitaine de l'*Oregon*, que feriez-vous ? »

La question ne l'entraînant pas dans des eaux dangereuses, Juan répondit avec franchise.

« Je crois que je serais infirmier.

— Vraiment ? Pas médecin.

— La plupart des médecins traitent les patients comme des objets – sur lesquels ils doivent travailler s'ils veulent être payés avant de retourner au golf. Ils disposent d'un bataillon d'infirmières et de techniciens ainsi que de millions de dollars de matériel. Les infirmiers sont différents : ils travaillent en équipe avec seulement leur bon sens et un minimum d'équipement. A eux incombent les premières estimations critiques et souvent les premiers gestes qui sauvent une vie. Ils sont là pour vous dire que tout se passera bien et pour s'assurer que ce sera le cas. Et, une fois la personne à l'hôpital, ils disparaissent tout simplement. Pas de gloire, pas de complexe de supériorité, pas de "Eh bien, toubib, vous m'avez sauvé la vie". Vous faites juste votre boulot et vous passez au suivant.

— Ce que vous dites me plaît, finit par répondre Sloane. Et vous avez raison. Un jour, mon père s'est fait une vilaine coupure à la jambe alors qu'il emmenait des touristes en excursion en mer ; nous avons dû appeler une ambulance par radio et il a fallu que je ramène le bateau au port. Je me rappelle encore le nom du docteur – Jankowski – qui lui a recousu la jambe à l'hôpital, mais je n'ai aucun souvenir du type qui lui a fait le premier pansement sur le quai ; pourtant, sans lui, mon père aurait sans doute perdu tout son sang.

— Les héros méconnus, observa doucement Juan. Ceux que je préfère. » Un instant, il revit le mur d'étoiles à l'entrée du quartier général de la CIA à Langley. Chacune représentait un agent tué en mission. Sur les quatre-vingt-trois agents représentés là, trente-cinq demeuraient anonymes, gardant encore longtemps après leur mort les secrets de l'Agence. Autant de héros méconnus. « Et vous, reprit-il. Que feriez-vous si vous n'étiez pas spécialiste de la sécurité dans une société diamantaire ?

— Eh bien, répondit-elle avec un sourire espiègle, je serais capitaine de l'*Oregon*.

— Oh, Max serait ravi.

— Max ?

— Mon second et officier mécanicien, dit Juan affectueusement. Disons que Max a un côté bougon.

— Je crois qu'il me plairait.

— Il n'est pas facile à vivre, mon Mr Hanley, mais je n'ai jamais rencontré homme plus loyal ni ami plus sûr. » Sloane termina son café et rendit le couvercle à Juan. Il le revissa et regarda l'heure. Près de minuit. « Je réfléchissais, reprit-il. Plutôt que de mouiller à

Swakopmund en plein milieu de la nuit et d'éveiller peut-être des soupçons, pourquoi ne pas mettre le cap au sud vers l'endroit où vous avez rencontré Papa Heinrick ? Vous pensez être capable de retrouver son campement ?

— Pas de problème. Sandwich Bay est à environ vingt-cinq milles au sud de Swakopmund. »

Juan vérifia leur GPS, estima les nouvelles coordonnées et les enregistra dans le navigateur automatique. Des servomoteurs tournèrent la barre de quelques degrés à bâbord.

Une quarantaine de minutes plus tard, l'Afrique émergea de l'obscurité avec ses côtes sablonneuses frémissant au clair de lune et parfois le blanc plus étincelant des vagues léchant le sable de la plage. La longue péninsule qui protégeait Sandwich Bay était à un quart de mille au sud.

« Joliment navigué », apprécia Sloane.

Juan tapota le récepteur du GPS.

« C'est à Gladys ici présente qu'en revient le mérite. Le GPS a fait de nous tous des navigateurs paresseux. Je ne crois pas que, même si ma vie en dépendait, je serais capable de calculer ma position avec un sextant et un chronomètre.

— Permettez-moi d'en douter. »

Juan ferma un peu les gaz pour réduire la vitesse quand ils s'engagèrent dans le fragile écosystème. Ils avancèrent pendant une vingtaine de minutes jusqu'à l'extrémité sud de la baie. Ils longeaient la rive, Sloane balayant du faisceau de sa torche l'épais rideau de roseaux à la recherche de la brèche qui menait au petit lagon privé de Papa Heinrick.

« Là », fit-elle en tendant le bras.

Juan ralentit le bateau et pointa la proue dans les roseaux. Il gardait un œil sur la jauge de profondeur et s'assurait que des débris végétaux ne se prenaient pas dans les hélices. Le canot s'enfonçait entre les hautes tiges et les pales grinçaient quand les roseaux frottaient la coque et les flancs de l'embarcation. Ils avaient parcouru une soixantaine de mètres quand Juan sentit une odeur de fumée. Il leva la tête et, tel un chien de chasse, huma l'air ; mais il ne la retrouva pas. Puis revint, plus forte, l'odeur un peu âcre de bois qu'on fait brûler. Il saisit le poignet de Sloane de façon à masquer de sa main le faisceau de la torche.

Devant eux il aperçut la lueur orange d'un feu, mais pas le foyer à demi enterré qu'avait décrit Sloane. C'était très différent.

Il mit les gaz à fond en priant pour que la profondeur de l'eau reste la même tandis que le canot bondissait en avant, le choc précipitant Sloane dans ses bras. Il la redressa et tenta de voir à travers le rideau de roseaux qui leur bloquait le passage.

Ils débouchèrent soudain dans le lagon qui entourait l'îlot de Papa Heinrick. Il y avait moins de trente centimètres d'eau sous la quille. Il fit machine arrière toute, ce qui fit jaillir sous l'arrière un torrent d'eau, et il déclencha le verrouillage de la chaîne d'ancre. Ils n'avaient pas encore atteint une bien grande vitesse, aussi parvint-il à stopper le canot avant qu'il ne s'échoue.

Il mit les moteurs au ralenti et ce fut seulement alors qu'il put embrasser la scène : la cabane juchée au milieu de l'île transformée en brasier, les flammes et les braises s'élevant à plusieurs mètres de hauteur de son toit de chaume et de bois flottant. Le bateau de Papa Heinrick, renversé non loin de là, était également la proie des flammes mais, comme l'embarcation était imbibée d'eau, le feu n'avait pas vraiment pris. Des nuages d'une épaisse fumée blanche s'en élevaient, et tourbillonnaient autour des joints de la coque en bois.

Par-dessus le rugissement de la cabane en feu, Juan entendit soudain le hurlement reconnaissable d'un homme qu'on torture.

« Oh, mon Dieu ! » cria Sloane.

Cabrillo réagit aussitôt. Il s'élança sur le toit de la cabane et le traversa sur toute sa longueur. Il s'arrêta à moins de deux mètres de l'avant effilé du bateau. Cabrillo, après avoir soigneusement calculé son coup, sauta en prenant appui sur sa jambe artificielle, posa son pied gauche sur la rampe d'aluminium et plongea. Une fois dans l'eau, il se mit à nager vigoureusement.

Quand ses pieds touchèrent le fond, il fonça comme une bête déchaînée et remonta la plage. Ce fut alors qu'il entendit un autre bruit, le grondement sourd d'un moteur de bateau. Une vedette à l'étrave blanche contournait l'autre extrémité de l'îlot et un des deux hommes qui se trouvaient dans le poste de pilotage ouvrit le feu avec une arme automatique. Du sable gicla autour de Cabrillo qui se jeta par terre pour se mettre à l'abri, sa main tâtant le creux de son dos. Il tourna deux fois sur lui-même et se redressa en position de tir, le Glock qu'il avait glissé à sa ceinture à la main. La cible était à trente mètres, dans le noir, alors que sa silhouette se découpait sur le brasier de la cabane.

Cabrillo n'eut même pas le temps de riposter qu'un autre tir à l'arme automatique le contraignit à battre en retraite vers le lagon. Il prenait une profonde inspiration quand une rafale arrosa la plage à quelques centimètres de sa tête, l'obligeant à inhaler toute une goulée de grains de sable.

Il se mit à l'abri dans l'eau et lutta contre une irrésistible envie de tousser, puis nagea une dizaine de mètres en s'assurant que ses mains touchaient toujours le fond de façon à ne pas révéler sa présence. La vedette le recherchait et, estimant sa position, il s'en éloigna encore un peu tout en s'efforçant de maîtriser ses quintes de toux. Lorsqu'il pensa avoir repéré ses agresseurs, il posa les pieds sur le fond et se redressa un instant tout en continuant à retenir son souffle.

La vedette se trouvait à dix mètres et les deux hommes regardaient du mauvais côté. Le visage ruisselant d'eau et les poumons prêts à exploser, Juan leva le Glock et fit feu. Le recul lui fit reprendre sa respiration, qu'il avait bloquée, et il fut pris d'une violente quinte de toux qui l'empêcha de savoir s'il avait fait mouche. Il avait certainement été près du but car le ronronnement étouffé du moteur s'emballa soudain et le canot remonta le chenal vers la baie, laissant dans son sillage une traînée d'écume.

Juan se plia en deux, les mains sur les genoux, et toussa si fort qu'il se mit à vomir. Il s'essuya les lèvres et se tourna vers leur embarcation.

« Sloane ? s'inquiéta-t-il d'une voix étranglée. Ça va ? »

Sa tête émergea de derrière le poste de pilotage. La lueur dansante de l'incendie ne pouvait pas dissimuler ses yeux ronds ni redonner quelque couleur à son visage pétrifié.

« Oui, balbutia-t-elle, puis, d'une voix plus ferme : Oui, je vais bien. Et vous ?

— Ça va », la rassura Juan avant de se tourner vers les ruines embrasées.

Bien que n'entendant plus Papa Heinrick crier, il se força à approcher : le toit était sur le point de s'effondrer et la chaleur du brasier obligea Juan à se protéger le visage de son bras ; la fumée lui brûlait les yeux et le fit de nouveau tousser : il avait l'impression que ses poumons étaient emplis d'éclats de verre.

Cabrillo ramassa un bout de bois avec lequel il arracha le tissu enflammé qui servait de porte à la masure. Une bouffée de vent, l'espace d'un instant, dissipa la fumée et permit à Juan de distinguer nettement le lit – spectacle, il le sut aussitôt, qui le hanterait jusqu'à la fin de ses jours.

Ce qui restait des bras de Heinrick était encore menotté au cadre du lit et, malgré les ravages des flammes sur le cadavre, Juan devina qu'on avait torturé le vieil homme avant de mettre le feu à la cabane : sa bouche édentée béait dans un ultime hurlement et, sous le lit, s'était formée une flaque de sang.

Le toit finit par s'écrouler dans un jaillissement de flammes et d'étincelles qui vinrent lécher Cabrillo avant qu'il ait eu le temps de se détourner. Les braises ne pouvaient pas le brûler à travers ses vêtements trempés mais une brusque poussée d'adrénaline le galvanisa.

Il repartit en courant jusqu'au bord de l'eau et plongea pour regagner à la nage le canot qui se balançait non loin de là ; Juan se dirigea donc vers l'avant et la chaîne d'ancre, dont il se servit pour se hisser jusqu'au pont. Sloane l'aida à se glisser sous le bastingage et ne fit aucun commentaire au sujet du pistolet glissé dans la ceinture du pantalon de Juan.

« Venez. »

Il lui prit la main et ils coururent jusqu'au poste de pilotage. Juan abaissa la manette qui remontait l'ancre ; dès qu'elle eut quitté le fond, il mit les gaz à fond et fit virer de bord le bateau.

« Qu'est-ce que vous faites ? cria Sloane par-dessus le rugissement du moteur. Cette vedette est conçue pour le ski nautique ; elle a cinq minutes d'avance et fait au moins vingt nœuds de plus que nous.

— Jamais de la vie », s'emporta Cabrillo sans la regarder.

Il redressa le cap quand le canot s'engagea dans le chenal pour sortir du lagon.

« Juan, nous ne les rattraperons jamais. En plus, ils ont des mitrailleuses. Vous, vous n'avez qu'un pistolet. »

Juan qui, un œil sur la jauge de profondeur, barrait son bateau fouetté par les roseaux, s'en dégagea en poussant un grognement de satisfaction sauvage.

« Accrochez-vous », prévint-il en appuyant sur un bouton caché sous le tableau de bord.

La section avant de la coque commença à se dresser hors de l'eau tandis que des commandes hydrauliques déployaient tout un arsenal de dérives et d'ailerons sous-marins. Sloane réagit avec une seconde de retard : elle trébucha et serait tombée par-dessus bord si Juan ne l'avait rattrapée par son blouson. Les hydrofoils soulevèrent davantage encore la coque et seuls les ailerons et l'arbre de l'hélice se retrouvèrent immergés. Quelques secondes supplémentaires, et ils atteignaient les quarante nœuds.

Sloane regardait Juan d'un air incrédule, ne sachant que dire devant ce pesant canot de sauvetage transformé en navire de compétition.

« Mais, finit-elle par lancer, qui êtes-vous ? »

Il lui jeta un coup d'œil. En temps normal, il aurait riposté par une remarque lapidaire, mais la colère qu'avait fait naître en lui le meurtre de Papa Heinrick bouillait encore.

« Quelqu'un qu'on ne devrait pas pousser à bout, lâcha-t-il, le regard aussi froid que du marbre. Et c'est justement ce qu'ils viennent de faire. L'eau s'illumine un peu, vous le voyez ? Le mouvement de leur vedette dans l'eau a rendu fluorescents des organismes luminescents. Nous ne les aurions pas repérés de jour mais, la nuit, Mère Nature nous donne un coup de main. Pouvez-vous prendre la barre et garder ce cap ?

— Je n'ai jamais piloté un bateau comme celui-là.

— Comme la plupart des gens. Dites-vous seulement qu'il s'agit du bateau d'excursion de votre père, mais en plus rapide. Gardez simplement la barre bien droite et, si vous devez tourner, faites-le doucement. Je reviens dans une seconde. »

Il l'observa un moment pour être certain qu'elle s'en tirerait, puis il s'engouffra dans la cabine au milieu de laquelle il avait jeté son sac de cuir. Il fouilla dans ses affaires et prit le mini-Uzi ainsi que quelques chargeurs ; il rechargea son Glock, le glissa dans sa ceinture et fourra les chargeurs dans sa poche revolver. Il s'approcha ensuite de l'un des bancs et pressa un bouton dissimulé sous le coussin : un loquet se débloqua, faisant avancer le siège. A peu près tout l'espace sous les bancs servait à entreposer des provisions, mais cette partie-là était différente. Il repoussa des rouleaux de papier hygiénique et actionna une autre manette cachée. Le double-fond s'ouvrit et Juan souleva le couvercle.

A l'intérieur de la cale, le grondement des moteurs et le crissement des foils dans l'eau étaient assourdissants. Juan, après l'avoir libéré des agrafes métalliques qui le fixaient à l'une des parois, empoigna un tube en plastique épais d'une bonne vingtaine de centimètres de diamètre sur plus d'un mètre de long ; il dévissa le bouchon étanche qui le fermait et sortit un fusil d'assaut FN-FAL qu'il posa à côté de lui. Bien que datant de la fin de la Seconde Guerre mondiale, cette arme vénérable, de fabrication belge, s'avérait encore un des meilleurs fusils du monde.

Juan glissa rapidement deux chargeurs de 7,62 dans le tube, introduisit une cartouche dans la chambre et s'assura que le cran de sûreté était mis. Il se souvenait de ce qu'il avait répondu à Max qui l'interrogeait sur la nécessité d'une arme pareille sur un canot de sauvetage. « Si tu apprends à pêcher à un homme, avait-il déclaré, il aura de quoi manger pour une journée, si tu lui donnes un fusil d'assaut et quelques requins, il pourra nourrir son équipage sa vie durant. »

Il ressortit sur la plage arrière. Sloane avait maintenu le bateau en plein milieu du sillage phosphorescent, et, estima Juan, la distance entre eux et la vedette avait diminué car la luminescence était devenue plus forte : les micro-organismes avaient donc moins de temps pour reprendre leur place.

Juan posa le FN au-dessus du tableau de bord et le mini-Uzi à la place du thermos qu'il avait jeté dans la cabine.

« Vous êtes toujours prêt pour la Troisième Guerre mondiale, ou bien est-ce que je vous surprends en pleine crise de paranoïa ? »

Sloane utilisait son humour pour tenter de le détendre et il lui en était reconnaissant. Cabrillo ne savait que trop bien que se lancer au combat sans maîtriser au préalable ses émotions constituait une redoutable erreur. En souriant, il la remplaça à la barre.

« Ne dites pas ça. J'ai eu ma crise. »

Quelques instants plus tard, ils distinguaient la vedette qui fonçait vers la baie et, presque simultanément, furent à leur tour repérés. La vedette vira sans effort et se rapprocha de la rive marécageuse.

Juan, assurant son équilibre en se penchant en même temps que les hydrofoils se relevaient sur l'eau, barra de façon à rester sur l'arrière de la vedette qui, en deux minutes, ne fut plus qu'à trente mètres : le pilote se concentrait sur leur route tandis que son compagnon s'allongeait sur les sièges arrière pour bien caler sa mitraillette.

« Baissez-vous », cria Juan.

Des balles frappèrent l'étrave et firent vibrer le toit de la cabine. La hauteur des hydrofoils étant trop importante pour qu'il puisse les toucher, le tireur préféra viser les supports qui les soutenaient. Quelques balles claquèrent dessus, mais elles ricochèrent sans causer de dommage.

Juan prit le mini-Uzi, releva l'hydrofoil pour dégager sa ligne de tir et graissa la détente. Le petit fusil mitrailleur se cabra dans sa main et une grêle de cartouches gicla derrière eux : Juan, ne pouvant pas prendre le risque d'abattre les deux hommes, visait légèrement à côté de la vedette. L'eau jaillit à bâbord sous l'impact d'une vingtaine de balles.

Juan avait espéré que cela mettrait un terme à la poursuite, les deux hommes devant bien se rendre compte que leur ancienne proie était plus grosse, plus rapide et tout aussi bien armée. Mais la vedette maintenant malgré tout sa vitesse se rapprochait de plus en plus de la côte.

Juan, qui n'avait d'autre choix que de les suivre tandis qu'ils frôlaient les roseaux et les petits arbustes, se trouva bientôt en train de danser parmi les bancs d'herbe et les petits îlots qui parsemaient la côte. La vedette, moins rapide mais plus facile à manœuvrer, distança bientôt le canot : de cinquante, puis soixante mètres.

Cabrillo aurait pu regagner l'eau libre et se rapprocher ensuite, mais il craignait, s'il la perdait de vue, que la vedette ne disparût dans les roseaux où son plus faible tirant d'eau lui donnerait l'avantage. Et s'il se lançait alors à leur poursuite, il risquait de tomber dans une embuscade. La meilleure façon de mettre un terme à tout cela était de les talonner.

Alors, ils foncèrent; des bouquets d'arbres qu'ils traversaient s'envolaient des oiseaux affolés, et leur sillage dans les eaux du marécage faisait onduler les touffes d'herbes : la baie semblait respirer.

Conscient de la vulnérabilité des ailerons de son canot, Juan s'obligeait à virer moins brutalement que la vedette, qui en profita pour augmenter son avance. Soudain, Cabrillo repéra un obstacle et, en l'espace d'une seconde, l'identifia : il s'agissait d'une souche submergée qui, s'il la heurtait, arracherait les ailerons ; il joua adroitement de la barre et de la manette des gaz et parvint à contourner le danger. La manœuvre leur fit éviter le tronc mais les obligea à passer entre deux îlots couverts de boue et affleurant à peine à la surface.

Un coup d'œil à la jauge de profondeur alerta Juan : elle était sur zéro, ce qui signifiait qu'il n'y avait pas plus de quinze centimètres d'eau entre les ailerons et le fond. Il poussa la manette des gaz pour arracher encore un peu plus de puissance au moteur et tenter ainsi de soulever le bateau de quelques centimètres. S'ils s'échouaient à cette vitesse, Sloane et lui seraient projetés comme de vulgaires poupées de chiffon et heurteraient l'eau avec un impact équivalent à celui d'une chute de quinze mètres sur un trottoir.

Le passage entre les îlots se rétrécissait de plus en plus. Juan regarda derrière : le sillage généralement blanc laissé par les ailerons et les hélices était d'un brun chocolat maintenant qu'ils brassaient la vase. Un aileron effleura le fond et le bateau frémit un instant. Juan ne devait pas ralentir, sinon l'hydrofoil se replierait et barboterait dans la boue ; quant au moteur, il tournait largement au-dessus de la ligne rouge.

Le chenal semblait se rétrécir encore.

« Cramponnez-vous ! », cria-t-il par-dessus le rugissement du moteur, certain d'avoir perdu le pari qu'il avait fait.

Ils filèrent par la partie la plus étroite du passage, perdant un peu de vitesse quand les ailerons avant frôlèrent une nouvelle fois le fond, puis le chenal s'élargit et devint plus profond.

Juan poussa un long soupir.

« Nous sommes passés aussi près de la catastrophe que je l'ai cru ? interrogea Sloane.

— Encore plus près que ça. »

Mais la manœuvre avait réduit de moitié la distance entre les deux embarcations car la vedette avait dû slalomer à travers un bouquet de palétuviers. Le tireur reprit son poste à l'arrière. Juan diminua les gaz et traversa de nouveau le marécage de manière à placer l'hydrofoil juste dans leur sillage : la taille supérieure de son bateau lui servit de bouclier juste au moment où la petite vedette les arrosait d'une rafale. Les balles criblèrent la mer et fracassèrent les deux panneaux de verre de sécurité qui protégeaient la cabine du canot de sauvetage.

Une section droite du marais permit à Cabrillo de faire repartir le moteur et, en quelques secondes, l'énorme hydrofoil vint survoler la vedette. Dans la turbulence créée par le sillage de celle-là, l'hydrofoil se mit à aspirer l'air sous ses ailerons et à descendre vers la mer. Son étrave dessinait des dents de scie ainsi que l'avait prévu Juan. Le pilote de la vedette essaya d'échapper à cette masse qui menaçait de broyer son embarcation, mais Juan suivait chacune de ses esquives. L'étrave frappa l'arrière de la vedette mais pas avec assez de force pour la ralentir et Cabrillo dut reculer légèrement pour reprendre un peu de hauteur.

Il jetait un coup d'œil au tableau de bord pour vérifier le compte-tours quand Sloane poussa un hurlement : le tireur avait profité du contact avec l'hydrofoil pour sauter et saisir le bastingage ; il était maintenant planté à l'avant de l'hydrofoil, une main accrochée à la rambarde et l'autre tenant une kalachnikov braquée sur le front de Juan. N'ayant pas le temps de prendre son pistolet, Juan fit la seule chose possible.

Il donna un coup violent sur la manette des gaz juste avant que son adversaire ne tire. Sloane et lui furent projetés contre le tableau de bord tandis que l'hydrofoil ralentissait brutalement et qu'une rafale du fusil d'assaut criblait de balles le haut de la cabine. Le bateau chuta brutalement et le tireur, toujours cramponné au bastingage, eut la poitrine écrasée contre les supports d'acier par l'énorme mur d'eau qui se dressa au-dessus de la proue avec une force suffisante pour asperger Juan et Sloane à l'autre bout du canot. L'élan qui poussait l'hydrofoil vers l'avant le fit glisser sous la coque et, quand Cabrillo remit les gaz, le sillage se teinta de rose.

« Ça va ? » demanda aussitôt Juan.

Sloane se massait la poitrine à l'endroit où elle avait heurté le tableau de bord.

« Je crois que oui, répondit-elle en ramenant en arrière ses cheveux plaqués sur son front trempé. Vous saignez », ajouta-t-elle en montrant le bras de Juan.

Cabrillo s'assura que le canot se rapprochait de plus en plus de la vedette avant d'examiner sa blessure : un éclat de fibre de verre arraché à la coque par la grêle de balles s'était planté dans son bras.

« Ouille ! s'exclama-t-il quand il ressentit le premier élancement de douleur.

— Je croyais les durs tels que vous capables d'ignorer un petit truc comme ça.

— Mais ça fait mal ! »

Après avoir délicatement extirpé le bout de fibre de verre – la plaie était nette et ne saignait pas beaucoup –, il prit dans un coffre près du tableau de bord une trousse de premier secours qu'il tendit à Sloane. Puis il ne bougea plus pendant qu'elle lui bandait le bras avec un rouleau de gaze stérile en serrant énergiquement.

« Ça devrait tenir, annonça-t-elle. De quand date votre dernière piqûre antitétanique ?

— Du 20 février, il y a deux ans.

— Vous vous rappelez la date exacte ?

— J'ai une cicatrice de trente centimètres sur le dos. On n'oublie pas le jour où on se fait une entaille de cette taille. »

En une minute, ils avaient regagné le terrain perdu sur la vedette. Juan nota que le marécage sur leur droite avait cédé la place à une plage de galets qui n'offrirait aucune protection à leur proie. Il était temps d'en finir.

« Pouvez-vous reprendre la barre ?

— Oui, bien sûr.

— A mon signal, diminuez les gaz. Soyez prête à virer de bord. Je vous indiquerai la direction. »

Cette fois, il ne vérifia pas sa façon de tenir les commandes. Il prit le fusil d'assaut et un chargeur supplémentaire et grimpa jusqu'au bout du pont.

La vedette n'était pas à plus de cinq mètres devant lui. Il se cala contre le bastingage et épaula. Il visa soigneusement et tira trois balles consécutives qui frappèrent le capot du moteur. Le pilote changea alors de cap, essayant de trouver des eaux peu profondes près du rivage. Juan leva le bras vers bâbord. Sloane suivit ses indications ; elle vira un peu sèchement mais semblait maîtriser les caractéristiques de l'hydrofoil.

Dès qu'apparut dans sa mire l'objectif qu'il souhaitait, il lâcha une nouvelle rafale de trois balles sur le moteur de la vedette. Puis une troisième. Le pilote tenta d'esquiver mais Cabrillo anticipa chacune de ses manœuvres, et logea encore une demi-douzaine de projectiles dans la vedette.

Un filet de fumée sortit soudain du capot du moteur et se transforma rapidement en un nuage noir. Le moteur allait lâcher d'une seconde à l'autre et Juan fit signe à Sloane de ralentir pour éviter d'éperonner la vedette.

Entre les feux arrière de l'hydrofoil et l'éclairage du tableau de bord de la vedette, Cabrillo réussit tout juste à distinguer les traits du pilote quand celui-là se retourna pour le voir. Leurs regards ne se croisèrent qu'un instant, mais Juan ressentait de loin la haine comme la chaleur d'un feu. Plutôt que de la peur, c'était du défi qu'il lut dans l'expression de l'homme.

Ce dernier donna un violent coup de barre à droite. Juan leva la main pour signaler à Sloane d'arrêter la poursuite car la vedette fonçait droit sur le rivage rocailleux. Au début, Cabrillo avait espéré capturer un des deux hommes, mais il sentait que maintenant cette chance lui échappait. Il tira une nouvelle salve, frappant l'arrière de la vedette, sans trop savoir ce qu'il touchait à cause de la fumée, mais cherchant à empêcher l'intention évidente du pilote.

L'embarcation avait repris presque toute la vitesse qu'elle avait perdue en virant quand elle se trouvait encore à six ou sept mètres du rivage. Le rugissement du moteur hésita un moment, mais c'était trop tard. La vedette toucha le fond à plus de trente nœuds et jaillit hors de l'eau comme un javelot. Elle s'éleva dans les airs avant de piquer vers le sol et de voler en éclats comme si une bombe avait explosé sous sa coque en fibre de verre. Le réservoir se brisa sous le choc et un nuage d'essence jaillit comme d'un aérosol. Le corps du pilote fut projeté à quelque dix mètres avant que le mélange d'air et de carburant n'explose en une boule de feu qui consuma aussitôt ce qui restait de la vedette.

Pendant que Juan regagnait le poste de pilotage, Sloane avait eu la présence d'esprit de ralentir l'hydrofoil puis de le maintenir pratiquement sur place. Il vérifia que le fusil d'assaut fonctionnait toujours avant de le reposer au-dessus du tableau de bord. Après avoir remonté les ailerons rétractables, il approcha doucement le canot aussi près que possible des débris, mit le moteur au ralenti et lança la petite ancre.

« Il s'est suicidé, n'est-ce pas ?

— Aucun doute là-dessus.

— Qu'est-ce que ça signifie ? »

Juan ne répondit pas car il n'avait pas de réponse. Ses vêtements étant encore trempés, il s'avança jusqu'à la plage arrière et sauta dans l'eau ; elle lui arrivait jusqu'au cou. Il avait presque atteint le rivage quand il entendit Sloane plonger à son tour. Il l'attendit sur la ligne des brisants et tous deux s'approchèrent du corps. Inutile d'examiner la vedette car il n'en restait plus que de la fibre de verre fondue et des fragments de métal calcinés.

La violence de l'impact et les culbutes sur la plage qui avaient suivi avaient laissé le cadavre dans un état effroyable. Comme dans la vision d'un artiste dément, le cou et les membres étaient tordus suivant des angles impossibles. Cabrillo s'assura qu'on ne sentait plus aucun pouls avant de glisser le Glock dans sa ceinture. Il n'y avait rien dans les poches revolver de l'homme, aussi Juan retourna-t-il le corps, choqué de le sentir rouler comme s'il n'avait plus d'os. L'homme avait le visage pratiquement arraché.

Sloane eut un sursaut.

« Désolé, dit Juan. Vous avez peut-être envie de vous éloigner.

— Non, ce n'est pas cela. Je le connais. C'est le pilote d'hélico que nous avions engagé, Tony et moi. Il s'appelle Pieter DeWitt. Bon sang, comment ai-je pu être aussi stupide ? Il savait que nous allions enquêter sur les fameux serpents de Papa Heinrick parce que je le lui avais dit. Il a envoyé ce canot pour nous suivre hier et puis il est venu s'assurer que personne ne viendrait plus poser de questions au vieil homme. » Sloane était bouleversée par les répercussions de sa présence en Namibie. Elle semblait sur le point de se trouver mal. « Si je n'étais pas venue ici pour rechercher le *Rove*, Papa Heinrick serait encore en vie. Et Luka, notre guide, je parie qu'ils l'ont déjà tué aussi. Oh, mon Dieu, et Tony ? »

Cabrillo sentait qu'elle ne souhaitait pas qu'il la prenne dans ses bras pour la consoler ni qu'il lui parle. Ils restèrent plantés là dans la nuit devant la vedette qui achevait de se consumer tandis que Sloane pleurait.

« Ils étaient totalement innocents, sanglota-t-elle, et maintenant ils sont tous morts et c'est ma faute. »

Combien de fois Juan avait-il réagi de la même façon : se sentir responsable des actions d'autrui juste parce qu'il était impliqué. Sloane n'était pourtant pas responsable de la mort de Papa Heinrick. Mais Dieu sait que le remords s'installait quand même, rongeant l'âme comme l'acide ronge le métal.

Elle pleura encore cinq minutes, peut-être davantage. Juan attendait à ses côtés ; il baissait la tête et ne la releva que quand il l'entendit enfin renifler.

« Merci, murmura-t-elle.

— De quoi ?

— La plupart des hommes ont horreur de voir une femme pleurer et ils font ou disent n'importe quoi pour que cela cesse.

— Je déteste cela autant qu'un autre, répondit-il avec un sourire affectueux, mais je savais aussi que si vous ne le faisiez pas maintenant, vous le feriez plus tard et que ce serait encore pire.

— C'est pour ça que je vous remerciais. Vous avez compris.

— J'ai connu cela un certain nombre de fois moi-même. Vous avez envie qu'on en parle ?

— Pas vraiment.

— Mais vous savez que vous n'êtes pas responsable, n'est-ce pas ?

— Je sais. Ils seraient en vie si je n'étais pas venue, mais ce n'est pas moi qui les ai tués.

— Exactement. Vous n'êtes qu'un maillon dans la chaîne des événements qui ont mené à leur meurtre. Vous avez sans doute raison pour ce qui est de votre guide, mais ne vous inquiétez pas pour Tony. Personne à terre ne sait que l'attaque contre vous a échoué. Ils sont persuadés que Tony et vous êtes morts. Mais, pour plus de sûreté, nous allons mettre le cap sur Walvis. Le *Pinguin* ne m'avait pas l'air assez rapide pour être déjà arrivé au port. Si nous faisons vite, nous pouvons les alerter. »

Sloane s'essuya le visage avec la manche de son caban.

« Vous croyez vraiment ?

— Mais oui. Venez. »

Trente secondes après être remonté à bord de l'hydrofoil, Juan fonçait sur les eaux de la baie tandis que Sloane avait trouvé dans les compartiments des vêtements secs. Elle remplaça Cabrillo à la barre pendant qu'il se changeait à son tour et ouvrait des cartons.

« Désolé, dit-il en exhibant des sachets de papier aluminium, pour ce choix limité : des spaghettis avec des boulettes de viande ou du poulet avec des biscuits.

— Je prendrai les spaghettis et je vous donnerai les boulettes. Je suis végétarienne.

— Vraiment ?

— Pourquoi avez-vous l'air si surpris ?

— Je ne sais pas, je me représente toujours les végétariens des sandales aux pieds et des fleurs dans les cheveux. »

Juan songea alors au fanatisme et à ce qui poussait les gens dans cette voie. La première chose qui lui vint à l'esprit fut la religion, mais quoi d'autre encore pouvait amener des individus à centrer leur vie entière autour d'une passion ? Les mouvements écologiques et ceux qui défendaient les droits des animaux furent les groupes auxquels il pensa ensuite. Il existait en effet des activistes prêts à entrer par effraction dans des laboratoires pour libérer des animaux servant à la recherche. D'autres encore n'étaient-ils pas capables de tuer pour défendre leur cause ?

Sans demande de rançon de la part des ravisseurs de Geoffrey Merrick, il semblait de plus en plus probable que son enlèvement avait des mobiles politiques ; et, étant donné la nature des travaux de Merrick, il impliquait la fraction la plus extrême des écologistes.

Là-dessus, il se demanda si cet enlèvement avait un rapport quelconque avec ce que Sloane McIntyre avait découvert. Les chances étaient bien faibles même si les deux affaires avaient un lien avec la Namibie. S'agissant de problèmes d'environnement, la côte des Squelettes n'était pas un lieu qui venait tout de suite à l'esprit. Les forêts tropicales du Brésil ou les fleuves pollués, voilà ce à quoi on pensait, mais pas à une bande de désert perdu.

Puis il envisagea un autre scénario. L'extraction du diamant représentait une des principales industries de la Namibie. Et, étant donné, à en croire Sloane, la sévérité du contrôle exercé sur le marché, peut-être étaient-ils tombés sur une opération d'extraction illégale. Des gens étaient parfaitement disposés à risquer leur vie devant la perspective d'une richesse incommensurable. Mais cela expliquait-il l'apparent suicide de Pieter DeWitt ?

Oui, s'il considérait que les conséquences de sa capture seraient plus terribles qu'une mort instantanée.

« Qu'arriverait-il à un homme comme DeWitt s'il était pris dans une affaire d'extraction illégale de diamants ? demanda Cabrillo.

— Cela varie d'un pays à l'autre. En Sierra Leone, on l'abattrait sur-le-champ. Ici, en Namibie, c'est une amende de vingt mille dollars et cinq ans de prison. » Il la regarda, surpris de cette réponse si rapide. « Je suis une spécialiste de la sécurité, n'oubliez pas. Je dois connaître les lois concernant le commerce du diamant dans une douzaine d'Etats. Tout comme vous devez connaître les règlements douaniers des ports où vous mouillez.

— Ma foi, je suis quand même impressionné, observa Juan avant de poursuivre : Cinq ans ne me semblent pas une peine trop terrible, pas assez en tout cas pour justifier que quelqu'un se suicide plutôt que de purger la sentence.

— Vous ne connaissez pas les prisons africaines.

— J'imagine qu'elles n'ont pas beaucoup d'étoiles dans le guide Michelin.

— Il ne s'agit pas seulement des conditions. Le taux de malades atteints de tuberculose ou du sida dans les prisons africaines est parmi les plus élevés du monde. Certains groupes de défense des droits de l'homme estiment qu'une peine de prison équivaut à une condamnation à mort. Pourquoi me demandez-vous tout cela ?

— J'essaie de comprendre pourquoi DeWitt s'est suicidé plutôt que de risquer d'être capturé.

— Vous croyez qu'il n'est peut-être pas un fanatique ou quelque chose comme ça ?

— Je ne sais pas ce que je crois, reconnut Juan. Il y a un autre élément dont je ne peux pas vous parler et j'ai pensé un instant qu'ils pourraient être liés. Je cherche seulement à m'assurer que non. Comprendre les mobiles me permettrait de voir qu'il ne s'agit pas de deux pièces du même puzzle mais bien de deux puzzles différents. C'est juste qu'il y a une coïncidence troublante dans tout cela...

— Et vous avez horreur des coïncidences, conclut Sloane à sa place.

— Exactement.

— Si vous voulez bien me dire ce qui se passe d'autre, peut-être que je pourrais vous aider.

— Désolé, Sloane, ce ne serait pas une bonne idée.

— Une parole imprudente peut couler un navire, comme on disait pendant la guerre. »

Sloane avait lancé cela en plaisantant, sans se douter que ses propos allaient bientôt se révéler prophétiques.

14

Le Twin Otter Havilland approcha la sommaire piste d'atterrissage si lentement qu'il semblait immobile. Même si sa conception datait des années soixante, le bimoteur monoplan restait le préféré des pilotes de brousse du monde entier. N'importe quelle surface convenait à cet appareil capable de se poser sur pas plus de trois cents mètres et de décoller sur moins encore.

Le pilote atterrit près de l'Oasis du Diable, au centre de la cuvette en terre dure signalée par des drapeaux orange ; il souleva un tourbillon de poussière et le souffle de ses turbopropulseurs en projeta encore davantage si bien que, quand l'avion ralentit, il se trouva momentanément enveloppé d'un nuage sombre. Le contact coupé, les hélices s'arrêtèrent en trépidant. Un 4×4 découvert se gara près de l'appareil juste au moment où la porte arrière s'ouvrait dans un fort grincement.

Daniel Singer déplia les deux mètres de sa longue carcasse hors de l'avion et se massa le dos pour dissiper les courbatures occasionnées par le vol de douze cents kilomètres depuis Harare, la capitale du Zimbabwe. Il arrivait directement des Etats-Unis, car, là, une somme suffisante – versée dans les bonnes mains – lui garantissait qu'il ne subsisterait aucune trace de son passage en Afrique. Tout le monde le croyait dans sa résidence du Maine.

Le chauffeur du camion s'appelait Nina Visser ; elle était au côté de Singer depuis le début de ses recherches et avait joué un grand rôle dans le recrutement des autres membres de leur cause, des hommes et des femmes décidés.

« Il était temps que tu viennes partager notre triste sort », lança-t-elle pour l'accueillir, un sourire aux lèvres et une lueur d'affection dans ses yeux presque noirs. Comme beaucoup de ses compatriotes néerlandais, elle parlait anglais avec un léger accent.

« Nina, ma chère, répliqua Singer en se penchant pour l'embrasser sur la joue, ne sais-tu donc pas que nous autres génies du mal avons besoin d'une tanière à l'écart ?

— Etais-tu obligé de la choisir à cent kilomètres de toilettes convenables et envahie par les puces de sable ?

— Que veux-tu, tous les volcans éteints étaient occupés. J'ai loué cet endroit à une agence bidon du gouvernement namibien sous prétexte d'y tourner un film. » Il se tourna pour prendre le sac que lui tendait le pilote. « Refaites le plein. Nous n'allons pas nous éterniser ici.

— Tu ne restes pas ? s'étonna Nina.

— Je suis désolé, mais on me demande à Cabinda plus tôt que prévu.

— Des problèmes ?

— Un petit pépin concernant l'équipement a retardé les mercenaires, expliqua-t-il. Je veux m'assurer que les bateaux que nous allons utiliser pour l'assaut sont prêts. Et puis Dame Nature se montre plus que coopérative : une nouvelle tempête tropicale est en train de se former dans le sillage de celle qui s'est dissipée il y a deux jours. A mon avis, nous n'aurons pas à attendre plus d'une semaine. »

Nina s'arrêta soudain, le visage rayonnant de joie.

« Si tôt ? Je n'arrive pas y croire.

— La récompense, enfin, de cinq années d'efforts. Quand nous en aurons fini, plus personne sur la planète ne pourra nier les dangers du réchauffement climatique. »

Singer s'installa à la place du passager pour le bref trajet jusqu'à l'ancienne prison.

Le pénitencier, une horrible construction de trois étages de la taille d'un entrepôt, était surmonté d'un rempart crénelé ; de là des gardiens surveillaient le désert. Chaque mur de la façade extérieure ne comportait qu'une unique fenêtre, ce qui donnait à l'édifice une apparence encore plus massive et plus impressionnante. L'ombre qu'il projetait formait une grande tache sombre sur le sable blanc.

Un ensemble d'énormes portes en bois montées sur des gonds de fer scellés dans la pierre et assez grandes pour laisser passer un très gros camion permettait d'accéder à la cour centrale. Le rez-de-chaussée de la prison abritait les bureaux ainsi que les dortoirs des gardiens qui jadis vivaient là ; les deux étages étaient réservés aux cellules qui entouraient la cour.

Le soleil venait s'y réfléchir si bien que l'air dans cette enceinte semblait aussi pesant que du plomb fondu.

« Alors, comment vont nos invités ? s'informa Singer lorsque Nina freina devant l'entrée du principal secteur administratif.

— Les hommes du Zimbabwe sont arrivés hier avec leur prisonnier, répondit Nina en se tournant vers Singer. Je ne comprends toujours pas la raison de leur présence ici.

— Une nécessité tactique, hélas ! Le marché me permettant d'entrer en Afrique sans visa ni paperasserie prévoyait qu'on les laisserait utiliser pour quelque temps une partie de la prison. Leur prisonnier, qui dirige le parti de l'opposition, sera bientôt jugé pour trahison. Le gouvernement pense à juste titre que ses partisans cherchent à le faire s'évader pour se réfugier dans un autre pays. Il leur fallait donc un endroit où le garder jusqu'à l'ouverture du procès, après quoi il retournera à Harare.

— Mais ces mêmes personnes ne tenteront-elles pas de le libérer quand il y reviendra ?

— Le procès durera moins d'une heure et la sentence sera exécutée immédiatement.

— Danny, je n'aime pas ça. Le gouvernement du Zimbabwe est un des plus corrompus d'Afrique et il me semble que tous ceux qui s'opposent à lui ont certainement raison.

— Je suis bien d'accord avec toi, mais c'est le marché, et je suis obligé de le respecter. Et mon illustre ancien associé ? Comment va-t-il ?

— Je crois, ricana Nina, qu'il commence enfin à comprendre les conséquences de sa réussite.

— Bon. J'ai hâte de voir la tête de ce salaud quand nous bouclerons cette affaire et qu'il comprendra enfin qu'il a eu tort. »

Une fois dans la prison, Singer salua par leur nom chacun de ses hommes. Certes il n'atteindrait jamais le charisme de Merrick, mais aux yeux des activistes qu'il avait rassemblés, il incarnait un héros. Il avait apporté trois bouteilles de vin rouge et les leur donna ; une demi-heure plus tard, elles étaient vides.

Il alla alors s'installer dans le bureau jadis occupé par le directeur du pénitencier et demanda qu'on lui amène Merrick. Il passa plusieurs minutes à étudier la pose qu'il adopterait quand Merrick entrerait : assis derrière le bureau, il serait désavantagé par la taille de son prisonnier debout, et il se planta donc près de la fenêtre, la tête penchée comme s'il supportait seul le poids du monde.

Quelques instants plus tard, deux des mercenaires de Singer amenèrent Merrick, les mains liées derrière le dos. Les deux hommes ne s'étaient pas vus depuis leur rupture, mais Merrick avait donné suffisamment d'interviews à la télévision pour que Singer pût percevoir les traces laissées sur son ancien associé par sa captivité : il nota avec une satisfaction particulière les yeux creux et le regard égaré. Mais ce regard justement, à sa grande stupeur, s'éclaira de cet éclat fascinant que Singer avait toujours connu et envié. Il dut se contraindre à ne pas s'asseoir.

« Danny, commença Merrick d'un ton vibrant de sincérité, je n'arrive pas à comprendre pourquoi tu agis de la sorte, sinon par vengeance. Je tiens à te dire que tu as gagné. Tu veux récupérer la société, je te la cède tout de suite. Tu veux ma fortune, donne-moi un numéro de compte sur lequel la transférer. Je publierai toutes les déclarations que tu auras préparées et j'assumerai toutes les responsabilités qu'à ton avis je mérite d'endosser. »

Bon sang, se dit Daniel Singer, *qu'il est fort. Pas étonnant qu'il ait toujours réussi à me battre.* Il fut tenté un moment d'accepter sa proposition, mais il refusa de se laisser influencer et chassa cet instant d'hésitation.

« Nous ne sommes pas à une table de négociation, Geoff. T'avoir comme témoin de mes projets n'est qu'un bonus que je m'offre. Tu ne joues dans tout cela qu'un second rôle, tu n'as pas la vedette.

— Ce ne doit pas forcément être le cas.

— Bien sûr que si ! tonna Singer. Pourquoi crois-tu que je donne maintenant au monde un avant-goût de ce qui l'attend ? Si nous continuons dans cette voie, ma démonstration ne sera rien comparée à ce qui arrivera naturellement. Il faut que nous changions, mais les idiots qui mènent le monde refusent de l'envisager. Bon Dieu, Geoff, tu es un savant, tu dois sûrement comprendre. D'ici à un siècle, le réchauffement climatique aura anéanti tout ce que l'humanité a accompli.

« Une augmentation de seulement un degré Celsius de la température à la surface du globe entraînera une cascade d'effets sur l'environnement – et cela se passe déjà. La planète ne s'est pas encore assez réchauffée pour faire fondre tous les glaciers, mais au Groenland la glace tombe dans la mer plus vite que jamais car l'eau de la fonte des neiges agit comme un lubrifiant quand elle balaie le sol. A certains endroits, les glaciers avancent deux fois plus vite que d'habitude. Et cela est déjà en train de se produire. Aujourd'hui.

— Je ne dis pas le contraire...

— Bien sûr que non, lança Singer. Personne dans son bon sens ne le peut, mais le monde entier regarde sans rien faire. Il faut donc que chacun constate par lui-même les effets du phénomène, chez lui, et non sur un glacier du Groenland. Il faut les pousser à agir, sinon nous sommes condamnés.

— Mais tous ces morts, Dan...

— Ce n'est rien auprès de ce qui se profile. Les sacrifier s'impose si on veut que soient sauvés des milliards de leurs congénères. Couper un membre gangrené s'impose si on veut que soit sauvé le patient.

— Mais nous parlons de vies innocentes, pas d'un tissu infecté !

— D'accord, la comparaison n'était pas bonne, mais mon raisonnement tient toujours. Et puis le nombre de victimes ne sera pas aussi élevé que tu le crois. On a fait des progrès en matière de prévisions : on aura largement le temps de prévenir les gens.

— Ah oui ? Demande donc aux habitants de La Nouvelle-Orléans quand Katrina a frappé, lança Merrick.

— Exactement. Les autorités locales et fédérales ont eu largement le temps d'évacuer la population et pourtant plus d'un millier de personnes ont péri inutilement. C'est ce que je dis. Nous avons connu deux décennies de faits scientifiques corroborant les effets sur l'environnement et on n'a pris que des mesures symboliques. Tu ne peux donc pas comprendre que je dois aller de l'avant ? Que je le dois à l'humanité, pour la sauver. »

Geoffrey Merrick savait son ancien associé fou. Dan avait toujours été un peu excentrique, lui aussi d'ailleurs. Sinon auraient-ils autant brillé au MIT ? Mais la légère excentricité de Dan était devenue démence véritable. Merrick avait conscience aussi de son incapacité à trouver un argument susceptible de faire renoncer Singer à son projet. Impossible de raisonner un fanatique.

« Si tu te soucies tellement de l'humanité, tenta-t-il malgré tout une dernière fois, pourquoi t'être débarrassé de la pauvre Susan Donleavy ? »

Impassible, Singer détourna pourtant les yeux.

« Mes assistants manquaient de... certains talents, c'est pourquoi j'ai dû faire appel à des gens de l'extérieur.

— Des mercenaires ?

— En effet. Ils sont allés au-delà... de ce qu'on exigeait d'eux. Susan n'est pas morte, mais il est vrai que son état est sérieux. »

Rien dans l'attitude de Merrick ne trahissait ses intentions, mais il se libéra des hommes qui le tenaient mollement par les bras, se rua à travers la pièce puis, sautant sur le bureau, frappa violemment du genou la mâchoire de Singer ; les gardes n'avaient même pas eu le temps de réagir. L'un des deux parvint à agripper le poignet de son survêtement et le fit trébucher. Ses mains, liées derrière son dos, interdisaient à Merrick d'esquiver le coup : il s'écroula visage contre terre et perdit aussitôt connaissance.

« Je suis désolé, Dan », s'excusa un des gardes en s'approchant du bureau pour aider Singer à se relever.

Un filet de sang coulait au coin de sa bouche. Il s'essuya du doigt et contempla, incrédule, le sang comme s'il ne pouvait pas être le sien.

« Il est vivant ? »

Le second garde tâta le pouls de Merrick.

« Le cœur bat normalement. Il souffrira sans doute d'une commotion quand il reviendra à lui.

— Bon, fit Singer en se penchant sur la silhouette inerte de Merrick. J'espère, Geoff, que ce coup bas t'a soulagé, car jamais plus tu n'auras l'occasion de commettre un geste de ton plein gré. Ramenez-le dans sa cellule. »

Vingt minutes plus tard, le Twin Otter décollait en direction du nord, vers la province de Cabinda en Angola.

15

DÈS QUE LE PILOTE DU port eut descendu l'échelle de corde jusqu'au ravitailleur qui l'attendait, Max Hanley et Linda Ross empruntèrent l'ascenseur secret qui, de la passerelle, conduisait au centre opérationnel. Pour le pilote sud-africain, ils avaient joué le rôle du capitaine et du timonier mais, officiellement, Max n'était pas de service. C'était Linda qui était de quart.

« Tu retournes dans ta cabine ? demanda-t-elle en s'installant au poste de quart et en coiffant ses écouteurs.

— Non, répondit Max avec agacement. Le docteur Huxley estime que ma tension est encore trop élevée ; elle m'attend en salle de gym pour m'initier à un de ses trucs, le yoga vedanta.

— J'aimerais bien voir ça, pouffa Linda.

— Si elle essaie de me plier en quatre, je dis à Juan de se chercher un autre médecin chef.

— Ça te fera le plus grand bien. Ça purifiera ton aura et ouvrira tes chakras.

— Mon aura va très bien, et mes chakras aussi », répliqua-t-il, faussement bourru, avant de partir vers sa cabine.

Le quart se déroula sans histoire : ils avaient quitté les routes de navigation et pris de la vitesse. Une tempête imprévue se formait au nord mais elle aurait vraisemblablement dérivé vers l'ouest avant qu'ils arrivent à Swakopmund le lendemain en fin de journée. Linda profita de ce moment de loisir pour revoir le rapport de mission qu'elle avait rédigé avec Eddie en vue de l'assaut imminent sur l'Oasis du Diable.

« Linda, appela Hali Kasim depuis le centre de communication, je viens de capter une dépêche d'agence. Tu n'en croiras pas tes yeux. Je la transfère sur ton écran. »

Elle scanna la dépêche et alerta aussitôt Max. Il arriva une minute plus tard au centre opérationnel, venant de la salle des machines où il avait effectué une inspection inutile pour se changer les idées. La séance de yoga l'avait épuisé.

« Tu voulais me voir ? »

Linda fit pivoter son écran et Max lut lui-même la dépêche. La tension dans la salle était palpable.

« Est-ce qu'on pourrait nous dire ce qui s'est passé ? demanda Eric Stone depuis son poste à la barre.

— Benjamin Isaka a été renversé par un coup d'Etat, répondit Linda. On l'a arrêté il y a deux heures.

— Isaka. Ce nom me dit quelque chose, pourquoi ?

— Parce qu'il s'agit, expliqua Max, de notre contact au gouvernement du Congo pour cette affaire d'armes.

— Fichtre, c'est vraiment mauvais, commenta Mark Murphy.

— Hali, des nouvelles des armes que nous avons livrées ? » s'informa Linda. Les soubresauts de la politique locale du Congo lui importaient peu, mais la Corporation était responsable de ces armes.

« Désolé, je n'ai pas vérifié. Cette dépêche d'Associated Press est tombée il y a une minute.

— Qu'en penses-tu ? demanda Linda en se tournant vers Max.

— Je suis tout à fait d'accord avec Mr Murphy. Il pourrait s'agir d'un désastre. Si Isaka a indiqué aux rebelles les balises radio et les a neutralisées, alors nous venons de livrer cinq cents fusils d'assaut et deux cents lance-grenades à un des groupes de tueurs parmi les plus dangereux d'Afrique.

— Je ne trouve aucune information sur des armes saisies, dit Hali. La nouvelle est toute fraîche, alors cela viendra peut-être plus tard.

— Ne compte pas dessus, fit Max. Isaka a dû parler. Hali, existe-t-il un moyen de vérifier les signaux de ces balises ?

— Je ne pense pas, répondit le Libanais, visiblement soucieux, car leur portée est assez limitée. L'idée était que les forces de l'armée congolaise suivent les armes jusqu'à la base rebelle en utilisant des détecteurs portables capables de capter les signaux des balises. Il suffisait d'une portée de trois ou quatre kilomètres.

— Donc, nous sommes faits, conclut Linda, sa colère pointant dans sa voix de petite fille. Ces armes pourraient être n'importe où et nous ne disposons d'aucun moyen de les retrouver.

— Maudits soient les gens de peu de foi, lança Murphy avec un large sourire.

— Qu'est-ce que tu veux dire ? lança-t-elle en se tournant vers lui.

— Cessez, les enfants, de sous-estimer l'ingéniosité du Président. Avant de vendre les armes, il m'a demandé de remplacer deux ou trois des balises que nous a fournies la CIA par d'autres de ma fabrication ; celles-là ont une portée de plus de cent cinquante kilomètres.

— Ce n'est pas une question de portée, rétorqua Hali. Isaka savait où nous avions caché les balises sur les armes ; il l'a sûrement dit aux rebelles qui ont pu mettre les nôtres hors d'usage aussi facilement que celles que nous avons obtenues de la CIA. »

Mark souriait toujours.

« Les balises de la CIA étaient dissimulées dans les crosses des kalachnikovs et dans la poignée des lance-grenades. J'ai mis les nôtres dans la poignée des kalachnikovs et modifié le pivot de la bretelle pour les cacher sur les lance-grenades.

— Génial, approuva Linda, admirative. Quand ils auront trouvé les balises de la CIA, ils n'en chercheront pas d'autres. Les nôtres sont donc toujours en place.

— Et émettent sur une autre fréquence, me permettrai-je d'ajouter.

— Pourquoi Juan ne nous en a-t-il pas parlé ? questionna Max.

— Il a pensé qu'il glissait de la prudence à la paranoïa avec son idée, répondit Murphy. Alors il a préféré ne pas en parler car selon toute probabilité on n'aurait jamais besoin de nos balises.

— A quelle distance as-tu dit qu'il fallait être pour capter les signaux ? demanda Linda.

— Environ cent cinquante kilomètres.

— Donc, il s'agit toujours de chercher une aiguille dans une meule de foin et sans avoir la moindre idée de la direction prise par les rebelles. »

L'air satisfait de Mark s'effaça.

« En fait, il y a un autre problème. Pour donner cette portée aux balises, j'ai dû sacrifier la durée de vie de leur pile. Elles commenceront à faiblir d'ici à quarante-huit heures, soixante-douze au mieux. Après cela, plus moyen de les retrouver. »

Linda regarda Max Hanley.

« La décision de retrouver ces armes doit venir de Juan.

— Je suis d'accord, dit Max. Mais vous comme moi savons qu'il voudra que nous nous lancions à leur poursuite afin d'alerter l'armée congolaise pour lui permettre de récupérer les armes.

— Pour moi, deux options... commença Linda.

— Attends une seconde, l'interrompit Max. Hali, appelle le Président sur son téléphone satellite. Bon, tu disais, deux options ?

— La première : faire demi-tour et envoyer du Cap au Congo une équipe avec tout le matériel de détection nécessaire. Mark, ces appareils sont portables à dos d'homme, n'est-ce pas ?

— Le récepteur n'est pas plus gros qu'un magnétophone, lui assura le sorcier de la technique. Revenir au Cap nous coûtera les cinq heures de parcours effectuées jusqu'à présent, plus deux heures de manœuvre au port et encore cinq heures pour regagner l'endroit précis de l'océan où nous nous trouvons.

— Ou bien nous continuons et nous envoyons une équipe depuis la Namibie. Tiny dispose du petit avion qui attend à l'aéroport de Swakopmund, ensuite, demain après-midi quand nous aurons récupéré Geoffrey Merrick, il aura un de nos jets. Faisons un saut en hélico jusqu'à l'aéroport, Tiny pourra les amener au Congo et être de retour pour le raid.

— Je n'arrive pas à joindre le Président, annonça Hali.

— Tu as essayé la radio du canot de sauvetage ?

— Nada.

— Merde ! »

Contrairement à Cabrillo qui était capable d'envisager une douzaine de scénarios en même temps puis de choisir le bon, Hanley avait besoin de réfléchir.

« Combien de temps, à ton avis, gagnerait l'équipe chargée de retrouver les balises si nous faisions demi-tour tout de suite ?

— Environ douze heures.

— Moins, dit Mark sans détourner les yeux de l'écran de son ordinateur. Je suis en train de regarder les vols du Cap à Kinshasa. Ça ne fait pas autant.

— Alors, il faudrait prendre un avion taxi.

— C'est ce que je vérifie. Je ne trouve qu'une seule compagnie au Cap qui possède un jet. Attendez. Non, une note sur leur site web annonce que leurs deux Learjets sont cloués au sol. Si ça peut vous consoler, ils présentent leurs excuses pour ce contretemps.

— Alors nous ne gagnons plus que huit heures, conclut Mark.

— Donc douze au total, ce qui recule d'une journée entière la tentative de sauvetage de Merrick. Bon, voilà notre réponse. Nous continuons à faire route vers le nord. » Max se tourna vers Hali. « Continue à essayer de joindre Juan. Appelle toutes les cinq minutes et préviens-moi dès que tu l'auras contacté.

— A vos ordres. »

Max n'aimait pas ce silence de Juan, connaissant la proximité de leur assaut sur l'Oasis du Diable, impossible qu'il n'ait pas son téléphone avec lui. Le Président était très strict quant au maintien des communications.

Il existait une centaine de possibilités pour qu'on ne puisse pas le joindre et Hanley n'en aimait aucune.

16

CABRILLO REGARDAIT L'HORIZON SANS SE soucier des nuages noirs qui s'amassaient à l'est.

Lorsque Sloane et lui avaient quitté Walvis à bord du canot de sauvetage, aucune alerte météo n'avait été donnée, ce qui, sous ses latitudes, ne signifiait pas grand-chose : en quelques minutes en effet, une tempête de sable pouvait se déchaîner et masquer le ciel d'un horizon à l'autre. Exactement ce qui semblait sur le point de se produire.

Un coup d'œil à sa montre lui confirma que le soleil ne se coucherait pas avant plusieurs heures. En tout cas, quatre minutes plus tôt, l'avion de Tony Reardon avait bien décollé de Windhoek, la capitale de la Namibie, à destination de Londres.

La veille au soir, ils avaient intercepté le *Pinguin* à un mille de l'entrée du port et expliqué à Justus Ulenga ce qui était arrivé à Papa Heinrick : Ulenga avait alors accepté d'emmener son bateau vers le nord, près d'un autre port où il pêcherait une semaine ou deux ; et Cabrillo avait pris Tony Reardon à bord du canot de sauvetage.

Ce dernier s'était plaint amèrement, invectivant Sloane, Cabrillo, DeBeers, la Namibie et tout ce qui lui passait par la tête. Juan lui donna dix minutes pour se calmer pendant qu'ils attendaient au large puis, le sentant disposé à continuer ainsi pendant des heures, il lui lança un ultimatum : s'il ne la bouclait pas, Juan le mettrait K.-O.

« Vous n'oseriez pas ! s'était insurgé l'Anglais.

— Monsieur Reardon, rétorqua Juan presque sous son nez, voilà vingt-quatre heures que je n'ai pas fermé l'œil. Je viens de voir le corps d'un homme qu'on a torturé avant de l'achever, on m'a tiré dessus une cinquantaine de fois et, pour couronner le tout, j'ai un début de migraine, alors voulez-vous descendre, vous asseoir sur un des bancs et fermer votre gueule.

— Vous ne pouvez pas m'ord... »

Juan retint son poing à la dernière seconde, ne brisant pas le nez de Reardon mais lui expédiant un coup assez puissant pour l'envoyer valser à travers l'écoutille jusque dans la cabine où il s'écroula.

« Je vous avais prévenu », dit Cabrillo en concentrant désormais son attention à maintenir le canot face au vent et attendant le lever du jour.

Ils restèrent à environ deux milles au large tandis que les pêcheurs de Walvis défilaient pour gagner leurs lieux de pêche, et ils n'entrèrent au port que quand Juan eut pris quelques dispositions sur son téléphone satellite.

Quand Cabrillo manœuvra pour occuper son poste d'amarrage, un taxi attendait déjà sur le ponton. Il s'assura que Sloane et Tony restaient dans la cabine pendant qu'il présentait son passeport à un fonctionnaire des douanes. Pas besoin de visa aussi, après une rapide inspection du bateau ainsi que des passeports déjà tamponnés des deux Anglais, purent-ils quitter les docks.

Juan paya pour qu'on refît le plein de carburant, donnant au préposé un pourboire suffisant pour être certain que le travail serait convenablement exécuté. Il récupéra le Glock qu'il avait caché dans la cale et, après avoir vérifié que rien ne paraissait suspect, se dirigea vers la voiture où ses deux compagnons embarquèrent sur la banquette arrière.

Ils traversèrent le fleuve Swakop et gagnèrent l'aéroport pour faire quitter discrètement le pays à Reardon. Un des tireurs de la veille étant le pilote de l'hélicoptère charter, Cabrillo ne pouvait pas courir le risque de louer un avion privé. Heureusement, ce jour-là, Air Namibia assurait une des quatre liaisons hebdomadaires de la ville côtière vers la capitale. Cabrillo avait calculé leur arrivée à l'aéroport de façon à ce que Reardon n'y passât que quelques minutes avant le départ de son vol ; et ensuite il n'aurait guère à attendre la correspondance pour Nairobi.

Juan remarqua un bimoteur stationné sur le tarmac, très à l'écart des autres appareils : il s'agissait de celui que Tiny Gunderson, le chef pilote de la Corporation, avait loué pour leur assaut. Si tout se passait comme prévu, le grand Suédois était en route aux commandes de leur Gulfstream IV. Juan avait envisagé un moment d'utiliser leur propre avion pour faire sortir Reardon de Namibie mais, avait-il réfléchi, attendre en compagnie de ce type s'avérait au-dessus de ses forces.

Ils entrèrent ensemble dans le modeste terminal, Cabrillo à l'affût de tout détail insolite, même si leurs adversaires devaient encore supposer que leur proie avait été abattue. Tandis que l'Anglais s'enregistrait, Sloane lui promit de rassembler les affaires qu'il avait laissées à l'hôtel et de les rapporter elle-même à Londres quand Cabrillo et elle auraient terminé leur enquête.

Reardon marmonna une phrase inintelligible.

Elle savait qu'il n'était plus question de le raisonner et, franchement, elle ne pouvait guère l'en blâmer. Tony passa le contrôle de sécurité sans même un regard en arrière et ne tarda pas à disparaître de leur champ de vision.

Ils se rendirent directement dans le quartier où habitait Tuamanguluka, le guide de Sloane. On avait beau être en plein jour, Juan n'était pas mécontent de sentir l'automatique qu'il avait glissé dans la ceinture de son pantalon et dissimulé par les pans de sa chemise. Les constructions, pour la plupart des bâtiments de deux étages, ne reflétaient pas l'aspect germanique qui dominait dans les quartiers les plus élégants de la ville. L'asphalte, quand il en restait, était criblé de nids-de-poule et d'un gris presque blanc. Même à cette heure matinale, des hommes traînaient aux entrées des immeubles et les rares enfants qu'on croisait dans les rues observaient les deux étrangers d'un regard égaré. Il flottait dans l'air des relents de poisson mis en conserve auxquels se mêlait la poussière omniprésente du désert du Namib.

« Je ne suis pas très sûre de l'adresse, avoua Sloane. Nous le déposions toujours devant un bar.

— Qui cherchez-vous ? s'informa le chauffeur de taxi.

— Un guide, je crois, qui s'appelle Luka. »

Le taxi s'arrêta devant un bâtiment décrépit qui abritait au rez-de-chaussée un minuscule restaurant ainsi qu'une boutique de vêtements d'occasion et des appartements au premier étage, à en juger par le linge flottant aux fenêtres. Au bout d'un moment, un homme décharné sortit du restaurant et s'accouda à la portière. Les deux Namibiens échangèrent quelques mots et l'homme désigna quelque chose un peu plus loin dans la rue.

« Il dit que Luka habite à deux blocs d'ici. »

Une minute plus tard, ils s'arrêtèrent devant un autre immeuble, celui-là encore plus délabré que les autres. La porte, des planches délavées par les intempéries, ne tenait que par un seul gond. Un chien galeux leva la patte au coin du bâtiment puis repartit après avoir aperçu un rat qui sortait d'une fente des fondations. On entendait à l'intérieur un enfant qui gémissait comme une sirène.

Cabrillo ouvrit la portière du taxi et descendit sur le trottoir. Sloane glissa sur la banquette pour sortir du même côté, ne voulant pas être séparée de lui ne fût-ce que par la largeur d'une voiture.

« Attendez ici, dit Cabrillo au chauffeur en lui tendant un billet de cent dollars et en s'assurant que les deux autres dans sa main étaient bien visibles.

— Pas de problème.

— Comment trouver son appartement ? s'inquiéta Sloane.

— Si nous sommes à la bonne adresse, nous le trouverons. »

Cabrillo l'entraîna à l'intérieur : il y faisait sombre, la chaleur était étouffante et les odeurs donnaient la nausée. Il y avait quatre logements au rez-de-chaussée, dont celui où vivait l'enfant qui pleurait. Juan s'arrêta un instant devant chaque porte pour inspecter les serrures sommaires. Il ne fit aucun commentaire et s'engagea dans l'escalier.

Sur le palier du premier étage, il entendit ce qu'il avait redouté : tel un chant obsédant, le bourdonnement incessant des mouches s'élevant puis s'apaisant. Une seconde plus tard, l'odeur les frappa, tranchant sur la puanteur ambiante. Une odeur qu'il connaissait d'instinct même s'il ne l'avait jamais sentie auparavant : comme si le cerveau d'un homme était capable de discerner les relents de décomposition d'un de ses semblables.

Ses oreilles et son nez le guidèrent ainsi jusqu'à un appartement au fond du couloir. La porte était fermée et la serrure n'avait pas l'air endommagée.

« Il a fait entrer son meurtrier, donc il le connaissait.

— Le pilote ?

— Probablement. »

Juan ouvrit la porte d'un coup de pied. Le bois autour de la poignée, rongé à l'extrême, éclata. Les mouches bourdonnaient de plus belle, furieuses d'être dérangées, et l'horrible odeur prit les visiteurs à la gorge. Sloane eut un haut-le-cœur mais refusa de reculer.

La pièce baignait dans la pâle lumière que diffusait la crasse recouvrant l'unique fenêtre. Le mobilier, sommaire, comportait une chaise, une table, un lit d'une personne ainsi qu'une caisse faisant office de table de nuit. Un enjoliveur de voiture débordant de mégots avait été transformé en cendrier. Les murs avaient été passés à la chaux, jadis, avant que des décennies de fumée ne les eussent teints d'un brun sale, et ils étaient criblés de taches sombres laissées par les innombrables insectes qu'on avait écrasés contre le plâtre.

Luka gisait sur le lit défait, vêtu d'un caleçon élimé, des chaussures pas lacées aux pieds et la poitrine maculée de sang.

Réprimant son dégoût, Juan examina la blessure.

« Petit calibre, du 22 ou du 25. A bout portant, je vois des brûlures de poudre. Son meurtrier a frappé à la porte et a tiré dès que Luka lui a ouvert ; il l'a ensuite poussé sur le lit de façon à ce que le corps ne fasse aucun bruit en tombant.

— Croyez-vous que quelqu'un de l'immeuble se serait inquiété en entendant quelque chose ?

— Sans doute pas, mais notre homme était prudent. Je parie que si nous avions inspecté la vedette hier soir, nous aurions découvert un pistolet avec un silencieux. »

Juan passa l'appartement au crible, cherchant le moindre indice susceptible de lui donner une idée de ce que cachait ce meurtre. Il trouva une réserve de marijuana sous l'évier et des magazines porno sous le lit, mais c'était à peu près tout. Rien n'était dissimulé dans les quelques boîtes de conserve et, dans la poubelle, rien d'autre que des vieux mégots et des gobelets en plastique. Il palpa les vêtements étalés sur le sol auprès du lit et trouva quelques pièces de la monnaie locale, un portefeuille vide et un couteau de poche. Le portemanteau cloué à un mur était vide. Il tenta d'ouvrir la fenêtre, mais la peinture l'avait collée.

« En tout cas, nous avons la confirmation de sa mort », remarqua-t-il d'un ton macabre en refermant la porte de l'appartement derrière lui. Avant de redescendre, Cabrillo fit, par acquit de conscience, un détour pour soulever le couvercle de la chasse d'eau des toilettes communes au fond du couloir.

« Et maintenant, que fait-on ?

— Nous pourrions inspecter le bureau du pilote d'hélicoptère », proposa Juan sans enthousiasme, convaincu que le Sud-Africain avait effacé ses traces. Par-dessus tout, j'aimerais rentrer à mon hôtel, prendre le plus long bain de l'Histoire et dormir vingt-quatre heures. »

Juan était encore en haut de l'escalier quand il vit la lumière qui filtrait par la porte disjointe trembler une seconde comme si quelque chose ou quelqu'un venait d'entrer dans l'immeuble. Il fit reculer Sloane et saisit son Glock.

Comment ai-je pu être aussi stupide, se reprocha-t-il. *Ils ont dû se rendre compte que quelque chose clochait avec leur attaque du* Pinguin *et le meurtre de Papa Heinrick.* Quiconque cherchant à en savoir davantage à ce sujet ne manquerait pas de se montrer à l'appartement de Luka ; ils l'avaient donc surveillé.

Deux hommes apparurent, armés chacun d'un vilain petit fusil mitrailleur et suivis par un troisième personnage qui, lui, portait un Skorpion tchèque. Juan savait qu'il en aurait un du premier coup, mais il ne réussirait jamais à se débarrasser des deux autres sans transformer l'escalier en charnier.

Il recula sans bruit, gardant une main sur le poignet de Sloane. Elle avait dû comprendre ce que signifiait cette pression sur son bras car elle ne souffla mot et se mit à marcher sur la pointe des pieds.

Il faudrait à peine cinq secondes aux assassins pour les coincer dans le couloir. Juan se retourna et, enfonçant la porte, rentra dans l'appartement de Luka.

« Suivez-moi sans réfléchir », lâcha-t-il avant de se précipiter vers la fenêtre et de plonger la tête la première à travers le carreau.

La vitre vola en éclats et des bouts de verre lacérèrent ses vêtements. Juste devant l'appartement de Luka se trouvait un toit en tôle ondulée qu'il avait remarqué lorsqu'il avait essayé d'ouvrir la fenêtre. Il s'y jeta, ses mains glissant sur la crasse, et il faillit bien perdre son

Glock. Le métal surchauffé lui brûlait les mains. Tout en glissant, il roula sur le dos puis, arrivé au bord, lança ses jambes en l'air et fit un saut périlleux à l'envers. Sa réception ne lui aurait certainement pas valu une médaille olympique, mais il parvint à rester sur ses pieds tandis que des éclats de verre tombaient en cascade du toit comme des stalactites.

Il ne prêta aucune attention au vieil homme qui, assis à l'ombre du toit, ravaudait un filet. Un instant plus tard, il entendit Sloane déraper sur la tôle ondulée ; elle bascula par-dessus le rebord, mais Juan était prêt à la rattraper : le choc le fit quand même tomber à genoux.

Au même instant, des impacts de la taille d'une petite pièce de monnaie trouèrent le métal, et le crépitement d'un fusil mitrailleur fracassa le calme de la rue. Le chanvre s'effilocha dans l'air quand une douzaine de balles traversèrent le filet. Le pêcheur était bien en retrait et Juan n'avait pas à s'inquiéter pour lui. Il prit la main de Sloane et l'entraîna sur la gauche vers une rue qui semblait plus animée.

Ils quittèrent l'abri du porche et aussitôt les balles criblèrent le sol tout autour d'eux. Heureusement, le Skorpion était conçu pour le combat rapproché et le tireur trop gorgé d'adrénaline pour maîtriser cette arme imprécise. Juan et Sloane en profitèrent pour se réfugier derrière un camion à dix roues.

Cabrillo risqua un coup d'œil : un des tireurs rampait sur le toit, couvert par ses camarades massés à la fenêtre de Luka. Ils repérèrent Juan et arrosèrent le camion d'un feu d'armes automatiques. Sloane et lui coururent vers la cabine. La remorque, imposante, cachait Juan ; il la longea jusqu'à la cabine sous laquelle il se glissa. Il tenait son pistolet prêt et il ouvrit le feu avant que les tireurs puissent le découvrir dans cette position inattendue ; il n'était qu'à vingt-cinq mètres et pouvait corriger la différence de hauteur. La balle toucha le tireur posté sur le toit, lui arrachant un morceau de main droite ; le Skorpion s'envola tandis que l'homme perdait sa prise sur la crosse avant de glisser sur la tôle ondulée. Il dévala toute la longueur du toit et s'écrasa sur le sol si violemment qu'on put entendre ses os se fracasser sur la chaussée.

Juan se mit hors de vue avant que les autres aient réussi à le repérer.

« Et maintenant ? demanda Sloane en ouvrant de grands yeux.

— L'un d'eux va rester à la fenêtre pour s'assurer que nous ne tentons pas une sortie pendant que ses copains redescendent. »

Juan regarda alentour.

Ce quartier n'avait jamais été très animé, mais il était maintenant complètement désert, comme si cela avait toujours été. Des ordures traînaient dans les caniveaux et il s'attendait à tout instant à voir des feuilles mortes emportées par la brise.

Il ouvrit la portière du camion côté passager et constata l'absence des clefs de contact. Il jeta un autre coup d'œil vers l'appartement : l'assassin, en retrait, ne perdait cependant pas de vue le camion.

L'immeuble d'à côté abritait jadis une épicerie dont la vitrine était à présent recouverte de plaques de contreplaqué. Un peu plus loin, un petit square – avec plus de poussière que de gazon – et, derrière, d'autres appartements ainsi que des petites maisons individuelles qui semblaient ne tenir debout qu'en prenant appui les unes sur les autres.

Il tapa du poing sur le réservoir du camion ; il sonna creux, il était presque vide. Il dévissa le bouchon et des relents de gasoil montèrent dans l'air brûlant.

Juan ne se séparait jamais d'un certain nombre d'accessoires : une boussole, un couteau de poche, une petite torche avec une ampoule au xénon et un briquet Zippo qui restait allumé une fois la molette tournée. Avec le canif il découpa un pan de sa chemise qu'il alluma avec le Zippo. Puis il poussa Sloane vers l'avant du camion et laissa tomber le tissu enflammé à l'intérieur du réservoir.

« Montez sur le pare-chocs mais restez penchée et gardez la bouche ouverte », lui conseilla-t-il en s'assurant que Sloane se bouchait les oreilles.

Si le réservoir avait été plein, l'explosion aurait fait sauter le camion. Lorsque le chiffon enflamma la flaque de carburant qui restait au fond, la détonation fut plus forte que Juan ne le prévoyait. Même protégé par la cabine et, surtout, par le bloc moteur, il sentit malgré tout le dégagement de chaleur. Le camion trembla sur sa suspension comme s'il venait d'être touché par un boulet de canon et la tête de Juan vibra comme si on lui avait assené un coup de marteau.

Il sauta à terre et regarda les résultats. Comme il l'avait espéré, l'explosion avait déchiqueté les fenêtres en contreplaqué et soufflé le verre entre les rayons vides.

« Venez, Sloane. »

Se tenant par la main, ils se réfugièrent à l'intérieur de l'épicerie tandis que, dehors, le camion brûlait. Au fond du magasin, une porte donnait sur une réserve et un ponton de déchargement. Juan alluma sa torche et repéra une autre porte, celle-là ouvrant sur l'extérieur. Convaincu que les assassins savaient par où ils s'étaient enfuis, il ne prit pas la peine de se cacher. Avec son pistolet, il fit sauter le cadenas de la chaîne qui fermait la porte ; elle tomba sur le sol cimenté et il poussa la porte.

Derrière l'épicerie, de l'autre côté de la rue, se trouvait le ponton où ils avaient amarré le canot de sauvetage. Il avait l'air parfaitement à sa place, mouillé ainsi entre des bateaux de pêche délabrés et des pontons à moitié effondrés. Tête baissée, ils traversèrent la rue en courant et foncèrent dans le labyrinthe des jetées qui s'entrecroisaient tandis que, derrière eux, un des tireurs émergeait de l'épicerie pour se lancer à leur poursuite.

Des pêcheurs travaillant sur leur bateau et des gosses qui, du ponton, lançaient des lignes, regardaient toujours la fumée qui montait de l'épicerie abandonnée pendant que Sloane et Juan passaient en courant. Les pontons de bois étaient couverts de moisissure et de débris de poissons écrasés mais rien ne ralentissait leur course.

Le crépitement d'un Skorpion déchira l'air. Juan et Sloane se plaquèrent au sol, dérapant sur le bois glissant et atterrissant dans un petit canot muni d'un moteur hors-bord. Juan récupéra en un instant mais resta baissé tandis des balles et des éclats de bois dansaient sur le bord du ponton.

« Mettez le moteur en marche », ordonna-t-il à Sloane en jetant un coup d'œil par-dessus la jetée. Le tireur n'était qu'à quinze mètres d'eux, mais il lui faudrait en parcourir au moins cinquante pour atteindre le hors-bord en raison de l'agencement particulier des jetées. Il essaya de faire feu en apercevant le haut du crâne de Cabrillo mais son chargeur était vide.

Sloane tira sur le cordon du démarreur et, à leur grand soulagement, à la seconde tentative, le moteur démarra. Juan coupa l'amarre et Sloane mit pleins gaz. La petite embarcation s'éloigna du ponton à toute vitesse et se dirigea vers l'endroit où les attendait le canot de sauvetage. L'assassin avait dû se rendre compte que ses cibles s'échappaient et qu'il était trop exposé pour les suivre. La Namibie disposait encore d'une force de police et, au bout de quelques minutes de fusillade, tout ce que Walvis et Swakopmund comptaient de policiers se précipiterait vers le port. Il jeta son arme à l'eau pour faire disparaître toute preuve et fit demi-tour en courant.

La proue du petit hors-bord effleura la coque du canot de sauvetage. Juan maintint leur bateau en place tandis que Sloane grimpait à bord. Il la suivit et ouvrit à fond les gaz du hors-bord qui fonça aussitôt au milieu de la marina.

En un temps record, Juan avait largué les amarres et mis le moteur en marche. Quelques minutes plus tard, ils étaient sortis de la baie et filaient vers le large. Il allait droit devant lui pour atteindre le plus vite possible les eaux internationales au cas où la police du port se lancerait à leur poursuite ; de toute façon, elle n'arriverait pas à rattraper le canot une fois que Juan aurait déployé les hydrofoils et que le bateau s'élèverait au-dessus de la mer.

« Comment ça va ? demanda Juan lorsqu'il eut atteint sa vitesse de croisière.

— Mes oreilles sonnent encore, répondit-elle. Je n'avais encore jamais vu chose aussi folle, commenta-t-elle.

— Plus folle que de secourir une femme poursuivie par Dieu sait combien d'assassins ? répliqua-t-il d'un ton moqueur.

— Bon, la plus folle après ça, admit-elle en souriant. Alors, allez-vous me dire qui vous êtes vraiment ?

— Je vous propose un marché. Une fois que nous aurons inspecté la zone où Papa Heinrick a vu ses serpents métalliques et que nous aurons déterminé nous-mêmes ce qui se passe, je vous raconterai l'histoire de ma vie.

— Marché conclu. »

Quand, assez rapidement, le GPS du bord indiqua qu'ils étaient sortis de la zone des douze milles des eaux territoriales namibiennes, Juan réduisit la vitesse pour déployer les hydrofoils.

« Cette vieille barque tète du fuel à un rythme affolant quand elle vole sur ses ailes. Si nous voulons faire l'aller-retour il ne faudra pas dépasser quinze nœuds. Si vous alliez en bas pendant que je prends le premier quart... Nous disposons largement d'assez d'eau pour que, à défaut d'un bain, vous puissiez vous rafraîchir avant de dormir un peu. Je vous réveille dans six heures ?

— Merci. Pour tout », acquiesça-t-elle en lui effleurant la joue de ses lèvres.

Douze heures plus tard, ils approchaient du secteur où les serpents métalliques étaient censés rôder. La tempête qui s'acharnait sur le désert attaquait jusqu'à l'air humide et froid stagnant au-dessus de l'océan. Affronter une tempête à bord du canot de sauvetage n'inquiétait guère Cabrillo ; la visibilité réduite le préoccupait davantage car elle rendrait leurs recherches beaucoup plus difficiles. Et, pour couronner le tout, l'électricité statique qui s'accumulait dans l'atmosphère désorganisait l'électronique de bord : son téléphone satellite n'émettait plus aucune tonalité ; la radio, sur toutes les bandes de fréquence, ne captait que des parasites ; le GPS, la dernière fois qu'il l'avait consulté, ne recevait pas assez de signaux des satellites en orbite pour calculer convenablement leur position ; la sonde indiquait une profondeur de zéro pied, ce qui était impossible ; jusqu'au compas qui réagissait mollement, pivotant sur sa rotule comme si le pôle magnétique tournait autour d'eux.

« Vous croyez à une dégradation sérieuse ? demanda Sloane en pointant le menton en direction de la tempête.

— Difficile à dire. Il ne devrait pas pleuvoir, mais ça pourrait changer. »

Cabrillo, réglant ses mouvements sur la lente ondulation des vagues de façon à profiter de la hauteur maximale, prit ses jumelles et scruta l'horizon.

« Mer déserte, annonça-t-il. Je suis navré de l'avouer mais, sans le GPS, je n'arrive pas à délimiter une grille de recherche convenable, alors nous pataugeons un peu.

— Que voulez-vous faire ?

— Le vent souffle plein est ; il peut donc me servir à me repérer et me permettre de garder le cap. A mon avis, nous pourrons chercher jusqu'à la nuit, en espérant qu'à l'aube la tempête aura cessé et que le GPS recommencera à fonctionner. »

Naviguant un peu à l'estime, Juan fit suivre au bateau des bandes d'un mille de large, allant et revenant sur le vaste océan. Pendant ce temps, la mer ne cessait de forcir ; les vagues atteignaient plus de deux mètres, et le vent fraîchissait, apportant si loin de la terre le goût du désert.

Chaque nouvelle bande explorée renforçait leur conviction : les gens avaient eu raison de croire Papa Heinrick complètement fou et d'affirmer que ses serpents métalliques n'étaient rien d'autre que le fruit d'une bonne crise de delirium tremens.

Cabrillo, apercevant soudain une ligne blanche briller au loin, pensa à de l'écume sur la crête d'une lame ; il garda cependant les yeux fixés sur ce point et, à la houle suivante, elle y était toujours. Il arracha alors les jumelles de leur support d'un mouvement brusque qui, après tant d'heures monotones, attira l'attention de Sloane.

« Qu'y a-t-il ?

— Je ne suis pas sûr. Peut-être rien. »

Quand une nouvelle houle se présenta face au canot, il braqua les jumelles sur cette lointaine lueur. Et, après de longues secondes, il réalisa ce qu'il voyait : l'ampleur du phénomène défiait l'imagination.

« Ça alors, murmura-t-il.

— Quoi ? s'écria Sloane, tout excitée.

— Regardez vous-même », dit-il en lui tendant les jumelles.

Pendant qu'elle ajustait les oculaires à son visage, plus menu, Juan gardait les yeux fixés sur l'objet, essayant d'en estimer les dimensions et n'en croyant pas ses yeux. Il ne pouvait le comparer à rien, mais estima malgré tout sa longueur à plus de trois cents mètres. Comment George Adams avait-il pu le manquer lors de sa reconnaissance aérienne de la zone ?

De l'objet blanc jaillit alors une intense explosion de lumière qui illumina les nuages filant au-dessus de l'océan. Il se situait à deux kilomètres, peut-être un peu plus, mais, à seize mille kilomètres à l'heure, le missile antichar israélien Rafael Spike-MR avala la distance si vite que Juan eut à peine quelques secondes pour réagir.

17

JUAN AVAIT EN PERMANENCE SON GLOCK coincé au creux de ses reins, et n'eut donc qu'à saisir le téléphone satellite protégé par son étui étanche avant de prendre Sloane à bras-le-corps pour passer par-dessus le bastingage et plonger dans l'eau sombre. Ils se mirent à nager avec frénésie pour s'éloigner du canot de sauvetage, s'efforçant de mettre le plus de distance possible entre eux et l'explosion imminente.

Le système de guidage à infrarouges du missile qui filait au-dessus de la mer restait braqué sur sa cible, la volute de gaz d'échappement brûlants qui sortait du moteur du canot. Quelques instants après son lancement, le missile s'abattit sur le canot de sauvetage, transperçant la coque pour exploser juste devant le bloc moteur. Conçue pour traverser un blindage de trente centimètres, la charge fendit la quille et brisa en deux le canot dont les débris furent projetés à dix mètres dans les airs.

La carcasse fumante se replia presque sur elle-même en sombrant, un jet de vapeur jaillissant vers le ciel quand la mer entra en contact avec le moteur et les tubulures.

L'onde de choc fut encore plus forte que quand Cabrillo avait fait sauter le camion à Walvis et, s'il ne s'était pas jeté à l'eau avec Sloane, ils auraient été écrasés par le souffle. Ils se débattirent dans le déferlement des vagues, toussant et recrachant l'eau qu'ils n'avaient pu éviter d'avaler.

« Ne me demandez pas si ça va, parvint-elle à dire. Vous l'avez déjà fait une douzaine de fois depuis hier.

— Vingt-quatre heures bien remplies effectivement, reconnut Juan en se débarrassant de ses chaussures. Il faut nous éloigner autant que possible parce qu'ils vont à coup sûr envoyer quelqu'un sur les lieux.

— Je ne me trompe pas ? Nous y allons bien ?

— Il est temps en effet de faire un tour sur le serpent de Papa Heinrick. »

Nager sur un mille ne constituait pas un exploit pour deux personnes en forme, pourtant ils devaient lutter contre les vagues qui entravaient leurs mouvements. Les choses se compliquèrent encore quand un somptueux yacht blanc, identique à celui qui avait poursuivi le *Pinguin*, vint fureter dans les parages, le regard cyclopéen d'un projecteur perçant la nuit qui tombait. L'attention de Juan, d'abord attirée par le navire, ne tarda pas à se détourner sur ce qu'il remorquait.

« On a dû leur faire un prix sur ces engins, dit Juan.

— Oh, j'ai ça au supermarché : vous en achetez un, le second est offert », plaisanta Sloane.

Après les avoir obligés à nager un quart d'heure en rond pour esquiver le puissant faisceau du projecteur, le grand yacht s'enfonça dans les ténèbres, donnant ainsi à Juan une indication sur la direction à suivre, même s'il ne risquait pas de manquer leur but.

L'eau froide avait commencé à entamer leurs forces. Juan, pour leur faciliter les choses, tendit alors à Sloane son Glock et le téléphone satellite afin de se débarrasser de son pantalon. Il en noua les jambes à la hauteur des revers et présenta la taille ouverte au vent : le vêtement se gonfla d'air. Puis Juan s'empressa de boucler le tout avec sa ceinture ; ensuite il échangea cette voile improvisée contre le pistolet et le téléphone.

« Gardez bien la main sur la ceinture pour empêcher l'air de s'en aller.

— J'avais entendu parler de ça, mais je ne l'avais jamais vu. »

Sloane ne claquait pas encore des dents, mais la tension dans sa voix était perceptible. Soutenue par cette voilure improvisée, elle nageait plus vigoureusement et, d'ailleurs, plus ils s'en approchaient, plus la masse de leur objectif amortissait la violence des vagues.

« Vous sentez ça ? demanda Sloane.

— Quoi donc ?

— L'eau, elle est plus chaude. »

Juan craignit un instant que le corps de Sloane, au lieu de lutter contre le froid, ne se laissât emporter par ses tentacules glacés. Puis il éprouva la même sensation : l'eau se réchauffait bien, non pas d'un ou deux degrés Celsius mais de dix ou quinze. Une canalisation géothermique peut-être, pensa-t-il. Qui expliquerait aussi qu'une structure aussi massive fût capable de flotter sur les vagues. Parviendrait-elle à maîtriser l'énergie ?

Le serpent métallique de Papa Heinrick était en fait un conduit vert foncé d'au moins dix mètres de diamètre, estima Juan, et dont les six mètres de la partie supérieure étaient immergés. Le conduit toutefois n'était pas rigide : il fléchissait sur toute sa longueur d'au moins trois centimètres au passage de chaque vague.

L'eau était à près de trente degrés Celsius quand ils atteignirent enfin la structure. Juan posa sa main contre le métal : il était chaud. Il perçut aussi une vibration mécanique au sein du conduit, de gros pistons allant et venant à chaque poussée de la mer.

Ils longèrent le flanc de l'appareil et veillèrent à garder une distance suffisante pour éviter que les vagues ne les écrasent contre la paroi. Le bruit des machines se faisait plus fort à l'endroit où le mécanisme transformait l'action des vagues en Dieu sait quelle énergie potentielle. Des échelons étaient soudés au flanc du conduit pour permettre à des ouvriers d'accéder à l'énorme charnière. Juan fit passer Sloane la première et la rejoignit alors qu'elle finissait de dégonfler le pantalon et d'en dénouer les jambes.

Elle étouffa un cri : malgré la faible luminosité, elle avait aperçu la prothèse sous son genou droit.

« Pardonnez ma grossièreté, murmura-t-elle. Je ne me doutais de rien. Vous ne boitez absolument pas.

— Je m'y suis habitué avec le temps, répondit Juan en tapotant la tige de titane qui lui servait de jarret. Une flèche du Parthe de la marine chinoise, il y a quelques années.

— Il faut vraiment que vous me racontiez l'histoire de votre vie. »

Juan préféra ne pas s'interroger de nouveau sur les raisons qui avaient fait manquer le conduit à George Adam lors de son vol de reconnaissance depuis l'hélico de l'*Oregon*. Il se concentra plutôt sur les aspects pratiques de leur situation : Sloane et lui resteraient vulnérables aussi longtemps que les hommes occuperaient le yacht amarré à l'autre extrémité de la structure.

Une fois rhabillé, il regarda autour de lui et découvrit une écoutille d'accès. Il l'ouvrit et constata, juste en dessous, l'existence d'un second panneau. Remettant l'exploration à plus tard, il coinça le sac du téléphone satellite dans cette sorte de sas et ferma à clef le panneau supérieur.

Il prit la main de Sloane pour la forcer à le regarder dans les yeux.

« Je ne peux pas me permettre de faire des prisonniers parce que j'ignore combien de temps nous allons être bloqués ici. Vous comprenez ?

— Oui.

— Vous pouvez rester ici si vous voulez, mais je ne vous force pas.

— Je vous accompagne et je verrai comment je me sentirai quand nous approcherons.

— Voilà qui est franc. Allons-y. »

Sur les premiers cent cinquante mètres, ils purent avancer accroupis – on ne les verrait pas du yacht – mais, lorsqu'ils furent plus près, ils durent ramper sur la carcasse qui ne cessait d'onduler en se cramponnant tant bien que mal à sa surface lisse chaque fois qu'une vague particulièrement forte faisait claquer le conduit.

Ces embardées donnaient la nausée à Juan qui, pourtant, n'avait jamais connu le mal de mer. Sloane ne paraissait pas, elle non plus, dans son assiette.

A quinze mètres du yacht, ils progressèrent de manière à ce que la crête du conduit les dissimulât aux yeux des marins du yacht jusqu'à ce qu'ils n'en soient plus qu'à trois ou quatre mètres. Ils distinguaient fort bien le bateau amarré à un ponton, lui-même attaché au flanc d'un segment du conduit. Des bourrelets en caoutchouc épais se pliaient en crissant pour les maintenir séparés. Des lumières brillaient aux hublots tandis que, sur la passerelle, la silhouette d'une vigie se découpait sur la lueur verte d'un écran radar. Ils apercevaient aussi un lance-roquettes monté sur un trépied fixé au gaillard d'avant.

Si cette opération avait été menée par la Corporation, Juan aurait, séance tenante, congédié tout l'équipage pour respecter aussi peu les consignes concernant l'éclairage. Le yacht était visible à un mille et un observateur à bord d'une petite embarcation pourrait facilement échapper au radar dans le tumulte de la tempête.

Ils restèrent ainsi cramponnés près d'une heure, supportant leurs vêtements trempés et le vent glacé grâce à la chaleur du métal. Juan estima à quatre le nombre des occupants du yacht, qui se relayaient pour surveiller l'écran radar sur la passerelle. Pendant quelque temps, encore excités d'avoir fait sauter le canot de sauvetage de l'*Oregon*, ils conservèrent leurs armes puis, l'ennui émoussant leur vigilance, ils ne portèrent bientôt plus leurs fusils mitrailleurs en bandoulière.

Seul l'élément de surprise permettrait de les maîtriser à quatre contre un ; s'approcher pour passer à l'attaque était donc la meilleure tactique.

« Il vaut mieux que je m'occupe de ça tout seul », dit-il à Sloane avant de se hisser sur le haut du conduit.

Le timbre impitoyable sur lequel il avait lancé cela la fit frissonner.

Cabrillo glissa le long du conduit et se laissa tomber avec légèreté sur le ponton flottant, sans jamais quitter des yeux le guetteur sur la passerelle qui, pour passer le temps, scrutait la tempête avec des jumelles à vision nocturne. Il traversa à pas de loup la largeur du ponton et sauta sans bruit sur le plat-bord et, de là, sur le pont du yacht. Une porte vitrée coulissante donnait sur la cabine et un escalier aménagé dans la coque en fibre de verre montait jusqu'à la passerelle.

La porte était soigneusement bloquée à cause du vent.

Juan gravit les marches accroupi et, arrivé en haut, pencha la tête à l'horizontale pour que, de la passerelle, on ne distingue qu'une fraction de son visage. L'homme de quart regardait toujours la mer. A pas si lents qu'il semblait immobile, Juan avança de quelques mètres. Un pistolet était posé sur le tableau de bord, à moins de trente centimètres de l'homme qui, remarqua Juan, avait bien dix centimètres et une quinzaine de kilos de plus que lui, un handicap qui excluait de l'étrangler en silence : il se débattrait comme un taureau.

Cabrillo avait franchi les trois mètres qui les séparaient quand un violent coup de vent secoua le bateau. L'homme était en train de lever les bras pour ôter le cordon de ses jumelles ; Juan en profita pour lui envoyer un coup de poing en pleine mâchoire et, dans le même élan, le frapper de l'avant-bras à la tempe. La combinaison des deux chocs lui tordit la colonne vertébrale dont les vertèbres se disloquèrent avec un craquement discret. Juan allongea délicatement le corps sur le pont.

« Trois contre un », murmura-t-il sans éprouver le moindre sentiment car, deux heures auparavant, ces hommes avaient, sans le moindre avertissement, fait sauter son bateau.

Il se glissa jusqu'à une étroite coursive qui reliait le gaillard d'avant et l'arrière du bateau. Il y avait des hublots à droite et à gauche. L'un d'eux était sombre mais une télévision projetait dans le passage une lueur tremblotante. Il jeta un bref coup d'œil à la pièce : un des gardes, assis sur un canapé de cuir, regardait un DVD sur les arts martiaux tandis qu'un autre, debout dans la kitchenette mal éclairée, surveillait l'eau du thé qui chauffait. Il avait un pistolet dans l'étui qu'il portait en bandoulière. Juan ne vit pas si son compagnon était armé.

Inutile, à cause de leurs positions respectives dans la cabine, d'espérer viser ces deux-là depuis la plage arrière, il le savait. Quant au quatrième garde, Juan n'avait aucune idée de l'endroit où il se trouvait ; il dormait, selon toute probabilité, mais une probabilité pouvait très facilement vous condamner à mort.

Cabrillo s'appuya au bastingage pour se donner un peu de recul et ouvrit le feu. Il blessa de deux balles le type planté devant le réchaud ; l'impact le fit tomber sur le brûleur allumé et sa chemise s'enflamma aussitôt.

Le garde assis sur le canapé avait des réflexes de félin : le temps pour Juan de faire tourner son barillet et de tirer deux autres balles, il s'était levé et avait roulé sur la moquette. Les projectiles s'enfoncèrent dans le canapé et des lambeaux de coutil volèrent en l'air.

Juan ajusta son tir, mais le garde s'était abrité derrière un petit bar posé contre la cloison du fond. Juan n'avait pas assez de munitions pour tirer au hasard et il était déjà furieux d'avoir gaspillé deux cartouches sur le canapé. Quand le second gardien émergea de derrière le bar, il tenait à la main son pistolet mitrailleur et il lâcha la moitié d'un chargeur dans une rafale effrénée.

Cabrillo s'aplatit tandis que du verre volait en éclats et que des balles sifflaient au-dessus de lui. La grêle de balles ricocha sur la grosse canalisation d'acier derrière lui et s'en alla zigzaguer dans la nuit. Il se réfugia à l'arrière, luttant contre une envie bien naturelle de rouler jusqu'au ponton flottant. Mais il agrippa un étai qui soutenait un store rétractable et basculant par-dessus, se retrouva dans l'escalier. Il le grimpa aussi vite qu'il put et se pencha sur le bastingage au-dessus de la fenêtre fracassée.

Le canon du pistolet mitrailleur du garde apparut, cherchant sa proie. L'homme, n'apercevant pas le corps de Cabrillo allongé sans vie dans la coursive, sortit sa tête puis le haut de son dos. Il regarda devant et derrière et, ne voyant toujours pas Cabrillo, se pencha davantage pour scruter le ponton flottant.

« Pas par là, mon vieux. »

Le garde se retourna tout en s'efforçant de relever son arme, mais Juan arrêta son geste d'une balle dans la tempe. Le pistolet mitrailleur tomba entre le bateau et le ponton.

Le claquement sec du Glock révéla sa position au dernier garde ; une grêle de balles cribla le plancher : le tireur arrosait d'en dessous le plafond de la cabine.

Juan tenta de se jeter sur le tableau de bord mais une balle, brisant en deux son pied artificiel, le fit trébucher. La violence de l'impact ajoutée à son élan le propulsa par-dessus le petit pare-brise sur la plaque de verre qui bordait le nez de la cabine.

Son dos heurta le gaillard d'avant ; le souffle coupé, il se remit à genoux mais les mécanismes qui contrôlaient son pied refusèrent de réagir quand il voulut se relever. Sa prothèse dernier cri n'était plus maintenant qu'une vulgaire jambe de bois.

Il aperçut à l'intérieur d'une des cabines somptueusement aménagées le quatrième garde dont la silhouette se découpait sur les flammes qui dévoraient le grand salon. La canalisation de propane qui alimentait la cuisinière avait pris feu et un jet de liquide enflammé giclait vers le plafond, propageant rapidement l'incendie. Du plastique en fusion ruisselait sur la moquette, allumant partout de nouveaux petits foyers.

Malgré le rugissement de l'incendie, le garde avait entendu Juan trébucher. Il cessa de tirer sur le plafond pour viser la fenêtre principale qu'il se mit à arroser de balles. Une douzaine d'étonnantes toiles d'araignées apparurent sur le verre de sécurité et des éclats se mirent à pleuvoir sur Cabrillo comme des poignées de diamants.

Juan attendit un instant et commençait à se lever pour riposter quand le garde, jaillissant par la vitre malmenée, le frappa en pleine poitrine et le fit retomber sur le dos. Il parvint néanmoins à passer un bras autour de la jambe de son agresseur, lequel finit par se retrouver sur Cabrillo sans toutefois pouvoir manœuvrer son pistolet mitrailleur mais bloquant la main armée de Juan. Le garde tenta alors de frapper avec son front le nez de Juan qui, à la dernière seconde, baissa le menton, et leurs crânes se heurtèrent avec une violence telle que Juan en vit trente-six chandelles.

Le garde chercha alors à enfoncer son genou dans l'aine de son adversaire ; Cabrillo esquiva le coup en tordant le bas de son corps et en absorbant le choc avec sa cuisse. A la nouvelle tentative du garde, Juan glissa un genou entre les jambes de ce dernier et, poussant de toutes ses forces, parvint à se dégager provisoirement. Mais le garde était tout aussi fort et essaya d'écraser Cabrillo sous son poids quand il retomba.

Juan avait réussi à prendre assez appui sur sa prothèse pour que les restes de son pied en fibre de carbone, aussi acérés qu'un poignard, effleurent l'abdomen de son adversaire. Juan empoigna alors les épaules du garde et l'entraîna avec lui en même temps que sa jambe portait un coup violent.

Cette sensation – sa jambe artificielle s'enfonçant dans le ventre du garde – hanterait des années durant les cauchemars du Président. Juan repoussa l'homme dont les hurlements cédèrent bientôt la place à d'horribles gargouillements puis, enfin, au silence.

Il se releva en vacillant. La moitié arrière du yacht brûlait, les flammes plaquées presque à l'horizontale par le vent violent. Pas question de lutter contre un tel incendie. Juan s'approcha donc du bord, descendit sur le pont et, s'agenouillant, rinça rapidement sa prothèse dans la mer.

« Sloane, vous pouvez venir maintenant. »

Le visage de la jeune femme – un ovale pâle se détachant sur la nuit – apparut au-dessus de l'immense conduit. Elle se redressa et s'approcha. Juan vint à sa rencontre en boitillant. Elle commençait à ouvrir la bouche mais Juan avait déjà anticipé son cri : il pivota, sa jambe blessée glissa sur le pont humide, mais il parvint toutefois à braquer le Glock sur un cinquième garde qui apparaissait sur le gaillard d'avant, un pistolet dans une main, un porte-documents dans l'autre. Il devança Cabrillo d'une seconde.

Une balle claqua tandis que Juan continuait à perdre l'équilibre comme s'il s'écroulait au ralenti. Juan tira quand même deux coups au moment où son postérieur heurtait le pont. Le premier projectile manqua son but, mais le second toucha le garde de plein fouet : son pistolet échappa à ses doigts sans vie et le porte-documents tomba sur le ponton.

Juan se tourna vers Sloane.

Elle était agenouillée, se tenant l'aisselle d'une main.

Il rampa jusqu'à elle.

« Tenez bon, Sloane, dit-il d'un ton apaisant. Laissez-moi voir. » Il lui souleva le bras et elle étouffa une plainte tandis que des larmes lui montaient aux yeux. Juan palpa la blessure et elle poussa un cri. Il souleva le corsage ensanglanté qui lui collait à la peau, déchira le tissu pour voir le point d'impact et glissa les doits dans la plaie. Avec un lambeau de chemisier il essuya délicatement un peu de sang. La lueur émise par le yacht en train de flamber était incertaine, mais il put quand même constater que le projectile avait labouré la chair sur près de cinq centimètres sous le bras le long des côtes. « Ça va aller, la rassura-t-il en la regardant dans les yeux. La balle ne semble pas avoir pénétré. Elle vous a seulement écorchée.

— Ça fait mal, Juan, ça fait mal. »

Il la serra contre lui, maladroitement, mais faisant attention à ne pas toucher la blessure.

« Je sais que ça fait mal. Je le sais.

— Je m'en doute, dit-elle, maîtrisant sa douleur. Je pleure comme un bébé alors que vous avez eu une jambe arrachée.

— Max prétend que, une fois le choc passé, je donnais le spectacle d'une nurserie pleine de bébés atteints de coliques. Attendez une seconde.

— Surtout, n'imaginez pas que je vais prendre un bain. »

Juan retourna sur le yacht : l'incendie avait trop progressé pour espérer récupérer quoi que ce fût dans les cabines. Alors il s'agenouilla auprès du garde dont il n'avait pas soupçonné la présence et le dépouilla de sa veste de sport, un blazer Armani à mille dollars qui amena Cabrillo à considérer ce pseudo-garde comme le probable responsable de cette opération – soupçon confirmé par le fait que le porte-documents contenait un ordinateur portable.

« Si, aux yeux de cet individu, cet objet méritait d'être sauvé, déclara Juan en le brandissant devant Sloane, c'est qu'il mérite tout autant que nous le récupérions. Mais, avant tout, nous devons nous éloigner de ce bateau. Son jumeau, en explosant contre le flanc de l'*Oregon*, a provoqué un sacré feu d'artifice. »

Chacun, pour avancer, semblait avoir besoin de l'aide de l'autre, Juan avec sa prothèse endommagée et Sloane avec sa blessure à la poitrine. Malgré tout, ils réussirent tant bien que mal à se traîner jusqu'à l'endroit où Juan avait planqué le téléphone satellite. Il allongea Sloane contre le conduit métallique chaud et s'assit à côté d'elle pour qu'elle puise poser la tête sur sa cuisse. Il la couvrit avec le blazer et lui caressa les cheveux jusqu'à ce que, sa douleur se calmant, elle finisse par s'endormir.

Cabrillo ouvrit l'ordinateur portable et entreprit d'examiner les dossiers. Au bout d'une heure, il avait compris ce que faisait la machine longue de trois cents mètres ; une heure encore et il découvrait qu'il en existait trente-neuf autres soigneusement alignées sur quatre longues rangées. Bien qu'il n'ait toujours pas la moindre idée de leur utilité, l'aube allait bientôt se lever quand il finit par comprendre comment les arrêter en branchant le portable sur un portail dissimulé sous le panneau d'écoutille où il avait caché le téléphone.

Lorsque le voyant lumineux du petit écran de contrôle indiqua que la machine ne produisait plus d'électricité, même si ses mécanismes réagissaient encore à l'action des vagues, Juan décrocha son téléphone satellite. Il obtint aussitôt la tonalité.

C'était l'énorme champ électrique créé par le générateur actionné par les vagues et ses clones qui avait détraqué l'informatique du canot de sauvetage et fait tourner dans tous les sens l'aiguille du compas. Une fois les générateurs arrêtés, le champ s'était effondré et son téléphone marchait de nouveau parfaitement. Sans doute l'ordinateur portable était-il conçu pour résister aux puissantes pulsations électromagnétiques.

Il pianota les chiffres d'un numéro sur le cadran ; on décrocha à la quatrième sonnerie.

« Ici la réception, monsieur Hanley. Vous aviez demandé qu'on vous réveille à quatre heures trente.

— Juan ? Juan !

— Salut, Max.

— Où diable es-tu ? Impossible de te joindre sur le canot de sauvetage. Tu ne décrochais pas ton téléphone. Même ton localisateur transdermique n'émettait plus.

— Tu me croiras si tu veux, mais nous sommes coincés au beau milieu de l'océan, sur le dos du serpent métallique géant de Papa Heinrick. Nous sommes tombés sur un drôle de truc.

— Tu n'en connais pas la moitié, mon vieux. Pas la moitié. »

18

Le Dr Julia Huxley, le médecin de bord de l'*Oregon*, était partie pour la station marémotrice à bord du Robinson R44 si bien que, lorsque le petit hélico se posa sur le pont du cargo, Sloane McIntyre était déjà sous perfusion et recevait par intraveineuse des analgésiques, des antibiotiques et une solution saline pour compenser la déshydratation. Julia l'avait débarrassée de ses vêtements trempés et enveloppée dans une couverture thermique ; elle avait ensuite nettoyé et pansé la blessure de son mieux grâce à la trousse qu'elle avait apportée, mais elle avait hâte de lui prodiguer des soins appropriés.

On descendit l'hélistation dans la cale où deux infirmiers, attendant avec un chariot, s'empressèrent d'emmener Sloane à l'infirmerie.

Huxley déclara Juan en parfait état de santé et lui fit avaler un litre d'une boisson pour sportifs et deux comprimés d'aspirine. Pendant ce temps, Max sortait du hangar avec une des jambes de rechange de Cabrillo.

Juan s'assit sur un banc pour décrocher sa prothèse endommagée et ajuster la jambe artificielle que lui tendait son second ; il sentit alors que l'*Oregon*, qui avait interrompu sa course folle depuis Le Cap pour permettre à George Adams de poser son hélicoptère, accélérait de nouveau.

Il tira avec agacement le revers de son pantalon et partit d'un pas rapide en criant par-dessus son épaule :

« Tous les officiers dans la salle de réunion dans un quart d'heure. »

Il prit une douche rapide, se rasa avec son coupe-chou qui lui laissa le visage en feu et rejoignit son équipe. Maurice avait préparé du café et posé une tasse fumante sur la table de merisier où Juan présidait. Les volets blindés qui protégeaient la salle étaient ouverts et la pièce était brillamment éclairée, contrastant avec l'air sombre de ses compagnons assis autour de lui.

« Bon sang, racontez-moi ce qui s'est passé, demanda Juan après avoir bu une gorgée de café.

— Hier matin, répondit Linda Ross, la police de Kinshasa a fait une descente dans une maison des faubourgs, croyant qu'il s'agissait d'un centre de distribution de drogue. Elle a procédé à plusieurs arrestations et découvert une cache d'armes ainsi qu'une petite quantité de drogue. Et, de surcroît, un tas de documents établissant un lien entre les trafiquants, Samuel Makambo et son armée de la Révolution congolaise.

— Le type qui a acheté nos armes, rappela inutilement Max Murphy sans lever les yeux de l'ordinateur portable que Juan avait rapporté du générateur marémoteur.

— Il s'avère que Makambo se servait des bénéfices de la vente de drogue pour financer ses activités, ce qui n'a rien d'extraordinaire. En revanche, ce qui a surpris la police, c'est la façon dont Makambo avait réussi par la corruption à infiltrer les échelons supérieurs du gouvernement : il avait à sa solde une foule de bureaucrates, parmi lesquels Benjamin Isaka au ministère de la Défense. Moyennant cinquante mille euros par an versés sur un compte en Suisse, Isaka fournissait à Makambo des informations sur les tentatives du gouvernement pour localiser sa base secrète d'opérations. Il renseignait en permanence le chef rebelle si bien que l'armée de Makambo avait toujours une longueur d'avance sur les troupes gouvernementales. Dès notre première prise de contact avec lui, en nous faisant passer pour des marchands d'armes, Makambo savait que nous lui tendions un piège. Isaka lui avait dit que les armes étaient équipées de balises radio. Aussi, tout de suite après notre fuite, s'est-il empressé de démonter kalachnikovs et lance-grenades et de jeter les balises dans le fleuve.

— Isaka l'a reconnu ?

— Pas publiquement, dit Max. Mais j'ai eu au téléphone deux ou trois proches du gouvernement. Je leur ai tout expliqué, qui j'étais et le reste, et voici ce qu'ils m'ont déclaré : l'équipe envoyée pour pister les armes a signalé qu'elles n'avaient pas cessé d'émettre quand elles ont quitté le quai.

— Et, bien sûr, quand cette équipe est arrivée sur le quai, conclut Juan en même temps que les autres, il n'y avait plus aucune trace ni des rebelles ni des armes. » Puis, se tournant vers Mark Murphy, il demanda : « Alors, Murph, nos balises fonctionnent-elles encore ?

— Elles le devraient, pendant encore vingt-quatre ou trente-six heures. Si je peux arriver au Congo à temps, je tâcherai de les repérer d'un hélico ou d'un avion.

— Tiny a-t-il atteint Swakopmund avec notre Cessna ? s'enquit ensuite Juan, calculant dans sa tête les distances, les vitesses et le temps écoulé.

— Il devrait y arriver vers une heure.

— Bon, voici ce que nous allons faire. Dès que nous serons à sa portée, Murph gagnera la côte en hélico et Tiny l'emmènera avec son avion à Kinshasa. Ensuite, Mark, débrouille-toi pour louer l'appareil dont tu auras besoin car Tiny doit rentrer pour larguer les parachutes.

— Il me faudra un équipier, précisa Murph.

— Prends Eric. Max agira comme capitaine et tiendra la barre tandis que nous ferons notre opération de sauvetage. »

Eddie Seng prit alors la parole.

« Président, il faut imaginer qu'à l'heure qu'il est ces armes sont peut-être réparties à travers tout le Congo.

— Je sais, fit Cabrillo en hochant la tête, mais il faut quand même essayer. Si les dix mitraillettes sur lesquelles nous avons fixé nos balises sont au même endroit, les autres armes y sont probablement aussi.

— Tu crois que Makambo prépare une attaque ? demanda Linda.

— Nous ne le saurons que quand Mark et Eric les auront localisés.

— Ça y est ! s'exclama Mark en levant le nez de son ordinateur.

— Qu'est-ce que tu as trouvé ?

— Cet ordinateur contenait quelques dossiers codés. Je viens de découvrir le chiffre.

— Qu'y a-t-il dedans ?

— Donne-moi une minute. »

Juan but une gorgée de café et Linda attaquait un autre morceau de gâteau quand le Dr Huxley apparut soudain sur le seuil de la salle de réunion : elle ne mesurait qu'un mètre cinquante-huit et pourtant elle en imposait ; ses cheveux bruns noués comme d'habitude en queue-de-cheval, elle portait sous sa blouse blanche une salopette verte qui ne mettait guère en valeur ses formes avantageuses.

« Comment va notre blessée ? s'informa Juan dès qu'il l'aperçut.

— Ça va aller. Elle était un peu déshydratée mais c'est arrangé. Il a fallu lui faire vingt points de suture et elle a en outre deux côtes fêlées. Je lui ai donné un calmant et je la laisserai quelque temps sous analgésiques.

— Beau travail.

— Tu plaisantes ? Après deux années passées à rafistoler ta bande de pirates, j'aurais été capable de la soigner en dormant, rétorqua Julia en se servant une tasse de café.

— Se rétablira-telle sans problème en attendant ton retour ou bien devras-tu rester avec elle ?

— Dès l'instant où elle ne présente aucun signe d'infection – fièvre ou taux élevé de globules blancs –, elle n'aura pas besoin de moi à son chevet. En revanche, si les ravisseurs ont blessé Geoffrey Merrick ou l'un de vous... il faudra que je saute dans le Cessna pour vous soigner tout de suite. Je me déciderai juste avant le départ, mais mon instinct me dit qu'elle n'aura pas de problème.

— A toi de juger.

— Ça alors ! s'exclama Mark, incrédule. » Toutes les têtes se tournèrent vers le spécialiste en armement qui, ne s'apercevant de rien, continua à lire un moment. Il fallut que Juan s'éclaircisse la gorge pour que Mark lève les yeux. « Oh, pardon ! Vous avez découvert un générateur marémoteur, ça, vous le savez, mais à une échelle que vous ne pouvez imaginer. A ma connaissance, cette technologie n'en était qu'à ses balbutiements, avec seulement deux machines à l'essai au large des côtes du Portugal et de l'Ecosse. Cette machine se sert de la puissance des vagues qui poussent sur ses articulations pour actionner des pistons hydrauliques. Ces pistons à leur tour forcent le carburant dans un moteur en utilisant un accumulateur pour réguler le flux. Le moteur entraîne alors un générateur et vous obtenez de l'électricité.

— C'est sacrément ingénieux, reconnut Max Hanley. Quelle peut être la production de ces machines ?

— Chacune pourrait alimenter en électricité une ville de deux mille habitants. Et il y en a quarante, alors cela fait une sérieuse production.

— Mais pour quoi faire ? interrogea Juan. Où passe toute cette électricité ?

— C'est cette information qui était codée, lui répondit Mark. Chaque générateur est ancré par des câbles rétractables au fond de la mer, ce qui explique pourquoi George ne les a pas vus lors de son vol de reconnaissance d'avant-hier. Quand la mer est calme ou que le radar des bateaux de surveillance repère un navire qui approche, on les amène à une dizaine de mètres sous la surface. Un câble séparé alimente en électricité une série de radiateurs disposés tout le long des générateurs.

— Des radiateurs ? s'étonna Eric.

— Parfaitement. Quelqu'un trouve l'eau par ici un peu fraîche et a décidé de la réchauffer. »

Cabrillo but une nouvelle gorgée de café et se servit une part du gâteau danois avant que Linda ne le termine.

« Peux-tu dire depuis quand ils fonctionnent ?

— Ils ont été branchés au début de 2004.

— Et dans quel but ?

— Ces données ne sont pas sur l'ordinateur, dit Mark. Je ne suis pas océanographe, mais je n'arrive pas à imaginer que même une quantité de chaleur de cet ordre produise beaucoup d'effet sur l'océan tout entier. Je sais que la chaleur dégagée par un réacteur nucléaire est capable d'élever la température d'une rivière de quelques degrés. Mais ça reste très localisé. »

Juan se carra dans son fauteuil, ses doigts pianotant contre sa mâchoire. Les autres continuaient à discuter autour de lui, lançant idées et hypothèses, mais il n'entendait rien de ce brouhaha. Dans son esprit, il voyait les énormes stations de générateurs fendant la crête des vagues tandis que, plus bas, des radiateurs réchauffaient les eaux s'écoulant vers le nord, le long de la côte africaine.

« Sans ces abrutis avec leurs armes dans tous les coins, disait Mark quand Juan sortit de sa rêverie, je penserais qu'il s'agit d'un projet artistique de... comme s'appelle ce type déjà ? Vous savez, celui qui emballe des ponts ou des îles dans du plastique ? Crisco ?

— Christo, rectifia Max, manifestement absent.

— Mark, tu es un génie, déclara soudain Cabrillo.

— Quoi ? Tu crois qu'il s'agit d'un projet artistique à la con ?

— Non. Qui parlait d'une rivière ? demanda Juan en promenant son regard autour de la table. Il n'est pas question de réchauffer l'océan tout entier, mais seulement une partie très précise. Nous sommes en plein dans le courant de Benguela, un des courants les plus délimités du monde. Il s'écoule comme un fleuve, avec des rives nettement marquées. Et juste à cet endroit, il se fractionne en deux : une branche qui continue vers le nord le long de la côte tandis que l'autre vire à l'ouest pour s'intégrer au gyre subtropical de l'Atlantique Sud. Ce tourbillon entraîne l'eau vers l'Amérique du Sud où il se réchauffe de quelques degrés de plus que le courant qui colle à l'Afrique.

— Pour l'instant, je te suis, intervint Mark.

— Les deux courants se rejoignent de nouveau près de l'équateur et, en se mélangeant, constituent une zone tampon entre les courants de l'hémisphère Nord et ceux de l'hémisphère Sud.

— Désolé, Président, je ne vois pas où ça nous mène.

— Si les deux courants sont presque à la même température quand ils se rencontrent, leur effet tampon va diminuer, peut-être suffisamment pour compenser la force de Coriolis qui déclenche les vents dominants et, ainsi, ces courants de surface. »

Eddie Seng reposa sa tasse de café ; il rayonnait.

« Et ça pourrait modifier complètement la direction des courants océaniques.

— Exactement. La rotation de la terre détermine la direction des vents dominants, c'est pourquoi les cyclones, dans le sud, tournent dans le sens des aiguilles d'une montre et les ouragans, dans le nord, en sens inverse. C'est aussi la raison pour laquelle le courant chaud du Gulfstream qui longe la côte Est des Etats-Unis va vers le nord puis vers l'est et donne à l'Europe le climat dont elle bénéficie. Normalement, la majeure partie de l'Europe devrait être inhabitable. Enfin, l'Ecosse est plus au nord que le Canada arctique.

— Alors, demanda Linda, que se passe-t-il si l'eau du sud franchit l'équateur près de l'Afrique ?

— Elle entrera dans le foyer des ouragans atlantiques, répondit Eric Stone, le météorologue officieux de l'*Oregon*. Des eaux plus chaudes impliquent davantage d'évaporation, et plus d'évaporation provoque des ouragans plus violents. Une dépression tropicale a besoin d'une température de surface supérieure à vingt-sept degrés Celsius pour atteindre la force nécessaire à sa transformation en hurricane. Une fois qu'elle y est parvenue, elle absorbe environ deux milliards de tonnes d'eau par jour.

— Deux milliards de *tonnes* ! s'exclama Linda.

— Qui déversent, quand elle atteint la terre ferme, entre dix et vingt milliards de tonnes d'eau par jour. Ce qui établit la variation entre une tempête de catégorie un et un ouragan de catégorie cinq, c'est le temps qu'il lui faut pour aspirer l'eau au large de la côte d'Afrique. »

Mark Murphy, comme toujours, avait tout de suite compris.

« Si on réchauffe artificiellement le Benguela et qu'une partie de cette eau s'échappe vers le nord, l'intensité des tempêtes peut s'accroître bien plus rapidement.

— Ainsi que leur nombre, conclut Juan. Quelqu'un d'autre a-t-il la même idée que moi ?

— Que les violents ouragans qu'ont connus les Etats-Unis ces deux ou trois dernières années ont bénéficié d'un peu d'aide ?

— Les experts météo reconnaissent tous que nous entrons dans un cycle naturel de tempêtes plus fortes, protesta Eric.

— Cela ne veut pas dire que les générateurs et les radiateurs ne l'amplifient pas, riposta Mark.

— Messieurs, dit Juan pour calmer le jeu, laissons à des esprits mieux informés le soin d'estimer les effets de ces choses. Il suffit pour l'instant qu'elles soient arrêtées. Je vais appeler Overholt et lui expliquer ce que nous avons découvert. Selon toute probabilité, il s'adressera à la NUMA dont ce sera alors la mission. Murph, prépare l'ordinateur pour que je puisse lui envoyer tous les dossiers.

— Entendu.

— Pour l'instant, poursuivit Juan, je veux que nous concentrions tous nos efforts sur le sauvetage de Geoffrey Merrick. Ensuite, nous pourrons envisager de nous attaquer à celui qui a commencé par installer les générateurs.

— Tu penses qu'il y a un rapport ? demanda Max de l'autre bout de la table.

— Au début, je ne le croyais pas, mais maintenant j'en suis convaincu. Le type que Sloane et moi avons pourchassé avec le canot de sauvetage s'est délibérément suicidé. Pour ne pas risquer de tomber entre mes mains. Il ne cherchait pas à éviter d'être jeté dans une prison en Afrique. C'était un fanatique prêt au martyre pour que nous ne découvrions pas les radiateurs. Et nous savons qu'on n'a pas enlevé Merrick pour toucher une rançon, c'est donc une affaire politique, autrement dit il a suffisamment contrarié quelqu'un pour que celui-là l'enlève.

— Des écologistes, avança Linda.

— Vraisemblablement, répondit Juan. Nous avons affaire à une double offensive : d'un côté, pour une raison quelconque, ils veulent Merrick, et de l'autre, ils tentent de bouleverser les courants océaniques avec ces gros générateurs.

— Je ne comprends pas, Président, intervint Eric en s'éclaircissant la gorge. Si ces gens sont soucieux de l'environnement, pourquoi cherchent-ils à chambouler ainsi l'océan ?

— Nous l'apprendrons ce soir quand nous aurons récupéré Merrick et mis la main sur un ou deux ravisseurs. »

On avait disposé les parachutes de l'équipe d'intervention dans une des cales vides de l'*Oregon* : sur les plaques du pont, le nylon noir et brillant ressemblait à des flaques d'huile. Lorsque Juan arriva après une conversation de vingt minutes avec Langston Overholt à la CIA, Mike Trono et Jerry Pulaski étaient déjà là, pliant avec soin les parachutes de façon à ce qu'ils ne s'emmêlent pas quand ils se déploieraient à huit mille mètres au-dessus du désert du Namib. Mike était un ancien parachutiste de l'Air Force tandis que Ski était entré à la Corporation après quinze ans dans les unités de reconnaissance des Marines. Max, pendant ce temps, discutait avec Eddie et Lincoln qui vérifiaient les armes et l'équipement rangés sur des tréteaux le long d'une cloison de la cale.

Cabrillo savait que chaque membre de la Corporation pouvait

sans aucun problème travailler avec n'importe lequel des autres membres du personnel, mais il y avait dans le groupe des équipes de rêve. Linc et Eddie en formaient une, et Mike et Ski une autre. Ces deux paires étaient absolument irrésistibles au jeu, capables presque de fonctionner par télépathie.

Près des tables, attendaient les quatre motos tout-terrain, conçues pour affronter tous les pièges du désert, pour lesquelles l'*Oregon* était allé au Cap. Elles étaient pourvues de gros pneus ballon qui leur permettaient de franchir les passages de sable mou ainsi que d'amortisseurs extrêmement puissants. Quelques jours auparavant, une escouade de mécaniciens, après les avoir débarrassées de tout ce qui n'était pas essentiel afin d'économiser du poids, les avait recouvertes de peinture de camouflage.

Son portable sonna alors qu'il traversait le vaste hangar.

« Cabrillo.

— Président, c'est Eric. Je voulais juste vous prévenir que nous serons à portée de Swakopmund dans vingt minutes. J'ai déjà alerté George pour qu'il prépare l'hélico et qu'il fasse le plein. Mark est en train de rassembler notre matériel. Tiny sera à l'aéroport avec le Cessna et j'ai même réussi à louer un avion à Kinshasa.

— Beau boulot.

— Si tout se passe comme prévu, nous serons sur le terrain de chasse demain à l'aube.

— Oui, à peu près. Je sais que ça ne veut pas dire grand-chose mais je suis certain que nous les retrouverons. » Tous à bord se rendaient compte de ce qu'endurait Juan : dupé par Benjamin Isaka et son associé rebelle, Samuel Makambo, il avait en fait lâché un grand contingent d'armes dans une guerre civile sans merci, et cela lui pesait car chaque seconde sur le terrain augmentait la probabilité qu'elles soient utilisées contre des civils innocents. Malgré ce qu'il avait prétendu devant Sloane, il savait que si des gens mouraient dans cette débâcle, une partie de lui mourrait aussi. « Merci, Eric, murmura-t-il.

— Pas de quoi, patron.

— Comment cela se présente-t-il ? reprit Juan en s'approchant des trois hommes penchés sur une maquette de la prison de l'Oasis du Diable, réalisée dans l'atelier de la Corporation par Kevin Nixon en se basant sur des images satellites et sur les quelques photos de mauvaise qualité dénichées sur Internet.

— Kevin nous a fabriqué un beau jouet certes, dit Eddie, mais, ne connaissant ni l'agencement intérieur ni l'endroit où se trouve Merrick, nous irons à l'aveuglette.

— Alors, comment voulez-vous vous y prendre ?

— Exactement comme nous l'avons prévu depuis le début. Un saut en altitude avec ouverture rapide à environ cent kilomètres de l'objectif pour qu'ils n'entendent pas l'avion et se méfient s'ils disposent d'un radar. Puis nous glissons pour atterrir sur le toit en nous fiant au vieux postulat selon lequel les plans deviennent inutiles à partir du moment où on établit le contact. » Juan écoutait avec un sourire. « Pendant que Linc dépose les motos, poursuivit Eddie, nous retrouvons Merrick et Susan Donleavy. Ensuite, nous nous tirons dare-dare sur nos motos et nous rejoignons Tiny à l'endroit où George aura pu poser l'appareil qui nous a amenés.

— N'oublie pas que nous devons attraper un des ravisseurs afin d'avoir une petite conversation à propos de ces générateurs.

— Je me charge d'en ficeler un comme une oie de Noël, déclara Linc.

— Tu as prévu le plan pour transporter tout le monde jusqu'à la côte avec l'hélico ?

— Absolument. En raison des limites de poids, George fera aujourd'hui des heures supplémentaires : quatre voyages seront nécessaires pour tout transporter jusqu'à l'aéroport. George et moi avons calculé de prendre la charge la moins lourde sur le dernier trajet, ce qui nous permettra d'attacher les containers vides qui auront servi au largage. Il refera le plein sur la côte, ce qui lui donnera un rayon d'action bien suffisant pour chercher la zone où se sera posé Tiny.

— Arrange-toi pour que je sois sur la dernière navette, dit Juan. J'aimerais dormir un peu aujourd'hui.

— C'est déjà prévu.

— Bravo ! Te voilà en tête sur la liste du meilleur employé du mois.

— Comment cela s'est-il passé avec Lang ? interrogea alors Max.

— Je te raconterai en pliant mon parachute. »

Juan procéda à une inspection minutieuse du parachute géant, un modèle conçu pour permettre à une personne avec cent kilos d'équipement de supporter des vents dominants de cent vingt kilomètres à l'heure tout en planant jusqu'au sol. Equipement préféré des Forces spéciales, le parachute était pourvu de courroies rembourrées et utilisait le système de déploiement en deux temps pour amortir le choc après une brève chute libre. Même avec ces dispositifs de sécurité, tirer le cordon éprouvait beaucoup les nerfs car le parachutiste savait que la secousse serait brutale.

« Bonnes nouvelles sur les deux fronts, annonça Cabrillo en passant les doigts sur le cordon pour s'assurer qu'il ne s'effilochait nulle part. Lang va contacter la NUMA, laquelle enverra un navire inspecter les générateurs. Et, comme la CIA a conclu le marché avec Isaka, elle nous paiera de toute façon pour ce que nous devions faire, et elle récupérera ses armes.

— Combien ?

— A peine assez pour couvrir nos frais, alors ne fais pas de projets pour une retraite anticipée.

— C'est mieux que rien.

— Que ce Benjamin Isaka s'avère être un agent de l'Armée congolaise de la Révolution a mis le bureau Afrique de la CIA dans tous ses états, conclut Cabrillo en commençant à disposer les cordons de façon à ce que, quand il commencerait à les replier, il puisse les assembler avec des élastiques.

— La CIA ne s'en doutait pas ?

— Surprise totale. Du coup, elle a entrepris de réexaminer toutes ses sources sur le continent. Lang dit que tout le bureau Afrique a déjà offert sa démission.

— Il va l'accepter ?

— Il le pourrait mais il refusera. A condition que nous récupérions ces armes, la CIA passera l'éponge sur cet énorme fiasco.

— J'ai l'impression que l'éponge commence à être sérieusement imbibée...

— C'est vrai, approuva Cabrillo, amer. Personne ne veut reconnaître l'ampleur des loupés accumulés par la CIA. Les Etats-Unis donnent ainsi une impression d'incompétence et, plus grave, d'un manque complet de préparation. Si bien que, quand un problème se pose...

— Quand, par exemple, l'Agence place sa confiance dans un type qui travaille pour des rebelles essayant de renverser le gouvernement.

— Par exemple. Langley passe alors en mode "Protège tes fesses" et personne ne paie la casse. Voilà pourquoi personne n'a vu arriver ni le 11 Septembre, ni l'invasion du Koweit par l'Irak, ni le développement des programmes nucléaires de l'Inde ou du Pakistan, et, conclut Juan, voilà en partie la raison pour laquelle j'ai démissionné.

— Eh bien, cette fois au moins, nous allons être en mesure de rectifier la situation. N'est-ce pas, Juan ? »

Ce changement de ton de Hanley fit lever la tête à Cabrillo.

« Ça va aller ? » demanda Max en désignant de la tête le parachute.

Dans l'éventail des émotions humaines, la pitié était celle que Cabrillo détestait le plus. Les regards compatissants des passants le jour où Julia Huxley l'avait poussé dans son fauteuil roulant pour sortir d'un hôpital de San Francisco, une jambe de pantalon soigneusement retenue par une pince, l'avaient rendu furieux. Il s'était alors juré que plus personne désormais ne le regarderait ainsi. Aussi, depuis qu'il avait perdu sa jambe, avait-il subi trois opérations et, littéralement, des milliers d'heures de rééducation pour parvenir à courir sans boitiller le moins du monde. Il était parvenu à nager et à skier mieux que quand il avait ses deux jambes et il se balançait sans effort sur sa prothèse.

Cependant certaines choses ne lui étaient plus aussi faciles qu'auparavant, notamment la chute libre en parachute. Garder le corps arqué et stable tout en plongeant dans l'espace exigeait d'ajuster avec précision la position des bras, mais c'étaient les jambes qui maintenaient en équilibre. Juan, ces deux dernières années, avait fait des douzaines de sauts d'entraînement et, malgré tous ses efforts, il se mettait à tourner lentement sur lui-même dans un mouvement de rotation qui se transformait vite en une dangereuse spirale.

Faute de sentir la pression du vent sur sa cheville et sur son pied, il n'arrivait pas à corriger cette vrille sans l'aide d'un partenaire sautant en même temps que lui pour le saisir et l'immobiliser. Un de ses rares échecs que Juan avait horreur de reconnaître, et Max le savait.

« Ça ira très bien, répondit Cabrillo en continuant à plier son parachute.

— Tu es sûr ?

— Max, j'ai l'impression d'entendre une vieille femme. Il suffira qu'aussitôt hors de l'avion, j'arque le dos. La chute libre ne durera pas assez longtemps pour que je me mette à jouer les derviches tourneurs. Ça se passera en altitude, avec une ouverture en altitude. S'il s'agissait d'une autre sorte de saut, je serais au centre opérationnel avec toi et nous regarderions les moniteurs.

— Très bien, fit Max en hochant la tête. Je voulais juste être sûr. »

Une demi-heure plus tard, Juan remit son parachute et son équipement à un des hommes qui le porta au hangar de l'hélico près de la plage arrière de l'*Oregon*. Avant de regagner sa cabine pour y prendre un repos bien mérité, il s'arrêta à l'infirmerie pour avoir des nouvelles de Sloane. Le Dr Huxley n'étant ni dans son bureau ni dans la salle d'opération, Juan chercha dans les chambres. Sloane se trouvait dans la troisième, éclairée par une unique veilleuse. La jeune femme dormait. Elle avait repoussé les couvertures et Juan aperçut le pansement qui recouvrait sa blessure : il paraissait intact, la plaie ne saignait plus.

Ses cheveux aux reflets cuivrés étaient répandus sur les draps blancs et une mèche pendait sur son front. Elle avait les lèvres entrouvertes et, comme Juan lissait la mèche rebelle, sa bouche se plissa comme pour accueillir un baiser, puis elle battit brièvement des paupières avant de retomber dans son sommeil.

Il remonta les couvertures et quitta la pièce. Dix minutes plus tard et malgré l'imminence de l'opération et la pensée des armes disparues qui le hantait, Cabrillo sombra dans un sommeil aussi profond que celui de Sloane.

Son réveil sonna une heure avant son envol pour l'aéroport de Swakopmund où il devait retrouver Tiny Genderson. Il ouvrit aussitôt les yeux, prêt à tout affronter. Il roula à bas de son lit, envisagea un instant de prendre une autre douche rapide et décida de s'en passer.

Il alluma quelques lampes et sautilla jusqu'à sa salle de bains. Au fond du placard s'alignaient ses jambes artificielles : certaines de couleur chair n'évoquaient qu'à peine des prothèses, d'autres, des appareils d'aspect plus industriel, montraient leurs tiges en titane et des actionneurs visibles. Il s'assit sur un banc et passa, ainsi l'appelait-il, sa jambe de combat, version 2.0 ; l'original avait fini quelques mois plus tôt dans le chantier de démolition d'un port d'Indonésie.

Dissimulés à l'intérieur du mollet bien rond, un couteau à lancer et un pistolet automatique Kel-Tec 9 mm, une des armes de poing les moins encombrantes du monde, ainsi qu'une petite trousse de survie et un garrot en fil de poussière de diamant. Kevin Nixon, qui avait aménagé cette jambe pour Juan, avait glissé aussi dans le pied un paquet bien plat d'explosif C-4 avec, caché dans la cheville, le détonateur à retardement. Plus quelques autres gadgets.

Il vérifia que la jambe était bien en place et, par surcroît de précaution, passa une ceinture munie de courroies pour éviter que la prothèse ne se détache. Puis il enfila un treillis de couleur sable et de solides brodequins. Ensuite il prit un autre Glock et une mitraillette H&K MP5 – l'armurier lui remettrait les chargeurs pleins qui l'attendaient à l'hélistation. Et enfin il fourra les armes et un harnais de combat de rechange dans un sac en nylon.

Maurice frappa discrètement à la porte de la cabine avant d'entrer, apportant, conformément aux instructions que lui avait données Cabrillo, un plateau de petit déjeuner chargé de fruits et d'hydrates de carbone. Il aurait préféré une tasse du café bien fort que lui préparait habituellement le steward aux quelques verres de jus d'orange qu'il se résigna pourtant à boire. Dans le désert il tenait à être aussi bien hydraté que possible au cas où, même si on avait tout prévu, survenait un pépin.

« Maurice, tu es l'orgueil de la Royal Navy, le félicita Juan en s'essuyant les lèvres et en lançant la serviette sur le plateau quand il eut terminé.

— Je vous en prie, capitaine Cabrillo, protesta Maurice de son ton réservé habituel. J'ai servi le dîner de vingt officiers par une tempête de force sept au large des Falklands durant les petits incidents là-bas. Si je puis me permettre d'être franc, capitaine, vous n'avez pas encore mis à l'épreuve mes compétences.

— Alors, très bien, rétorqua Juan, une lueur démoniaque dans le regard, au prochain ouragan, j'aimerais un soufflé au fromage et au homard avec, en dessert, un gâteau Alaska.

— Très bien, capitaine », répondit tranquillement Maurice avant de quitter la cabine.

Sur le chemin du hangar, Juan s'arrêta une nouvelle fois à l'infirmerie. Julia Huxley était en train de fermer des coffres de matériel médical, mais son éternelle blouse blanche était posée sur le dossier d'une chaise.

« Elle s'est réveillée voilà une heure. Ses constantes sont stables et je ne vois aucun signe d'infection, elle se rétablira donc sans problème pendant mon absence, développa Julia. En outre, mes infirmiers sont mieux entraînés que la majorité du personnel des services d'urgence.

— Alors, parfait. Donnez-moi une minute pour lui dire bonjour et je viendrai vous aider à boucler vos coffres. »

Sloane était adossée à une pile d'oreillers. Son visage était pâle et elle avait les yeux un peu creux mais, quand elle apperçut Juan dans l'encadrement de la porte, elle afficha un sourire radieux.

« Bonjour, ma jolie. Comment vous sentez-vous ? s'enquit Juan en traversant la chambre pour venir s'asseoir au bord du lit.

— Un peu sonnée par les médicaments mais pas mal, me semble-t-il.

— Hux dit que vous allez très vite vous rétablir.

— Je suis étonnée que votre médecin soit une femme.

— Mon équipage compte onze femmes, lui rétorqua Juan, dont mon second, Linda Ross.

— Est-ce que j'ai bien entendu un hélicoptère ?

— Oui, on transporte juste quelques hommes à terre. »

Elle considéra son treillis et lui lança un regard sceptique.

« Vous disiez que vous me raconteriez qui vous êtes et ce que vous faites vraiment.

— Et je le ferai, promit-il, dès mon retour.

— Où allez-vous ?

— Terminer ce que nous sommes venus faire en Namibie et, espérons-le, découvrir qui était derrière les attaques que vous avez subies et qui a construit les générateurs marémoteurs.

— Vous ne seriez pas de la CIA ?

— Non. Mais j'en faisais partie. Et c'est tout ce que je vous dirai d'ici à demain. Si je passais vers huit heures pour que nous prenions notre petit déjeuner ensemble ?

— Entendu. »

Juan se pencha et lui effleura la joue de ses lèvres.

« Dormez bien et à demain matin. »

Comme il se levait, elle lui prit la main.

« Je tiens à vous renouveler mes excuses pour vous avoir entraîné dans mes problèmes, déclara-t-elle avec gravité.

— Il se trouve que vos problèmes sont liés aux miens, alors inutile de vous excuser. D'ailleurs, c'est moi qui devrais dire que je suis navré.

— Pourquoi ?

— Vous n'avez pas trouvé votre bateau plein de diamants.

— C'était un projet idiot.

— Hé, même les idiots gagnent au Loto. »

Là-dessus, il la quitta et, tenant dans une main un coffre de médicaments et dans l'autre son sac bourré d'armes, il accompagna Julia jusqu'au hangar.

19

La cale du vieux Havilland C-7 Caribou était assez spacieuse pour permettre aux hommes de s'allonger sur les banquettes tout en conservant leur équipement à côté d'eux. Les quatre petites motos, maintenues en place par des tendeurs, étaient rangées à l'arrière, face à la rampe de chargement. Si, à un moment de sa longue carrière, l'intérieur de l'avion avait reçu quelques améliorations telles que la climatisation, afin d'éviter aux passagers de subir les températures glaciales régnant en altitude, ainsi qu'un dispositif d'alimentation supplémentaire en oxygène, le ronronnement des deux moteurs Pratt & Whitney continuait en revanche à rendre toute conversation pratiquement impossible.

Cabrillo, adossé à une cloison pour soulager ses épaules du poids de son parachute, examinait le visage de ses hommes. Eddie Seng le remarqua et lui adressa un sourire réconfortant. Mike Tobo et son équipier, Jerry Pulaski, assis côte à côte, jouaient à la pierre et aux ciseaux – un rituel pour eux et non une compétition.

A cause de sa taille et des limites de poids qu'imposaient les parachutes, seul Linc était dispensé de la charge d'une moto ; tassé dans un siège de toile, il avait la tête penchée sur une épaule et la bouche ouverte, signes qui indiquaient qu'il n'allait pas tarder à s'endormir.

« Hé, Président ! », cria Tiny Gunderson.

Juan tourna son regard vers l'avant de l'appareil : la porte du poste de pilotage, ouverte, lui permettait de voir le grand Suédois blond sanglé sur son siège, une grosse main posée sur le manche. Julia, ses coffres médicaux calés entre les deux sièges, occupait le fauteuil du copilote.

« Oui, Tiny ?

— Juste pour signaler que nous sommes à quinze minutes de l'objectif, précisa Tiny tout en diminuant encore un peu l'intensité des lumières de la cabine et en allumant l'ampoule rouge d'alerte.

— Bien reçu, répondit Cabrillo avant de crier par-dessus le vacarme des turbopropulseurs : Quinze minutes, messieurs ! »

Linc se réveilla en sursaut avec un énorme bâillement.

Inutile de revérifier l'équipement car on l'avait déjà fait une douzaine de fois et pas la peine non plus de resserrer les courroies et les harnais déjà tendus, mais les hommes s'y employèrent quand même : ils n'avaient droit qu'à une seule tentative pour réussir leur parachutage. Ils préparèrent les motos, défaisant les tendeurs et mettant les machines en position de largage.

Cinq minutes avant le saut, Tiny alluma la lumière jaune qui prévenait les hommes de brancher leur supplément d'oxygène ; les cylindres qui les alimenteraient en air grâce à de gros tuyaux de caoutchouc étaient accrochés sur leur poitrine. Tous firent alors glisser les masques sur leur bouche et leur nez et réglèrent l'arrivée d'air avant de chausser leurs grosses lunettes de protection. Quand tout le monde fut prêt, Juan se tourna vers Tiny qui guettait son signal. L'ancien pilote de l'Air Force avait déjà attaché son masque.

Gunderson ferma la porte du poste de pilotage et, un instant plus tard, le moteur qui actionnait la rampe arrière se mit à gémir. Le bruit fut aussitôt dominé par le rugissement de l'air glacé qui balaya la carlingue. Un bout de papier vola devant Cabrillo avant d'être happé par le ciel de la nuit.

Il sentit la température négative sur ses joues, la seule partie exposée de son corps, et ajusta l'épais foulard qu'il avait noué autour de son cou pour se protéger.

Une fois la rampe déployée, l'arrière de l'appareil ne fut plus qu'un trou d'un noir d'encre sans rien d'autre pour démarquer le ciel du désert infini que le scintillement des étoiles au-dessus de l'horizon. A cette altitude, Juan avait l'impression qu'il lui suffisait de tendre la main pour les toucher.

« Contrôle réseau », ordonna-t-il dans son micro à ses hommes qui, l'un après l'autre, lui répondirent sur le réseau interne.

La lumière jaune se mit à clignoter : plus qu'une minute.

Pour la centième fois depuis qu'il était monté dans l'appareil, Juan passa en revue les gestes qu'il ferait en sautant dans le vide : comment il avancerait, se laisserait tomber et arquerait immédiatement le dos en écartant les bras et les jambes pour augmenter au maximum sa résistance à l'air afin de réduire le choc qu'il ressentirait quand le parachute se déploierait. Il devina, à voir leurs yeux fermés et leur air concentré, que les autres se livraient au même exercice mental.

Le régime des moteurs changea lorsque Tiny amorça une légère remontée ; le plancher s'inclina et la lumière passa du jaune au vert.

Contrairement à ce qui se passait lors des autres types de saut en commando, les hommes n'avaient pas besoin de se lancer en groupe. La chute libre durait si peu qu'ils avaient tout le temps pour se regrouper dans les airs et éviter d'être séparés. Un par un, les hommes avancèrent lentement et disparurent par la rampe arrière. Les petites motos tombaient au-dessous d'eux tandis qu'ils arquaient le dos avant de tirer sur la corde d'ouverture. Quand Juan arriva au bord de la rampe, il aperçut quatre petites lumières en haut des parachutes : ils s'étaient donc ouverts sans problème. Lorsqu'ils approcheraient de l'Oasis du Diable, ces dernières s'éteindraient et seraient remplacées par des globes à infrarouge visibles avec les lunettes à vision nocturne.

Cabrillo roula sa moto vers le vide, comme une rock star plongeant depuis la scène, les bras tendus et le dos arqué – un saut parfait. Le souffle de l'air le ballottait mais il parvint à maintenir sa posture et, quand il se sentit commencer à basculer, il ajusta son corps pour bien rester à l'horizontale. Il chercha à tâtons sur sa poitrine la corde d'ouverture juste avant que la moto arrive au bout de sa longue attache. Libéré, le parachute extracteur se gonfla d'air aussitôt, sa résistance débloquant le parachute principal de sa poche.

Presque immédiatement, Juan comprit qu'il y avait un problème. Le parachute s'accrocha un instant en sortant de son sac et la secousse attendue de son ouverture ne se produisit pas. La résistance de l'air contre le parachute partiellement ouvert lui fit reprendre la position verticale mais il continua à tomber, le nylon claquant au-dessus de sa tête comme une voile flottant dans une forte brise.

Cabrillo regarda en l'air mais la nuit, trop sombre, l'empêcha de comprendre ce qui s'était passé ; il avait cependant effectué suffisamment de sauts pour savoir que les cordons s'étaient emmêlés.

Sans s'affoler mais en se maudissant en silence, il réfléchit tout en s'efforçant d'obliger les cordons à se démêler en tournant son corps et en tirant sur les cordes. Il avait lui-même plié son parachute et ne pouvait donc s'en prendre qu'à lui s'il ne s'ouvrait pas ; s'il échouait à démêler les cordes, il compromettrait toute la mission.

Comme il disposait d'une bonne marge d'altitude, il continua à se débattre avec les cordes mais, à l'approche des vingt mille pieds, il dut prendre une décision. S'il tombait encore plus bas et parvenait à ouvrir le parachute, il n'arriverait jamais à glisser en vol plané jusqu'à la prison ; même avec l'élément de sécurité calculé par Eddie en tenant compte d'une chute un peu trop longue, il atterrirait loin de l'Oasis du Diable. D'un autre côté, s'il devait trancher la corde principale et compter sur son parachute ventral, bien plus petit, il serait trop bas pour faire du parapente assez près de la côte pour que George vînt le récupérer avec l'hélico.

Il jeta un coup d'œil à l'altimètre digital fixé à son poignet : il venait de passer les dix-neuf mille pieds.

Avec un juron, il coupa la longe de la moto, actionna le déverrouillage et se libéra ainsi du parachute principal qui flottait en torche. La chute libre déploya automatiquement le parachute ventral et, pour la première fois depuis qu'il avait tiré sur la corde d'ouverture, Cabrillo envisagea les différentes perspectives qui s'offraient à lui. Si le ventral ne marchait pas non plus, il avait environ trois minutes pour imaginer la sensation qu'il éprouverait en roulant sur le sol du désert à deux cents kilomètres à l'heure, et il savait qu'elle serait brève.

Son parachute ventral se déploya alors comme une fleur noire et Cabrillo trouva sublime la douleur infligée par les courroies entre ses jambes et en travers de ses épaules.

« Washington à Scotty Cornemuse », appela-t-il dans son micro.

Les codes d'appel, dus à l'humour de Max, constituaient sa contribution à l'opération.

« Ou bien tu es fichtrement pressé d'arriver au sol, répondit Eddie, ou bien tu as un problème.

— Mon parachute principal a foiré. J'ai dû le couper.

— Quelle est ton altitude, Beau ?

— Dix-huit mille cinq cents.

— Donne-moi une seconde.

— Je reste en attente, Scotty. »

Eddie avait pour mission de mener l'équipe jusqu'à l'objectif, aussi avait-il avec lui un ordinateur portable ainsi qu'un GPS comme les autres.

« Bon. En freinant au maximum, Beau, tu tombes à quatre mètres soixante par seconde. Ce qui te donne vingt-deux minutes dans les airs. Les vents à l'altitude où tu es soufflent encore à cinquante nœuds, mais leur vitesse ralentira au fur et à mesure que tu te rapprocheras du sol.

— Bien reçu.

— Tu devrais te poser à environ six cent cinquante kilomètres de la côte. »

Les vents dominants soufflant d'est en ouest, les hommes avaient sauté à peu près au moment du survol de la frontière du Botswana. Juan se poserait donc bien au-delà de la zone où l'hélicoptère de Robinson, même avec des réservoirs supplémentaires, pourrait le rejoindre et regagner ensuite le navire.

« Il faudra donc que j'attende qu'on vienne me récupérer, conclut Juan. Scotty, ta priorité numéro un, c'est Merrick et Donleavy. Vous ne pourrez pas emmener un des ravisseurs, alors laisse tomber. »

Perdre une telle occasion irritait beaucoup Cabrillo. Sans oublier le fait que ses hommes allaient prendre des risques sans lui.

« Compris, Beau Geste. »

La distance entre Juan et le groupe commençait à rendre les communications radio difficiles, et la voix d'Eddy lui semblait déjà faible et lointaine.

Juan essaya de penser à ce qu'il devait encore recommander à son équipe avant de ne plus pouvoir communiquer avec elle, mais ils avaient discuté de tout si souvent qu'il se contenta de dire :

« Bonne chance, ici Washington, terminé. »

Bien que n'attendant plus de messages de ses hommes, Juan laissa, à tout hasard, sa radio allumée.

Pour augmenter au maximum le temps passé à planer et, par conséquent, la distance parcourue au-dessus du sol, Cabrillo devait maintenir la voile au bord de la perte de vitesse. Il lui fallait pour cela tirer sur les commandes qui contrôlaient l'aérodynamisme du parachute. Cela exigeait non seulement force et coordination mais surtout aussi la volonté d'ignorer le froid mordant ainsi que les crampes qui commençaient à crisper ses épaules puis gagnaient rapidement son dos et ses abdominaux.

Tandis qu'il dérivait ainsi au gré du vent, Juan examina le désert qui se déroulait au-dessous de lui. De cette altitude, il apercevait une étendue qui paraissait sans fin et désespérément sombre : nulle part il ne distinguait les lumières d'une ville ou les lueurs de feux de camp, partout l'obscurité qui semblait aussi vaste que la mer.

A dix mille pieds, sa main gauche lâcha la commande et le parachute amorça aussitôt un brusque virage qui accéléra sa descente et fit tourner son corps sous la voilure comme un pendule. Il donna un peu de mou à la commande de droite et reprit celle de gauche. Durant ces quelques secondes cruciales, il crut apercevoir, loin sur sa gauche, quelque chose qui, lorsqu'il regarda de nouveau, avait disparu.

Sachant qu'il pouvait se tromper, il relâcha un peu les commandes, arracha ses lunettes de protection ainsi que le masque à oxygène désormais inutiles et fixa l'équipement de vision nocturne. Puis il tira sur les commandes pour ralentir de nouveau sa chute.

Les lunettes, transformant le kaki sombre du désert en un vert iridescent, lui permirent d'identifier ce qui avait attiré son regard : il s'agissait d'un petit convoi de véhicules qui s'éloignaient dans le désert, suivant dans l'obscurité la voiture de tête qui, seule, avait allumé ses phares dont le faible faisceau se reflétait par moments sur les dunes.

Hors d'atteinte, évidemment, mais ils finiraient bien par s'arrêter. Il ajusta donc son vol, planant comme un oiseau de proie, et suivit la caravane qui s'éloignait. Au bout de quelques minutes, elle n'était plus visible ; seules les traces de pneus qu'elle laissait sur le sol prouvaient son existence.

Cabrillo plana ainsi aussi longtemps qu'il le put – vingt minutes d'après sa montre –, mais il dut finir par se poser. En dessous, les vagues des dunes s'élevaient et retombaient avec régularité, se succédait sans fin. Il déploya au maximum le parachute avant de toucher le sol, ralentissant à dessein pour atterrir guère plus vite qu'au pas et réussir à rester sur ses jambes.

Juan rassembla le nylon en un paquet bien serré pour que le vent ne l'emporte pas. Il dégrafa son harnais et déposa avec soulagement le parachute plié tant bien que mal ainsi que le peu d'équipement qu'il avait conservé.

Il avait atterri à moins d'un mètre des traces de la caravane et, tout en buvant une gorgée d'eau de l'unique gourde qui lui restait, il nota qu'elles étaient largement espacées et que les roues avaient dû supporter de lourdes charges : des camions équipés pour le grand désert.

Trois options quant à l'identité des occupants, dont deux rassurantes : soit des militaires namibiens, soit un groupe en safari qui, dans les deux cas, porteraient volontiers secours à un homme égaré dans ces étendues sans repère. Mais il pouvait aussi s'agir de contrebandiers qui le tueraient dès qu'il approcherait.

Ce n'était toutefois pas dans sa nature d'attendre deux ou trois jours que Max arrive à le localiser grâce à son émetteur subdermique et envoie une équipe le secourir. Cabrillo préférait se tirer tout seul de ce pétrin car il ne supporterait jamais de se ridiculiser devant son meilleur ami quand il aurait regagné l'*Oregon*.

Juan étala par terre tout l'équipement qui n'était pas attaché au parachute principal. En fait, pas grand-chose : sa mitraillette, son Glock automatique et de nombreux chargeurs de 9 mm, un couteau, une trousse médicale, sa gourde, un petit kit de survie contenant des allumettes, des tablettes pour purifier l'eau, du fil de pêche et quelques autres broutilles. Il avait aussi son parachute et son enveloppe, une boîte de robuste plastique moulé à la forme de son dos pour amortir un peu le choc du déploiement.

Tout cela ne l'aiderait guère à rattraper la caravane, mais Cabrillo avait un atout en réserve. Il palpa sa jambe artificielle en se disant : *un atout, non dans ma manche mais dans mon revers de pantalon.*

Cinquante minutes durant, Eddie, Linc, Mike et Ski glissèrent dans le ciel nocturne. Quant à Seng, ex-agent de terrain pour la CIA et n'ayant pas reçu la formation de parachutiste des anciens soldats de son équipe, il se servit, comme dans presque tout ce qu'il accomplissait, de ses dons naturels. Les années d'entraînement aux arts martiaux que lui avait d'abord fait subir son grand-père à Chinatown lui avaient permis de s'adapter à n'importe quelle tâche nouvelle. Sa carrière s'était déroulée dans la plus totale clandestinité et, souvent, sans la moindre possibilité de recevoir du renfort ; il s'inventait une fausse identité afin de tisser un réseau d'informateurs et de glaner des renseignements. Quelques mois seulement après l'avoir recruté, Juan l'avait nommé chef des opérations au sol car Eddie ne s'avouait jamais vaincu, dans aucune situation.

Utilisant son GPS, il guida sans accroc son équipe jusqu'à l'Oasis du Diable, arrivant au-dessus de la prison perdue en plein désert à une altitude suffisante pour avoir le temps d'examiner le toit et la cour. Les viseurs à infrarouge révélèrent la présence de trois gardiens assis juste derrière la grille fermée et celle d'un véhicule dont le moteur était encore chaud. Selon les estimations d'Eddie, il avait dû franchir le périmètre protégé depuis au moins une heure. Les autres véhicules, à l'intérieur comme à l'extérieur de la cour, étaient aussi froids que l'air de la nuit. Il tapota son micro, signal convenu pour que Linc se pose le premier.

Franklin Lincoln donna du mou aux cordes pour amorcer son approche, tournant contre le vent juste au moment où ses pieds frôlaient le parapet crénelé le plus loin possible des gardes ; il se posa, les semelles de ses brodequins raclant à peine le sol, et il amena à terre son parachute ; en quelques secondes il se débarrassa du plus clair de son équipement et replia sa voile pour l'empêcher de claquer. Quand il fut prêt, il tapota son micro.

Eddie, telle une apparition, surgit des ténèbres, sa voile déployée comme l'aile d'un faucon ; il vira de façon à faire atterrir la moto accrochée à sa longe juste à côté de Linc qui, dès que les gros pneus eurent touché le sol, saisit le guidon pour empêcher l'engin de tomber. Eddie réussit un atterrissage parfait et, le temps de se débarrasser de son parachute et de le replier sommairement, Mike Trono touchait terre à son tour. Linc, une nouvelle fois, s'assura que la moto ne bringuebalerait pas sur l'épais toit de bois et ne risquerait pas d'alerter les gardes.

Jerry Pulaski les rejoignit le dernier ; sa moto se posa sur le toit et il ramenait son parachute quand une soudaine rafale de vent le tira en arrière.

« Aide-moi », souffla Ski d'une voix rauque tandis qu'il s'efforçait de rabattre son parachute.

Les bottes de Linc dérapèrent sur la poussière grisâtre qui recouvrait le toit plat si bien que Pulaski se retrouva dans le vide, le long du bâtiment.

Mike noua ses bras autour de la taille de Linc en enfonçant ses talons dans le sol pendant qu'Eddie se cramponnait de toutes ses forces à l'avant de la moto en poussant désespérément. Un moment, ils parvinrent à retarder l'inexorable glissade qui entraînait Ski, mais ils luttaient contre des forces trop puissantes et, en quelques secondes, Eddie se retrouva à trente centimètres du bord.

Il fallait se décider : il s'empara alors d'un poignard qui pendait de son harnais de combat, le montra à Ski pour que celui-là comprît son intention, puis posa la lame contre la longe fixée à la moto ; soumise à une telle tension, la corde se scinda aussitôt.

De nouveau libre de contrôler son parachute, Ski se jeta dans le vide, tomba en spirale le long du mur de la prison et atterrit sans douceur sur le sable entassé contre les fondations. Il resta un instant sonné, son parachute se gonflant et claquant contre le sol, mais soulagé de n'avoir pas fait échouer l'opération. Il aperçut alors le piquet planté à dix mètres devant lui avec, au sommet, un appareil électronique ; il comprit aussitôt qu'il s'agissait d'un détecteur de mouvements pointé vers l'extérieur et destiné à alerter les ravisseurs au cas où quelqu'un approcherait de la prison. La voile de nylon se trouvait déjà sous le détecteur et le moindre souffle de brise, en la gonflant, déclencherait l'alarme.

Il saisit les cordes et tira le parachute pour tasser la toile derrière lui. Mais, lui semblait-il, malgré ce qu'il avait rassemblé à ses pieds, il ne parvenait toujours pas à retirer la partie du parachute qui se trouvait sous l'appareil.

Le vent tourna et, comme un ballon d'enfant, le parachute s'emplit d'air. Ski se leva d'un bond et plongea la tête la première vers le détecteur de manière à aplatir la toile juste avant qu'elle ne bloquât l'œil de l'appareil.

Ski aperçut les trois silhouettes sombres qui le regardaient du haut de la forteresse et, prenant soin de ne pas déclencher l'alarme, leur fit un bras d'honneur.

Il récupéra avec soin son parachute, le roula dans ses bras comme du linge sale et, utilisant le couvercle en plastique de son paquetage, enterra le tout dans un petit creux au pied du mur de la prison. Il remarqua des orifices de ventilation au pied des fondations et se rappela qu'on avait signalé lors d'un briefing préparatoire l'existence, sous la prison, d'une série de tunnels conçus pour que les vents dominants chassent les déchets des latrines. Quand il en eut fini avec le parachute, il grimpa à la corde déroulée par Linc.

« Amusant, ce petit exercice, murmura-t-il une fois arrivé en haut, à Eddie et Mike venus l'aider.

— Plus de peur que de mal », lui répondit Eddie.

Au cours des deux heures suivantes, ils observèrent la prison de différents endroits du toit. La peau sombre des gardes les étonna : ils s'attendaient en effet à se trouver face à des écologistes européens ou américains, mais sans doute avaient-ils engagé des mercenaires africains. Toutes les heures, deux des hommes postés à la grille effectuaient le tour du périmètre pendant que le troisième gardait le portail ouvert jusqu'à leur retour.

Ce respect d'un horaire immuable trahissait un manque de professionnalisme qui arrangeait bien l'équipe de la Corporation. En outre, un des hommes fumait pendant sa patrouille, compromettant sa vision nocturne quand il allumait sa cigarette tandis que le rougeoiement de son mégot révélait sa position.

Eddie décida d'agir après la prochaine patrouille. Linc descendrait les motos sur le sol pendant que Mike, Ski et lui fouilleraient l'intérieur de la prison. Ils espéraient retrouver Geoffrey Merrick et Susan Donleavy sans alerter les ravisseurs mais, au cas où ils seraient découverts, ils étaient plus que préparés.

Cabrillo aurait préféré attendre le lever du jour pour poursuivre la caravane, mais la température frôlerait alors les cinquante degrés et le soleil pomperait la moindre goutte de sueur que son corps réussirait à produire. Retarder les choses ne constituait donc pas une solution.

Juan, après avoir pris contact avec Max Hanley, entama ses préparatifs. Il ôta une de ses bottes et sa chaussette pour récupérer dans la semelle de sa jambe artificielle le paquet de plastic qu'il y avait caché. Il posa ensuite l'armature rigide de son paquetage sur le sol et s'installa dessus, l'enfonçant dans le sable.

Satisfait d'avoir trouvé la bonne position, il retira sa jambe et modela un peu de plastic sur la plante du pied. Il alluma un briquet contre l'explosif malléable jusqu'à ce qu'il commence à se consumer. Un truc que lui avait appris Max : au Vietnam, on se servait du plastic des mines antipersonnel pour faire cuire les aliments.

Il plaça le pied sur l'armature, exactement à l'endroit qu'il avait décidé, et l'enfonça de tout son poids. Très vite, les deux morceaux de plastic se ramollirent et commencèrent à fondre pour se coller l'un à l'autre jusqu'à ne faire plus qu'un. Il jeta du sable sur l'armature pour éteindre les dernières flammes et laissa refroidir dix minutes. Juan saisit alors le bord de l'armature et planta de toutes ses forces la jambe artificielle dans le sol. Sa soudure improvisée tenait. Pour mieux la renforcer, il tira quatre balles de son Glock dans le pain de plastic et attacha la prothèse avec un bout de corde qu'il avait coupée sur le parachute.

Juan rassembla ses maigres possessions, abandonnant une partie des munitions pour gagner du poids, et grimpa au sommet de la plus haute dune alentour. Il déploya le parachute sur le sol et noua la corde d'ouverture aux courroies de son harnais de combat, en s'assurant qu'il avait ajusté les commandes de façon à pouvoir contrôler le parachute. Il s'assit ensuite et fixa la jambe artificielle sur son moignon en vérifiant qu'il tenait en équilibre sur l'armature.

Le vent continuait à souffler derrière lui par rafales atteignant parfois cinquante kilomètres à l'heure mais sans jamais tomber à moins de trente. Du haut de la dune, il voyait les traces laissées par les véhicules disparaître dans la nuit ; la lumière ambiante était cependant suffisante pour qu'il n'ait pas besoin de son équipement de vision nocturne.

Il s'avança en trébuchant jusqu'à la crête de la dune et, sans réfléchir plus longtemps, s'élança sur la pente comme un champion de snow-board prêt à décrocher une médaille olympique. Le parachute glissa derrière lui tandis que la plaque de l'armature filait sur le sable. Avec la vitesse, l'air gonfla le parachute, le fit basculer et la voile se déploya. L'élan fit tourner Juan sur lui-même si bien que le parachute se trouvait maintenant devant lui, la voile tendue par le vent au point de bientôt l'arracher au sol : Cabrillo se retrouva alors faisant du parapente.

Il se pencha contre le parachute, déplaçant ainsi son centre de gravité à mesure qu'il dévalait la pente. Arrivé en bas, il fléchit les genoux pour absorber le choc et continua à survoler le désert, porté par le vent. Et quand une saute de vent l'éloignait des traces de la caravane, il parvenait à tirer une bordée, comme une goélette, sans jamais se retrouver à plus d'un kilomètre des ornières laissées par les véhicules.

Il tomba deux ou trois fois au cours des quinze premières minutes, pour apprendre à contrôler son rythme mais, bientôt, il fila comme une fusée, serpentant parmi les hautes dunes.

Les gardes bouclèrent leur circuit autour de l'Oasis du Diable dix minutes avant minuit; la grande porte se referma et le bruit de la barre qu'on mettait en place parvint jusqu'aux hommes tapis sur le toit. Ils ne passèrent à l'action qu'après avoir laissé dix minutes aux gardes pour s'installer.

Mike et Ski utilisèrent un tournevis électrique pour planter de grosses vis dans l'épaisseur du bois au-dessus de l'endroit où ils descendraient les motos. Puis ils en installèrent deux autres de chaque côté d'une des fenêtres. Ils attachèrent ensuite à ces boulons des poulies pour dérouler leurs cordes en les laissant pendre devant la façade de la prison.

Eddie passa son fusil mitrailleur en bandoulière et régla ses lunettes de vision nocturne. Il enjamba le parapet et descendit comme un singe le long de la corde à nœuds. Arrivé à la hauteur de la fenêtre sans vitre, il tira de son étui un automatique muni d'un silencieux.

Le bloc des cellules, haut de trois étages, occupait un quart du bâtiment. De la position précaire où il se trouvait, Seng apercevait deux rangées de cages de fer qui bordaient les murs et auxquelles on accédait par des passerelles métalliques et des escaliers en colimaçon. Marches et paliers étaient étroits afin d'empêcher qu'un groupe de prisonniers n'attaquât les gardiens qui jadis travaillaient là. Chaque cellule contenait une paire de cadres de couchettes avec les sommiers qui autrefois soutenaient les matelas. Eddie supposa que c'était du cuir depuis longtemps rongé par les rigueurs du désert.

L'espace était divisé par de longs alignements de pierre qui servaient de murs à d'autres cellules. Celles-là, de forme cubique, ne faisaient pas plus d'un mètre carré ; elles comportaient des barreaux de fer protégeant le mur de devant et fermant le plafond à ciel ouvert. D'où il était accroché, Eddie pouvait constater que les cellules du haut étaient vides mais il distinguait mal celles du bas.

Il leva la tête et fit signe à Mike puis à Seng de venir le retrouver tandis que Linc descendait les motos devant le pénitencier. Comme il n'y avait pas de cellule juste sous la fenêtre, Eddie fit basculer l'extrémité de sa corde à l'intérieur pour descendre jusqu'à la passerelle qui desservait la rangée supérieure des cellules. Il se posa sans bruit et, quelques instants plus tard, ses deux coéquipiers le rejoignaient.

Il fit passer ses lunettes de la position « vision nocturne » à la position « infrarouge » afin de détecter la chaleur d'un éventuel occupant dans une des cages du bas.

Là !

Dans le coin, au fond, lui apparurent deux personnes si proches qu'il aurait pu les toucher. Il revint à la position « vision nocturne ». Il filtrait assez de lumière par la grande fenêtre pour lui permettre de distinguer deux silhouettes sous une couverture : un homme et une femme. Lui était sur le dos, la tête de l'autre côté, alors qu'elle lui tournait le dos, les genoux repliés contre sa poitrine.

Il brandit deux doigts vers Mike et Ski et désigna l'endroit où dormaient les prisonniers. Ski resta sur la plate-forme pour couvrir avec un pistolet à viseur laser Eddie et Mike qui montaient l'escalier à pas de loup.

La porte de la cellule était entrebâillée. Ils s'attendaient à ce que Merrick et Donleavy fussent enfermés, mais peut-être la porte principale du bloc de cellules suffisait-elle à les emprisonner.

Eddie prit dans une des poches de sa ceinture un petit aérosol et aspergea les gonds de la porte de poudre de graphite, un lubrifiant bien supérieur à l'huile dans ce genre de situation. Seng tira sur la barre qui crissa imperceptiblement, et il s'immobilisa. La femme poussa un petit gémissement, se déplaça légèrement mais ne se réveilla pas. Eddie poussa de quelques centimètres la porte dont les gonds, le graphite ayant déjà fait son effet, pivotèrent sans bruit.

Les deux hommes entrèrent, pistolet au poing. La procédure habituelle pour toute libération d'otages exigeait de s'assurer des intentions amicales de chacun d'eux. Devant le couple endormi, Eddie désigna la femme à Mike pendant que lui-même se postait de l'autre côté du tas de couvertures qui faisait office de lit.

Puis, du même geste, chacun plaqua une main sur la bouche des deux prisonniers tout en leur immobilisant la tête contre le sol. Et, presque aussitôt, Eddie s'aperçut que les photographies qu'ils avaient vues sur le site web Merrick-Singer et enregistrées dans leur mémoire ne correspondaient pas à l'homme qui se réveillait, affolé.

Eddie le frappa avec la crosse de son arme et, l'homme ne fermant toujours pas les yeux, recommença jusqu'à ce que ce dernier eût perdu conscience. Mike, de son côté, immobilisait la femme jusqu'à ce qu'il la reconnût : il s'agissait bien de Susan Donleavy. La main toujours plaquée sur sa bouche, il porta un doigt à ses lèvres pour la calmer ; elle continuait pourtant à se débattre pendant qu'Eddie fermait la bouche de l'homme avec du sparadrap et lui ligotait les chevilles et les pieds.

« Nous sommes ici pour vous sauver, ne cessa de chuchoter Mike jusqu'à ce que, Susan enfin calmée mais le regard toujours méfiant, il puisse écarter sa main.

— Qui êtes-vous ? demanda-t-elle.

— Pas de bruit, lui recommanda Mike en s'empressant de poser de nouveau une main sur sa bouche. Nous sommes là pour vous sauver, vous et le Dr Merrick. Qui est-il ? interrogea Mike en désignant la silhouette inconsciente qu'Eddie avait attachée aux barreaux de la cellule.

— C'est... c'est un de mes ravisseurs. Il... »

Mike n'avait pas besoin de détails pour comprendre comment un de ses ravisseurs l'avaient emmenée dans cette cellule abandonnée pour la violer.

« Il est armé ?

— J'ai trouvé ça sous l'oreiller », fit Eddie en brandissant un pistolet.

Trono lança à Susan un regard rassurant.

« C'est fini maintenant. Il ne vous touchera plus.

— Il est mort ? demanda-t-elle d'un ton tremblant.

— Juste assommé. » Mike lui tendit un tas de vêtements éparpillés sur le sol. « Habillez-vous. »

Les vêtements disparurent sous les couvertures et Susan, en se contorsionnant, réussit à les enfiler sans se découvrir.

« Savez-vous où ils détiennent le Dr Merrick ? demanda Eddie tandis qu'elle repoussait les couvertures.

— Dans un autre bloc.

— Dites-nous où.

— Je peux vous montrer, proposa-t-elle.

— Trop dangereux, dit Eddie en secouant la tête.

— Je vous en prie, je veux y aller. Il faut que je retrouve un certain contrôle. D'ailleurs, c'est ce type qui était de garde devant le bloc. Il n'y a personne dans les étages supérieurs. Ils dorment tous dans l'ancienne aile des bureaux.

— Combien sont-ils ? s'informa Mike.

— Huit ou neuf, je crois, mais je n'en suis pas sûre. »

Cela semblait peu, étant donné les trois hommes postés à l'entrée principale, mais Mike n'insista pas.

« Armés comme ce clown ?

— A notre arrivée, certains avaient des mitraillettes, répondit Susan en se mettant à pleurer doucement. Je vous en prie, poursuivit-elle, laissez-moi vous conduire au Dr Merrick. Si je n'ai pas l'impression de vous avoir aidés, je ne pourrai jamais vivre avec ce qu'il m'a fait », ajouta-t-elle en désignant du menton son ravisseur sans connaissance.

Eddie aurait encore refusé s'il ne l'avait pas crue lorsqu'elle se disait incapable de se remettre de cette épreuve si elle s'en allait ainsi dans la nuit. Sa propre sœur, victime d'un viol, ne trouvait-elle pas la paix qu'après avoir vidé un litre de vodka et un flacon de somnifères, un sourire béat sur son visage de marbre ? Et il ne voyait aucun risque à ce que Susan les accompagne si l'unique garde à cet étage de la prison était bâillonné et ligoté.

« Bon », acquiesça-t-il. Mike lui jeta un regard désapprobateur mais Eddie lui fit signe de ne pas s'inquiéter. « Venez jusqu'à la porte du bloc de cellules, j'y resterai avec vous et, ensuite, nous filerons tous dare-dare.

— Merci », fit-elle en s'essuyant les yeux du revers de la main.

Eddie prit le trousseau de clefs accroché au pantalon du ravisseur et fit signe à Ski de les rejoindre. Celui-là descendit l'escalier et les retrouva devant l'unique porte du bloc; les gonds se trouvaient du côté extérieur : pour ne pas faire de bruit, Ski et Mike s'agenouillèrent et la soulevèrent tandis qu'Eddie l'entrebâillait pour leur permettre de se glisser à l'intérieur.

Derrière, un couloir rectiligne au sol tapissé de sable. Il n'y avait pas la moindre lumière à amplifier, aussi Ski, Eddie et Mike, leurs lunettes remontées sur le front, avancèrent-ils à l'aveuglette, tâtant du bout des doigts la paroi de pierre brute; ils arrivèrent à un tournant après lequel s'étendait un autre long passage.

« C'est à mi-chemin en bas sur la droite, chuchota Susan. En général, il y a une chaise devant la porte pour le garde. »

Eddie se risqua à allumer une torche équipée d'un verre rouge, masquant de sa paume la moitié du faisceau. Une chaise en fer pliante se trouvait bien exactement là où Susan l'avait annoncé, près d'une porte identique à celles du premier bloc de cellules. Eddie pulvérisa de graphite en poudre le mécanisme vétuste de la serrure et tendit le bidon à Ski pour qu'il asperge les gonds pendant qu'il essayait les clefs.

Même ainsi lubrifié, le pêne tourna avec réticence mais, heureusement, sans bruit. Les hommes remirent leurs lunettes à vision nocturne et Eddie, Mike et Ski sur ses talons, pistolet mitrailleur au poing, tira doucement la porte – les gonds émirent un léger grincement – qui s'ouvrit.

Au fur et à mesure que la cellule se révélait, Ski et Mike braquaient le canon de leur arme sur tout ce qu'ils apercevaient jusqu'au moment où la lourde porte s'ouvrit suffisamment pour leur livrer passage.

Un rayon de lune filtrait par la grande fenêtre et faisait étinceler comme de l'ivoire les barreaux de fer.

Courbant le dos, les deux hommes longèrent les murs, s'assurant qu'il n'y avait personne dans le périmètre ou dans le couloir séparant les rangées de cellules. Ski gravit un escalier en colimaçon à une extrémité de la salle tandis que Mike s'engageait sur l'autre. Ils montèrent assez haut pour pouvoir examiner les cellules du second étage avec leurs lunettes à infrarouge : toutes vides. Ils inspectèrent ensuite le troisième étage : rien non plus.

Une fois redescendus, ils inspectèrent avec précaution les rangées de cages en commençant par celles du fond et en se dirigeant vers la porte de façon à ne pas avoir à revenir sur leurs pas quand ils auraient terminé. Cette technique faisait gagner deux ou trois secondes, dans une situation où chacune comptait. Eddie était resté dehors, Susan à côté de lui.

Ils découvrirent enfin une forme endormie non loin de l'entrée. Mike pulvérisa les gonds et la serrure pendant que Ski cherchait la bonne clef. Un instant plus tard, ils pénétraient à l'intérieur. Ski s'agenouilla près de Geoffrey Merrick qu'il reconnut malgré sa barbe d'une semaine. Posant doucement sa main sur la bouche de Merrick, il le secoua pour le réveiller.

Merrick tenta de se relever, mais Ski n'eut aucun mal à l'en empêcher.

« Nous sommes ici pour vous sauver, le rassura l'ancien Marine. Tout va bien maintenant. »

Le regard de Merrick, un mélange de stupéfaction et de crainte, afficha alors le soulagement ; il cessa de se débattre, faisant oui de la tête lorsque Ski lui demanda s'il pouvait retirer sa main.

« Qui êtes-vous ? chuchota Merrick.

— Des professionnels de la récupération d'otages. Etes-vous blessé ? Pouvez-vous marcher ?

— Qu'est-ce que vous croyez ? Je peux même courir, répliqua Geoffrey. C'est ma société qui vous envoie ?

— On en est à préciser les détails. Pour l'instant, nous allons vous sortir de là avec miss Donleavy.

— Vous avez retrouvé Susan. Comment va-t-elle ?

— Salement secouée. Elle a été violée.

— Après ce que ces salauds lui ont fait, il a encore fallu qu'ils la violent ? Je vous le jure, Dan Singer va le payer.

— C'est donc votre ancien associé qui est derrière tout cela », dit Ski en aidant Merrick à se remettre debout.

Ski et Mike, l'encadrant, repartirent vers la porte. Geoffrey se précipita en découvrant Susan, très pâle, debout auprès d'Eddie Seng. Il ouvrait les bras pour la serrer contre lui mais s'arrêta, l'air confus.

« Votre visage, balbutia-t-il, abasourdi. Vous n'êtes pas... »

Il ne put pas en dire plus. Susan bouscula Eddie en même temps qu'elle lui arrachait son pistolet encore dans son baudrier ouvert. Le regard fou, elle braqua le Beretta, son pouce retirant le cran de sûreté.

« Crève, ordure ! » hurla-t-elle en pressant la détente.

Malgré le côté surréaliste de la situation, Eddie réagit à la vitesse de l'éclair. Mais en même temps que son corps réagissait, il pensait à ce qui s'était passé : Susan Donleavy n'était absolument pas une victime ; elle était de mèche avec les ravisseurs et il n'y avait pas eu viol dans la cellule où il l'avait trouvée : c'étaient simplement deux amants venus chercher un endroit tranquille.

Son bras se détendit, frappant Susan au poignet une fraction de seconde avant que le coup de feu du Beretta ne parte. Le recul et le direct d'Eddie envoyèrent le pistolet se fracasser dans l'obscurité du couloir et elle se retrouva la gorge sans protection. Eddie lui décocha une manchette dans le cou, mais en retenant son élan au dernier moment pour ne pas la tuer en lui écrasant la carotide. Il se retourna aussitôt.

Geoffrey Merrick gisait sur le sol, Ski et Trono penchés sur lui.

« Il est vivant ?

— Oui, mais elle l'a touché à la poitrine », répondit Ski en prenant un pansement stérile dans la trousse de secours. Merrick, le visage d'une pâleur d'ivoire, le souffle court, luttait contre la douleur. Sa poitrine était ensanglantée et la plaie continuait à saigner. « Je ne sais pas si un organe vital a été touché, mais pour l'instant vous lui avez sauvé la vie.

— Pas encore, rétorqua Eddie en prenant le pansement des mains de Ski. Nous n'avons pas beaucoup de temps. Elle fait partie de la bande et a sûrement menti à propos du nombre de gardes. D'ici à dix secondes, il va en arriver de partout. Emmenez-le et filons.

— Que se passe-t-il ? s'inquiéta Linc sur le réseau interne.

— Donleavy a tiré sur Merrick. Je crois qu'elle travaille avec les ravisseurs. »

Ski se pencha pour que Mike et Eddie puissent charger le blessé sur ses robustes épaules. Merrick poussa un gémissement mais eut le courage de ne pas crier.

« Qu'est-ce qu'on fait ? interrogea Linc.

— On s'en tient au plan en espérant que nous disposerons d'assez de temps. Prépare-toi à descendre Merrick jusqu'aux motos. Il est salement touché.

— Je vous attends.

— Et elle ? demanda Mike en désignant Susan Donleavy qui gisait sans connaissance contre un mur telle une poupée qui aurait perdu une partie de son rembourrage.

— Laisse-la », répondit Eddie qui maîtrisait avec peine sa colère. Il aurait dû s'en douter, mais le souvenir de ce qui était arrivé à sa grande sœur tant d'années auparavant l'avait empêché de bien réfléchir. S'ils se tiraient de là vivants, il s'attendait à ce que Juan le congédie pour une telle erreur de jugement.

Ils partirent en courant, Eddie en éclaireur, Mike fermant la marche. Les ampoules accrochées par des fils au plafond brillèrent soudain d'un vif éclat puis reprirent un éclairage normal : un générateur quelque part dans la forteresse venait de se mettre en marche. D'un détour du couloir parvinrent le fracas d'une porte et des bruits de pas. C'était une vraie course jusqu'à la cellule où attendaient les cordes et les hommes hâtèrent le pas sans plus chercher à ne pas faire de bruit.

Ils étaient à cinq mètres à peine de la porte du bloc de cellules quand une escouade de gardes déferla au coin du couloir : la plupart, sans doute tirés de leur sommeil par les coups de feu, étaient en caleçon mais tous avaient eu la présence d'esprit de s'emparer d'une arme. L'équipe de la Corporation se retrouvait devant au moins dix gardes africains dans ce couloir, transformé en stand de tir.

Eddie ne disposait que d'une fraction de seconde : les gardes, comprenant qu'ils avaient retrouvé leur proie, allaient s'empresser d'ouvrir le feu. Il jeta de côté sa mitraillette et leva les mains – le pari le plus risqué qu'il eût jamais tenté. Les gardes ne baissèrent pas leurs armes mais une seconde s'écoula, puis deux, et personne ne tira. Derrière lui, Eddie entendit les armes de Ski et Mike tomber sur la pierre, puis l'irruption de renforts – une douzaine de soldats supplémentaires, constata-t-il en se risquant à regarder par-dessus son épaule, qui les dévisageaient d'un air mauvais par-dessus le viseur de leur kalachnikov.

« Nous sommes repérés, murmura-t-il dans son micro à l'adresse de Linc. Appelle l'*Oregon.* »

Un instant plus tard, un autre individu – visage maigre, nez crochu et joues creuses – arriva qui, bien qu'en pantalon de treillis et brodequins pas lacés, avait le port et les manières d'un officier.

« On m'avait signalé l'arrivée d'une petite armée venue secourir Moses Ndebele, dit-il dans un anglais irréprochable, pas celle d'une poignée de mercenaires blancs. Néanmoins, votre exécution à l'aube me procurera un réel plaisir.

— Et quel effet cela vous ferait-il si je vous disais qu'on nous a engagés pour récupérer le Dr Merrick et que nous n'avons jamais entendu parler de Moses Ndebele ? demanda Mike Trono d'un ton sarcastique.

— Dans ce cas votre exécution ne nous fera aucun plaisir. »

20

JUAN CABRILLO N'AVAIT JAMAIS AUTANT souffert : pas de la douleur aiguë d'une jambe emportée par une canonnière chinoise mais d'une crampe générale qui paralysait tous ses muscles au point qu'il n'était pas sûr de pouvoir continuer. Ses cuisses et son dos, qui supportaient presque tout l'effort de sa glissade, lui semblaient en feu et ses mains, qui ne devaient en aucun cas relâcher leur étreinte, étaient contractées à l'extrême sur les cordons du parachute. Il lui était impossible de reposer la moindre partie de son corps. A moins de lâcher prise.

Ce qui n'était pas la solution.

Aussi longtemps que le vent continuait à souffler, Cabrillo, cramponné à son parachute, filait à travers le désert. Ses changements de cap devenaient plus désordonnés et, quand il tombait, il lui fallait de plus en plus de temps pour se relever. Il n'avait observé aucune halte depuis que, par téléphone satellite, Max Hanley lui avait annoncé la capture d'Eddie, Mike et Ski.

D'après ce que Linc avait pu entendre par radio au moment où ses coéquipiers avaient été faits prisonniers, un contingent de troupes du Zimbabwe gardait à l'Oasis du Diable le chef de l'opposition de ce pays, Moses Ndebele. De rapides recherches lui avaient appris que Ndebele devait être jugé deux jours plus tard pour crimes contre l'Etat et qu'il serait vraisemblablement exécuté. La protestation officielle de l'ONU n'avait eu pour seul effet que d'amener le gouvernement à fermer encore plus étroitement ses frontières. Tout le pays vivait sous la loi martiale et on avait décrété le couvre-feu du coucher du soleil au lever du jour dans la capitale, Harare.

Linc découvrit que Ndebele avait de nombreux partisans dont le recrutement dépassait les limites tribales et qu'il conduisait le premier mouvement d'opposition susceptible de renverser le gouvernement du Zimbabwe pour instaurer une démocratie dans ce qui avait été jadis un des pays les plus riches d'Afrique et que ravageaient maintenant la famine et la maladie. Bien que farouche chef de guérilla, alors que le Zimbabwe s'appelait la Rhodésie et vivait sous un système d'apartheid imposé par le gouvernement de la minorité blanche, Moses Ndebele prônait la non-violence pour renverser le régime actuel ; Linc lui trouvait bien des similitudes avec Gandhi.

Max avait déjà transmis ces renseignements à Langston Overholt. Lang avait dit que le seul fait de retrouver Ndebele constituait un joli coup pour le Renseignement et il avait ajouté que, si la Corporation parvenait à le sauver, cela renforcerait de façon spectaculaire la position américaine dans le sud de l'Afrique. Il était trop tôt pour mentionner une somme, mais Lang assura à Max que la prime pour mettre Ndebele en sûreté se chiffrerait en millions.

Max précisa également qu'il semblait bien que Susan Donleavy n'avait pas du tout été enlevée, mais qu'elle avait été complice volontaire du rapt de Geoffrey Merrick et que, dès que l'occasion s'était présentée, elle avait logé une balle dans la poitrine du savant. Linc ignorait la gravité de la blessure.

Linc avait demandé à Max ce qu'il envisageait de faire compte tenu du fait que le reste de ses hommes, prisonniers, seraient exécutés à l'aube et que les gardes, qui allaient inspecter toute la prison, ne mettraient que quelques minutes à le découvrir. Tenterait-il de se battre ou s'enfuirait-il sur une des motos ?

« Que lui as-tu répondu ? avait demandé Juan.

— Qu'est-ce que tu crois ?

— Ça a dû lui faire mal de les abandonner, mais ta décision était la bonne. Tu es en liaison avec lui ? demanda-t-il.

— Il est à une trentaine de kilomètres de l'endroit où Tiny a posé l'avion et il roule à cinquante à l'heure sur sa moto. Pour ton information, sache que jusqu'à maintenant, tu as parcouru une soixantaine de kilomètres. »

L'idée était ridicule, mais Cabrillo ne put s'empêcher de demander :

« Je suis à combien de kilomètres de l'appareil ?

— A plus de deux cent cinquante », lui avait répondu Max.

Le jour se lèverait bien avant qu'il ait parcouru la moitié de cette distance et, à ce moment-là, Juan devrait se terrer ou risquer la déshydratation. L'autre solution consistait à trouver un endroit près duquel Tiny pourrait atterrir, mais jusqu'à présent Cabrillo n'avait rien vu que des dunes au sable mou incapables de supporter même un avion léger. Alors l'avion de transport bimoteur qu'ils avaient loué pour l'opération...

« Si Linc n'a pas été suivi, poursuivit Juan, je veux qu'il attende avec Tiny et Hux.

— Tu as un plan ?

— Non, je pose simplement des pions pour quand il me viendra une idée. »

Ni l'un ni l'autre ne doutaient que cela se produirait.

Deux heures s'étaient écoulées depuis cet échange, deux des plus longues de la vie de Cabrillo.

Il donna un peu de mou à la corde droite quand le vent tourna, et survola la crête d'une dune en laissant l'air gonfler la voile avant de redescendre. Les traces de pneus, auparavant sur sa droite, passèrent avec le changement de direction du vent légèrement sur sa gauche. Comme il était entraîné vers une autre impressionnante montagne de sable, la plus haute qu'il ait rencontrée, il se prépara à tirer une bordée. Il perdit de son élan au moment où le vent luttait contre la friction de la plaque de plastique sur le sable et il dut faire un effort pour éviter d'être emporté.

Jamais de sa vie il n'avait été aussi épuisé, tellement sonné de fatigue que ses réflexes étaient engourdis et qu'il n'avait qu'une envie : dormir.

Le parachute continuait à ralentir, le contraignant à se pencher en arrière au point d'être plié en deux, ses fesses touchant presque le sol. Juste au moment où il pensait que le vent allait l'abandonner et le forcer à se traîner jusqu'au faîte de la dune, une rafale s'engouffra dans le parachute et, soulevant de terre Cabrillo, lui fit franchir la crête.

Il eut alors la très désagréable surprise de découvrir au pied de la dune quatre camions garés de telle façon que leurs phares en éclairaient un cinquième dont le long capot était relevé. On s'affairait autour du véhicule en panne ; deux hommes, debout sur le pare-chocs, étaient penchés sur le moteur, les autres tenaient des fusils d'assaut. Juan aurait préféré, avant de prendre contact, approcher avec précaution les camions pour déterminer qui étaient ces hommes et ce qu'ils faisaient en plein désert.

Mais le coup de vent qui lui avait miraculeusement fait franchir la crête de la colline allait le faire tomber au beau milieu de leur camp. Il s'empressa d'évacuer l'air de son parachute pour retomber par terre, espérant vainement pouvoir grimper vers la dune avant d'être repéré. Il atterrit dans le sable mou et bascula aussitôt en avant, dégringolant la pente, enchevêtré dans la toile et les cordages.

Il se retrouva au pied de la dune, comme momifié, la bouche et les narines pleines de sable. Il cracha et souffla pour se dégager les voies respiratoires mais il avait beau se débattre, il ne parvenait pas à libérer ses bras ni à déchirer le nylon. Il regarda, impuissant, quatre des hommes quitter le camp en courant, leurs kalachnikovs prêtes à tirer.

« Salut, les gars, lança gaiement Juan quand ils furent assez près pour l'entendre. Vous ne pourriez pas par hasard me donner un coup de main ? »

Une fois leurs armes, leurs radios et tout leur équipement confisqués, Eddie, Mike et Ski furent jetés dans des cellules du bloc où les soldats zimbabwéens gardaient Moses Ndebele. Geoffrey Merrick, lui, avait été emmené par des civils. Eddie se massait la joue à l'endroit où Susan Donleavy lui avait assené un coup de poing lorsque ses coéquipiers l'avaient frappée. Un garde qui passait devant sa cage le regarda en ricanant.

Eddie estima à une centaine les hommes armés dans la prison et, maintenant que la décharge d'adrénaline avait cessé de faire son effet et qu'il avait eu le temps de réagir à sa situation, il comprenait pourquoi ils étaient si nombreux. Beaucoup voyaient en Moses Ndebele un sauveur potentiel pour leur pays, aussi le régime en place était-il prêt à tout pour le réduire au silence. Si on le détenait dans une prison du Zimbabwe, l'endroit deviendrait un centre de ralliement pour ses partisans. Mais ici, personne ne savait où le trouver.

Songeant que Merrick et Ndebele se trouvaient ici en même temps, il supposa qu'il y avait un rapport, mais il ne voyait pas lequel. Daniel Singer avait dû passer un marché avec le gouvernement du Zimbabwe pour utiliser l'ancienne prison.

Deux heures s'étaient écoulées depuis qu'ils avaient été découverts. Le fait que Linc n'avait pas été amené dans le bloc de cellules permettait de supposer que l'ancien Marine avait réussi à s'échapper sur une des motos. Eddie en était soulagé : l'officier responsable de la garnison avait annoncé que l'équipe de la Corporation serait exécutée au lever du jour, et si Linc avait une chance de s'échapper, il était inutile qu'il se sacrifie.

Le Président coincé dans le désert et Lincoln livré à lui-même, les chances de salut – plutôt minces, déplorait Eddie – reposaient sur Tiny Gunderson, le Dr Huxley et l'*Oregon,* à plus de deux cent milles de la côte. Un assaut par la voie des airs exigerait une flotte d'hélicoptères, or le seul moyen de locomotion actuellement à bord du navire était la Harley de Linc ; la traversée du désert était donc hors de question.

Eddie était entré à la CIA dès sa sortie de la fac et il avait passé le plus clair des quinze années suivantes à faire des allers-retours entre l'Amérique et la Chine, tissant un réseau d'informateurs qui, à leur tour, avaient permis aux Etats-Unis de préserver des relations délicates avec la Chine continentale. Infiltré par sous-marin à Hainan au printemps 2001, quand les Chinois retenaient prisonniers l'équipage d'un EP-3 espion, il avait transmis des informations qui avaient empêché la crise de dégénérer en un véritable conflit. Il avait échappé à la police secrète chinoise, une des plus efficaces du monde, parce qu'il était un agent hors pair, et se retrouver aux mains de la garde prétorienne d'un dictateur de troisième ordre relevait d'une ironie qui ne lui échappait pas.

Malgré tout, Eddie restait convaincu que Juan Cabrillo trouverait un moyen de les tirer de là. Bien qu'ayant servi en même temps dans la CIA, ils ne s'étaient rencontrés qu'après avoir quitté le service du gouvernement. Eddie avait certes entendu parler de Cabrillo qui, à lui tout seul, avait effectué quelques-unes des missions les plus difficiles de l'histoire de l'Agence et ce, comme il parlait couramment espagnol, arabe et russe, dans certains des pays les plus rudes du monde. A Langley, il incarnait une sorte de légende. Traquer des trafiquants de drogue opérant entre la Colombie et le Panamá ou infiltrer en Syrie un groupe de terroristes projetant de faire sauter la Knesset israélienne avec un avion commercial détourné..., Cabrillo avait tout fait.

Alors, s'il existait quelqu'un capable de les tirer de ce trou du cul du monde, avec seulement deux heures avant l'aube et des ressources limitées, c'était bien Juan.

Le faisceau d'une torche perça les ténèbres, aveuglant Cabrillo. Derrière cette lumière éblouissante, il perçut distinctement le cliquetis d'armes qu'on chargeait. Les quelques secondes suivantes allaient décider de son sort. Un des hommes approcha, braquant sur Juan un gros revolver, un vieux Webley s'il ne se trompait pas. L'homme était plus âgé que Juan ; il frisait la cinquantaine : des cheveux blancs perçaient sous sa crinière bouclée et des rides barraient son front.

« Qui êtes-vous ? demanda-t-il d'un ton méfiant.

— Je m'appelle Juan Rodriguez Cabrillo. » L'âge de son interlocuteur, le fait qu'ils étaient tous armés et qu'ils semblaient se diriger vers l'Oasis du Diable incita Juan à risquer un pari. « Je veux vous aider à sauver Moses Ndebele », lança-t-il. L'homme crispa son poing sur la crosse du vieux pistolet, mais son regard était impossible à déchiffrer dans la lumière qui se déplaçait sans cesse. Juan se jeta à l'eau, priant le ciel de ne pas s'être trompé sur l'identité de ce groupe. « Trois de mes hommes sont maintenant en prison : ils tentaient de libérer un homme d'affaires américain quand ils ont été capturés par les troupes qui gardent Ndebele. Un de mes gars a réussi à s'enfuir et attend avec un avion à une soixantaine de kilomètres de la prison. Si je vais secourir mon équipe je suis prêt à vous aider à libérer votre chef. »

Le revolver restait braqué sur lui.

« Comment nous avez-vous trouvés ?

— Mon parachute principal ne s'est pas ouvert et je dérivais au-dessus de la réserve quand j'ai aperçu vos phares. J'ai plané comme j'ai pu en faisant du parapente et je vous ai suivis.

— Votre histoire est juste assez étrange pour être vraie. »

L'homme abaissa son arme et dit quelque chose dans un dialecte local. Un autre Africain s'avança et tira de sa poche un couteau.

« Pour votre information, j'ai un Glock automatique dans un étui et un fusil mitrailleur MP-5 en bandoulière. » L'homme au couteau jeta un coup d'œil au chef du groupe. Celui-ci acquiesça de la tête et le second Africain fendit la toile de nylon, permettant ainsi à Juan de respirer à pleins poumons pour la première fois depuis qu'il était tombé. Il se releva lentement, prenant bien soin de ne pas toucher au Glock dans son baudrier. « Merci, dit-il en tendant la main. Je vous en prie, appelez-moi Juan.

— Mafana, se présenta le chef en serrant le pouce de Cabrillo dans un salut traditionnel. Que savez-vous de notre *baba*, notre père, Moses Ndebele ?

— Je sais qu'il doit être jugé et exécuté très bientôt et que, si cela arrive, vous n'avez plus aucune chance de renverser votre gouvernement.

— Il est le premier chef à avoir unifié les deux principales tribus du Zimbabwe, les Marabele et les Mashona, expliqua Mafana. Durant notre guerre d'indépendance, il n'avait pas trente ans qu'il était déjà général. Mais, après la guerre, les dirigeants ont vu dans sa popularité une menace pour leur pouvoir ; il a été jeté en prison et souvent torturé. Cette fois, ils le tiennent depuis deux ans et ils vont le tuer si nous ne le sortons pas de là.

— De combien d'hommes disposez-vous ?

— Trente, qui ont tous servi sous les ordres de Moses. »

Juan observa leurs visages. Tous paraissaient avoir plus de quarante ans et pourtant on lisait dans leur regard une ardeur et cette assurance d'hommes qui ont connu le combat et pour qui les années ne comptent plus.

« Pouvez-vous réparer votre camion ? » demanda-t-il en avançant d'un pas mais, oubliant qu'il était encore attaché à la plaque de plastique du parachute, il ne tarda pas à tomber par terre, ce qui fit rire quelques hommes.

Vexé, Cabrillo se retourna pour s'asseoir et remonta son pantalon. Les rires s'éteignirent à la vue de la jambe artificielle brillant dans l'ombre.

« Dites-vous bien que c'est le plus grand couteau suisse du monde », lança-t-il en la retirant.

Les rires reprirent. Mafana aida Juan à se relever et lui offrit son bras pour l'aider à boitiller sur le sable mou jusqu'au campement.

« Pour répondre à votre question, oui, on peut le réparer. De la poussière est entrée dans la pompe à essence et l'a bloquée. Nous devrions être prêts à partir dans quelques minutes mais nous avons perdu beaucoup de temps. »

Juan prit un marteau et un ciseau à froid sur une couverture jetée sur le sol près du camion en panne et se mit au travail pour libérer sa prothèse de la plaque de plastique.

« Comment comptez-vous libérer Ndebele ?

— Nous allons tendre une embuscade à l'extérieur de la prison et attendre qu'ils transfèrent Moses. Ils vont peut-être utiliser des camions mais nous pensons que ce sera plutôt un avion. D'après les bruits qui courent dans notre capitale, le procès est prévu dans deux jours. »

Donc trop tard pour sauver mes gars, se dit Juan. De plus cette idée d'une embuscade vaudrait à coup sûr une balle dans la tête de Ndebele dès l'instant où ils s'en prendraient aux gardes. Il lui fallait trouver un moyen de décider Mafana à attaquer l'Oasis du Diable avant l'aube, sinon Eddie, Mike et Ski étaient des hommes morts.

« Et si j'avais un plan pour libérer Moses dès ce soir et l'emmener par avion pour le mettre en sûreté en Afrique du Sud ? »

L'ancien guérillero considéra Juan d'un air songeur.

« J'aimerais en savoir plus sur ce plan.

— Moi aussi, marmonna sous cape Juan, qui savait fort bien qu'il ne disposait que de quelques instants pour trouver quelque chose. D'abord, laissez-moi vous demander : avez-vous des lance-roquettes ?

— De vieux RPG-7 russes qui datent de la guerre. Ne vous inquiétez pas, s'empressa d'ajouter Mafana. On les a essayés.

— Et de la corde ? De quelle longueur de corde disposez-vous ? »

Mafana interrogea un de ses hommes et traduisit pour Juan.

« Pas mal, semble-t-il. Au moins six à sept cents mètres de fil de nylon.

— Une dernière question, dit Juan en se tournant vers les lambeaux de son parachute qui flottaient au vent tandis que l'inspiration le frappait. Quelqu'un parmi vos gars sait-il coudre ? »

21

LE BOURDONNEMENT INCESSANT DES INSECTES faillit empêcher Daniel Singer d'entendre la sonnerie du téléphone satellite. Il chercha à tâtons le combiné au milieu de l'enchevêtrement moite des draps et de la moustiquaire. Il l'avait gardé près de lui, craignant qu'un des mercenaires qu'il avait engagés ne le lui vole pendant son sommeil. L'argent ne pouvait acheter la loyauté que jusqu'à un certain point.

« Allô, dit-il d'une voix rauque.

— Dan, c'est Nina. Il y a eu un problème. Quelqu'un a tenté de libérer Merrick. »

Singer se réveilla d'un coup.

« Quoi ? Dis-moi ce qui s'est passé.

— Ils étaient quatre. Nous en avons capturé trois, le quatrième s'est échappé sur une moto. Susan a tiré sur Merrick. C'est comme cela que nous avons su qu'ils étaient là. Les gardes qui surveillent Moses Ndebele ont trouvé des parachutes sur le toit.

— Attends, Susan a tiré sur Geoffrey ?

— Oui, une balle en pleine poitrine. Elle prétendait avoir été enlevée et, quand elle en a eu l'occasion, elle s'est emparée d'une arme et lui a tiré dessus. Nous avons arrêté l'hémorragie et nous l'avons bourré d'héroïne de la réserve de Jan. Et ne t'inquiète pas, j'ai confisqué le reste. » Que ses gens se droguent était le cadet des soucis de Singer. « Ils racontent avoir été engagés par la société pour les sauver, Susan et lui. Danny, le capitaine des gardes veut les exécuter à l'aube, précisa-t-elle avec un frisson d'horreur dans la voix. Rien ne va plus. Je ne sais pas quoi faire.

— La première chose à faire, Nina, c'est de te calmer. »

Singer prit une profonde inspiration pour reprendre ses esprits et réfléchir aux moyens de maîtriser la situation. Du brouillard montait du marais de palétuviers devant l'abri sans cloison où il dormait. Non loin de là, un des mercenaires africains grommela dans son sommeil tandis qu'à l'horizon les torchères des installations pétrolières crachaient des flammes telles qu'on aurait cru que le monde était en feu. Le spectacle de tout ce gâchis écologique le rendait malade.

« Que veux-tu que je fasse ? » demanda Nina.

Singer vit au cadran lumineux de sa montre qu'il était quatre heures et demie du matin. Avant de s'endormir, il avait consulté les derniers bulletins météorologiques : la tempête en cours de formation au milieu de l'Atlantique, annonçaient-ils, serait probablement le dixième ouragan baptisé de l'année, et tout indiquait qu'il serait monstrueux.

Utiliser l'Oasis du Diable pour emprisonner son associé et lui brouiller un peu les idées n'avait été que la première phase. Ils attendaient juste le bon moment pour qu'une grosse tempête survînt et que Singer pût mettre en œuvre la seconde partie de l'opération. Maintenant que Mère Nature se montrait aussi coopérative, fût-ce avec un peu d'aide de la part des radiateurs qu'il avait installés dès 2004 au large de la côte namibienne, il allait pouvoir envoyer par avion Merrick à Cabinda dès le lendemain matin.

« L'avion viendra vous chercher demain matin, dit-il.

— Hum, fit Nina.

— Qu'y a-t-il ?

— Dan, l'exécution des trois hommes du commando aura lieu au lever du jour. Nous en avons tous discuté et aucun de nous n'a envie d'être encore dans les parages quand cela se passera. L'ambiance est vraiment insupportable. Le commandant de la garde est persuadé qu'un groupe est en route pour venir libérer Ndebele et aucune des femmes, moi comprise, ne se sent très à l'aise au milieu de tous ces hommes, si tu vois ce que je veux dire.

— Bon, il y a un endroit à une soixantaine de kilomètres à l'est de là où tu es. Le pilote qui le premier m'a conduit à l'Oasis du Diable m'en a parlé. Je ne me rappelle pas le nom, mais tu le verras sur une carte. Aujourd'hui, c'est une ville fantôme, mais il y a une piste d'atterrissage. Je vais téléphoner au pilote à Kinshasa pour lui dire de décoller au lever du jour. Prends un camion et attends-le là-bas. Il devrait arriver peu avant midi.

— Merci, Danny. Ce sera parfait. »

Singer coupa la communication. Pas question de se rendormir. C'était l'aboutissement d'années de préparatifs. Tout aurait été tellement plus facile s'il n'avait pas gaspillé la majeure partie de la fortune obtenue en forçant Merrick à lui racheter ses parts : il aurait tout simplement payé sur-le-champ ce dont il avait besoin et se serait épargné bien des étapes pénibles.

Mais observant, appuyé à un poteau, la lueur infernale des champs de pétrole, il savait que les difficultés de cette opération n'en rendraient la réussite que plus douce. Rien ne remplaçait en effet l'effort. Et c'était peut-être pour cela qu'il avait distribué ses milliards – ils lui étaient venus trop facilement. Merrick et lui avaient à peine une vingtaine d'années lorsqu'ils avaient breveté leur filtre à soufre. Bien sûr, il avait fallu de longues heures pour perfectionner le système, mais cela ne représentait rien auprès de toute une vie consacrée à comprendre et apprécier une telle fortune et une telle réussite.

Il avait travaillé si dur pour monter cette opération qu'il ne l'en savourait que davantage. Les sacrifices, les épreuves et les privations rendaient cette ultime victoire plus précieuse que tout l'argent qu'il avait amassé dans sa vie antérieure. Et que ce soit pour le bien de l'humanité lui donnait encore plus de prix.

Il se demanda, et ce n'était pas la première fois, combien de vies il aurait sauvées une fois que le monde se serait éveillé à la réalité du réchauffement climatique. Des dizaines de millions certainement, mais il songeait parfois qu'il sauvait peut-être l'humanité tout entière et que les historiens, avec le recul, définiraient cette année et cette tempête comme les événements qui auraient éclairé tous ces gens et mis un terme à la destruction délibérée de la planète.

De quel nom désignerait-on, se demanda-t-il, un tel personnage ? Seul, le terme de *messie* lui vint à l'esprit. Même s'il n'aimait guère cette tonalité religieuse, lui qui qualifiait toutes les religions de mythes, il reconnaissait que ce mot était le plus approprié.

« Messie, murmura-t-il. Ils ne sauront jamais que c'est moi qui les ai sauvés, je suis pourtant leur messie. »

*

Le convoi, privé d'un de ses véhicules, fit halte à huit kilomètres de l'Oasis du Diable pour mettre au point les derniers préparatifs de l'attaque. Ils avaient contourné la prison pour avoir les vents dominants dans le dos. Cabrillo avait passé le plus clair du trajet dans le camion de tête avec Mafana à mettre au point tous les détails de l'opération en coordination avec Max Hanley et Franklin Lincoln. Quand ils eurent le sentiment d'avoir couvert tous les aspects, les piles de son téléphone satellite étaient presque mortes.

Mafana semblait soulagé par la présence de Juan à ses côtés. Il reconnaissait que, simple sergent pendant la guerre, il n'avait pas l'esprit tactique de Cabrillo. Le plan conçu par Juan était bien plus compliqué que l'approche directe prévue par Mafana, mais il offrait aussi de bien plus grandes chances de succès.

Descendant du camion, Cabrillo se frotta les reins, s'efforçant de dissiper ses courbatures. La poussière lui avait rougi les yeux et il avait eu beau boire des litres d'eau, il sentait toujours le sable sur ses dents. Lorsque cette nuit serait terminée, il se promit la plus longue douche de son existence. Penser à de l'eau chaude fit déferler sur lui une nouvelle vague de fatigue. Sans les comprimés de caféine qu'il avait ajoutés quelques mois plus tôt à sa trousse de secours, il se serait écroulé par terre.

Il prit quelques profondes inspirations et secoua ses bras pour rétablir la circulation mais conclut qu'une douche rapide et un très long somme seraient quand même préférables.

Pendant que deux hommes de Mafana dépliaient son parachute et l'étendaient sur le sol du désert, Cabrillo inspecta son équipement pour écarter tout ce qui n'était pas absolument nécessaire, y compris son Glock et son étui, son poignard à lancer, sa gourde et sa trousse de secours, plus la moitié de ses munitions pour le pistolet mitrailleur H&K. Ce tri lui permettait de prendre deux fusées supplémentaires pour le RPG-7 qu'il empruntait à Mafana.

Il s'assura qu'il avait gardé son couteau de poche. L'original, un cadeau de son grand-père pour son dixième anniversaire, avait disparu voilà des années, ainsi qu'une douzaine d'autres identiques, mais chaque fois qu'il sentait le canif dans sa poche, il se rappelait comment il s'était coupé le doigt le jour où il avait reçu ce cadeau et comment, en larmes, il était allé trouver son grand-père pour lui dire qu'il était trop petit pour se servir d'un couteau. Le vieil homme avait souri et lui avait répondu qu'en pensant cela, il prouvait le contraire.

Il appela de nouveau Max.

« Nous lançons l'assaut dans environ cinq minutes.

— Tout est arrangé avec Linc et Tiny, lui répondit Max. George est paré à décoller avec l'hélico. Marc a appelé : Eric et lui sont prêts à lancer dès le lever du jour leur balayage pour repérer les armes manquantes. Grâce à son réseau de copains, Tiny a pu dénicher un des meilleurs pilotes de brousse d'Afrique centrale.

— OK, parfait.

— Comment ça va, toi ? Tu n'as pas ta voix des bons jours.

— Ça va. Je me dis juste que vieillir, ça fait chier.

— Attends un peu de tirer du lit ton cul fripé quand tu auras soixante ans. »

Juan eut un petit rire.

« Avec cette ravissante image en tête, il faut que j'y aille.

— Bonne chance.

— Merci. Rendez-vous dans deux ou trois heures.

— Je te mets de la bière au frais.

— On sera quatre, alors prends une caisse », lui recommanda Juan avant de couper la communication.

Mafana se glissa auprès de lui tandis que Cabrillo s'asseyait et commençait à attacher la plaque de plastique moulée à son pied de prothèse. Les nœuds étaient bien serrés, pas aussi solides que la soudure certes mais, pour ce qu'il comptait faire, ce n'était pas nécessaire.

« Vous êtes prêt ? demanda l'ancien rebelle. Le jour se lève dans une heure et il nous faut du temps pour nous mettre en position.

— Je suis prêt. »

Aidé par Mafana, Cabrillo se dirigea tant bien que mal jusqu'au parachute. Les hommes de Mafana avaient déployé la toile de nylon noir sur le sol du désert et entassé du sable sur les bords pour empêcher le vent de passer dessous et de l'emporter. Avant de se harnacher, Juan jeta sur ses épaules un sac chargé de fusées pour le lance-roquettes de façon qu'il pende sur sa poitrine. Il avait déjà accroché dessous le tube du lanceur et son MP-5. Il avait également examiné la partie où un des Africains avait cousu les entailles qu'ils avaient faites pour se débarrasser du parachute. Il ne lui restait plus qu'à ignorer l'appréhension qui lui nouait l'estomac et à boucler les courroies.

« Nous attendrons votre signal, dit Mafana en serrant la main de Cabrillo. Cette nuit, vous allez aider à sauver une nation. »

Les rebelles regagnèrent au pas de course leurs véhicules stationnés à quatre cents mètres de là. Quelques instants plus tard, on entendit leurs moteurs démarrer. Juan vérifia encore les nœuds et se pencha en arrière pour se préparer à la secousse.

Heureusement, le chauffeur du véhicule qui le remorquait accéléra progressivement. Les six cents mètres de corde de nylon qu'ils avaient bricolés se tendirent à mesure que le camion avançait peu à peu. Cabrillo se renversa encore plus quand la corde nouée autour de sa poitrine commença à se tendre. La plaque de plastique qu'il avait utilisée pour faire du parapente se mit à crisser sur le sable tandis que le camion prenait de la vitesse. Le parachute se libéra de la terre qu'on avait entassée dessus et, quand ils atteignirent les vingt kilomètres à l'heure, l'air commença à gonfler la voile. Le parachute décolla du sol en tirant sur les commandes, mais la vitesse était insuffisante pour lui permettre de s'envoler.

Juan savait que, à cause de la longueur de la corde, le conducteur ne s'apercevrait pas qu'il n'avait pas encore quitté le sol. Il serait traîné par terre jusqu'à ce qu'il arrive à démêler la corde et, pour ne pas perdre l'équilibre, il devait se pencher très fort tandis que, le camion continuant à accélérer, la tension sur les commandes ne cessait d'augmenter.

Juan fit un bond à gauche pour éviter un rocher, faillit en heurter un autre et manqua tomber en arrière quand la plaque glissa sous ses pieds. Il leva les jambes pour replacer le ski sous lui, comptant sur le parachute partiellement gonflé pour lui donner une seconde de répit. A cause de tous ces gestes, il fut sur le point de s'effondrer mais il réussit malgré tout à rester sur ses pieds et à retrouver son équilibre.

Le camion atteignit les trente kilomètres à l'heure, puis quarante. Juan sentait ses jambes et ses genoux le brûler, puis soudain il ne sentit plus rien : il avait décollé.

L'air s'engouffrant sous la toile suffit à compenser son poids et celui de son équipement ; le camion continua à prendre de la vitesse et Juan vola de plus en plus haut. Son altimètre de poignet indiqua six cents mètres : c'était grisant.

« Du parachute, du paraski, du parapente, s'esclaffa-t-il, tout ça dans la même journée. »

Il prit son couteau de poche et coupa les cordes de la plaque qu'il avait utilisée pour skier sur sa jambe artificielle. Il aurait bien voulu garder en souvenir le morceau de plastique vert olive, mais s'il voulait réussir son atterrissage, il n'avait pas le choix.

La corde avait assez de mou pour que le vol plané reste relativement stable. Pas autant pourtant que s'il avait été tiré par un canot car le camion, descendant parfois dans un creux, secouait Juan comme un cerf-volant au bout de son fil. Cela restait cependant supportable.

C'était à Cabrillo de décider du moment où il se libérerait du câble de remorque. Derrière lui, les premières lueurs de l'aube s'étendaient comme une tache d'encre. Grâce au briefing suivi à bord de l'*Oregon*, il savait que le soleil se lèverait dans quinze minutes. Mais, les couleurs se déployant sur le désert lui permirent de distinguer, à environ un kilomètre et demi, la forteresse de l'Oasis du Diable. Sans hésiter, il dénoua alors la corde fixée par un anneau à son harnais de combat. Elle lui fila entre les mains tandis que le parachute qui n'était plus attaché au camion s'élevait d'une trentaine de mètres.

Un des hommes de Mafana le verrait tomber du ciel et le convoi s'arrêterait avant d'avoir pu être repéré par une des sentinelles de la prison. Les hommes n'avaient que quelques minutes pour se mettre en position.

Juan tira sur les commandes pour se donner le maximum de temps en vol plané grâce au vent qui l'entraînait vers l'ancien pénitencier. Ce n'était pas la première fois cette nuit que la chance était de son côté. Si le vent tenait, il aurait toute la hauteur nécessaire pour planer jusqu'au toit de la prison.

La brise fraîchit même, le portant comme une feuille morte. Il manœuvra les commandes, changeant de direction pour garder la prison centrée entre ses bottes qui pendaient dans le vide. Le ciel était encore indigo foncé lorsqu'il passa au-dessus de l'Oasis du Diable ; aucune alarme n'avait retenti. Il évacua l'air de sous le parachute pour contrôler sa descente et se posa si légèrement qu'on avait l'impression qu'il venait de descendre la dernière marche d'un escalier.

Il se retourna et s'empressa de coincer le parachute entre ses bras pour l'empêcher de s'envoler dans la cour de la prison. Il se dégagea du harnais et du sac contenant les fusées et s'en servit pour maintenir le parachute en place. Il ramassa le MP-5, poussa une rapide reconnaissance jusqu'au parapet et nota l'emplacement des filins installés par son équipe pour descendre dans la prison. On les avait coupés, mais les tire-fond demeuraient fixés dans le bois épais du toit. En regardant par-dessus le mur extérieur, il découvrit des marques sur le sable, des traces de motos : deux tournées vers la porte principale, la troisième, celle de Linc, disparaissant dans le désert. Les autres, celles d'un camion d'après leurs dimensions, s'en allaient vers l'est.

Cabrillo, après avoir attaché son parachute à un des tire-fond, s'empressa de repérer ses cibles et de trouver la meilleure position pour lancer son attaque. Il récapitula – quatre cibles et sept fusées pour son RPG-7 – et estima que même si, après tant d'années, un ou deux projectiles ne partaient pas, le pourcentage s'avérait bon.

Il appela l'*Oregon*.

« Linda, maison de plaisir et de souffrance, répondit-elle.

— Inscris-moi pour le premier programme, murmura Juan. Je suis dans la place.

— Nous n'en attendions pas moins de toi. J'ai vu des mémés de soixante-dix ans faire du parapente à Cabo, alors ça ne m'impressionne pas. Tiny a décollé, reprit-elle avec plus de sérieux, il y a une quinzaine de minutes. Il restera hors de portée jusqu'à quinze minutes après le lever du soleil, après cela, tu devrais pouvoir parler à Linc sur le réseau interne. Je veux juste te souhaiter bonne chance, ajouta Linda, et que tu tires nos copains de là. Ici l'*Oregon*. Terminé. »

Juan coupa son téléphone et le rangea dans son étui sur sa hanche.

Trois gardes qui traînaient près de l'entrée principale sortirent de leur semi-torpeur en entendant une porte s'ouvrir juste en dessous de l'endroit où Juan était juché. Les créneaux, semblables à ceux d'un château médiéval, offraient à Juan de nombreux recoins où se dissimuler. Il vit une silhouette solitaire traverser la cour, une torche électrique à la main, échanger quelques mots avec un des gardes puis repartir là d'où il était venu.

Juan sentit soudain l'éclat du soleil émergeant au-dessus de l'horizon. Malgré les ombres qui s'allongeaient encore dans les parages, il distingua trois poteaux plantés dans le sol à gauche de l'entrée principale et, avant que la lumière n'inonde la cour fermée, il tira de sa poche son couteau et d'un geste précis le ficha dans le poteau du milieu. Son grand-père, qui le lui avait offert, lui avait appris le jeu du fer à cheval ou le lancer autour d'un piquet.

Juan préparait le lance-roquettes quand des hommes commencèrent à arriver sur le terrain d'exercice, un ou deux d'abord puis, bientôt, plusieurs dizaines. A leur façon de s'assembler et d'échanger, manifestement des plaisanteries, il devina qu'ils attendaient l'exécution avec impatience. Une centaine, estima-t-il, et armés pour plus de la moitié. Un brouhaha de conversations et de gros rires montaient jusqu'à lui, puis une porte s'ouvrit toute grande.

Juan dut tendre le cou pour apercevoir Eddie, Mike et Ski escortés par deux gardes. Un frisson de fierté l'envahit quand il les vit s'avancer ainsi, la tête haute et les épaules bien droites ; s'ils n'avaient pas eu les mains attachées derrière le dos, il savait que leurs bras se seraient balancés en cadence. Ils allaient à la mort comme des hommes.

Il mit en place le viseur laser de sa mitraillette.

Eddie Seng avait assisté à plus d'une exécution quand il opérait dans la clandestinité en Chine – des exécutions menées avec une discrète efficacité ; ici, le commandant des gardes en faisait un véritable spectacle.

S'il n'avait pas été ligoté et sur le point d'affronter le peloton d'exécution, il aurait ri de cette mascarade.

C'était un homme brave, mais il n'avait pas envie de mourir comme cela – impuissant. Il songeait à sa famille. Ses parents étaient morts depuis deux ans, mais il avait à New York des douzaines d'oncles et de tantes ainsi que des cousins à ne plus pouvoir les compter. Aucun d'eux ne connaissait ses activités ni ne posait de questions lors de ses rares visites. Ils se contentaient de l'accueillir chez eux aussi longtemps qu'il le souhaitait, de le gaver et de s'assurer qu'on lui montrerait les enfants nés depuis son dernier passage.

Ils lui manqueraient énormément. Mais ils ne sauraient qu'il n'était plus là que le jour où Juan se montrerait avec un chèque de sept ou huit chiffres, représentant la valeur des parts d'Eddie dans la Corporation. Malgré tout ce que le Président dirait pour expliquer comment Eddie avait amassé une telle fortune, il savait qu'ils ne le croiraient pas. Ces gens simples, qui travaillaient dur, penseraient qu'Eddie avait eu des activités illégales. On jetterait le chèque à la poubelle et plus jamais on ne prononcerait son nom.

Eddie serra les dents un peu plus fort et ravala quelques larmes pour la honte dont il accablerait ainsi sa famille.

Il ne prêta attention au minuscule point lumineux qui clignotait à la base du cou de Ski que lorsque son subconscient enregistra que cette lumière fugitive ne devait rien au hasard : c'était du morse.

« ... eau Geste est derrière. »

Eddie s'obligea à ne pas regarder autour de lui tandis qu'ils approchaient du lieu de l'exécution. Le Président était là, utilisant un laser, sans doute le viseur de son arme, pour lui adresser un message. Ce sacré malin s'apprêtait à les tirer de là.

« RPG B 4 en place. Couteau base poteau central. »

Eddie comprit que Cabrillo s'apprêtait à déclencher une attaque au lance-roquettes pour les couvrir et qu'il y avait un couteau au pied du poteau central, celui auquel on l'attacherait vraisemblablement puisqu'il était en sandwich entre Mike et Ski. Un plan brillant : les gardes hésiteraient en effet à ouvrir le feu sur leurs camarades en train d'attacher les condamnés.

« Le Président est ici », annonça Seng à ses camarades par-dessus le brouhaha des soldats ricanants qui faisaient la haie sur leur passage. Inutile d'en dire plus : ils réagiraient à tout ce que ferait Cabrillo et s'adapteraient aux circonstances. Ski se contenta de répondre par un léger signe de tête.

« Pas trop tôt », commenta Mike tandis qu'un garde lui assenait un coup de poing sur la nuque.

Deux ou trois soldats crachèrent sur les prisonniers ou tentèrent de leur faire un croche-pied. Eddie le remarqua à peine : il se concentrait sur la façon dont il s'emparerait du couteau et répétait les gestes qu'il aurait à faire pour trancher les rubans de plastique avec lesquels Ski était ligoté.

Les témoins s'écartèrent quand les prisonniers approchèrent des poteaux derrière lesquels se tenaient trois soldats munis de bouts de corde pour les attacher. Un de ceux qui menaient le cortège, le regard par hasard fixé sur le sol, repéra le couteau et, avant que personne d'autre n'ait pu se précipiter pour le prendre, il le ramassa et le fourra dans la poche de son treillis.

Il se tourna vers le condamné et sursauta en voyant le regard meurtrier que lui lançait Eddie.

Tu viens de commettre la plus grosse boulette de ta vie, mon vieux, se dit Eddie, et il modifia son plan d'attaque.

Cabrillo attendit, n'exposant qu'un coin de son visage aux hommes qui se trouvaient en bas et qui, d'ailleurs, ne regardaient rien d'autre que les prisonniers. Il avait la main posée sur la crosse du RPG-7 et il ne lui faudrait qu'une seconde pour porter l'arme à son épaule et faire feu.

Le commandant des gardes fendit la foule des soldats qui poussaient des acclamations. Il leur avait offert une distraction inattendue et voulait en retirer toute la gloire. Se plantant devant les prisonniers, il leva les bras pour réclamer le silence.

Juan espérait l'abattre personnellement mais, dans un combat, il y a toujours des incertitudes.

Le commandant se mit à parler dans une langue africaine, sa voix de basse résonnant entre les murs du terrain d'exercice. Les hommes écoutaient et de temps en temps poussaient des vivats lorsqu'il prononçait des paroles particulièrement exaltantes.

Cabrillo imaginait sans mal ce qu'il disait : nous avons capturé trois espions de la CIA, bla-bla-bla. Vive la révolution, etc. Ne suis-je pas le meilleur officier que vous ayez jamais eu, yada, yada, yada.

Le commandant termina son discours – dix minutes –, se retourna et fit signe aux trois hommes d'attacher les captifs.

Juan contourna le bloc de pierre derrière lequel il se cachait et installa son lance-roquettes. Dès qu'il eut dans le viseur rudimentaire du RPG une des portes menant à l'intérieur de la prison, il pressa la détente et, la fusée à peine sortie du tube, il se précipita. Elle s'alluma, lui brûlant au passage le dos de la main tandis qu'il courait vers l'endroit où il avait dissimulé le projectile suivant.

Laissant derrière elle une traînée de fumée blanche, la tête de la fusée, avec sa charge de trois kilos, survola la cour et explosa juste au-dessus de la porte donnant accès au casernement de l'ancienne prison. Le linteau vola en éclats et la partie supérieure du mur s'effondra : des pierres dégringolèrent dans l'ouverture et l'obstruèrent complètement.

*

Dès qu'il entendit le sifflement du moteur de la fusée, Eddie pivota sur lui-même et décocha au garde qui s'apprêtait à le ligoter un coup de pied à la tempe assez violent pour l'expédier deux mètres plus loin. Puis il se dirigea vers le soldat qui avait trouvé le couteau de poche; ce dernier le dépassait d'une dizaine de centimètres mais, la surprise jouant en sa faveur, Eddie n'eut aucun mal à le faire trébucher.

Ils s'écroulèrent sur le sol au moment de l'explosion de la roquette. Eddie, ses mains toujours ligotées, profita de l'élan de sa chute pour frapper du menton le garde à la gorge avec assez de force pour lui écraser le larynx. Ne pouvant plus respirer, l'homme se mit à hoqueter et à se débattre et à se frotter la gorge comme s'il espérait pouvoir la rouvrir.

Eddie roula par-dessus lui et chercha sa poche; en vain à cause des contorsions spasmodiques du soldat. Il sentait à travers l'étoffe le contour du canif de Cabrillo et, dans un élan de rage, il l'arracha, emportant en même temps un lambeau de tissu.

Une seconde roquette décrivit un arc de cercle dans le coin de ciel au-dessus de la cour. Inutile pour Eddie de vérifier où elle atterrissait : il se doutait en effet que le Président avait décidé de bloquer systématiquement toutes les entrées menant à l'intérieur de la prison proprement dite. Il parvint enfin à ouvrir le couteau. Ski avait compris ses intentions car, par terre à moins de trente centimètres, il lui présentait son dos. Seng roula jusqu'à lui et réussit à couper le ruban de plastique qui ligotait les mains du Polonais.

Ski saisit alors le couteau et trancha les liens d'Eddie. Afin de ne pas perdre une fraction de seconde, Seng roula un peu plus loin, sachant que l'ancien Marine libérerait Mike Trono. Maintenant qu'il pouvait se servir de ses mains, Eddie arracha une kalachnikov à un des gardes désemparés et le frappa à la nuque. Contrairement à ce qu'il avait fait avec Susan Donleavy, il ne retint pas son coup : l'homme était déjà mort quand son corps s'effondra dans la poussière.

Il se retourna et aperçut un garde visant Ski qui coupait le sparadrap autour des poignets de Mike. Eddie lui expédia deux swings qui l'envoyèrent s'affaler sur un groupe de ses camarades. Le claquement des coups de feu avait été étouffé par les rafales qui pleuvaient maintenant d'un bout à l'autre des remparts. Une vingtaine de fusils et de mitraillettes arrosaient de leur feu les créneaux, faisant jaillir des éclats de pierre et des nuages de poussière. Eddie se précipita vers ses équipiers et les couvrit du tir de son fusil d'assaut jusqu'à ce qu'ils parviennent à se mettre à l'abri sous un des camions garés dans la cour.

Tandis que des soldats mitraillaient les murailles, Cabrillo, courbant le dos, contournait la prison tout en rechargeant son RPG. Il atteignit ainsi le mur faisant face à la dernière porte. Aucun des gardes, jusqu'à maintenant, n'avait compris que sa stratégie consistait à les enfermer sur le terrain d'exercice, mais si un officier plus malin analysait ce qui se passait, il ordonnerait à ses hommes de regagner l'intérieur de la prison avec, pour tâche prioritaire, l'exécution de Moses Ndebele. Son plan impliquait que tous les gardes fussent à l'extérieur pour assister à l'exécution et, ensuite, à lui de les empêcher de se replier.

Il surgit entre deux blocs de pierre, ouvrit le feu, puis recula pour se mettre à l'abri, une douzaine d'armes automatiques ripostant au tir de son RPG et arrosant sa position. L'air était envahi de poussière et d'éclats de pierre. Le moteur de la fusée ne brûlait pas régulièrement si bien que le projectile fila vers le ciel, manquant son but. Juan rampa sur une dizaine de mètres pour éviter le pire de la fusillade. Puis il fit glisser le MP-5 par-dessus le mur et vida la moitié d'un chargeur en visant le premier étage afin de ne pas toucher accidentellement ses hommes en bas.

Les gardes ripostèrent en mitraillant la muraille comme si une grêle de balles allait percer la pierre. Sans se soucier des projectiles qui sifflaient à quelques centimètres au-dessus de sa tête, il rechargea calmement son RPG. Il avança un peu sur le toit pour atteindre l'endroit d'où il devrait tirer, sous un angle extrêmement fermé, tout en frappant quand même la dernière porte intacte, à une vingtaine de mètres de la portion de muraille que les gardes continuaient à cribler de balles avec leurs kalachnikovs.

La distance qu'il avait parcourue lui fit gagner peut-être une seconde avant d'être de nouveau repéré. Il pensa alors à une meilleure stratégie et s'écarta du mur bordant la cour jusqu'à ce que, à genoux, il ne voie plus les hommes postés en bas. Et, plus important, jusqu'à ce qu'il ne soit pas non plus visible. Il glissa de quelques centimètres et, de là, son regard plongeait un peu plus loin dans la prison et vers le mur du fond. Il avança de quelques pas. Voilà ! Il distinguait maintenant l'arche qui dominait la porte au fond, mais ne pouvait apercevoir les gardes qui se pressaient à cet endroit.

Cabrillo épaula le RPG, visa avec soin et effleura la détente.

Mais il lui était impossible de savoir qu'un sergent des gardes avait compris sa tactique et que, à la tête d'une petite escouade, il se dirigeait vers la porte quand le missile avait traversé la cour. Un des hommes se trouvait juste en dessous de l'arche lorsque la charge s'était écrasée contre la muraille. L'explosion projeta des éclats de pierre sur le terrain d'exercice et scinda en deux l'escouade, fracassant le crâne du soldat de tête avant qu'il fût enseveli sous une avalanche de débris.

Juan se précipita pour observer les résultats. Beaucoup de dégâts, mais il distinguait encore par le seuil en ruine les sombres recoins de la prison et des brèches assez larges pour permettre à un homme de s'y glisser. Un soldat fonçait d'ailleurs vers la porte ; Cabrillo appuya sur le viseur laser et, quand le petit point lumineux se dessina entre les épaules du garde, il tira, oubliant que son arme était en mode automatique. Les deuxième, troisième et quatrième balles frappèrent dans le vide : peu importait car la première avait atteint l'homme qui s'écroula sans vie sur un amas de pierres.

Cabrillo rechargea le lance-roquettes et trouva une position qui lui permettait de mieux centrer son objectif. Une grêle de plomb tirée par les soldats furieux vint arroser l'endroit où il se tenait quelques instants plus tôt. Il avança de quelques centimètres encore de façon à bien voir le haut de l'ouverture béante et fit feu de nouveau, baissant la tête quand il sut qu'il avait fait mouche. Quand il jeta un coup d'œil par-dessus le mur, il constata que le seuil de la porte n'était plus qu'un amoncellement de blocs de pierre.

Les gardes ne pouvaient plus accéder à la prison, le moment était donc venu d'appeler la cavalerie.

En bas, dans la cour, le chef de poste hurlait à pleins poumons pour se faire entendre de ses hommes. L'embuscade les avait pris au dépourvu et, à l'exception du sergent qui avait compris que l'attaque avait pour objectif de les bloquer sur le terrain d'exercice, les hommes ne semblaient pas se douter qu'ils se trouvaient pris dans un piège qui pourrait être mortel. A tout instant, il s'attendait à voir des tireurs perchés sur le toit ouvrir le feu et massacrer sa petite troupe.

Il choisit trois des plus petits parmi ses hommes, assez minces pour avoir une chance de réussir à se glisser à l'intérieur afin d'exécuter Moses Ndebele avant que les attaquants ne puissent le libérer. Il ordonna aussi à quelques hommes d'ouvrir la porte principale de la forteresse, mais avec précaution au cas où des renforts attendraient à l'extérieur. Avec une telle fusillade, impossible d'entendre si une des alarmes du périmètre avait été déclenchée.

Il poussa un grognement de satisfaction quand il vit qu'un de ses adjoints tentait de dresser un long morceau de canalisation contre les poutres pour permettre à des hommes de grimper et d'accéder au toit. Sitôt l'extrémité du conduit coincée entre deux créneaux, un soldat, une kalachnikov en bandoulière et pieds nus, se hissa sur l'acier rouillé avec l'agilité d'une araignée.

Eddie Seng le vit trop tard. Il n'avait qu'une poignée de secondes pour viser avant que l'homme atteigne le haut de la muraille et disparaisse. Son champ de vision étant limité par le châssis du camion, il roula sur le dos en soulevant son lance-roquettes de façon à viser un peu mieux. Il allait presser la détente quand l'homme disparut; Eddie retira son doigt : tirer révélerait leur position. Juan devrait donc faire face tout seul à cette nouvelle menace. Eddie revint sous l'ombre du camion. Mike posa sur son épaule une main réconfortante comme pour lui dire qu'il n'aurait rien pu faire d'autre.

Un geste rassurant certes mais qui n'arrangeait rien.

Penché sur son RPG, Cabrillo introduisait son avant-dernier chargeur. Il n'avait plus qu'à faire sauter la porte principale, et Mafana et ses hommes s'engouffreraient dans la prison, le laissant libre de retrouver Ndebele et Geoffrey Merrick. Il enclencha le chargeur et se redressa.

Le soleil était encore bas à l'horizon et projetait des ombres si allongées qu'il était impossible de dire quelle en était l'origine. L'ombre qui surgit soudain juste à côté de lui ne se trouvait pas là une seconde plus tôt. Juan se retourna et eut juste le temps de voir un des gardes, tournant le dos à la cour, quand la kalachnikov de l'homme se mit à cracher des flammes.

Juan plongea sur sa gauche, heurta de l'épaule le toit de bois et, avant que l'homme ne se soit rendu compte que son adversaire avait évité son assaut, il tenait le lance-roquettes calé contre son flanc. Il pressa la détente, visant d'instinct.

La fusée jaillit du canon dans un nuage de gaz étouffant. Le corps du garde n'offrait pas une résistance suffisante pour faire partir la tête explosive quand elle lui toucha la poitrine, mais l'énergie cinétique d'un projectile de quelque deux kilos propulsé à trois cents mètres par seconde fit pas mal de dégâts. Lorsque ses côtes s'écrasèrent contre sa colonne vertébrale, l'homme fut projeté à dix mètres du mur contre lequel il s'appuyait et, cette fois, la force de l'impact fut suffisante pour faire sauter la charge. L'explosion déchiqueta chair et os et laissa un cratère bordé de morts et de blessés.

Il ne restait plus à Juan qu'un seul chargeur pour le RPG ; il devait donc faire mouche, faute de quoi l'opération échouerait. Il s'empressa alors de l'enclencher, fonça pour viser les épais madriers qui protégeaient l'entrée principale de la prison et tira sans presque s'apercevoir qu'un groupe d'hommes s'apprêtait à ouvrir les portes.

Le missile arriva droit au but, frappa de plein fouet la porte mais n'explosa pas. Les gardes, qui s'étaient jetés par terre quand la fusée avait jailli au-dessus de leurs têtes, se relevèrent lentement, leur rire nerveux se transformant en hourras quand ils comprirent qu'ils avaient été épargnés.

Cabrillo réagit alors en prenant la mitraillette qu'il portait en bandoulière et ouvrit le feu dès que le viseur laser pointa la zone où la fusée s'était fichée dans le bois. Des éclats giclèrent de la porte déchiquetée par les balles de 9 mm. Le chargeur était presque vide quand l'une d'elles toucha le projectile en sommeil. L'explosion faucha les hommes qui, quelques instants plus tôt, s'étaient réjouis de leur bonne fortune, et fit voler en éclats la lourde porte.

Juste hors de portée des palpeurs des alarmes qui protégeaient le périmètre, quatre camions attendaient, leur moteur tournant au ralenti. Leurs occupants étaient tous des vétérans d'une des guerres civiles les plus sanglantes qu'avait connues l'Afrique, tous prêts à donner leur vie pour le seul homme capable à leurs yeux de tirer leur nation de la ruine.

22

L AWRENCE D'ARABIE APPELLE Washington. Washington, j'écoute. »

Epuisé par les dernières quarante-huit heures, Cabrillo avait complètement oublié la radio dont il était équipé si bien qu'un moment il crut entendre des voix. Puis il se rappela que Lawrence d'Arabie était le nom de code de Linc.

« Bon sang, Larry, répondit-il par radio, je suis bien content de t'entendre.

— Je viens de voir une explosion à la porte principale et on dirait que nos nouveaux alliés arrivent en masse.

— Affirmatif. Quelle est votre position ?

— Nous sommes à cinq kilomètres, à environ cinq mille pieds. C'est Gunderson Œil d'aigle qui a vu l'explosion. Tu es prêt à ce que nous nous posions ?

— Négatif, répondit Cabrillo. Il faut encore que je mette nos passagers en sûreté et que nous soyons sûrs que les hommes de Mafana sont capables de boucler les gardes dans la cour en attendant votre arrivée.

— Pas de problème, nous tournons au-dessus de l'objectif. Le risque, ça se paie à l'heure, tu sais », ajouta-t-il de sa voix de baryton.

Juan enfonça un nouveau chargeur dans son MP-5 et enclencha une balle. Pour éviter de se faire déborder par quelqu'un qui grimperait sur le toit, il se précipita jusqu'à l'endroit où son parachute se gonflait par-dessus le mur de la prison, une extrémité maintenue par un des tire-fond installés par ses hommes.

La bataille faisait désormais rage dans la cour ; les Zimbabwéens se livraient à un tel corps à corps qu'ils se servaient autant de la crosse de leurs armes comme matraques que pour faire feu.

Empoignant la toile du parachute, Juan passa par-dessus le bord du toit, ses pieds se balançant à trois étages au-dessus du sol. Il descendit avec une prudente lenteur, le nylon glissant entre ses doigts comme de la soie. Lorsqu'il arriva au bout de sa corde improvisée, il se trouvait encore à un bon mètre au-dessus de la fenêtre. Il planta ses bottes contre la muraille, replia ses genoux contre sa poitrine et donna un grand coup de pied.

Son corps se balança à près de trois mètres avant de revenir vers la forteresse. Quand il heurta la paroi, il pensa que ses genoux allaient exploser ; pourtant, d'expérience, il savait qu'il pourrait tenter le saut mais qu'il devrait bien calculer son coup.

Fléchissant de nouveau les jambes, il se lança dans le vide, ses mains crispées sur son parachute. Arrivé au bout de sa trajectoire, il se concentra sur l'ouverture béante qui donnait accès à la prison. Il décrivit un arc de cercle en prenant de la vitesse et en ouvrant l'angle de sa descente. Comme une pierre lâchée par une fronde, Juan lâcha prise à l'instant où il eut les pieds tournés vers la fenêtre.

Il s'engouffra dans l'ouverture, frôlant l'appui, et s'écrasa sur le sol, roulant jusqu'à la grille métallique au-dessus des étages inférieurs. Le fracas de son corps pour heurter le grillage mal ajusté retentit dans les profondeurs du bloc de cellules.

Il se redressa avec un gémissement, sachant que d'ici à deux heures son dos serait zébré de meurtrissures en carrés.

Ne cherchant plus à rester silencieux après une arrivée aussi spectaculaire, Cabrillo dévala les escaliers. Au rez-de-chaussée, il s'arrêta devant la porte ouverte, et inspecta le couloir dans les deux directions, bien content que le générateur fournisse encore de la lumière. Il s'engagea vers la droite et prit la précaution de casser au passage l'ampoule nue qui pendait là. N'ayant aucune intention de quitter la prison comme il y était arrivé, il ne voulait pas faciliter les choses à un gardien qui aurait réussi à entrer par les portes fracassées.

A un détour du couloir, il aperçut une chaise devant une grande porte, le décor décrit par Eddie comme étant celui de la cellule où était détenu Merrick. La mission d'origine consistait à libérer le savant, désormais Cabrillo devait avant tout mettre Moses Ndebele à l'abri. Il passa en courant devant la porte, supposant que les ravisseurs de Merrick devaient être tapis à l'intérieur, ne sachant comment réagir face à l'évolution de la situation.

La prison ne restituait jamais la chaleur qu'elle absorbait pendant les journées infernales et, maintenant que le jour s'était levé, il faisait de plus en plus chaud dans les couloirs. A cause de sa course, Cabrillo ruisselait de sueur. Il avait atteint le milieu du long couloir quand un mouvement devant lui attira son regard. Venant de la direction opposée, deux gardes de petite taille se précipitaient vers lui ; ils étaient bien plus proches de l'entrée du bloc suivant que Cabrillo qui déduisit de leur présence que c'était l'endroit où ils détenaient leur prisonnier vedette.

Juan s'aplatit par terre, ses coudes frottant la pierre du sol tandis qu'il visait avec sa mitraillette ; une rafale tirée au hasard fit reculer les deux gardes.

Ils se sont certainement faufilés à travers les décombres qui s'entassent devant les portes, songea-t-il, essayant d'oublier qu'il était trop exposé et que les autres étaient mieux armés. Il rampa jusqu'à une zone plus sombre et roula jusqu'à la paroi d'en face pour les embrouiller. Il tirait chaque fois qu'un des gardes tentait d'inspecter le couloir, si bien que l'atmosphère était lourde d'odeur de poudre et que le sol était jonché de cartouches vides.

Il se déplaça encore une fois, juste un instant avant qu'un des soldats ne déclenche un véritable tir de barrage. Juan tenta de riposter mais le garde continua à tirer.

Son équipier jaillit alors d'un coin du couloir en renfort. Aucun d'eux ne pouvait distinguer Cabrillo dans l'obscurité, mais les risques d'une balle perdue avaient doublé. Le premier garde se précipita soudain vers l'entrée du bloc de cellules. Ou bien la porte n'était pas fermée à clef, ou bien il avait fait sauter la serrure car il disparut à l'intérieur sans laisser à Juan le temps de l'abattre.

Cabrillo n'avait que quelques secondes avant que l'homme n'assassinât Moses Ndebele. Pris d'une sorte d'accès de rage, il se leva d'un bond, émergeant des ténèbres, son arme crachant des flammes pendant qu'il courait. Le rayon de son viseur laser, ligne rouge perçant la fumée, finit par se poser sur le torse du garde : les trois balles suivantes frappèrent de plein fouet l'homme qui s'écroula deux mètres plus loin.

Cabrillo continua de foncer et, plutôt que de ralentir en s'engouffrant par la porte ouverte, il se jeta sur le chambranle massif, encaissant le choc que subit son épaule sans presque réduire son allure.

Une rangée de cellules s'étirait devant lui, chacune délimitée par des barreaux de fer, toutes apparemment vides. Il ignorait à quel étage se trouvait Ndebele et le garde avait trop d'avance pour qu'il songe à le retrouver. Et puis, dominant le bruit de son souffle rauque et les battements affolés de son cœur, il entendit une voix venant de derrière les cellules : une voix mélodieuse, apaisante, pas les plaintes d'un condamné mais plutôt les accents compréhensifs d'un prêtre accordant l'absolution.

Il se précipita. Le garde se tenait devant une cellule tandis qu'un homme en tenue de prisonnier crasseuse se tenait debout derrière les barreaux, à cinquante centimètres du soldat qui le visait à la tête avec un AK-47. Moses Ndebele attendait, les bras ballants, non pas comme s'il faisait face à son exécuteur mais comme s'il bavardait avec un ami qu'il n'avait pas vu depuis longtemps.

Juan épaula, le rayon laser fixé sur le front moite du garde qui s'était retourné en entendant Cabrillo s'arrêter à dix mètres de lui. Le soldat dégaina son arme pour tirer mais Juan fut plus rapide et pressa la détente. Le percuteur vint frapper une chambre vide avec un bruit sec.

Le garde, braquant son arme entre Juan et Ndebele, hésita une demi-seconde de trop entre son devoir et la nécessité d'éliminer Cabrillo. Il pensa certainement qu'il pourrait débarrasser de son principal rival le dictateur qui régnait sur la nation tout en abattant Juan avant que celui-ci puisse recharger sa mitraillette ou libérer son arme de poing.

Juan lâcha le Heckler & Koch et releva sa jambe artificielle contre sa poitrine de façon à prendre son jarret à deux mains, son genou appuyé contre son épaule comme s'il tenait une arme.

Le canon de l'AK du garde n'était braqué qu'à quelques degrés de

Ndebele quand les doigts de Juan trouvèrent un bouton enfoui dans l'extérieur en plastique de sa jambe de combat : un cran d'arrêt lui permettait d'appuyer sur un autre bouton de l'autre côté de sa jambe.

Intégré dans la prothèse, se trouvait un dispositif conçu par Kevin Nelson, de la Boutique magique de l'*Oregon :* un tube en nickel de calibre 44 d'une quarantaine de centimètres. Les doubles détentes garantissaient que l'arme ne partirait jamais accidentellement. Quand Juan pressa sur la seconde détente, le pistolet tira une balle qui fit voler la poussière des poutres et perça un trou de plus d'un centimètre dans la semelle de sa botte.

Le recul le fit trébucher. Il se releva, tout en sortant de son pantalon son pistolet automatique Kel-Tec 380. Il aurait pu s'épargner ce mal : la pointe de sa balle de 44 avait touché le garde au bras droit et traversé son corps de part en part, déchiquetant tous les organes de sa cavité thoracique. La plaie de sortie dans l'épaule opposée était aussi large qu'une assiette.

Abasourdi, Moses regarda Juan insérer un nouveau chargeur dans sa mitraillette et remettre le Kel-Tec dans sa cachette à l'intérieur de sa jambe. Du sang coulait sur sa joue et tachait son uniforme de prisonnier. Juan remarqua aussi les traces de brûlure sur les bras nus de Ndebele, les yeux et les lèvres gonflés et la façon dont tout son poids portait sur une seule jambe. Juan regarda alors les pieds nus du prisonnier : l'un était normal, l'autre enflé comme un ballon de football ; on lui avait brisé tous les os, de la cheville jusqu'aux orteils.

« Monsieur Ndebele, je suis ici avec un détachement de vos partisans commandé par un nommé Mafana. Nous allons vous sortir d'ici.

— L'imbécile, rétorqua le chef africain en secouant la tête. Je lui ai pourtant dit quand on m'a emprisonné de ne rien tenter de ce genre, mais j'aurais dû me douter qu'il ne m'écouterait pas. Mon vieil ami Mafana a pour habitude de choisir les ordres auxquels il souhaite obéir. »

Juan l'éloigna de la porte de la cellule pendant que d'une balle il faisait sauter la serrure. Ndebele dut sautiller pour éviter à son pied blessé de toucher le sol.

« Mon ami Max me fait le même coup, fit Juan en levant les yeux pour croiser le regard de Ndebele. Et, le plus souvent, il a raison dans ses choix. » Il tira deux balles dans le vieux verrou et poussa la porte qui s'ouvrit en grinçant. Ndebele s'apprêtait à sortir en clopinant, mais Juan le retint. « Nous allons passer par un autre chemin. »

En faisant des recherches sur l'Oasis du Diable, Linda Ross était tombée sur l'histoire d'un prisonnier qui avait essayé d'élargir de quinze centimètres les bouches d'égout des cellules de la rangée inférieure en grattant la pierre avec une cuiller. Un responsable de la prison les inspectait régulièrement et, découvrant que le détenu avait tenté d'agrandir le trou pour s'évader, avait aussitôt alerté les gardes, lesquels avaient alors poussé le prisonnier dans la petite ouverture en lui brisant les os jusqu'à ce que sa tête seule reste à l'intérieur de la cellule.

Personne d'autre n'avait plus jamais tenté ce genre d'évasion.

Juan tendit le MP-5 à Ndebele en lui demandant de les couvrir et s'assit près de l'ouverture ; il retira rapidement sa botte pour récupérer dans leur cachette les explosifs restants. Il étira le plastic en un long cordon qu'il fixa à un anneau au fond du trou ; il prit le détonateur derrière l'articulation de sa cheville et régla la minuterie sur une minute, un délai suffisant pour emmener Ndebele à l'abri.

Sa botte à la main, il colla le minuteur dans la pâte molle de l'explosif et sortit avec Moses sur son épaule afin de ménager son pied. La bombe sauta comme un volcan, projetant un geyser de flammes, de fumée et de fragments de pierre assez haut pour ricocher contre le plafond. Ainsi qu'il l'avait prévu, la charge avait été plus que suffisante : le diamètre de l'ouverture aux bords déchiquetés noircis par la fumée mesurait maintenant un mètre cinquante.

Il se laissa tomber par le trou et aida Ndebele à descendre. Ce dernier aspira l'air entre ses dents serrées quand son pied cassé effleura le sol.

« Ça va ?

— Je crois que, le moment venu, je vous demanderai où vous vous êtes procuré votre jambe artificielle. Ce pied ne me servira plus bien longtemps.

— Ne vous inquiétez pas. Je connais un excellent docteur.

— Pas si excellent que ça puisque vous avez perdu votre jambe

— Croyez-moi, elle... elle n'a commencé à exercer qu'après mon accident. »

L'étroitesse du passage les obligea à ramper sur les coudes et les genoux dans la saleté. Juan les conduisit vers le flanc est de la prison, le plus proche de la piste d'atterrissage. Heureusement, le vent, derrière eux, ne leur soufflait pas le sable en plein visage. Il leur fallut cinq minutes pour atteindre le périmètre de la forteresse.

« Washington à Lawrence d'Arabie. Tu m'entends, Larry ?

— Je t'entends cinq sur cinq, Washington, répondit Linc. Quelle est ta situation ?

— Ndebele est avec moi. Nous sommes arrivés au mur extérieur. Je regarde la piste d'atterrissage. Donne-moi cinq minutes pour sécuriser le premier objectif et viens nous prendre. Nos gars sauront quand faire une percée quand ils verront l'avion.

— Négatif, Washington. D'après ce que je vois, nos alliés se font sacrément arroser. Ils ne tiendront pas un quart d'heure. J'arrive maintenant.

— Alors donne-moi dix minutes.

— Président, je ne blague pas. Si nous ne venons pas maintenant, un doigt suffira pour compter les hommes de Mafana. Ce n'était pas une opération suicide : nous leur devons de couvrir leur retraite. » A cet instant, le gros avion cargo pointa à l'horizon. « J'ai également appris par Max que notre situation a quelque peu changé. »

Linc forçait la main de Cabrillo : Juan devrait porter Moses qui n'atteindrait jamais la piste sans aide. D'autre part, l'avion au sol était trop vulnérable pour attendre que Juan retourne à la prison chercher Geoffrey Merrick. Dès que Mafana et ses hommes commenceraient à se retirer de la forteresse, les gardes se jetteraient à leur poursuite et, sans couverture aérienne, ce serait un massacre dans le désert qui n'offrait aucune protection.

Quant à l'évolution de la situation dont parlait Max, Juan devrait faire confiance à son second qui avait une meilleure vue d'ensemble de l'opération.

Le vieux Caribou de Havilland avait une silhouette assez bizarre : une gouverne haute comme une maison de trois étages et un cockpit planté sur un nez écrasé. Les ailes, hautes, permettaient de transporter une grosse charge pour sa taille et aussi de décoller et d'atterrir sur des distances incroyablement courtes.

Juan vit que son chef pilote s'était aligné sur la piste pour son approche. Il était temps de partir.

« Venez », dit-il à Moses Ndebele, et il rampa vers l'extérieur. Le vacarme de la fusillade qui faisait rage dans la cour était assourdi par les épaisses murailles de la forteresse, mais on avait quand même l'impression d'une bataille rangée.

Les deux hommes se relevèrent, Juan prit son H&K dans sa main gauche et se pencha pour charger le chef africain sur son épaule. Ndebele était grand, mais des années d'emprisonnement ne lui avaient laissé que la peau sur les os : il ne pesait pas plus d'une cinquantaine de kilos. En temps normal, Cabrillo n'aurait pas peiné pour porter ce genre de fardeau, mais il était épuisé par des heures d'efforts.

Juan crispa les jambes, les dents serrées. Une fois Ndebele posé sur son épaule, il s'ébranla lourdement. Ses bottes s'enfonçaient dans le sable, chaque pas mettait à l'épreuve les muscles de ses jambes et de son dos. Il surveillait du coin de l'œil les portes d'entrée de la prison, mais pour l'instant aucun des hommes de Mafana n'avait tenté de battre en retraite. Ils continuaient à résister, sachant que plus durerait le combat, plus grandes seraient les chances de leur chef de s'échapper.

Le grand avion cargo se posa alors que Cabrillo n'était encore qu'à mi-chemin de la piste d'atterrissage. Tiny inversa la rotation des hélices, provoquant une véritable tempête de sable derrière laquelle l'appareil disparut. La manœuvre réduisit la distance nécessaire à l'atterrissage à moins de deux cents mètres, ce qui laissait de quoi décoller vent avant sans reculer jusqu'à l'extrémité de la piste. Gunderson mit les hélices en drapeau pour qu'elles cessent de fouetter l'air, mais diminua à peine la puissance des moteurs de 1 500 chevaux, la carlingue frémissant sous cette poussée d'énergie ainsi prisonnière.

Un mouvement sur sa gauche attira le regard de Juan. Il jeta un coup d'œil et vit un des camions de Mafana émerger de la prison. A l'arrière, des hommes continuaient à tirer sur la cour tandis que le chauffeur fonçait vers l'avion. Quelques instants plus tard, les trois autres camions apparurent. Ils roulaient beaucoup moins vite. Les sauveteurs s'efforçaient de retarder encore le moment où les gardes sortiraient en masse.

Juan se tourna de nouveau vers le Caribou. La rampe de chargement commençait à descendre, Franklin Lincoln tout au bord, un fusil d'assaut entre les mains. Il fit signe à Juan mais continuait à surveiller le camion qui approchait. Auprès de lui se tenait un autre Noir, un homme de Mafana que Juan avait envoyé au-devant de l'avion la nuit précédente.

Il atteignit enfin l'avion et monta d'un pas chancelant la rampe quelques secondes avant que le camion de tête vînt freiner juste au bord. Le Dr Huxley attendait avec ses caisses de matériel médical. Elle avait attaché des sachets de perfusion à un fil fixé au plafond de la carlingue, les canules prêtes à remplacer le sang que les combattants avaient perdu. Juan allongea Ndebele sur une des banquettes en filet de nylon et chercha alors en quoi il pourrait être encore utile.

Linc avait déjà ouvert le hayon du camion. Une douzaine d'hommes gisaient sur le plancher et le vacarme des moteurs n'empêcha pas Juan d'entendre leurs cris de douleur.

Lincoln souleva un premier blessé pour le porter dans la carlingue, suivi de Ski qui en traînait un autre. Mike et Eddie en soulevaient à eux deux un troisième, un grand gaillard au pantalon ruisselant de sang qui serrait son bras contre sa poitrine : Mafana. Son visage était blême mais, en découvrant Moses Ndebele adossé à une cloison, il poussa un cri de joie.

Là-bas, dans la prison, les derniers camions du convoi fonçaient dans le désert, leurs roues projetant des tourbillons de poussière. Quelques instants plus tard, deux autres véhicules apparurent. L'un d'eux se lança à la poursuite des camions tandis que le second virait vers la piste.

« Président ! cria Linc en montant sur la rampe avec un autre blessé dans les bras. C'est le dernier. Dis à Tiny qu'on peut décoller. »

Juan fit signe qu'il avait entendu et se glissa vers l'avant de l'appareil. Tiny était penché sur son siège et, quand il vit Cabrillo lever les pouces, il se retourna vers les commandes. Il changea l'angle d'attaque des hélices et le gros appareil se mit à rouler.

Cabrillo repartit vers l'arrière. Julia était en train de découper la saharienne d'un homme atteint de deux balles en pleine poitrine ; des bulles sortaient des plaies : les poumons étaient perforés. Sans se laisser démonter par les conditions peu stériles ni par les cahots du décollage, elle se mit à l'ouvrage.

« Il a fallu que tu attendes la dernière seconde pour partir, hein ? lança Eddie à Juan avec un grand sourire.

— Tu me connais, fit Cabrillo en serrant sa main tendue. Toujours à la traîne. Et chez vous, pas de casse ?

— Quelques cheveux gris en plus, mais rien de grave. Un de ces jours, il faudra que tu me racontes comment tu as fait jaillir toute une armée de nulle part.

— Les grands magiciens ne divulguent jamais les secrets de leurs tours. »

L'avion continua à prendre de la vitesse et ne tarda pas à dépasser le camion des gardes. Par la rampe béante, Juan les voyait tirer quelques rafales rageuses, puis le chauffeur freina et vira pour se lancer à la poursuite du reste des hommes de Mafana. Un troisième puis un quatrième camion sortirent en trombe de la prison pour se joindre à la chasse.

Tiny tira sur le manche et le vieux Caribou décolla. Les vibrations qui n'avaient cessé de s'amplifier au point que Juan craignait de perdre un plombage s'atténuèrent. La rampe devant rester ouverte, on déplaça les patients vers l'avant pour garder l'arrière dégagé. Linc était posté sur la rampe, un cordon de sécurité fixé à un anneau du plancher attaché à l'arrière de son blouson. Coiffé d'un casque avec micro, il pouvait communiquer avec Tiny au poste de pilotage. A ses pieds était posée une longue caisse.

Juan s'attacha à son tour et s'approcha du Marine. Un vent brûlant s'engouffra dans la cabine tandis que Tiny virait pour amener l'appareil derrière les véhicules des gardes qui, plus récents, avaient déjà couvert la moitié de la distance qui les séparait des troupes de Mafana.

Les camions approchaient d'une étroite vallée coincée entre de hautes dunes lorsque l'avion plongea au-dessus des deux groupes de camions distants désormais de moins d'un kilomètre. Tiny les survolait à environ trois cents mètres d'altitude quand, soudain, la vallée s'arrêta : au lieu de s'élargir dans le désert, au bout de cinq kilomètres à peine, elle se terminait en impasse sur une dune à la pente si abrupte que les camions devaient rouler au pas pour en atteindre la crête.

« Fais demi-tour, cria Linc dans son micro. Place-toi derrière eux. »

Il fit signe à Mike et à Eddie de les rejoindre. Tous deux s'empressèrent de s'attacher à leur tour, en se penchant pour garder l'équilibre tandis que l'appareil effectuait son virage. Linc ouvrit la caisse : elle contenait quatre des RPG de Mafana. C'était pour cela que Juan avait envoyé un des hommes de Mafana retrouver Linc.

Linc leur tendit à chacun un des lance-roquettes.

« Ça ne va pas être de la tarte, cria Mike, dubitatif. Quatre camions. Quatre RPG. Nous volons à deux cents kilomètres à l'heure et eux à près de quatre-vingts.

— Tais-toi, homme de peu de foi », riposta Linc.

L'avion s'aligna de nouveau sur l'entrée de la vallée. Tiny descendit plus bas, luttant contre les courants ascendants qui s'élevaient du désert. Les dunes défilaient à moins de trente mètres du bout des ailes. Linc écoutait le pilote égrainer les secondes avant le survol du convoi des gardes. Puis il souleva sur son épaule le RPG, imité par les trois autres.

Il désigna Juan et Ski.

« Visez la base de la dune à la gauche du convoi. Mike et moi prendrons la droite. Lâchez les grenades à environ vingt mètres devant le véhicule de tête. »

Tiny les amena encore plus bas puis reprit de l'altitude quand l'avion essuya le feu des gardes. Il stabilisa le Caribou juste au moment de passer le dernier camion de l'alignement. Pendant une seconde, Juan et les autres purent voir le convoi et on aurait dit que toutes les armes dont disposaient les gardes ouvraient le feu sur eux.

Ils pressèrent simultanément la détente. Les quatre missiles jaillirent de leurs tubes et s'allumèrent, tournant en vrille dans l'air. L'avion avait dépassé les camions de Mafana quand les têtes des missiles heurtèrent le pied des dunes. Les charges explosèrent dans un aveuglant jaillissement de sable. Et, même si les jets semblaient minuscules auprès de la masse des dunes, les explosions eurent le résultat escompté.

Le souffle rompit l'équilibre qui maintenait les dunes en place. Un filet de sable commença à glisser sur chaque face, grossissant et accélérant si bien que les deux parois du canyon avaient l'air de se précipiter l'une vers l'autre. Et, pris entre les deux, le convoi des gardes.

Les deux glissements de terrain se rejoignirent au creux de la vallée. L'avalanche du côté droit avait été un peu plus rapide que l'autre si bien que lorsqu'elle s'abattit sur le convoi, les quatre véhicules furent soufflés sur le flanc. Hommes et armes furent projetés des camions pour être aussitôt frappés par le second mur de sable qui dévalait vers eux, ensevelissant le tout sous une dizaine de mètres.

Un nuage de poussière, voilà tout ce qui marquait le site de leur tombe.

Linc pressa le bouton près de la rampe et les quatre hommes reculèrent.

« Qu'est-ce que je te disais ? fit Linc en adressant un grand sourire à Mike. Du gâteau !

— Une chance que cette vallée se soit trouvée là, répliqua Mike.

— Chance, mon œil. Je l'ai repérée quand je me suis tiré la nuit dernière. Juan avait dit aux hommes de Mafana de passer précisément par ici pour que nous puissions liquider la totalité des gardes d'un seul coup.

— Bien calculé, Président, reconnut Trono.

— Pas mal en effet. Pas mal, fit Juan sans chercher à dissimuler sa satisfaction. Max a tout arrangé de son côté ?

— L'*Oregon* est à quai à Swakopmund. Max nous attendra à l'aéroport avec un semi-remorque transportant un container vide. On charge les blessés et on embarque avec eux. Il nous conduira alors jusqu'au quai où un inspecteur des Douanes à la poche bourrée de bakchichs signera le connaissement et une grue nous chargera à bord.

« Et les hommes de Mafana vont rouler jusqu'à Windhoek, conclut Juan, d'où ils s'envoleront pour un endroit où Ndebele sera en sûreté. Tout est bien qui finit bien, sauf que nous n'avons pas libéré Geoffrey Merrick et que nous avons perdu toute chance de le retrouver. Je suis convaincu que ses ravisseurs ont quitté l'Oasis du Diable cinq secondes après les gardes.

« Homme de peu de foi », dit pour la seconde fois Linc en secouant tristement la tête.

Nina Visser était assise à l'ombre d'une bâche fixée au plancher de leur camion quand elle entendit un bourdonnement. Elle notait quelque chose dans son journal, une habitude datant de son adolescence. Au fil des années, elle avait rempli des piles de carnets, sachant qu'un jour ils constitueraient une source précieuse pour son biographe. Elle n'avait jamais douté en effet qu'elle acquerrait une importance justifiant la rédaction d'un livre à son sujet. Elle serait l'une des grandes figures du mouvement écologique à l'instar de Robert Hunter et Paul Watson, les cofondateurs de Greenpeace.

Bien sûr, l'opération en cours n'y figurerait pas. Ce coup, elle le frapperait tapie dans l'ombre. Elle ne le mentionnait que par habitude, consciente qu'il lui faudrait détruire ce journal ainsi que tous les autres évoquant son rôle dans le projet de Dan Singer.

Elle referma le carnet. Le soleil de l'après-midi frappait sans pitié. Elle se leva, essuya la poussière sur son pantalon et, la main en visière, scruta le ciel à la recherche de l'avion promis par Danny. Même avec ses lunettes de soleil, il lui fallut quelques secondes pour repérer le petit bijou étincelant. Quelques-uns de ses amis, dont Susan, émergèrent de sous la bâche pour la rejoindre. Tous étaient fatigués par le voyage et avaient la gorge sèche car ils n'avaient pas emporté assez d'eau.

Merrick, ligoté, bâillonné et jeté contre le bord du camion où il n'y avait qu'une étroite zone d'ombre, était le plus mal en point. Il n'avait pas repris connaissance depuis qu'on lui avait fait une piqûre d'héroïne, des filets de sueur séchée sillonnaient son visage brûlé par le soleil et des mouches bourdonnaient autour de sa blessure.

L'appareil effectua un passage au-dessus de la piste sommaire. Tous lui firent de grands signes auxquels le pilote répondit en agitant les dérives avant de faire demi-tour. L'avion plana sur une trentaine de mètres avant que le pilote parvienne à atterrir. Il réduisit aussitôt les gaz et roula jusqu'à l'endroit où stationnait le camion, au bord du champ. La ville abandonnée, un rassemblement de constructions délabrées que le désert engloutissait peu à peu, s'étalait à quelques centaines de mètres.

Une rampe à l'arrière de l'appareil s'abaissa lentement, comme le pont-levis d'un château fort, pensa Nina. Un homme qu'elle ne reconnut pas apparut et s'approcha du petit groupe.

« Nina ? demanda-t-il en criant pour dominer le vacarme des moteurs.

— Je suis Nina Visser, fit-elle en s'avançant à sa rencontre.

— Salut, dit-il d'un ton amical. Dan Singer m'a chargé de vous dire que le gouvernement américain dispose d'un programme, appelé Echelon, qui lui permet d'écouter pratiquement toutes les conversations électroniques qui s'échangent à travers le monde.

— Et alors ?

— Vous devriez faire davantage attention à ce que vous dites sur un téléphone satellite : hier soir en effet, quelqu'un écoutait. » En même temps que ses paroles faisaient leur chemin dans l'esprit de la jeune femme, Cabrillo abandonna ses façons bon enfant et fit jaillir de derrière son dos un pistolet qu'il braqua sur le front de Nina Visser. Trois autres hommes dévalèrent la rampe du Caribou et mirent en joue le reste du groupe. « J'espère que l'endroit vous plaît à tous, continua Juan. Nous avons un emploi du temps assez serré et donc pas le temps de vous remettre à la police. » Un des écologistes se déplaça légèrement pour se rapprocher du camion. Juan lui tira une balle si près du pied qu'elle écorna le bord de sa botte à la semelle de caoutchouc. « Réfléchissez un peu. »

Linc mit en joue les autres et Juan put s'approcher de Geoff Merrick tandis que les deux autres membres de la Corporation ligotaient chacun des ravisseurs avec des bandes de plastique. Merrick était inconscient et sa chemise maculée de sang séché. Julia était à bord de l'*Oregon* où elle soignait les combattants du Zimbabwe, mais un des infirmiers qui l'assistaient avait accompagné Juan. Ce dernier lui confia Merrick et redescendit en portant deux jerrycans d'eau.

« Si vous vous rationnez, ça devrait vous permettre de tenir à peu près une semaine », dit-il en lançant les bidons à l'arrière du camion. Il fouilla ensuite la cabine et trouva dans la boîte à gants le téléphone satellite de Nina. Il découvrit également deux fusils d'assaut et un revolver. « On ne devrait pas laisser les enfants jouer avec des armes », lâcha-t-il par-dessus son épaule en regagnant l'avion. Il s'arrêta soudain et revint vers le groupe. « J'allais oublier une chose. »

Il examina les visages et repéra une personne qui essayait de se dissimuler derrière un grand jeune barbu ; il la tira par le bras et le garçon, qui protégeait Susan Donleavy, tenta, maladroitement, de décocher un swing à Cabrillo ; Juan esquiva sans mal et appuya fermement son 9 mm entre les yeux du collégien abasourdi.

« Tu veux essayer encore une fois ? »

Le jeune homme recula et Juan, après avoir menotté Susan Donleavy pour lui faire bien comprendre que ce n'était qu'un début, l'entraîna de force jusqu'à l'avion. Au pied de la rampe, il s'arrêta et s'adressa aux deux membres de l'équipe qui devaient rester sur place et qui avaient descendu de l'appareil une vessie de caoutchouc emplie de carburant pour le camion.

« Vous connaissez les consignes ?

— On roule cinquante kilomètres plus loin dans le désert et on les lâche là.

— Ainsi, l'avion de Singer ne les trouvera jamais, conclut Juan. Mais n'oubliez pas de noter les coordonnées GPS pour que nous puissions les récupérer plus tard.

— Ensuite, on rentre à Windhoek, on planque le camion quelque part et on cherche une chambre d'hôtel.

— Présentez-vous sur le navire dès votre arrivée, précisa Juan en leur serrant la main. Peut-être réussirons-nous à vous tirer de là avant de partir dans le nord, au Congo, à la recherche des armes. »

Au moment de s'engouffrer à bord du Caribou avec sa prisonnière, Cabrillo lança aux écologistes :

« Rendez-vous dans une semaine. »

Linc le rejoignit en courant et, dès qu'il fut à bord, Tiny emballa les moteurs. Quatre-vingt-dix secondes après s'être posés, ils reprenaient l'air, laissant derrière eux huit écoterroristes, bouche bée, qui n'avaient pas encore compris ce qui leur arrivait.

23

BIENVENUE À BORD, PRÉSIDENT, DIT Max Hanley quand Juan arriva en haut de l'échelle de coupée de l'*Oregon.*

— Ça fait du bien de rentrer, répondit Cabrillo en faisant un effort pour garder les yeux ouverts. Ces douze dernières heures ont été parmi les plus dures de ma vie. »

Il se tourna pour saluer de la main Justus Ulenga, le capitaine namibien du *Pinguin* à bord duquel se trouvaient Sloane McIntyre et Tony Reardon quand on les avait poursuivis. Juan avait engagé le pêcheur à Terrace Bay où il s'était terré après l'attaque de son bateau.

Le capitaine porta la main à sa casquette de base-ball en adressant un large sourire à Cabrillo : il était ravi de l'épaisse liasse de billets qu'il avait reçue pour assurer la navette avec le cargo mouillé juste au-delà des douze milles des eaux territoriales namibiennes. Dès que le *Pinguin* se fut éloigné de l'*Oregon*, le gros cargo avait accéléré vers le nord, un panache de fausse fumée s'échappant de son unique cheminée.

On avait hissé sur le pont Geoffrey Merrick dans une civière et Julia Huxley était déjà penchée sur lui, sa blouse tachée de sang traînant dans une flaque d'huile figée : elle n'avait pas arrêté de soigner les blessés depuis l'instant où on avait ouvert le container utilisé par Max pour transporter les soldats à bord. Deux infirmiers attendaient auprès d'elle pour descendre Merrick en salle d'opération, mais elle préférait l'examiner sans plus tarder.

Dès qu'elle avait mis le pied sur l'*Oregon*, Susan Donleavy, les yeux bandés, avait été escortée par Mike, Ski et Eddie jusqu'à la cellule du navire. Personne ne lui avait dit un mot depuis que Juan l'avait retrouvée dans le désert et, de toute évidence, cela commençait à lui peser. On la sentait sur le point de craquer.

« Qu'en penses-tu, toubib ? demanda Juan quand Julia eut retiré son stéthoscope posé sur la poitrine nue de Merrick.

— Les poumons sont dégagés mais le pouls est faible. » Elle jeta un coup d'œil à la poche de transfusion qu'un de ses assistants tenait au-dessus de la forme allongée. « Il en est à sa troisième unité de sérum physiologique. Je veux lui injecter du sang pour faire remonter sa tension avant d'extraire la balle restée dans la plaie. Ça ne me plaît pas qu'il n'ait pas repris connaissance.

— La piqûre d'héroïne qu'on lui a faite à l'Oasis du Diable ?

— Il devrait l'avoir éliminée maintenant. Il y a autre chose. Et puis, il a de la fièvre, et la plaie paraît infectée. Il faut que je le mette sous antibiotiques.

— Et les autres ? Moses Ndebele ? »

Son regard se voila.

« J'en ai perdu deux, un troisième est sur le fil. Les blessures des autres étaient seulement superficielles. Moses est dans un sale état. Il y a vingt-six os dans un pied humain et j'ai compté cinquante-huit éclats sur sa radio avant de renoncer. S'il veut garder son pied, il faut le conduire chez un spécialiste orthopédique dans les deux jours. »

Cabrillo hocha la tête sans rien dire.

« Et toi, lui demanda Huxley, comment vas-tu ?

— Je me sens plus mal que j'en ai l'air, reconnut Juan avec un sourire las.

— Alors, ça ne doit pas être brillant parce que tu as une mine de déterré.

— C'est ton diagnostic ? »

Julia posa sa paume sur le front de Juan comme une mère qui vérifie si son enfant a de la fièvre.

« Ouais. »

Elle fit signe aux infirmiers de soulever le brancard de Merrick et se dirigea vers le panneau d'écoutille le plus proche.

« Si tu as besoin de moi, je serai en bas. »

Cabrillo la rappela soudain, se souvenant de quelque chose qu'il trouva incroyable d'avoir oublié.

« Julia, comment va Sloane ?

— Très bien. Je l'ai sortie de l'infirmerie et puis de la cabine d'invité parce que j'en avais besoin comme salle de réveil. Elle partage la cabine de Linda. Elle voulait se lever pour t'accueillir, mais je lui ai prescrit de rester couchée. Nous avons eu quelques heures bien remplies et elle est encore faible.

— Merci », dit Juan, rassuré, tandis que Julia et son équipe disparaissaient dans les entrailles du navire.

Max vint le rejoindre, sa pipe émettant un mélange parfumé de pomme et de cèdre.

« Tu as eu une drôle de prémonition en me demandant de contacter Langston et de me brancher sur Echelon. »

Une des premières réactions de Juan en apprenant l'échec de la tentative de sauvetage de Geoffrey Merrick avait été d'ordonner à Max de faire pression sur Overholt pour utiliser le programme Echelon de la NASA. A chaque seconde, des centaines de millions de transferts électroniques s'effectuent à travers le monde : portables, téléphones ordinaires, fax, téléphones satellites, radios, e-mails et messages web. Il y avait à Fort Meade, quartier général de la NASA, des hectares d'ordinateurs en réseau qui passaient au crible toutes les bandes d'ondes en cherchant des phrases spécifiques ou des mots susceptibles d'intéresser le Renseignement américain. Sans être conçu comme un véritable instrument d'écoute, Echelon, grâce à la programmation dans son système de paramètres adéquats – par exemple, un appel en provenance de l'emplacement de l'Oasis du Diable contenant des termes tels que *Merrick*, *Singer*, *otage*, *sauvetage*, *Donleavy* –, était capable de retrouver cette aiguille dans la meule de foin cybernétique. Une transcription de la conversation de Nina Visser avec Daniel Singer fut adressée par e-mail à Max à bord de l'*Oregon* trois minutes après la fin de l'appel.

« J'avais le sentiment qu'une fois nos gars capturés, la personne que Singer avait laissée de faction à la prison chercherait à le tenir au courant des événements et à recevoir de nouveaux ordres de marche. C'est vraiment une bande d'amateurs. Ils n'avaient même pas de plan B.

— Qu'as-tu fait du reste des ravisseurs ? demanda Max.

— Je les ai laissés. Avec de l'eau pour tenir une semaine. Je vais demander à Lang de contacter Interpol qui pourra coordonner une opération avec les autorités namibiennes afin de les récupérer et de les ramener en Suisse pour répondre à une accusation d'enlèvement et, dans le cas de Susan Donleavy, de tentative de meurtre.

— Pourquoi la ramener ici ? Pourquoi ne pas l'avoir laissée moisir avec les autres ? »

Cabrillo s'arrêta et se tourna vers son vieil ami.

« Parce que la NASA ne pourrait pas localiser Singer – or je sais qu'elle le connaît – et parce que tout ça n'est pas encore fini. Loin de là. Enlever Merrick n'était que le prélude à ce qu'a prévu son ancien associé. Elle et moi allons avoir une longue et charmante conversation. » Quelques instants plus tard, ils arrivaient dans la cabine de Juan et poursuivaient leur discussion pendant que ce dernier ôtait son uniforme crasseux et lançait ses affaires dans un panier. Il jeta ses bottes à la poubelle mais vida d'abord la moitié d'une tasse du sable qui était entré dans sa chaussure par le trou percé par la balle de 12 mm. « Heureusement que je ne l'ai pas sentie », observa-t-il au passage.

Il décrocha sa jambe de combat ; il comptait la confier aux spécialistes de la Boutique magique pour qu'ils rechargent le pistolet et nettoient le mécanisme.

« Mark et Eric ont fait leur rapport il y a environ une heure, poursuivit Max en s'asseyant sur le bord du jacuzzi tandis que Juan émergeait des nuages de vapeur qui jaillissaient de la douche. Ils ont survolé près de trois cents kilomètres carrés, mais toujours aucune trace des armes ni de l'Armée congolaise de la Révolution de Samuel Makambo.

— Et la CIA ? lança Juan par-dessus le clapotis de l'eau. Aucune de leurs sources au Congo ne dispose du moindre tuyau sur Makambo ?

— Absolument rien. On dirait que ce type se volatilise aussi souvent qu'il en a envie.

— Un type, c'est possible, mais pas cinq ou six cents de ses partisans. Comment Murph a-t-il organisé ses recherches ?

— Ils sont partis des quais et ont décrit des cercles de plus en plus larges en dépassant, pour plus de sûreté, d'une vingtaine de milles la zone de portée des balises.

— Le fleuve sert de frontière entre la République du Congo et la République démocratique du Congo, dit Juan. Restent-ils au sud du fleuve ?

— A part les similitudes de noms, les relations entre les deux pays sont exécrables, alors, oui, ils restent au sud de la frontière.

— Je te parie que Makambo a emporté les armes au nord.

— C'est possible, reconnut Max. Si les voisins du nord du Congo protègent son armée, ça pourrait expliquer pourquoi il n'a jamais été pris.

— Nous n'avons que quelques heures avant que les piles des balises soient épuisées. Appelle Mark ; qu'il se débrouille pour franchir cette frontière et qu'il écoute. Ces armes sont à plus de deux cents kilomètres du fleuve, j'en suis certain.

— Je l'appelle tout de suite », dit Max en se levant.

Juan gardait toujours ses cheveux courts pour ne pas avoir à les brosser. Il mit du déodorant et décida qu'une barbe de trente heures le ferait paraître plus dangereux : il laissa donc son rasoir sur la tablette de la salle de bains ; ses cernes et ses paupières rougies lui donnaient déjà un air démoniaque. Il passa un pantalon de toile noire et un T-shirt, appela la Boutique magique pour qu'un technicien prépare sa jambe de combat puis, en descendant dans la cale, s'arrêta pour prendre un sandwich à la cuisine.

Linda Ross attendait à l'entrée de la cale, tenant à la main un BlackBerry qui recevait les signaux du réseau wifi du bord.

« Comment va notre pensionnaire ? lui demanda Juan.

— Regarde toi-même, fit-elle en inclinant le panneau pour lui permettre de voir l'écran. Oh, et félicitations pour avoir réussi le sauvetage.

— Je n'étais pas seul. »

Susan Donleavy était attachée par des sangles à une table d'embaumeur en acier inoxydable au milieu de la vaste cale où Juan avait, la veille, plié son parachute. L'éclairage se résumant à celui d'une unique lampe à halogène projetant un cône lumineux autour de la table, la prisonnière ne pouvait rien distinguer au-delà. Le BlackBerry était branché sur une caméra placée juste au-dessus de la lampe.

Susan, les cheveux aplatis, la peau boursouflée par les morsures d'insectes, avait le visage exsangue ; sa lèvre inférieure tremblait. Elle était couverte de sueur.

« Si elle n'était pas attachée, elle se serait rongé les ongles jusqu'au sang, dit Linda.

— Tu es prête ? lui demanda Juan.

— Je relis juste quelques notes. Cela fait un moment que je n'ai pas procédé à un interrogatoire.

— Selon Max, c'est comme le vélo, ça ne s'oublie pas.

— Très drôle. Allons-y. »

Juan ouvrit la porte de la cale. Un vent brûlant le frappa au visage. Ils avaient réglé le thermostat sur quarante degrés. De même que l'éclairage, la température faisait partie de la technique d'interrogatoire qu'avait prévue Linda pour faire craquer Susan Donleavy. Ils s'avancèrent sans bruit dans la salle en restant en dehors du cercle lumineux.

Il dut lui rendre cette justice : elle ne cria qu'au bout d'une petite minute.

« Qui est là ? » demanda-t-elle d'une voix qui tremblait un peu. Cabrillo et Ross gardèrent le silence. « Qui est là ? répéta Susan d'une voix un peu plus stridente. Vous ne pouvez pas me retenir comme ça. J'ai des droits. »

Il existait une ligne de démarcation subtile entre la panique et la colère : le tout était de ne jamais la franchir au cours d'un interrogatoire. Ne jamais laisser le sujet transformer sa peur en rage. Linda maniait le processus à la perfection. Elle sentait la fureur monter chez Susan rien qu'à voir les muscles de son cou se crisper. Elle avança dans la lumière juste au moment où Donleavy s'apprêtait à hurler. En découvrant cette autre femme dans la cale, Susan ouvrit de grands yeux.

« Miss Donleavy, je veux que vous compreniez tout de suite que vous n'avez aucun droit. Vous êtes à bord d'un navire battant pavillon iranien dans des eaux internationales. Il n'y a personne ici pour vous représenter de quelque façon que ce soit. Vous n'avez le choix qu'entre deux solutions, et deux seulement. Soit vous me dites ce que je veux savoir, soit je vous livre à un interrogateur professionnel.

— Qui êtes-vous donc ? On vous a engagés pour libérer Geoffrey

Merrick, non ? Eh bien, vous l'avez, alors remettez-moi aux mains de la police ou d'une autorité quelconque.

— Nous prendrons donc, dit Linda, la seconde option. Cela signifie que vous allez me dire où se trouve à cet instant Daniel Singer et quels sont ses plans.

— Je ne sais pas où il est, s'empressa de répondre Susan.

— J'avais espéré plus de coopération de votre part. Monsieur Smith, voudriez-vous vous joindre à nous ? » Juan s'avança. « Je vous présente monsieur Smith. Jusqu'à une époque récente, il était employé par le gouvernement des Etats-Unis pour arracher des renseignements aux terroristes. Vous avez peut-être entendu parler de la façon dont les Etats-Unis choisissent pour leurs prisonniers des pays où, comment dirais-je, les lois sont plus clémentes concernant l'usage de la torture. Et on avait recours à cet homme pour obtenir des informations par tous les moyens nécessaires. » Susan regarda Juan, et sa lèvre trembla de nouveau. « Il a obtenu tout ce qu'il voulait des hommes les plus endurcis, des hommes qui, pendant dix ans, ont combattu les Russes en Afghanistan puis nos forces depuis des années, des hommes qui avaient fait le serment de mourir plutôt que de céder à un infidèle. »

Juan fit courir ses doigts légèrement sur le bras de Susan. Un geste intime, la caresse d'un amant plutôt que celle d'un bourreau, qui la fit se crisper et tenter de s'écarter, mais les liens qui la retenaient ne l'autorisaient pas à bouger de plus de quelques centimètres. La menace de la souffrance agissait plus efficacement que sa réalité. Susan évoquait déjà dans son esprit des images bien pires que celles qu'étaient capables de concevoir Linda ou Cabrillo. Ils la laissaient se torturer toute seule.

Une fois de plus, Linda avait bien calculé son coup. Susan s'efforçait de maîtriser son imagination, de chasser de son esprit les horreurs qui l'envahissaient. Elle trouvait en elle le courage d'affronter les épreuves qui l'attendaient. A Linda de la prendre au dépourvu.

« Ce qu'il fera à une femme, je n'en ai aucune idée, dit Linda d'un ton rêveur, mais je sais que je ne serai pas là pour le regarder. » Elle approcha son visage à quelques centimètres de celui de Susan, mais en s'assurant que Juan demeurait dans son champ de vision. « Dites-moi ce que je veux savoir et il ne vous arrivera rien, je vous le promets. »

Juan dut faire un effort pour ne pas sourire car Susan Donleavy tourna soudain vers Linda un regard si confiant qu'il sut qu'ils obtiendraient tout ce qu'ils voulaient et davantage encore.

« Où est Daniel Singer, Susan ? murmura Linda. Dites-moi où il est. »

Susan remua les lèvres comme si elle luttait contre le sentiment de trahison qu'elle devait éprouver à l'idée de révéler ce qu'elle savait. Puis elle cracha vigoureusement à la figure de Linda.

« Va te faire foutre, salope. Je ne te le dirai jamais. »

Pour toute réaction, Linda s'essuya la joue, mais elle resta près de Susan et continua à murmurer.

« Vous devez comprendre que je n'ai aucune envie de vous infliger cela. Vraiment. Je sais combien c'est important pour vous de protéger l'environnement. Peut-être même êtes-vous disposée à mourir pour votre cause. Mais vous ne pouvez même pas concevoir ce qui va se passer. Vous ne pouvez pas imaginer les souffrances que vous allez subir. »

Se redressant, Linda fit signe à Juan.

« Monsieur Smith, pardonnez-moi de vous avoir demandé de laisser vos instruments. Je pensais qu'elle se montrerait plus coopérative. Je vais vous donner un coup de main pour porter les foreuses et le reste de votre matériel, et puis je vous laisserai seuls tous les deux. » Elle se tourna vers Susan. « Vous vous rendez compte qu'après ce jour vous reculerez d'horreur chaque fois que vous vous regarderez dans une glace ?

— Pour Daniel Singer, je serais prête à tous les sacrifices, lança Susan d'un ton de défi.

— Posez-vous cette question : que serait-il prêt à sacrifier pour vous ?

— Ce n'est pas de moi qu'il s'agit mais de la protection de notre planète. »

Linda regarda les ténèbres de la cale comme si elle cherchait quelque chose.

« Je ne vois personne d'autre avec nous, Susan, alors c'est vraiment de vous qu'il s'agit. Singer est quelque part en sûreté pendant que vous êtes ligotée sur cette table. Pensez un peu à cela. Et puis pensez aux nombreuses années à venir et aux conséquences du choix que vous vous apprêtez à faire. Vous avez devant vous des années de prison. Vous pouvez les purger dans une prison namibienne ou dans une cellule confortable en Europe, avec l'eau courante et un matelas qui ne soit pas infesté de punaises. Nous n'avons pas encore décidé à qui nous allons vous livrer.

— Si vous me faites du mal, je veillerai à ce que vous le payiez, cracha Susan.

— Excusez-moi ? Nous faire payer ? s'esclaffa-t-elle. Vous ignorez qui nous sommes, alors comment allez-vous nous faire payer ? Vous n'avez pas encore compris. Nous vous tenons corps et âme. En totale impunité. Vous n'avez plus de libre arbitre. Nous vous en avons privé dès l'instant où nous vous avons arrêtée et, plus tôt vous comprendrez cela, plus vite nous en aurons terminé. Qu'en dites-vous ? Racontez-moi quels sont les plans de Dan Singer et je m'arrangerai pour qu'on vous livre aux autorités helvétiques avec une inculpation de complicité d'enlèvement. Je convaincrai Geoffrey Merrick de laisser tomber l'accusation de tentative de meurtre. » Linda avait brandi le bâton, il était temps maintenant de jouer de la carotte. « Vous n'avez même pas besoin de me dire où il se trouve, d'accord ? Contentez-vous de m'expliquer les grandes lignes de son projet et votre vie sera plus facile. Deux ou trois ans dans une prison suisse ou des dizaines d'années à croupir dans une geôle du tiers-monde. Allons, Susan, facilitez-vous la vie. Dites-moi ce qu'il projette. »

Dans le cadre de sa technique d'interrogatoire, Linda ne cessait de marteler combien ce serait facile, comment Susan avait tout à gagner et rien à perdre en lui répondant. Si Juan n'avait pas voulu si rapidement l'information, Linda aurait choisi une question différente, simplement pour poursuivre le dialogue. Mais elle progressait quand même. L'attitude de défi qui, quelques instants plus tôt, durcissait les traits de Susan Donleavy, commençait à céder la place à l'incertitude.

« Personne ne le saura jamais, insista Linda. Dites-moi ce qu'il veut faire. Je suppose que cela sera une sorte de démonstration, quelque chose dont il veut que Merrick soit témoin. C'est ça, Susan ? Hochez juste la tête si j'ai raison. » Susan garda la tête immobile mais elle baissa légèrement les yeux. « Vous voyez, ce n'était pas si difficile, murmura Linda comme si elle s'adressait à un enfant qui vient d'avaler son médicament. Quel genre de démonstration ? Nous savons que cela a un rapport avec le réchauffement du courant de Benguela. » Susan resta bouche bée, l'air stupéfait. « C'est exact. Nous avons trouvé les générateurs à énergie marémotrice et les radiateurs sous-marins. On les a fermés il y a un certain temps. Une partie du plan de Singer s'est déjà déroulée mais pour l'instant ce n'est pas ce qui compte. Ce qui est important, c'est que vous me disiez le reste. Je perds mon temps ! J'essaie de vous rendre service et vous refusez de faire un geste. Très bien. Si c'est ce que vous voulez, parfait, monsieur Smith.

Là-dessus, Linda sortit de la cale, Juan sur ses talons. Il referma la porte de la salle et tourna le verrou.

« Seigneur, tu fais peur », commenta Juan.

Linda vérifiait la charge de son BlackBerry et sans lever les yeux répondit :

« Apparemment pas assez. Je pensais qu'elle allait craquer.

— Que fait-elle ?

— Elle essaie de ne pas pisser dans sa culotte.

— Alors, maintenant on attend ?

— Je reviendrai dans une demi-heure, dit Linda. Ça lui donnera le temps de réfléchir à ce qui va se passer.

— Et si elle continue à ne pas vouloir parler ?

— Comme je ne dispose pas d'assez de temps pour diminuer sa résistance, je suis obligée de la droguer, ce que je déteste, d'ailleurs. C'est trop facile d'amener le sujet à dire ce qu'on veut entendre plutôt que la vérité. » Linda tourna les yeux vers le petit écran de son BlackBerry. « A la réflexion...

— Revenez ! Je vous en prie ! Je vous dirai ce qu'il va tenter ! »

Une ombre passa dans le regard de Linda, apparemment plus triste que satisfaite de son travail.

« Qu'est-ce qu'il y a ? interrogea Juan.

— Rien.

— Parle-moi. Qu'est-ce qui se passe ?

— J'ai horreur de faire ça, expliqua-t-elle en le regardant. Je veux dire : briser les gens. Leur mentir pour obtenir ce que je veux. Ça me laisse, je ne sais pas, comme morte à l'intérieur. Je m'introduis dans l'esprit de quelqu'un et je finis par tout connaître de lui : ses pensées, ses espoirs et ses rêves, tous les secrets qu'il croyait ne jamais révéler. D'ici à deux heures, j'en saurai plus sur Susan Donleavy que quiconque au monde. Mais ce ne sera pas comme si une amie se confiait à moi, ce sera comme si je lui volais des renseignements. Je déteste faire ça, Juan.

— Je n'en avais aucune idée, avoua-t-il doucement. Si j'avais su, je ne t'aurais pas demandé.

— Voilà pourquoi je ne t'en ai jamais parlé. Tu m'as engagée pour ma formation et certains talents que personne de l'équipe ne possède. Ce n'est pas parce que je n'aime pas une partie de mon travail que je n'ai pas à le faire. »

Juan lui tapota l'épaule.

« Ça va aller ?

— Mais oui. Je vais la laisser hurler encore quelques minutes et puis je retournerai la voir. Je te retrouverai quand j'aurai terminé. Ensuite, je boirai un verre de vin de trop pour essayer de ne plus penser à Susan Donleavy. Va te reposer. Tu as l'air crevé.

— C'est le meilleur conseil que j'ai entendu de toute la journée. »

Il tourna les talons en s'interrogeant sur les sacrifices que chacun consentait à la Corporation. Ils avaient toujours conscience des dangers qu'ils couraient, mais payaient aussi un prix caché. Combattre en restant dans l'ombre signifiait que chacun devait trouver en lui-même la justification de ses actes. Ils n'étaient pas des soldats qui pouvaient se contenter de dire qu'ils suivaient des ordres. Ils avaient choisi d'être présents et d'agir pour préserver la liberté de la société, même si eux-mêmes opéraient en dehors des limites de cette société.

Juan, pour sa part, avait ressenti plus d'une fois ce fardeau. Certes, la Corporation outrepassait les lois internationales, mais devoir côtoyer certaines zones grises le mettait un peu mal à l'aise.

Il n'y avait pourtant pas d'alternative : du temps où il travaillait pour la CIA, les ennemis auxquels il était confronté respectaient le plus souvent les règles. Ces codes avaient disparu, et percuter des gratte-ciel avec des avions était devenu un moyen d'attaque légitime. Les guerres ne se livraient plus entre armées sur un champ de bataille, mais dans les métros et les mosquées, dans les boîtes de nuit et sur les marchés. Dorénavant, dans le monde d'aujourd'hui, peu importait la cible.

Arrivé dans ses appartements, il tira les rideaux sur les hublots de sa cabine. Maintenant que son lit était si proche, la vague de fatigue qui déferlait sur lui le faisait chanceler. Il s'empressa de se déshabiller pour se glisser dans des draps frais.

Mais, malgré son épuisement, le sommeil fut long à venir.

24

QUAND LE TÉLÉPHONE SONNA, JUAN sut, à la lumière rougeoyante du soleil qui filtrait entre les rideaux, qu'il n'avait dormi que deux heures. Il se souleva contre la tête de lit, avec l'impression d'avoir tout juste terminé quinze rounds contre le champion du monde poids lourds. Et d'avoir perdu.

« Allô, dit-il en agitant contre son palais une langue pâteuse.

— Désolé de t'avoir réveillé, mon joli. » C'était Max, qui ne semblait pas mécontent d'avoir réveillé le Président. « Nous avons quelques développements importants. J'ai convoqué une réunion dans la salle du conseil. Dans un quart d'heure.

— Oh, j'ai hâte d'y être », fit Juan en repoussant les draps.

Autour de son moignon, la peau était rouge et enflée. Une des infirmières de Julia était masseuse et il savait qu'il aurait besoin de ses soins s'il voulait se servir de sa jambe.

« Daniel Singer s'apprête à provoquer la plus grande marée noire qu'on ait jamais vue et, pour l'aider, il dispose d'une armée de mercenaires à laquelle nous avons fourni des armes. »

Cette nouvelle acheva de réveiller Cabrillo.

Quatorze minutes plus tard, il était dans la salle de conseil, les cheveux encore humides après sa douche rapide. Maurice lui avait préparé du café et une omelette d'où pointaient des saucisses et des oignons. Sa première pensée fut pour Linda Ross. Son petit officier de renseignement était à sa place habituelle, un ordinateur ouvert devant elle. Son visage avait la pâleur fragile d'une poupée de porcelaine et son regard en général vif était des plus ternes. Quelques heures seulement s'étaient écoulées depuis le début de l'interrogatoire de Susan Donleavy, mais Linda semblait avoir vieilli de dix ans. Malgré ses efforts, le sourire qu'elle destinait à Juan s'évanouit sur ses lèvres. Il eut un hochement de tête compréhensif.

Franklin Lincoln et Mike Trona étaient là pour compenser l'absence d'Eric Stone et de Mark Murphy.

Max arriva le dernier, toujours pendu au téléphone.

« C'est exact. Une installation pétrolière côtière. Je ne sais pas exactement où, mais ton pilote doit bien avoir quelques idées. Je sais que certaines des balises radio continuent d'émettre. Vous aurez juste à vous rapprocher pour les trouver.

— Murph ? demanda Juan après avoir avalé une bouchée d'omelette.

— Je veux qu'il se concentre sur la côte. J'ai fait quelques recherches et j'ai découvert qu'il existe une série de plates-formes pétrolières à l'embouchure du Congo qui se trouvent au nord de la province de Cabinda, en Angola.

— L'Angola est au sud du Congo, observa Eddie.

— C'est ce que je croyais aussi, fit Max en se calant sur son siège. Mais il y a une enclave au nord du fleuve et elle s'étend sur environ deux milliards de barils de pétrole. J'ai d'ailleurs appris que les Etats-Unis importent plus de brut d'Angola que du Koweit, ce qui porte un coup sérieux à tout le foin qu'on a fait autour d'une guerre pour le pétrole voilà deux ans. »

Juan se tourna vers Linda.

« Tu veux nous expliquer ?

— Comme vous le savez, commença-t-elle, Daniel Singer a contraint Geoffrey Merrick à lui racheter la société. Depuis lors, Singer a utilisé cet argent pour financer des groupes écologiques : préservation de la forêt tropicale en Amérique du Sud, lutte contre les braconniers en Afrique et un tas des meilleurs groupes de pression qu'on pourrait acheter dans toutes les capitales du monde. Et puis il a commencé à se rendre compte que l'argent qu'il avait dépensé n'avait pas réellement modifié l'attitude des gens. Certes, il sauvait deux ou trois espèces animales et quelques bouts de terre, mais il n'avait pas attaqué le problème fondamental : à savoir que, si les gens proclament qu'ils se préoccupent de l'environnement, quand il s'agit de dollars, personne n'est prêt à sacrifier son style de vie pour faire changer les choses.

— Singer a donc décidé d'employer des méthodes plus radicales ? demanda Juan.

— Je dirais plutôt fanatiques. D'après Susan, il a soutenu des groupes qui brûlaient de somptueuses demeures en construction dans le Colorado, l'Utah et le Vermont, ou qui détruisaient des 4×4 garés sur des chantiers. Elle prétend qu'il introduisait des balles de golf dans le réservoir des camions transportant du bois ou mettait du sable dans les filtres à huile.

« Il semble que le diesel les dissout, ce qui fait s'effilocher les courroies de transmission. Cela fait plus de dégâts que le sucre ou le sel. Singer se vantait d'avoir causé ainsi pour au moins cinquante millions de dollars de dégâts, mais ce n'était pas encore suffisant. Il avait pensé à envoyer par la poste des colis piégés aux pontes de l'industrie pétrolière, mais il savait que cela n'aboutirait qu'à tuer un malheureux employé du courrier. Il savait aussi que cela ne changerait la vie de personne.

« C'est alors qu'il a entendu dire à quel point la saison des ouragans allait être particulièrement brutale dans les deux ou trois ans à venir. Comme cela fait partie d'un cycle naturel, il s'est dit que les médias essaieraient de lier ce phénomène au réchauffement de la planète et il s'est demandé s'il ne pourrait rendre les tempêtes plus fortes encore.

— Nous avions donc raison à propos des radiateurs sous-marins installés au large des côtes namibiennes, lança Cabrillo.

— Il a rompu tout lien avec les mouvements écologiques et a entrepris de réaliser son plan. Il a recruté quelques climatologues et océanographes de premier plan pour calculer les dimensions et l'emplacement des radiateurs, bien que, à en croire Susan, on leur faisait croire qu'il s'agissait de recherche pure et non pas d'un projet qui se concrétiserait bel et bien. Ils sont conçus pour faire dévier le courant de Benguela et faire monter de deux ou trois degrés la température des eaux au large de l'Ouest africain. Et, comme nous en avons déjà discuté, davantage de chaleur signifie davantage d'évaporation et une tempête plus forte et plus dévastatrice.

« Il est impossible de modifier un ouragan dès l'instant qu'il s'est formé, poursuivit Linda. Même une explosion nucléaire n'altérerait pas la structure de l'œil du cyclone, la vitesse du vent ni sa trajectoire. Toutefois, en agissant sur ce qui provoque les tempêtes, Singer est convaincu qu'il peut créer ce qu'on appelle des hypercanes, des ouragans qui dépasseraient le niveau cinq sur l'échelle de Saffir-Simpson.

— Quel rapport avec le projet de faire sauter des installations pétrolières ? demanda Eddie qui se servit une tasse de café.

— C'est là qu'il joue à fond sur les craintes des médias. Le brut qui est pompé dans les eaux proches du fleuve Congo a la plus forte teneur en benzène du monde. Celle du brut d'Alaska est à peu près d'un pour mille, et au Congo c'est cent fois plus. Le brut est également souvent pollué par de l'arsenic. On l'élimine dans les raffineries mais, quand on l'extrait, c'est un mélange passablement caustique de pétrole et d'acide arsénique de benzène, un produit cancérigène bien connu et étroitement surveillé.

— Il veut empoisonner un tas d'Africains de l'Ouest ? demanda Linc, scandalisé.

— Pas exactement, encore qu'il y ait sans doute quelques cas ici ou là. Non, ce qu'il cherche à faire, c'est que la marée noire dure assez longtemps pour qu'une partie du pétrole s'évapore.

— Et quand les émanations se répandent dans l'air, conclut Juan, les vents d'ouest transporteront les vapeurs toxiques par-dessus l'océan jusqu'à la côte Est des Etats Unis.

— Le degré de toxicité ne sera pas assez fort pour rendre malades des gens aux Etats-Unis, dit Linda. Mais Singer compte sur la panique provoquée par un ouragan toxique s'abattant sur la côte pour faire passer son message.

— Supposons qu'il parvienne à déverser pas mal de pétrole, lança Mike. Ne pourrait-on pas le pomper avant que cela cause un quelconque danger ?

— Deux éléments rendraient cela difficile, répondit Juan. Le premier est que la réglementation concernant les marées noires est assez laxiste dans cette partie du monde. On n'aurait pas assez de navires récupérateurs ni de barrages flottants de confinement. Le second, corrigez-moi si je me trompe, est que Singer projette de causer assez de dégâts sur suffisamment de puits pour que, même avec l'équipement suffisant, les équipes de nettoyage soient tout simplement débordées.

— Exactement, renchérit Linda. La main-d'œuvre locale peut contenir une marée noire provoquée par un pétrolier mal chargé et peut-être même si une brèche se produisait dans la coque d'un navire mais, entre l'armée de Singer qui empêcherait les ouvriers de se rendre sur place et le pétrole qui se déverserait des puits et des pipelines endommagés, on ne pourrait rien faire.

— Une fois le pétrole répandu, combien de temps faudrait-il pour que les vapeurs pénètrent dans l'atmosphère ? demanda Max.

— Ce serait immédiat, dit Linda. Mais il faudrait environ une semaine pour qu'elles traversent l'Atlantique. C'est le travail des mercenaires de Singer que de contrôler ces puits aussi longtemps qu'ils le peuvent. S'ils tiennent deux jours, on peut envisager une marée noire cent fois plus importante que le désastre de l'*Exxon Valdez.* »

Juan promena son regard autour de la table et dit :

« Cela va donc être notre boulot de les empêcher de prendre d'assaut ces foutus puits et, si nous arrivons trop tard, de les reprendre.

— Ça pourrait poser un problème, dit Eddie en croisant les mains sur la table. Linda, tu disais à Max que Singer a engagé Samuel Makambo pour s'emparer des installations pétrolières ?

— Susan Donleavy a mentionné son nom ainsi que son Armée de la Révolution congolaise. C'est du vrai travail de mercenaire. Makambo n'a pas le moindre enjeu politique dans tout cela. Pour les quelques millions de dollars que lui verse Singer, Makambo est prêt à fournir de la chair à canon.

— Charmant garçon, dit Linc d'un ton sarcastique. Ses hommes le suivent à cause de leurs convictions politiques et, moyennant finance, il les envoie mourir pour quelqu'un d'autre.

— Le problème c'est que nous leur avons livré assez de kalachnikovs, de lance-missiles et de munitions pour équiper deux ou trois cents hommes. »

Juan comprit aussitôt.

« L'*Oregon* a une puissance de feu suffisante pour détruire la moitié des navires du monde, mais il ne fera pas grand-chose contre des terroristes attaquant des puits de pétrole en utilisant les ouvriers comme boucliers humains.

— Reprendre les plates-formes de production va exiger des combats individuels. Chaque membre de cette équipe est un combattant aguerri mais, si Makambo s'empare de seulement cinq puits et poste cent hommes sur chacun, nous n'allons pas les reprendre sans perdre au moins entre les deux tiers et la moitié de nos effectifs.

« Et ne croyez pas que l'armée ou la police angolaises vont être d'un grand secours, ajouta-t-il. Il leur faudra deux ou trois jours pour s'organiser. Entre-temps, Singer aura transformé tout le delta du Congo en une marée noire puante et saboté les puits si bien qu'on ne pourra peut-être jamais arrêter le flot de brut. Si nous ne parvenons pas à les empêcher de prendre d'assaut les plates-formes, alors nous n'aurons qu'un jour tout au plus pour les en chasser. »

Les sombres propos d'Eddie les laissèrent tous silencieux, car personne dans la salle ne pouvait le réfuter.

On frappa discrètement à la porte entrouverte de la salle, et Juan fut ravi de voir Sloane McIntyre apparaître sur le seuil. Elle portait un short ample et un simple T-shirt blanc, un bras en écharpe, ses cheveux cuivrés tombant plus bas que ses épaules. C'était la première fois que Juan la voyait maquillée : le mascara faisait ressortir la profondeur de ses yeux gris et quelques touches de rouge artistement appliquées dissimulaient sa pâleur après ce qu'elle avait subi, mais elle avait toujours ses lèvres pleines et brillantes.

« J'espère que je ne vous dérange pas, dit-elle avec un sourire qui montrait qu'elle savait très bien que si.

— Pas du tout, dit Juan en se levant. Comment vous sentez-vous ?

— Très bien, merci. Le docteur Huxley dit que je serai complètement sur pied d'ici deux semaines si je suis ses prescriptions. Tout l'équipage ne parle que du sauvetage que vous réussi et comment non seulement vous avez libéré vos hommes et Geoffrey Merrick mais aussi un leader du Zimbabwe.

— Croyez-moi, ç'a été un travail d'équipe.

— J'ai entendu des voix et je voulais dire bonjour. Vous me devez toujours une explication, ajouta-t-elle en se tournant vers Juan, sur ce que vous faites tous et où vous avez déniché cet incroyable navire.

— Et je vous dirai tout. Promis.

— J'espère bien. Je vous revois dans votre cabine, conclut-elle en se tournant vers Linda.

— A tout à l'heure, Sloane.

— Bon, fit Max, reprenant brutalement la conversation, que va-t-on faire maintenant ?

— De toute évidence, nous pouvons contacter Langston, dit Linda. S'il n'arrive pas à trouver le moyen d'envoyer un contingent pour réagir, il peut au moins avertir les gouvernements de l'Angola et du Congo d'une menace terroriste crédible.

— Quelles sont nos relations avec ces pays ? interrogea Linc.

— Aucune idée.

— Et si nous prenions contact avec certains de nos camarades qui ont quitté la Corporation, comme Dick Truitt, Arl Gannon et Bob Meadows ? suggéra Mike. Je sais que Tom Reyes dirige une agence de gardes du corps en Californie.

— Les compagnies pétrolières n'ont-elles pas leurs propres forces de sécurité ? demanda Max. Je présume que si, n'est-ce pas, Juan ?

— Hein ?

— On t'ennuie ?

— Mais non, fit Cabrillo en se levant. Je reviens tout de suite. »

Avant que personne ait pu lui demander où il allait, il avait franchi la porte. Il traversa à grands pas le couloir, les épaules voûtées et la tête penchée. Il n'avait jamais eu de mal à prendre des décisions et celle-ci n'avait rien d'extraordinaire, mais il avait une question à poser avant de s'engager. Il rejoignit Sloane au moment où elle arrivait devant la cabine de Linda.

« Juan, dit-elle, surprise de le voir surgir ainsi.

— Dans quelle mesure êtes-vous certaine que les diamants sont bien à bord du *Rove* ? » demanda-t-il brusquement.

Pour ce qu'il comptait faire, même les considérables ressources financières de la Corporation ne suffiraient pas, et il doutait d'obtenir de la CIA qu'elle soutienne son projet.

« Je vous demande pardon ?

— Le *Rove*. Quelle certitude avez-vous que les diamants sont à bord ?

— Je ne vois pas bien...

— Si vous deviez parier, quelles seraient vos chances ? Cent contre une. Mille contre une ? Dites-moi.

— H.A. Ryder était à l'époque le meilleur guide d'Afrique et il connaissait le désert mieux que personne. Je suis absolument convaincue qu'il a fait traverser le Kalahari à ces hommes. Ils avaient les pierres quand ils ont atteint la côte.

— Alors, elles sont donc sur le *Rove*.

— Oui.

— Vous en êtes sûre ?

— Absolument.

— Bon. Merci. »

Il tournait déjà les talons, mais Sloane lui posa une main sur le bras pour l'arrêter.

« Qu'est-ce que tout cela veut dire ? Pourquoi me posez-vous ces questions à propos des diamants ?

— Parce que je vais les promettre à quelqu'un s'il me donne un coup de main.

— Vous ne savez pas où se trouve le *Rove*. Cela pourrait prendre des années pour le retrouver. »

Juan eut un grand sourire.

« J'ai un obligé qui va me le trouver.

— A qui voulez-vous donner les diamants et pour quoi ? »

Emportée par l'air déterminé de Juan, Sloane avait oublié un instant pour qui elle travaillait et ce qui l'avait amenée en Namibie.

« Attendez une seconde. Ces pierres ne vous appartiennent pas. Elles appartiennent à ma compagnie.

— D'après le droit maritime, elles sont la propriété de qui les trouve. Quant aux raisons pour lesquelles je les veux, venez avec moi. »

Juan s'arrêta d'abord dans sa cabine pour prendre quelque chose dans son coffre. Arrivé devant la suite des invités, Juan frappa et entra. Moses Ndebele, assis sur le plancher du salon, discutait avec quatre de ses hommes, tous couverts de pansements. Le sol était jonché de cannes et de béquilles. Mais peu importait : tous souriaient de retrouver leur chef.

Moses voulut se lever, mais Juan d'un geste l'arrêta.

« Votre docteur Huxley me dit que je n'ai pas besoin de chercher une nouvelle jambe à acheter.

— Je suis heureux de l'apprendre. J'arrive à fonctionner avec une, mais je regrette fichtrement de ne plus en avoir deux, dit Juan en lui serrant la main. Ets-ce que je peux vous parler en tête à tête ?

— Bien sûr, capitaine. » Il dit quelques mots à ses hommes qui lentement se levèrent et regagnèrent en clopinant la chambre.

Juan attendit que la porte se fût refermée avant de parler.

« Quelles chances avez-vous de renverser un jour votre gouvernement et de rendre sa prospérité au Zimbabwe ?

— Vous êtes un homme, alors nous parlerons en hommes. J'ai de vaillants guerriers mais peu d'armes et, si le peuple se soulève pour soutenir une révolte pauvrement équipée, ce sera un massacre. Le gouvernement est impitoyable. Ses dirigeants sont prêts à toutes les atrocités pour rester au pouvoir.

— Que faudrait-il pour les renverser ?

— La même chose que pour régler n'importe quel problème : de l'argent et du temps.

— Pour le temps, je ne peux rien faire, mais si je parvenais à financer votre mouvement ?

— Capitaine, je sais que vous êtes un homme courageux et honorable, mais il s'agit de dizaines de millions de dollars.

— Monsieur Nedbele, je parle en fait de centaines de millions de dollars. Et ils sont à vous, mais il faut qu'en retour vous me rendiez un service.

— Pour l'instant, je ne parlerai pas d'argent, dit Moses. Entre amis, on ne discute pas de ces choses-là. De quel service avez-vous besoin ?

— Il me faudrait cent de vos meilleurs guerriers », déclara Cabrillo

Il lui expliqua la situation. Ndebele écouta sans rien dire, même si Sloane sursauta quand Juan décrivit un ouragan chargé de poison déferlant sur les Etats-Unis, et dévastant sa Floride natale.

« Mes hommes sont prêts à se sacrifier pour leurs enfants et pour l'avenir de notre pays, dit Ndebele quand il eut terminé. Vous me demandez de les envoyer livrer une bataille qui ne leur rapportera rien mais leur fera tout risquer. Etant donné ce que vous avez fait pour moi, je combattrais à vos côtés n'importe où, mais je ne peux pas demander à mes hommes de faire une chose pareille.

— Mais ils se battent pour leur pays, répliqua Juan. En faisant ce que je demande, vous vous assurerez les ressources financières pour chasser votre gouvernement et pour rendre au Zimbabwe la démocratie pour laquelle vous avez lutté quand vous acquis votre indépendance. Je ne vais pas vous mentir et vous affirmer que tous rentreront chez eux. Car ce ne sera pas le cas. Mais leur sacrifice sera le cri de ralliement de vos partisans. Expliquez-leur ce qu'ils obtiendront et ils le feront pour vous, pour votre pays et, ce qui est plus important encore, pour eux-mêmes. »

Pendant quelques instants, Ndebele regarda Cabrillo sans rien dire.

« Je vais expliquer cette affaire à un *indaba,* un conseil réunissant mes hommes. Et je les laisserai prendre la décision.

— Je ne peux pas demander plus », dit Juan en serrant une nouvelle fois la main de Ndebele.

Il tira de sa poche une bourse et ouvrit la main de Ndebele pour lui verser au creux de la paume les diamants bruts qu'ils avaient reçus en échange des armes.

« Considérez cela comme un geste de bonne foi. Quelle que soit la décision, ils sont à vous. Il y a un téléphone intérieur sur le bureau : l'officier des transmissions qui répondra saura où me trouver. »

Quand ils furent sortis dans le couloir, Sloane étreignit la main de Juan.

« C'est vrai, tout cela ? Et où avez-vous trouvé ces diamants ?

— C'est malheureusement tout à fait vrai. Daniel Singer a eu des années pour préparer son coup et nous n'avons que deux ou trois jours pour l'arrêter. Quant à l'origine de ces diamants, c'est une assez longue histoire.

— Je suppose que, pour la connaître, il faudra aussi que j'attende.

— Malheureusement oui. Il faut que j'aille retrouver les autres. Nous avons encore bien des choses à régler.

— Je veux que vous sachiez que je vous aiderai dans toute la mesure de mes moyens.

— Bon, parce que dès l'instant où nous aurons retrouvé le *Rove,* vous allez m'aider à faire chanter vos patrons pour qu'ils achètent ces diamants.

— Ce sera un plaisir », dit-elle en souriant.

Avant de regagner la salle de réunion, Cabrillo passa par sa cabine pour passer un appel à terre. C'était le petit matin sur la côte Est, mais il se doutait que l'homme qu'il cherchait à joindre serait déjà à son bureau.

Juan avait son numéro direct et, quand on décrocha, il déclara sans préambule :

« Vous me devez une jambe mais je vous tiendrai quitte si vous me donnez un coup de main.

— Ça fait un moment que je n'ai pas eu de vos nouvelles, président Cabrillo, répondit Dirk Pitt de son bureau tout en haut de l'immeuble de la NUMA dominant Washington. Que puis-je faire pour vous ? »

25

L'*Oregon* FILAIT VERS LE NORD, poussé par ses formidables machines et par l'impatience de son équipage. Une grande activité régnait dans presque tous les secteurs du navire. Dans l'armurerie, cinq hommes déballaient les armes qu'emporteraient les hommes de Ndebele, les nettoyant soigneusement et mettant en place des centaines de chargeurs. D'autres vérifiaient les systèmes de défense du bateau, s'assurant que les caissons de munition étaient bien remplis et que l'air salin n'avait pas attaqué les fusils mitrailleurs, les mitrailleuses ni les autocanons.

Dans le bassin de la cale, des techniciens inspectaient les deux submersibles de l'*Oregon*. On retirait de l'équipement et on installait de nouveaux épurateurs d'air pour augmenter le nombre de passagers que chacun pourrait embarquer. On faisait aussi quelques raccords au revêtement anéchoïque de la coque qui rendait les deux sous-marins presque indétectables quand ils étaient immergés. Et, dominant tous ces travaux, le rugissement des compresseurs qui remplissait des douzaines de bouteilles de plongée au cas où on en aurait besoin.

Dans la cuisine, les chefs et leurs assistants cuisaient des rations de combat pendant que l'équipe de ravitaillement scellait les aliments dans des paquets étanches au fur et à mesure qu'ils arrivaient. A l'infirmerie, Julia Huxley et ses aides préparaient la salle d'opération pour accueillir s'il le fallait un afflux de blessés.

Juan Cabrillo occupait sa place habituelle au centre de contrôle tandis qu'autour de lui son équipe s'affairait en prévision du combat imminent. Il lisait chaque rapport qui arrivait sur le statut du navire : on ne négligeait aucun détail.

« Max, appela-t-il sans lever les yeux de son écran de contrôle, je vois quelque chose ici qui me dit que la pression dans le système d'extinction d'incendie a baissé de plusieurs kilos.

— J'ai demandé des essais dans la cale. Le système devrait avoir retrouvé une pression normale d'ici une heure.

— OK. Hali, quelle est l'heure d'arrivée prévue pour George ?

— Il vient de décoller de Cabinda, en Angola, avec Eric et Murph. Nous devrions nous retrouver dans deux heures trente environ. Il nous contactera dix minutes avant pour que nous puissions ralentir le navire et préparer le hangar.

— Et Tiny ? Où est-il ?

— A trente mille pieds au-dessus de la Zambie. »

Juan était soulagé. Le plan, comme bien d'autres récemment, avait été conçu dans la précipitation. Un des plus gros obstacles était de faire sortir cent des meilleurs guerriers de Moses de leur camp de réfugiés près de la ville industrielle de Francistown, au Botswana. Contrairement à bien des Etats d'Afrique noire, il y avait très peu de corruption au Botswana, aussi embarquer les hommes sur un avion sans passeport avait coûté plus cher que Cabrillo l'avait prévu. L'*Oregon* s'arrimerait au quai principal de la ville environ cinq heures après leur atterrissage et resterait le temps qu'il faudrait pour les embarquer.

De là, ils feraient route vers le nord en direction des champs de pétrole au large de la côte où Murph et Eric avaient repéré trois des dix kalachnikovs portant la balise radio de la Corporation. Les armes étaient regroupées dans un marécage à moins de huit kilomètres d'un nouveau terminal pétrolier et à dix minutes en bateau d'une douzaine de plates-formes pétrolières réparties le long de la côte.

Dès qu'il avait eu le rapport de Murph, Juan avait contacté Langston Overholt. Lang avait alors alerté le Département d'Etat pour qu'il puisse avertir l'Angola. Mais les rouages de la diplomatie tournent lentement et, pour le moment, les informations transmises par Juan croupissaient dans les bureaux de Foggy Bottom en attendant que les intellos de la politique aient pondu un communiqué.

En raison de la guerre civile larvée qui couvait dans toute la province de Cabinda, les compagnies pétrolières locataires des champs de pétrole avaient sur place leur propre système de sécurité. Le terminal et les bâtiments des ouvriers étaient clôturés et patrouillés par des gardes armés. Cabrillo avait envisagé d'appeler les compagnies, mais il savait qu'elles ne bougeraient pas. Il savait aussi que les forces qu'ils avaient sur le terrain dissuadaient les vols et les violations de propriété, mais étaient incapables de tenir en respect une armée. Tout avertissement qu'il pourrait lancer n'aurait pour résultat que de faire tuer davantage de leurs gardes.

Il avait appris par la reconnaissance aérienne de Murph que des centaines de gens vivaient dans des bidonvilles autour des concessions pétrolières. Il y aurait bien moins de victimes civiles si les combats avaient lieu à l'intérieur des installations.

Linda Ross entra dans le centre d'opérations suivie de Sloane. A peine avait-elle franchi le seuil que Sloane s'arrêta. Bouche bée, elle regardait autour d'elle le poste de commandement. L'écran principal fixé à la cloison avant était divisé en douzaines de fenêtres montrant l'activité qui se déroulait dans tout le navire en même temps qu'une vue très nette de l'étrave de l'*Oregon* fendant l'océan.

« Linda m'a dit que j'aurais une meilleure idée de ce que vous faites tous en l'accompagnant, finit-elle par dire en s'approchant de Juan. Je crois que j'ai les idées encore plus brouillées qu'il y a cinq secondes. Qu'est-ce que c'est que tout cela ?

— Le cœur et l'âme de l'*Oregon*, répondit Juan. D'ici, nous pouvons contrôler la barre, les machines, les transmissions, les équipes de sécurité ainsi que les systèmes d'armes intégrés du navire.

— Alors vous êtes de la CIA ou quelque chose comme ça ?

— Comme je vous l'ai expliqué, j'en faisais partie. Nous sommes des privés et dirigeons une société à but non lucratif qui se charge en free lance de missions de sécurité. Je dois pourtant reconnaître que toutes ces années la CIA nous a confié pas mal d'affaires, qui, en général, devraient rester dans les chapitres les plus sombres de ses archives.

« A l'origine, notre contrat était de livrer des armes à un groupe de révolutionnaires africains. Les armes avaient subi quelques modifications pour nous permettre de suivre la trace des rebelles. Malheureusement, on nous a doublés mais nous ne nous en sommes aperçus qu'après nous être engagés à libérer Geoffrey Merrick. Il nous faut donc maintenant récupérer les armes, seulement il s'avère que l'ex-associé de Merrick a d'autres projets en ce qui les concerne.

— Mais qui donc vous a payés pour livrer les armes ?

— Il s'agissait d'un marché entre notre gouvernement et celui du Congo. La majeure partie de l'argent était versée par la CIA ; le reste devait venir de la vente des diamants qu'on nous remettait en échange des armes.

— Les diamants que vous avez donnés à Moses Ndebele pour son aide ?

— Vous avez tout compris. Eh bien, l'histoire n'était pas si longue après tout, fit Juan d'un ton moqueur.

— Et vous vivez de cela ? demanda-t-elle, mais elle répondit elle-même à sa question. Bien sûr que oui. J'ai vu les vêtements dans la penderie de Linda. On se croirait chez Dior.

— Président, demanda Linda, je peux te parler en privé ? »

Juan n'aimait pas ce ton de voix. Il se leva de son fauteuil et l'offrit à Sloane en s'inclinant galamment.

« Le navire est à vous. » Il entraîna Linda vers un coin de la salle. « Que se passe-t-il ?

— Je relisais les notes que j'ai prises pendant mes interrogatoires et, sans pouvoir l'affirmer catégoriquement, je crois que Susan Donleavy m'a caché quelque chose.

— Quelque chose ?

— Pas à propos de ce que Singer tente ici. Sur ce point, je lui ai tiré tout ce que je pouvais. Il s'agit d'autre chose. Mais je n'arrive pas à mettre la main dessus.

— C'est à propos de la date de toute cette opération ?

— Ça se pourrait. Je ne sais pas. Pourquoi dis-tu cela ?

— Cela m'a empêché de dormir une partie de la nuit, reconnut-il. Singer monte tout cela depuis des années, avec les générateurs et les radiateurs, et voilà tout d'un coup qu'il s'attaque à une installation pétrolière pour libérer deux ou trois millions de tonnes de boue toxique. Pourquoi ? Pourquoi maintenant ? Il compte sur des ouragans pour transporter ces vapeurs à travers l'Atlantique, mais il ne peut pas prédire quand ni où un ouragan se formera.

— Crois-tu qu'il le peut ?
— Ce que je crois, c'est que lui le pense.
— Mais c'est impossible. Du moins avec un certain degré de précision. Les ouragans se développent au hasard. Certains ne dépassent jamais le niveau d'une dépression tropicale et s'essoufflent au large.
— Exactement, et cela n'arrangerait pas sa grande démonstration.
— Tu crois qu'il sait qu'une grande tempête se prépare et qu'elle emportera les vapeurs de pétrole de l'autre côté de l'océan ?
— Je vais te dire mieux, déclara Juan. Je crois qu'il sait que la trajectoire de l'ouragan va frapper de plein fouet les Etats-Unis.
— Comment pourrait-il le savoir ? »

Juan passa une main dans ses cheveux courts : le seul signe extérieur de sa frustration.

« C'est ce qui m'a empêché de dormir. Je sais que ce n'est pas possible qu'il prédise un ouragan et encore moins sa trajectoire, mais le comportement de Singer ne peut que nous mener à cette conclusion. Même sans notre présence ici, les hommes de Makambo finiront par être écrasés et on empêchera le pétrole de s'écouler. Singer ne peut donc pas garantir que les vapeurs seraient entraînées assez loin et portées par le vent assez longtemps pour être aspirées, ni que, si c'est le cas, l'ouragan ne va pas se dissiper tout seul. Pas à moins qu'il n'existe un autre élément dont nous ne savons rien.
— Je peux encore essayer avec Susan, proposa Linda. J'ai cessé les interrogatoires après avoir appris ce qu'il me fallait à propos de l'attaque sur le terminal pétrolier. »

Juan la regarda avec fierté. Elle était en train de donner plus encore de son âme. Malgré toute l'envie qu'il avait de lui épargner cette épreuve, il savait qu'elle devrait recommencer.

« Il y a quelque chose là, dit-il. Et je sais que toi, tu peux le découvrir.
— Je ferai de mon mieux, fit Linda en tournant les talons.
— Tiens-moi au courant. »

A quinze kilomètres au nord de l'endroit où Tiny Gunderson, dans son avion sur l'aéroport de Cabinda, attendait avec une centaine de soldats impatients d'en découdre, Daniel Singer discutait avec le général Samuel Makambo, de l'Armée révolutionnaire congolaise. Il ne ferait jour que dans deux heures et les bruits de la jungle finissaient par se calmer tandis que les insectes et les animaux nocturnes se préparaient au sommeil. Pourtant, avec la lueur de tant de puits de pétrole qui brûlaient du gaz naturel au large et le long de la côte, on pouvait s'étonner que ces créatures parviennent à maintenir leur rythme naturel de vingt-quatre heures. Autour d'eux se pressaient la plupart des soldats les plus aguerris que Makambo était prêt à sacrifier pour cette mission. A la tête de ce corps expéditionnaire de quatre cents hommes, le colonel Raïf Abala. Il était là pour deux raisons : en guise de châtiment pour la débâcle sur le fleuve Congo, quand il avait laissé les marchands d'armes partir avec les diamants, et parce que Makambo soupçonnait le colonel d'avoir chapardé quelques pierres au passage. Il se ferait une raison si Abala ne revenait pas.

Les rebelles étaient regroupés près des camps de squatters qui avaient jailli comme des champignons autour des installations appartenant au géant pétrolier Petromax. Vêtus comme tout le monde, mais dans des tenues un peu loqueteuses, ils avaient l'air de chercher du travail. Il avait été facile de cacher leurs armes et leurs canots parmi les palétuviers, avec des gardes postés dans les parages pour dissuader les pêcheurs ou les chasseurs de s'aventurer trop près.

« Colonel, dit Makambo, vous connaissez vos consignes. »

Par sa seule stature, Makambo avait une présence imposante. Même si ce qui avait jadis été un corps musclé endurci par les combats s'était lentement laissé envahir par la graisse, il possédait encore une force incroyable. Comme son mentor, Amin Dada, il avait une préférence pour les lunettes de soleil miroir et gardait toujours à la main un stick, un *sjambok* en peau d'hippopotame tressée. Ses deux pistolets étaient des Berettas faits sur mesure et dont les incrustations en or valaient à elles seules une petite fortune.

« Oui, mon général, répondit aussitôt Abala. Cent hommes utiliseront les canots pour lancer une attaque sur le terminal de chargement au large et sur les puits pendant que le gros de mes forces se concentrera sur les installations à terre.

— Il est essentiel, intervint Dan Singer, le maître d'œuvre de l'attaque, que vous preniez le contrôle du groupe de générateurs ainsi que des stations de pompage. Et sans rien endommager.

— Ce seront mes éléments d'élite qui se chargeront de donner l'assaut à ces deux secteurs du terminal. Ils s'en empareront dès que nous aurons pénétré les clôtures du périmètre.

— Et vos hommes savent comment faire fonctionner ces contrôles ? interrogea Singer.

— Beaucoup d'entre eux étaient employés ici jusqu'à ce que notre gouvernement interdise aux membres de notre tribu de travailler dans l'industrie pétrolière du Congo, dit Abala. Sitôt que le pétrolier qu'on est en train de charger aura été découplé du terminal, ils savent ouvrir les pompes à plein régime pour déverser le pétrole dans la mer.

« Et sur les puits ?

— Ils détruiront les canalisations sous-marines qui acheminent le brut jusqu'aux citernes de stockage à terre. »

Singer regrettait de ne pas pouvoir faire sauter les parois de ces énormes cuves de stockage, mais elles étaient situées dans une redoute creusée dans la terre. Pour que le pétrole s'évapore bien, il fallait le répandre sur la plus vaste surface possible. Il se tourna vers Makambo. `

« Pour chaque heure où ils tiendront le terminal et où le pétrole se déversera dans l'océan, un million de dollars sera automatiquement viré sur votre compte en Suisse.

— Cet argent contribuera beaucoup à financer ma révolution et améliorer la qualité de vie de notre peuple, déclara le chef de guérilla sans sourciller. » Singer savait que la part du lion resterait sur le compte de Makambo. « J'ai conclu cet accord et appelé nos soldats au combat pour le plus grand bien de tous. »

Lorsqu'il cherchait à rassembler son armée de mercenaires, Singer avait mené une enquête sur Makambo et son Armée révolutionnaire du Congo. Tous n'étaient rien de plus que de sauvages bouchers qui utilisaient contre les civils la torture et l'intimidation pour s'approvisionner. Même s'il y avait dans ce conflit un élément tribal, les groupes de défenseurs des droits de l'homme estimaient que l'Armée révolutionnaire du Congo avait massacré plus de leurs compatriotes que le gouvernement auquel ils s'opposaient. Makambo n'était qu'un exemple parmi d'autres du côté despotique de la politique africaine.

« Très bien, dit Singer. Alors, il est temps que je parte. »

Il avait prévu de quitter Cabinda la veille de l'attaque, mais il était resté aussi longtemps qu'il avait pu, espérant contre tout espoir avoir des nouvelles de Nina Visser. Elle et les autres n'étaient pas au lieu de rendez-vous, même si des traces de pneus à côté de la piste d'atterrissage indiquaient que quelqu'un était passé là récemment. Le pilote était parvenu à les suivre du haut des airs, mais seulement sur quelques kilomètres. Le vent sans merci avait balayé le sable du désert. Il avait tourné autour du secteur jusqu'à n'avoir plus que ce qu'il fallait d'essence pour rentrer à Windhoek sans avoir trouvé aucun signe de leur présence.

Singer lui avait ordonné de rejoindre Cabinda afin qu'ils puissent repartir pour la ville portuaire de Nouakchott, en Mauritanie, où l'attendait le vieux pétrolier de cent mille tonnes qu'il avait acheté secrètement à une compagnie libyenne. Portant le nom de *Golfe de Sidra*, le navire avait passé sa carrière à sillonner la Méditerranée pour transporter le pétrole libyen en Albanie et en Yougoslavie.

Quand il l'avait visité avec Susan Donleavy, elle avait dit que les cuves du bateau feraient de parfaits incubateurs pour son floculent organique. La firme de génie maritime engagée par Singer pour inspecter le navire avait certifié que sa coque pourrait supporter une charge thermique constante de quatre-vingts degrés même si son rapport précisait qu'on ne connaissait pas de terminal pétrolier au monde où le brut conservait une telle quantité de chaleur terrestre. Singer avait donc conclu l'affaire, obtenu pour le bateau une immatriculation libérienne, de loin la plus facile du monde à se procurer, et n'avait pas pris la peine de le débaptiser.

Susan avait surveillé les premiers semis de sa bouillie calorigène et l'avait examinée de temps en temps avant son « enlèvement ». Ses rapports montraient que tout fonctionnait parfaitement, et Singer savait donc qu'il n'avait pas besoin d'être là lorsqu'il déclencherait l'opération. Malgré tout, il pouvait arriver quelque chose qui exigerait son intervention. Cela ne le préoccupait guère d'avoir perdu Nina et son groupe, il regrettait seulement l'absence de Susan. Le floculent était sa trouvaille et, lorsqu'elle lui avait fait part de sa découverte et de ses éventuelles applications, elle avait souhaité participer au dernier acte.

Et puis il y avait Merrick. Singer aurait tant voulu voir son air satisfait s'effondrer en voyant déferler sur les Etats-Unis l'ouragan le plus dévastateur et en sachant que la faute lui en incombait comme aux pollueurs de son espèce. Singer avait parlé à Merrick de son plan, et il lui restait donc l'espoir que son ancien associé était encore en vie et comprendrait les véritables raisons de ce qui se passait.

En raison des connaissances qu'exigeait la navigation d'un superpétrolier, il ne pouvait pas compter sur une bande d'écologistes aux cheveux longs : il avait donc été forcé d'engager un équipage professionnel, des hommes dont on pouvait acheter le silence. Le capitaine était un Grec alcoolique qui avait perdu son brevet de commandant après avoir échoué un pétrolier dans le Golfe persique. L'officier mécanicien était un autre Grec incapable de renoncer à la bouteille et qui n'avait plus travaillé depuis que l'explosion d'une conduite de vapeur dans la salle des machines avait tué quatre de ses assistants. Une commission d'enquête l'avait disculpé, mais des rumeurs de négligence avaient ruiné sa carrière.

Auprès de ces deux-là, les autres membres de l'équipage faisaient figure de petits saints.

« Vous lancerez l'assaut à l'aube ? demanda Singer.

— Oui. Vous avez tout le temps pour retrouver votre avion », dit Makambo d'un ton un peu railleur.

Non pas que lui-même compte être présent pour l'opération. Une vedette rapide l'attendait pour lui faire longer la côte et remonter le Congo.

« Rappelez-vous, dit Singer en se levant, chaque heure vaut un million de dollars. Si vos hommes peuvent tenir tête quarante-huit heures aux forces de sécurité et à la police angolaise, j'ajouterai une prime de cinq millions de dollars. » Il se tourna vers Abala. « Et cinq autres pour vous, colonel.

— Et alors, pas de quartier, dit Makambo plaçant sa citation préférée, et que la guerre lâche ses chiens. »

26

DE LA PASSERELLE, JUAN REGARDAIT les bus scolaires : peints de couleurs vives, leur moteur qui peinait lâchant des nuages de fumée grasse, ils roulaient lentement sur la chaussée menant à l'unique quai de Cabinda ; ils se frayaient un chemin autour d'un entassement de containers et de matériel agricole donné à l'Angola et tout juste déchargé d'un cargo russe amarré devant l'*Oregon*.

On avait largué le ballast pour atteindre le mouillage relativement peu profond, et Juan, grâce à la bonne vue qu'il avait ainsi de la ville et des collines qui la bordaient, put constater à la lumière du jour qui se levait à peine que l'Angola n'avait pas dépensé grand-chose de la manne que lui procurait son pétrole.

En bas sur le quai, Max Hanley et Franklin Lincoln, tous deux fagotés comme des dockers pour correspondre à l'aspect décrépit de l'*Oregon*, attendaient avec un fonctionnaire des Douanes. Le pilote de brousse, copain de Tiny Gunderson, les accompagnait pour parer à tout éventuel problème, ainsi que Mafana, le vieux sergent de Ndebele. Le douanier avait déjà confié une serviette à sa femme, descendue tout exprès sur le port pour rapporter à la maison le pot-de-vin qu'on allait verser à son mari.

L'ascenseur montant du centre d'opérations arriva soudain. Linda Ross n'attendit même pas d'être au niveau du pont pour sauter de la cabine et se précipiter sur Cabrillo.

« Juan, tu n'as pas branché ton téléphone, lança-t-elle d'un ton de reproche. L'attaque a commencé. Hali intercepte des appels des installations de Petromax à leur quartier général du Delaware. Au moins quatre cents hommes armés, estiment-ils, ont pris les grilles d'assaut. Et la plate-forme signale un grand nombre de petites embarcations se dirigeant vers le puits. La sécurité est débordée. »

Il avait prié le ciel pour disposer d'au moins une journée pour travailler avec les troupes de Ndebele, conscient qu'elle ne lui serait pas accordée. Il ne lui restait plus qu'à espérer que le temps n'avait pas émoussé les qualités que la guerre civile avait aiguisées chez eux près de trois décennies auparavant.

Cabrillo mit ses mains en porte-voix, cria le nom de Max et lui fit signe de hâter les choses. Max disait quelque chose à Mafana quand le premier car freina au pied de l'échelle de coupée. La porte latérale s'ouvrit, livrant passage à une file d'hommes. Les premiers embrassèrent chaleureusement Mafana pour avoir sauvé Moses Ndebele, mais l'Africain avait dû leur demander de monter à bord rapidement car les hommes grimpaient déjà sur le pont principal tandis que les autres bus s'arrêtaient le long du navire.

Juan brancha son téléphone et appela le hangar où il savait trouver George « Gomez » Adams avec son hélico.

« Vol de nuit à votre service, répondit le pilote dès la deuxième sonnerie.

— George, c'est Juan.

— Quoi de neuf, Président ?

— Les hommes de Singer ont lancé leur attaque. Dès que nous aurons quitté le port, je veux qu'un de nos drones décolle.

— Je le prépare immédiatement, répondit Adams. Mais je ne peux pas piloter les deux, si tu as besoin de l'hélico.

— Tiny embarque avec les hommes de Ndebele. Il le pilotera. Je veux juste que tu le prépares.

— Je m'y mets. »

Cabrillo regarda de nouveau le quai. Deux files d'hommes gravissaient la passerelle. Aucun n'était surchargé, ce qui ne l'étonna pas puisqu'ils vivaient dans un camp de réfugiés, mais il y avait parmi eux quelques géants. Il aperçut plus de cheveux gris qu'il ne l'avait escompté, mais les anciens combattants de la liberté paraissaient en forme : ils n'étaient pas des vieillards voûtés mais des soldats minces, avides d'action, qui savaient ce qu'on attendait d'eux.

Il appela Eddie Seng pour lui dire d'aller accueillir les nouveaux arrivants ; inutile, car son directeur des opérations à terre se tenait déjà en haut de l'échelle de coupée afin de diriger les soldats vers une des cales du navire où Moses Ndebele les attendait pour s'adresser à eux. Là, on leur distribuerait fusils d'assaut, munitions et autres équipements.

L'urgence qu'imposait le déclenchement de l'attaque avait galvanisé les hommes de Juan. Il n'en attendait pas moins d'eux.

La passerelle, commandée depuis le centre d'opérations par Eric Stone qui suivait la procession sur le réseau de télévision en circuit fermé, commença à se relever aussitôt que Max et Linc eurent emboîté le pas au dernier soldat. Un épais nuage de fumée s'échappa de la cheminée de l'*Oregon*.

« Nous sommes prêts », signala alors Eric à Juan par le téléphone intérieur.

Juan regarda vers l'arrière : un matelot attendait près d'une amarre un signe d'Eric pour soulever la lourde corde et la laisser glisser dans l'eau ; un cabestan se mit à l'enrouler à l'intérieur du navire. Juan ordonna la même manœuvre aux dockers postés à l'avant. Il n'avait pas encore eu le temps d'annoncer à Stone qu'on avait largué les amarres qu'il vit l'eau bouillonner entre l'*Oregon* et le quai sous l'effet des propulseurs latéraux. Une fois l'arrière du cargo russe dépassé, Eric actionna les machines magnétohydrodynamiques en veillant cependant à garder une vitesse réduite pour éviter à la coque de trop s'enfoncer dans l'eau. Puis, à un mille des bas-fonds du port, il augmenta la puissance.

Juan resta encore quelques instants en haut de la passerelle pour goûter ses dernières secondes de paix jusqu'à la fin de la mission. Une montée d'adrénaline noya toutes ses sensations : son moignon était encore endolori, mais il ne le sentait plus ; il avait toujours mal au dos, mais cela ne le gênait plus, et il supportait sans mal le manque de sommeil, son esprit étant concentré sur la tâche qui l'attendait.

« Prête ? interrogea-t-il en se tournant vers Linda.

— Oui, capitaine. »

Dans l'ascenseur qui les emmenait au centre d'opérations, il lui demanda des nouvelles de Susan Donleavy.

« Je comptais lui parler aujourd'hui, mais, tu comprends...

— Pas de problème, répondit Juan. » Les portes de l'ascenseur s'ouvrirent toutes grandes. « Hali ? Quelles nouvelles ?

— Petromax essaie de joindre les autorités provisoires pour les informer de l'attaque mais, jusqu'à maintenant, le gouvernement n'a pas réagi. Du côté des bâtiments des ouvriers, tout est calme. L'assaut se concentre sur le terminal et sur les puits au large. Deux plates-formes sont, semble-t-il, contrôlées par les terroristes tandis que deux autres tentent de se défendre en utilisant des canons à eau pour la lutte contre l'incendie. Un des contremaîtres du puits a signalé par radio que la fusillade lui a coûté deux hommes et qu'il ne pense pas pouvoir tenir beaucoup plus longtemps.

— Eric, notre arrivée est prévue pour quand ?

— Dans une heure.

— Murph, situation des armes ?

— Tout est chargé, Président.

— Bon, très bien. Beau travail, les gars, d'avoir retrouvé les fusils balisés. Dieu sait combien la situation aurait été pire si nous en avions été réduits à patauger autour du Congo. »

Cabrillo s'apprêtait à regagner sa cabine quand il remarqua Tiny Gunderson installé au fond de la salle devant un écran de contrôle montrant George Adams en train de nettoyer les objectifs de la caméra montée sur le drone.

« Ça m'a l'air bien, dit Tiny dans son micro. Recule, je mets le moteur en marche. » La caméra se mit à vibrer tandis que le petit moteur de l'appareil démarrait. « Bon, tout est OK. Allez, décollage. »

L'image se mit à bouger : le drone prenait de la vitesse sur une rampe de lancement, passait au-dessus des mâts de charge avant de l'*Oregon*, puis survolait le bastingage. Tiny réduisit le mouvement ascensionnel pour gagner de la vitesse puis tira de nouveau sur le manche pour envoyer le drone dans le ciel.

Juan regagna alors sa cabine pour se préparer. Avant de fixer sa jambe de combat nouvellement ajustée et son treillis noir, il ouvrit son ordinateur pour suivre en direct les images transmises par les caméras du drone. Et, tout en apprêtant son arsenal, il gardait un œil sur l'écran.

L'appareil, long d'un mètre vingt, survolait à environ trois cents mètres d'altitude la grande péninsule que l'*Oregon* avait dû contourner pour atteindre le terminal de Petromax. L'émetteur plus puissant qui avait été monté à bord leur avait permis d'augmenter le rayon d'action du drone de quinze à quarante milles, si bien qu'il n'était plus nécessaire qu'il reste près du navire. Il passa au-dessus des terres cultivées, puis de la jungle, pour atteindre enfin le secteur des marais de palétuviers qui séparait effectivement le port du reste de Cabinda, à l'exception d'une unique route.

Tiny fit descendre le petit avion à cent cinquante mètres au-dessus de la chaussée. A quelques kilomètres de l'entrée du terminal, un convoi de camions attendait. Quelques instants plus tard, la caméra confirma ce que Juan avait deviné en révélant que la route avait été bloquée par des arbres abattus. Comme le terrain autour de la chaussée était meuble, les gros camions de carburant ne pouvaient pas contourner l'obstacle. Il faudrait des pelleteuses géantes ou une semaine de sciage pour dégager le passage. Si le gouvernement angolais finissait par envoyer des troupes, elles devraient abandonner tout véhicule blindé de combat bien loin de leur cible.

Cabrillo avait étudié les photos satellites du port et prévu cette manœuvre car c'était exactement ce qu'il aurait fait s'il avait commandé l'assaut.

Il regarda Tiny faire reprendre de l'altitude au petit avion qui approchait du terminal. De trois cents mètres d'altitude, tout semblait normal. Les installations couvraient quelque quatre-vingts hectares le long de la côte avec un énorme groupe de citernes à son extrémité sud et un ensemble de bâtiments et de terrains de sport au nord. Entre les deux, des kilomètres de canalisations de dimensions différentes qui s'entremêlaient dans un labyrinthe que seuls ceux qui l'avaient conçu pouvaient comprendre. Il y avait des entrepôts gigantesques ainsi qu'un port réservé aux ravitailleurs et aux bateaux assurant la navette avec les puits au large. Partant des installations, une chaussée de près de deux kilomètres de long menait aux quais de chargement pour les superpétroliers qui transportaient le brut jusqu'aux marchés du monde entier. Un pétrolier long de trois cents mètres était amarré à un des quais, ses réservoirs vides, jugea Juan d'après la hauteur de peinture rouge de protection qu'il distinguait au-dessus de la ligne de flottaison.

Il aperçut un grand bâtiment construit sur un tertre cimenté à côté d'une des plus hautes tours de ventilation du terminal. Les recherches menées par ses hommes avaient montré qu'il contenait trois réacteurs de la General Electric qui fournissaient l'électricité de toute l'installation. De là, des lignes à haute tension partaient vers tous les coins du port.

A trois milles de la côte se dressaient des puits de pétrole alignés vers le nord comme un archipel créé par la main de l'homme, chacun relié au port par des pipelines sous-marins. Pas aussi grands certes que les puits que Juan avait vus en mer du Nord ou dans le golfe du Mexique, mais chacun mesurant au moins soixante mètres de haut, leurs superstructures maintenues à l'abri des vagues sur d'imposantes jetées de pierre.

Tout lui parut normal jusqu'à ce qu'il se mette à observer avec plus d'attention. Certaines des flammes qu'il voyait ne provenaient pas du gaz naturel qu'on faisait brûler intentionnellement : on avait mis le feu à plusieurs camions-citernes et des nuages d'épaisse fumée enveloppaient quelques constructions. De petites silhouettes gisaient çà et là : les corps d'ouvriers et de membres du service de sécurité qui avaient été abattus par les soldats de Makambo. Et ce que Juan avait d'abord pris pour leur ombre étaient en fait des flaques de sang.

Tiny Gunderson fit alors virer le drone vers le rivage en suivant la chaussée. Les conduites qui alimentaient la plate-forme semblaient aussi grosses que des autorails. Juan poussa un juron en découvrant que des hommes grouillaient autour des portiques de chargement : ils avaient déconnecté les conduites du pétrolier et le brut tombait à la mer en quatre flots épais. La flaque de pétrole entourait déjà la jetée et s'étendait de seconde en seconde. Un des hommes avait dû voir le drone car plusieurs d'entre eux levèrent la tête. Certains braquèrent leurs armes vers le petit avion tandis que d'autres ouvraient déjà le feu.

Il ne risquait guère d'être touché, mais Tiny le fit virer de bord et le dirigea vers la plate-forme côtière la plus proche. Même à près d'un kilomètre de distance, Juan était capable de constater qu'elle était entourée de pétrole : le brut était assez lourd pour écraser les vagues qui tentaient de passer dessous. L'océan ne parvenait qu'à faire onduler la nappe comme un pan de soie noire ; le courant la répandait déjà vers le nord et la marée noire s'élargissait à mesure que le pétrole jaillissait du puits. Le drone arriva ensuite à la hauteur de la seconde plate-forme contrôlée par les terroristes : la marée noire à cet endroit dépassait en ampleur la première.

Même si c'était impossible, Juan crut sentir l'âcre odeur chimique du brut qui se déversait dans la mer : elle lui irritait la gorge et le faisait pleurer. Puis il comprit ce qu'il éprouvait en réalité : de la révulsion devant cet acte délibéré de saccage de l'environnement et de massacre aveugle de vies humaines. La démonstration de Singer constituait le plus grand acte d'écoterrorisme de l'Histoire, et il avait beau prétendre vouloir sauver la planète, ses actes coûteraient cher à la Terre.

Et, si la Corporation échouait, les effets s'en feraient sentir à l'autre bout du monde.

Rassemblant son équipement, Juan se dirigea vers la cale. Elle était envahie par une bonne centaine d'hommes, quelques-uns étant les siens, le reste étant sous les ordres de Moses Ndebele. On avait déjà distribué aux Africains armes et munitions ainsi que les vêtements qui leur manquaient, essentiellement des bottes solides. Assis par terre, ils écoutaient, fascinés, leur chef s'adresser à eux du haut d'une estrade de palettes. Son pied était enveloppé de gaze stérile et une paire de béquilles était posée contre la cloison derrière lui. Sans entrer, Juan s'adossa au montant de la porte pour écouter. Il ne comprenait pas leur langue, mais peu importait. Il percevait la passion dans les paroles de Ndebele et mesurait à quel point elles enflammaient ses partisans. Il s'exprimait d'une voix claire, ses yeux parcouraient la salle, accordant à chaque homme un instant d'attention avant de passer au suivant. Lorsqu'ils se posèrent sur lui, Juan sentit son cœur frémir comme si Ndebele l'avait touché ; il hocha la tête et Moses lui répondit d'un signe.

Quand il eut fini sa harangue, les hommes éclatèrent en applaudissements qui retentirent dans la cale pendant deux bonnes minutes.

« Capitaine Cabrillo, cria Moses dans le vacarme, et le silence se fit aussitôt. Je viens de dire à mes hommes que combattre à vos côtés équivaut à combattre à mes côtés. Que vous et moi sommes maintenant frères en raison de ce que vous avez fait. Je leur ai expliqué que vous avez la force d'un éléphant, la ruse d'un léopard et le courage d'un lion. J'ai dit enfin que, même si aujourd'hui nous nous battons sur une terre étrangère, c'est le jour où nous commençons la reconquête de notre patrie.

— Je n'aurais pas pu mieux dire », approuva Juan.

Il pensa un instant s'adresser aux hommes, mais il comprit, à leur regard, à leur attitude, que rien de ce qu'il pourrait dire ne les inspirerait plus que les paroles de Moses. Il se contenta donc de déclarer :

« Je veux vous remercier tous de faire de mon combat le vôtre. C'est un honneur pour moi et pour votre patrie. » Il fit signe à Eddie Seng de venir le rejoindre. « Tu as donné à chacun ses consignes ?

— J'ai la liste ici, fit-il en montrant un bloc-notes électronique. Mafana m'a aidé à trier les hommes avant leur arrivée, j'ai donc une assez bonne idée de leurs capacités respectives. J'ai également assigné les places pour toutes les embarcations participant à l'assaut.

— Aucune modification de dernière minute au plan ?

— Aucune, Président.

— Alors très bien. En route. »

Juan mènerait l'assaut sur une des plates-formes pétrolières déjà aux mains des terroristes et Eddie dirigerait les opérations contre l'autre. Tous deux rassemblèrent donc la poignée de Zimbabwéens qui viendraient avec eux et quittèrent la cale pour gagner le bassin d'immersion. D'autres utiliseraient le canot de sauvetage du bord et la flottille d'embarcations pour atteindre le quai de chargement et les installations proprement dites pour une attaque coordonnée avec l'*Oregon* sous le commandement de Max en soutien.

Ils descendaient quand Max appela.

« Juste pour vous prévenir que nous serons en mesure de lancer les sous-marins d'ici à dix minutes. »

Juan regarda sa montre : Eric était allé plus vite que prévu.

« Une fois les portes franchies, il nous en faudra encore vingt pour arriver aux puits, alors n'approchez pas la côte avant notre appel.

— J'avais suivi le briefing, hier soir, répliqua Max d'un ton ironique. Juste avant que tu lances ta contre-attaque, nous foncerons sur le terminal et nous enverrons le canot de sauvetage. Nous éliminerons tous les terroristes s'attaquant aux deux autres puits et puis nous prendrons position au large du quai. Quand nous serons assez près pour pouvoir les couvrir, Ski et Linc fonceront à bord du canot d'assaut pour protéger la reprise du quai de chargement.

— Espérons seulement que Linda a raison et que les hommes de Makambo ne sont pas prêts à mourir pour tenir le terminal. Avec un peu de chance, si nous frappons assez fort et assez vite, ils ne tarderont pas à se rendre.

— Et si elle se trompe et si ces types croient vraiment à leur mission ?

— Alors, nous aurons une sacrément rude journée en perspective. »

Tant que le navire continuait d'avancer, les portes de la cale sous le bassin d'immersion restaient fermées, mais on avait déjà retiré la grille métallique protégeant l'ouverture et le plus grand des deux submersibles de l'*Oregon*, le *Nomad 1 000* de vingt mètres, était suspendu au-dessus de l'ouverture sur son berceau d'arrimage. Capable de plonger à plus de trois cents mètres, le *Nomad* arborait autour de son nez camus un faisceau de projecteurs et un bras articulé aussi flexible et délicat qu'un membre humain mais capable d'arracher de l'acier. Le *Discovery 1 000*, plus petit, était accroché au-dessus du *Nomad* et serait lancé dès que son grand frère serait parti.

Linda accompagnerait Juan tandis que Jerry Pulaski s'apprêtait à monter avec Eddie. L'assaut sur le rivage serait dirigé par Franklin Lincoln et Mike Trono qui rassemblaient déjà leurs forces dans le canot de sauvetage ainsi que dans le hangar à bateaux situé au milieu du navire. Les techniciens avaient soigneusement examiné les submersibles, Juan n'avait donc rien à faire que de donner une grande claque sur la coque pour leur porter chance et de grimper sur l'échelle que lui tenait un homme d'équipage. Le sous-marin se balançait légèrement lorsqu'il arriva en haut. Juan adressa un bref salut à Eddie et s'engouffra par l'écoutille.

Il descendit à l'intérieur du submersible et se dirigea vers le poste de pilotage : un réduit à rendre claustrophobe, où deux sièges inclinés étaient entourés de douzaines d'écrans d'ordinateurs, de tableaux de bord et qui était agrémenté de trois minuscules hublots. Bien que plus grand que celui de *Discovery*, l'intérieur de *Nomad* était en fait plus petit : parce que sa coque était épaisse, parce qu'il transportait de grosses batteries destinées à lui assurer une autonomie de soixante heures et qu'en plus il était équipé d'une chambre de saturation pour la plonge. Le *Discovery* avait été débarrassé de certains éléments pour accueillir le maximum de passagers – soit huit au lieu de six. Effectifs bien modestes pour attaquer les puits ; seule la crème des guerriers de Ndebele accompagneraient les deux submersibles.

Linda se glissa derrière Juan mais sans s'installer sur son siège. Elle montra aux hommes comment boucler leur ceinture pendant que Juan pointait la check-list d'avant-plongée.

Cabrillo brancha sur le panneau de transmissions un casque d'écouteurs léger.

« *Nomad* à *Oregon*, je fais un essai de com. Vous m'entendez ?

— Cinq sur cinq, *Nomad*, répondit aussitôt Hali. Nous avons presque fini la décélération. On pourra ouvrir les portes du bassin d'ici à une minute environ.

— Bien reçu. Tout le monde est paré derrière ? » Deux hommes n'avaient pas l'air ravis de se trouver ainsi confinés, surtout quand on boucla hermétiquement le panneau d'écoutille, mais ils parvinrent quand même à lever les pouces. « Mafana ? Ça va ? »

Bien que légèrement blessé lors de la libération de Moses, l'ancien sergent avait insisté pour accompagner Cabrillo.

« Je comprends mieux maintenant certains passages de la Bible. » Juan ne paraissant pas comprendre, Mafana précisa. « Jonas et la baleine.

— Le trajet sera court et nous ne descendrons pas en dessous de quinze mètres. »

Des voyants lumineux disposés sur les cloisons se mirent à clignoter ; une sirène se déclencha, mais inaudible de l'intérieur du sous-marin de poche. Juan vit par le hublot les grandes portes s'ouvrir tout contre la quille du navire. L'eau s'engouffra contre le métal tandis que la mer pénétrait peu à peu dans la cale du navire pour emplir le bassin jusqu'à la ligne de flottaison de l'*Oregon*.

Un déclic métallique, et le berceau soutenant le submersible commença à s'abaisser dans la mer. L'eau s'éleva par-dessus les hublots et il commença à faire nettement plus sombre à l'intérieur du *Nomad*, éclairé seulement par les écrans d'ordinateur et quelques rampes à basse tension du poste d'équipage. Dès que le sous-marin se mit à flotter, le berceau se décrocha.

« Vous êtes libres, annonça un matelot dans le casque de Juan.

— Affirmatif. »

Juan actionna les contrôles du ballast pour inonder les réservoirs et, en quelques secondes, le petit sous-marin plongea dans le bassin et gagna le large.

« *Nomad* en route. Vous pouvez lancer le *Discovery*. »

Il actionna les moteurs, écouta le gémissement des hélices qui fouettaient l'eau et régla l'ordinateur sur quinze mètres, une profondeur suffisante pour qu'un observateur en surface ne puisse pas voir passer le noir de la coque. L'ordinateur central de l'*Oregon* avait déjà calculé la route et en avait transmis les données au sous-marin, si bien que Juan n'avait rien d'autre à faire que de profiter du voyage.

Cinq minutes plus tard, Eddie annonça le largage réussi du *Discovery* qui faisait route vers le second puits.

Le trajet – à dix nœuds au maximum – parut durer une éternité à Juan, conscient qu'il était plus énervé par le fait que, à chaque nouvelle minute, le pétrole se déversait inexorablement dans la mer.

« *Oregon*, ici le *Disco*, appela Eddie sur la liaison acoustique. Nous sommes arrivés au puits, en stationnaire juste en dessous de la surface. La nappe de pétrole doit s'étendre maintenant sur trois milles.

— *Disco*, ici le *Nomad*, dit Juan. L'ordinateur nous situe à trois minutes de la plate-forme. »

La couleur sombre de l'océan lui indiquait que le sous-marin de poche naviguait lui aussi sous une nappe de brut et cela depuis un moment.

Le système GPS du *Nomad* guida l'engin entre deux des pieds qui soutenaient le derrick jusqu'à quelques mètres d'un troisième pilier où, grâce au drone, il savait qu'une échelle permettait d'accéder au sommet de la plate-forme.

« Houston, le *Nomad* a accosté.

— Bien reçu, *Nomad*, répondit Hali. Juste une minute pour que Tiny vérifie que vous n'avez pas de la compagnie en bas et que vous allez pouvoir faire surface et ouvrir les écoutilles. »

Juan rebrancha son casque sur sa radio personnelle, se leva de son siège capitonné et s'approcha de l'écoutille, son MP-5 en bandoulière. Mafana et ses hommes débouclèrent leurs ceintures.

« Juan, annonça Linda de l'autre extrémité du submersible, Hali signale que la voie est libre. Il n'y a personne en bas, mais Tiny estime à trente au moins le nombre de terroristes sur la plate-forme.

— Pas pour longtemps », marmonna-t-il avant d'ordonner à Linda d'évacuer doucement les réservoirs de ballast.

Telle une créature sortie d'un film d'horreur, le large dos du *Nomad* émergea de la couche poisseuse de brut assez consistante pour s'accrocher à tout ce qui dépassait.

« Masques », lança Juan en fixant un masque chirurgical sur son nez et sa bouche.

Julia avait étudié la toxicité du brut et ses effets sur l'organisme humain : dès l'instant qu'ils ne s'exposaient pas plus de deux ou trois heures et qu'ils restaient dans des zones bien ventilées, inutile de porter des masques à gaz, plus encombrants.

Il pressa le bouton commandant l'ouverture du panneau d'écoutille et recula devant l'odeur âcre et chimique qui l'assaillit.

Il s'extirpa hors du sous-marin et accrocha un câble au judas ménagé dans la coque. Une plate-forme incrustée de bernacles entourait l'armature de soutien : il sauta dessus pour attacher le câble à l'échelle intégrée. Ainsi fixé à égale distance des quatre énormes pieds du derrick, le conduit vertical tomba de la plate-forme dans l'océan. A l'intérieur devaient se trouver l'appareil de forage rotatif qui fonctionnait quand on recherchait du pétrole ainsi que les canalisations permettant de pomper le brut. Contrairement à ce qui se passait sur d'autres champs pétroliers, la pression était suffisante pour qu'on n'ait pas à l'aspirer : il coulait spontanément. Et les terroristes, en détruisant le réseau de canalisations de la plate-forme ou en débloquant certaines valves, avaient ouvert la voie au pétrole qui tombait maintenant en une cascade d'un noir scintillant sous le soleil matinal et frappait la nappe de brut dans un fracas de tonnerre.

Juan détourna les yeux de cet incroyable spectacle pour observer ses hommes émerger du *Nomad*. L'*Oregon* se dirigeait vers le rivage. Malgré sa vilaine silhouette de vieux cargo, où l'on s'était plus attaché au côté fonctionnel qu'artistique, malgré son pont hérissé d'une forêt de mâts de charge, malgré sa coque badigeonnée de peintures mal assorties, Juan le trouvait plus beau que jamais. Max faisait route vers la troisième plate-forme où les employés de Petromax tenaient encore en échec les terroristes mais signalaient qu'ils se préparaient à abandonner le puits sur leurs canots de sauvetage. Quant aux hommes qui défendaient la quatrième plate-forme, ils proclamaient sur les ondes qu'ils ne céderaient jamais.

Linda, après avoir hermétiquement refermé le panneau d'écoutille du sous-marin de poche, fut la dernière à sauter du *Nomad* sur la plate-forme.

« Allons-y, cria-t-elle par-dessus le vacarme du pétrole qui se déversait. L'air qu'on respire ici va me ruiner la peau. Je sens déjà mes pores s'obstruer. » Puis elle ajouta avec un sourire moqueur : « Je peux vous assurer que j'obtiendrai de la Corporation qu'elle m'offre une cure dans une station thermale. »

27

L'*OREGON* APPARAISSANT À L'HORIZON NE suscita aucun intérêt chez les rebelles à bord des canots qui dansaient autour des pieds de la troisième plate-forme : ils ne se préoccupaient en effet que de grimper l'échelle pour s'emparer du puits. Leurs efforts s'étaient jusque-là heurtés à la résistance des ouvriers qui, braquant d'en haut des canons à eau sur les piliers, rejetaient les assaillants à la mer. Mais le combat n'était pas aussi inégal qu'on aurait pu le croire car, depuis les canots, les terroristes arrosaient d'un feu nourri la colonne haute d'une douzaine de mètres ; de temps en temps, ils faisaient mouche et un employé de Petromax tombait sur le pont quand il ne plongeait pas directement dans la mer – dans ce cas sous les vivats des attaquants. Le résultat de cette guerre d'usure entre pistolets à eau et armes automatiques était inévitable.

Assis au poste d'armement, Mark Murphy observait les images transmises par une demi-douzaine de caméras et le relevé de situation du système d'armes intégré de l'*Oregon*. Eric Stone, lui, occupait le poste de travail voisin, une main sur la manette contrôlant le gouvernail ainsi que le débit de la pompe directionnelle, l'autre posée sur les accélérateurs.

« Monsieur Stone, amenez-nous à cinq cents mètres de la plateforme, dit Max depuis le fauteuil de commandement. Et dégagez l'étrave pour que la Gatling puisse tirer. Wepps, ouvrez les plaques de la coque qui protègent la redoute du canon et soyez prêt à tirer sur mon ordre. »

Tiny Gunderson fit décrire au drone un grand cercle autour du puits pour permettre à Mark de repérer ses cibles. Murph baptisa Tangos Un à Quatre les quatre canots croisant au pied de la plate-forme puis les entra dans l'ordinateur qui ne cessa de les surveiller. Installé en haut de l'étrave, le M61A1 se mit en position de tir, ses six tubes pivotants plongeant et tournant tandis que l'ordinateur compensait les mouvements du navire.

« *Nomad* à *Oregon,* nous avons atteint la plate-forme, lança Juan.

— Il était temps, *Nomad*, railla Max, ça fait deux minutes que *Discovery* vous attend.

— Nous nous sommes arrêtés en chemin pour prendre un café. Etes-vous en position ?

— Nous sommes prêts. Centre d'opérations à canot de sauvetage. Mike, tu es là ?

— Nous sommes prêts, répondit Trono d'une voix atone qui dénotait sa totale concentration.

— Larguez le canot de sauvetage et bonne chance. »

Dissimulé par la coque du navire et donc invisible depuis la plate-forme, le canot de sauvetage transportant soixante hommes tassés les uns contre les autres, fut soulevé de son berceau et passé au-dessus du bastingage, puis les bossoirs mirent lentement l'embarcation à la mer. Dès qu'elle fut sur l'eau, Mike fit larguer les amarres et démarrer le moteur.

Trono, après avoir quitté l'Air Force – six ans en tant que parachutiste et cinq sauvetages de pilotes à son actif –, avait piloté quelque temps un canot de course. Une fois sa passion de la vitesse satisfaite par l'excitation éprouvée en volant sur l'eau à plus de cent cinquante kilomètres, il avait sauté sur l'occasion et était entré à la Corporation, apportant avec lui l'expérience d'un des meilleurs pilotes du monde dans sa spécialité.

En un instant, le canot de sauvetage se transforma en avion. Mike déploya les ailes et mit toute la puissance. L'étrange engin fila sur l'eau comme un poisson volant et resta hors de portée des terroristes qui attendaient l'ordre de virer vers l'est et de se poser près des citernes du terminal Petromax. Ensuite, de là, il dirigerait la contre-attaque pour reprendre le contrôle de la plate-forme aux hommes de Makambo.

Une explosion inattendue se produisit alors sur le puits, cible de l'*Oregon*. Tiny, en zoomant, vit deux rebelles à bord d'un des canots d'aluminium en train de recharger un lance-roquette. Des flammes et une épaisse fumée jaillirent d'une passerelle où, quelques instants plus tôt, deux employés de Petromax déversaient sur les attaquants des centaines de litres d'eau de mer : les hommes avaient disparu et le canon n'était plus qu'un amas de ferraille tordue.

« Je capte un nouvel appel du puits au quartier général de Petromax dans le Delaware, annonça Hali. Ils abandonnent la plate-forme.

— Pas question, lança Max. Wepps ?

— Je les ai. »

Mark ôta le cran de sûreté de la Gatling et donna à l'ordinateur la permission d'ouvrir le feu. La mitrailleuse était capable de tirer des balles de 20 mm en uranium appauvri au rythme de six mille par minute, mais Murph avait réduit la vitesse de rotation des tubes si bien que, pendant les deux secondes où les munitions s'engouffraient dans les chargeurs, quatre-vingts balles seulement jaillissaient du canon avec un bruit de scie électrique.

Les terroristes qui, au pied de la plate-forme, poussaient de folles acclamations, n'eurent pas le temps de comprendre ce qui leur arrivait car, une fraction de seconde plus tard, la Gatling avait volatilisé les Tangos Deux et Quatre, qui se balançaient gaiement, dans un jaillissement d'aluminium déchiqueté et de corps en miettes.

Le pilote de Tango Un avait dû voir d'où venait le tir, car il vira de bord pour s'abriter derrière l'une des colonnes, et on ne le revit plus. L'ordinateur attendit sa cible enregistrée un peu plus longtemps que Murph ne l'aurait voulu, l'obligeant à reprendre en manuel le réglage automatique de tir de la Gatling ; il se promit de vérifier plus tard la programmation du système.

Sur son principal écran de contrôle, apparut un réticule dans la ligne de mire du canon. Il manœuvra le zoom de la caméra et repéra le quatrième canot qui filait vers le puits suivant. Un petit mouvement du manche centra le viseur sur l'embarcation et une brève pression sur la détente la fit disparaître.

Murph remit la mitrailleuse en automatique ; elle pivota de nouveau vers la plate-forme pour s'occuper du dernier canot. La ligne argentée de son arrière surgit de derrière le pilier, offrant une cible de moins d'un mètre carré. Même à cinq cents mètres de distance et sur un bateau instable, c'était plus que suffisant. La Gatling poussa un nouveau hurlement : le moteur du hors-bord explosa, projetant le canot dans les airs et ses huit occupants dans toutes les directions – certains jetés à la mer ou s'écrasant contre le pilier et deux paraissant s'être purement et simplement volatilisés.

« Plate-forme trois sécurisée, annonça Mark avec un grand soupir.

— Timonier, à l'attaque de la dernière », grommela Max, sachant que les deux sous-marins n'auraient pas la tâche si facile.

Accroupi sur un escalier bien exposé de l'autre côté de la plate-forme, Cabrillo pensait la même chose. A ses pieds, la nappe de pétrole qui tuait sur son passage frémissait comme une créature vivante ; elle étalait sa tache noirâtre aussi loin que portait le regard et avait probablement atteint le brise-lames de béton qui protégeait la façade du terminal Petromax. Le vent du sud fraîchissait, aussi l'odeur n'était-elle pas aussi insupportable qu'en bas ; des relents pétrochimiques flottaient cependant dans l'air.

Contrairement aux gigantesques plates-formes de la mer du Nord ou du golfe du Mexique, capables d'abriter des centaines d'ouvriers des mois durant et plus hautes que bien des gratte-ciel, cette base de moins de cent mètres carrés était dominée par un derrick dont la frêle silhouette se dressait telle une tour ainsi que par une grue mobile aux couleurs vives utilisée pour hisser ou décharger l'équipement apporté par les ravitailleurs.

Plusieurs constructions métalliques accrochées au pont débordaient de la structure : l'une, certainement un centre de contrôle, et les autres enfermant les appareils chargés de réguler le flux de brut provenant de la tête du puits au fond de la mer ; également, sur le pont, tout un réseau de canalisations ainsi que deux ou trois petits containers servant de dépôts. Bien qu'elle n'eût que quelques années, la plate-forme semblait mal entretenue ; Juan n'y distingua aucun cadavre – un bon signe, se dit-il.

Au pied de la tour de forage, on voyait un torrent de pétrole qui montait comme un flot de lave des entrailles de la terre. La fontaine d'un noir d'ébène s'élevait à quelque cinq mètres de haut avant de s'effondrer sous son propre poids pour être aussitôt remplacée par un nouveau jaillissement de brut. Le flot se déversait par des ouvertures pratiquées autour du plateau tournant et se vidait dans l'Atlantique. Le débit était tel qu'on ne pouvait en déduire si les canalisations avaient été sabotées ou si on s'était contenté d'ouvrir les robinets de trop-plein.

Cabrillo appréhendait qu'une étincelle ne mette le feu au pétrole : l'explosion abattrait probablement tous les arbres le long de la côte.

Une fois sur place, son équipe et lui avaient constaté que les terroristes, qui grouillaient sur la plate-forme et dont quelques-uns inspectaient les flancs de la structure – histoire de s'assurer que personne n'approchait –, semblaient dans l'ensemble certains d'avoir la situation bien en main.

Ce fut seulement quand l'*Oregon* se posta devant le troisième puits et fit sauter leurs camarades comme dans un jeu de quilles qu'ils retrouvèrent un peu de discipline. Le chef du contingent posta des vigies pour guetter tout navire débouchant dans les parages et ordonna aux autres de préparer leurs lance-roquettes au cas où le cargo arriverait à portée de tir. Juan, caché avec ses hommes dans une baille à mouillage, vit une patrouille de quatre hommes s'engager sur la passerelle courant le long de l'étage inférieur.

Puis l'*Oregon* descendit plus bas le long du chapelet de puits côtiers, et la vigilance des terroristes se relâcha quelque peu : les vigies firent moins attention et des hommes se massèrent le long du bastingage pour voir comment leurs compatriotes attaquant la dernière plate-forme réagiraient en voyant le cargo approcher. Juan savait que le gros des forces de Makambo se composait essentiellement d'adolescents et il se doutait que le général rebelle ne mettrait pas ses meilleures troupes à la disposition de David Singer. Il demanda à Mafana de le remplacer en haut de l'escalier et redescendit pour discuter avec Linda Ross.

« Lors de l'attaque du premier puits, ils n'ont pas rencontré beaucoup de résistance. C'est seulement au second que les hommes de Petromax se sont battus.

— Tu penses qu'ils ont réussi à les encercler et à les faire prisonniers ?

— Je sais que ces types sont sans pitié, mais ils ont probablement jugé cela plus pratique que d'exécuter une centaine d'ouvriers.

— Tu veux que j'aille voir ?

— Quand nous aurons repris le puits, nous aurons besoin d'eux pour couper l'arrivée du pétrole et, s'il n'y a pas de survivants sur la plate-forme d'Eddie, il faudra les transporter pour travailler sur celle-là aussi. Prends trois hommes et patrouille à l'intérieur. Il doit bien y avoir une salle de détente, un réfectoire, quelque chose d'assez grand pour y faire tenir tout l'équipage.

— J'y vais. »

Cabrillo ne put retenir un sourire en voyant Linda entraîner trois hommes deux fois plus grands qu'elle à l'intérieur du puits. Il remonta les marches et s'accroupit près de Mafana pour examiner une nouvelle fois la scène, calculant les angles de tir et repérant les abris et les endroits où se réfugier en cas de nécessité. Il sentait sur lui le regard de Mafana.

« Vous voulez juste les charger, n'est-ce pas ? Selon moi, c'est le meilleur plan, approuva-t-il avec un grand sourire. Et ça a toujours marché pour moi. »

Juan secoua la tête et lui donna ses instructions. Mafana les transmit à ses hommes qui, sans un mot, prirent position sur l'escalier où Cabrillo leur avait désigné les positions d'embuscade avec la finesse d'un grand maître disposant ses pièces sur l'échiquier.

Bien qu'habitués à se battre plutôt dans la jungle, les Africains se déplaçaient sans peine dans cet environnement inhabituel, traversant le pont avec la patience de chasseurs aguerris – des chasseurs qui avaient passé leur jeunesse à traquer la plus dangereuse de toutes les proies : l'homme. Dix minutes plus tard ils étaient déployés ; Juan examina une fois encore le pont, s'assurant que chacun occupait bien sa place : il ne voulait surtout pas avoir sur la conscience un incident provoqué par des tirs amis.

Satisfait, il grimpa les deux dernières marches et courut jusqu'à un recoin près d'un container, se collant contre la cloison et vérifiant qu'il avait bien retiré le cran de sûreté de son fusil d'assaut. A cent mètres de lui, le commandant terroriste parlait dans une grosse radio, sans doute au chef encore à terre qui dirigeait l'attaque. Juan cala le MP-5 contre son épaule et braqua le viseur laser sur la poitrine de l'homme, un peu sur la gauche.

Un instant plus tard, un trou gros comme une pièce de dix cents apparut à la place du point rouge. L'homme, comme privé de son squelette, s'écroula. Grâce au silencieux, personne n'avait entendu le coup de feu, mais une poignée de soldats avaient vu leur chef tomber ; ils réagirent aussitôt et, les mains crispées sur leurs armes, se mirent à couvert.

Lorsqu'un des hommes de Cabrillo ouvrit le feu avec sa kalachnikov, trente fusils répliquèrent. Une grêle de balles balaya le pont dans toutes les directions, à l'exception d'une seule – celle du derrick de forage ; Cabrillo s'était en effet assuré que personne de sa troupe n'en était assez près afin de ne pas inciter les rebelles à tirer vers le pétrole dont les vapeurs volatiles continuaient de fuser.

Dans les premières secondes, six rebelles tombèrent et Juan pour sa part en abattit deux qui s'approchaient du container. Un de ses hommes, qui se précipitait pour se mettre à l'abri, reçut une balle dans la jambe et s'écroula à trois mètres de Cabrillo. Juan lâcha aussitôt une rafale pour le couvrir et le tira par le col de son blouson jusqu'au container.

« *Ngeyabongo*, haleta le blessé, la main crispée sur sa cuisse ensanglantée.

— Pas de quoi », répondit Juan, comprenant à défaut du terme exact le sentiment qu'il voulait exprimer.

Un instant plus tard, le monde bascula : un missile avait explosé de l'autre côté du container.

Linda aurait voulu pouvoir éteindre les lumières à l'intérieur de la plate-forme afin d'utiliser ses lunettes à vision nocturne, ce qui lui aurait donné un avantage certain ; malheureusement les couloirs étaient brillamment éclairés.

Le niveau inférieur du puits était essentiellement occupé par des machines installées dans quatre grandes salles ; en revanche, l'étage du dessus, un labyrinthe de coursives et de pièces, n'offrait aucune issue. Ils découvrirent au passage plusieurs petits dortoirs pour les travailleurs de la plate-forme ainsi qu'un ensemble de bureaux pour le personnel administratif.

Ils inspectaient chaque pièce – il n'y avait pas d'autre moyen – et ne progressaient que lentement, trop lentement au goût de Linda, consciente du fait que plus elle mettrait de temps, plus longtemps le Président serait privé de presque la moitié de ses effectifs.

Au détour d'un couloir, elle aperçut deux rebelles adossés à une porte, leurs kalachnikovs posées par terre à côté d'eux. Elle recula, et son geste soudain attira l'attention de ses hommes : Linda montra ses yeux, désigna le tournant et leva deux doigts. A ce langage des signes, quasi universel pour tous les guerriers, ses hommes acquiescèrent. Elle indiqua à l'un d'eux de se baisser ; il secoua la tête, fit le geste de tirer et leva un pouce. Non, prévenait-il, celui-ci est meilleur tireur. Linda hocha la tête affirmativement et l'homme désigné se mit en position.

Elle s'approcha du tournant, le viseur laser de son pistolet mitrailleur traçant au plafond des dessins étranges. Puis avec un nouveau coup d'œil au couloir, elle épaula et toucha en pleine poitrine à deux reprises le garde le plus éloigné tandis que le tireur d'élite abattait d'une seule balle son compagnon.

Les quatre équipiers se ruèrent alors dans le passage, en direction de la porte, et ouvrirent le feu sur un troisième garde qui apparaissait un peu plus loin ; l'impact de cette grêle de balles projeta son corps contre une cloison. Quand la fusillade cessa, Linda entendit de l'autre côté de la porte un crépitement d'armes automatiques et des hurlements de panique et de douleur.

Première à atteindre la porte, elle fit sauter la poignée d'une brève rafale et déboula dans la pièce, atterrissant sur le côté et s'appuyant sur son élan pour se remettre à genoux, sa mitraillette collée contre son épaule. Alertés par la fusillade dans le couloir, deux rebelles tiraient au hasard sur un groupe d'ouvriers terrifiés.

Le chaos était total : des hommes couraient, criaient, trébuchaient les uns sur les autres dans leur hâte à échapper au massacre, d'autres tombaient criblés d'horribles blessures. Linda fut bousculée par deux fuyards au moment où elle pressait la détente, et ses trois projectiles, traversant le passage qui menait à la cuisine, firent trois trous dans l'acier d'un conduit de ventilation. Deux autres ouvriers furent abattus avant qu'elle puisse ajuster son tir et abattre le premier des deux rebelles d'une balle en pleine tête.

Ses trois compagnons, criant aux ouvriers de se coucher par terre, avaient fait irruption dans la salle à manger à la recherche du second terroriste ; ce dernier, ayant cessé de tirer dès que Linda avait tué son camarade, essayait de se mêler aux ouvriers qui se précipitaient vers la sortie.

« Personne ne sort », cria-t-elle, sa voix haut perchée presque inaudible dans le tumulte.

Mais le tireur d'élite l'avait entendue et, avec les autres, s'était avancé pour bloquer la porte, tenant bon malgré tous les efforts des ouvriers pour passer.

Linda se releva et scruta les visages. Elle avait à peine aperçu le second rebelle, et maintenant elle ne le voyait plus du tout. Puis, sur sa gauche, la porte de la cuisine bougea légèrement ; elle fonça, les hommes s'écartaient sur son passage en voyant son arme et son regard meurtrier.

D'un coup de pied elle enfonça la lourde porte qui s'entrouvrit avant de se refermer à demi après avoir heurté un obstacle solide. Ne percevant aucune réaction, Linda se baissa et se glissa dans la pièce ; elle distingua un lave-vaisselle sur sa gauche et un couloir qui semblait conduire soit à une réserve soit à une pièce totalement indépendante, mais, à cause de la porte, elle ne put en voir davantage.

Elle se tournait pour regarder à droite quand une main énergique la saisit par la nuque. On la remit debout et elle sentit le canon brûlant d'un fusil d'assaut contre ses reins. Le rebelle s'exprimait dans sa langue natale, soufflant des mots que Linda ne comprenait pas mais dont elle percevait la signification : elle était maintenant sa prisonnière et, si quelqu'un essayait de s'attaquer à lui, il lui ferait sauter l'épine dorsale avant de tomber.

Dix minutes à peine avaient suffi à l'*Oregon* pour atteindre la quatrième plate-forme et se débarrasser des canots rebelles. Un seul était resté près du puits après la destruction des premiers, mais le drone de Tiny Gunderson en avait repéré trois autres qui s'enfuyaient vers le quai de chargement des pétroliers. Plutôt que de leur laisser l'occasion de renforcer les effectifs des rebelles, Max Hanley avait ordonné à Murph de les éliminer. Ils étaient presque hors de portée quand il eut dans son viseur le dernier canot si bien qu'il dut tirer une rafale de cinq secondes avant de toucher sa cible. Le canot, coupé en deux, pirouetta sur la crête des vagues.

Dans une manœuvre qui arracha un gémissement aux plaques de la coque, Eric fit pivoter l'*Oregon* presque sur place et accélérait déjà vers le quai lorsque la petite embarcation sombra.

« *Oregon* à *Liberté*, lança Max par radio.

— Ici *Liberté*, répondit Mike Trono.

— Nous avons sécurisé le quatrième puits et nous prenons maintenant position pour couvrir votre assaut. »

Approcher un quai solidement défendu à bord d'un canot de sauvetage sans armes était suicidaire, mais sous la protection de l'arsenal de l'*Oregon*, Cabrillo et ses hommes étaient convaincus de débarquer sans dommages.

« Bien reçu, *Oregon*. Je vous ai en visuel. Je pense qu'il vous faut encore cinq minutes avant que nous puissions virer vers la côte.

— Ne m'attendez pas, répondit Eric qui tenait la barre, en poussant à fond les propulseurs. Je serai en position avant que vous soyez à un mille du rivage. »

Max régla son écran de contrôle pour vérifier l'état de ses chères machines et constata que Stone les poussait juste au-dessous de la ligne rouge. Les inquiétudes qu'il avait pu nourrir après l'échouage sur le Congo se dissipèrent : l'*Oregon* tenait bon.

Mike avait maintenu le navire à deux milles de la côte, décrivant de grands cercles avant de donner l'assaut. Il tourna la barre à l'est, avec pour objectif l'ensemble des énormes cuves à la bordure sud du terminal, le secteur où le vol de reconnaissance du drone avait dénombré le moins de rebelles ; on ne manquerait cependant pas de les repérer quand ils approcheraient.

Mike devait contourner la marée noire qui se densifiait. Il n'avait aucun moyen d'en estimer l'étendue mais ce qu'il apercevait déjà lui rappelait de façon inquiétante le chenal du Prince William quand l'*Exxon Valdez* était venu s'éperonner sur les récifs.

Il était installé dans le cockpit arrière d'où il avait une vue à trois cent soixante degrés ; le vacarme des machines de l'hydrofoil l'empêcha d'entendre le drone approcher. Tiny le fit passer à moins de six mètres au-dessus du navire, faisant remuer les ailes du petit avion avant de filer vers la jetée.

« Il est dingue, ce type », marmonna-t-il avec un sourire, et il jeta un coup d'œil à l'écran de contrôle qu'on avait installé la veille au soir.

Rien ne semblait avoir changé depuis le premier passage du drone au-dessus des installations. On ne voyait aucun soldat rebelle autour des citernes ou autour de la station électrique. Ce fut seulement lorsque Tiny dirigea le drone vers le nord qu'il put distinguer quelques insurgés : certains gardaient la grille d'entrée tandis que d'autres manœuvraient un convoi de gros camions-citernes à dix-huit roues. Les épaisses coulées de pétrole qui sortaient de l'arrière de chaque camion serpentaient sur le quai et s'écoulaient du haut de la jetée. Un autre groupe, déjà sur le dock flottant, mettait en place une nouvelle batterie de ponts roulants pour commencer à pomper du brut dans la mer, là où, dès que Mike et ses hommes seraient en position pour les appuyer, Linc lancerait son assaut.

Ils se trouvaient à un mille du quai le plus proche du groupe de citernes quand un signal sur l'écran lui indiqua qu'ils avaient été repérés : des hommes couraient sur la chaussée et grimpaient à bord de véhicules Petromax – camions, chariots élévateurs, et même une grue à chenilles, tout ce que leur commandant pouvait utiliser – afin de traverser les installations. D'autres arrivaient à pied, déferlant sur le terminal comme des fous.

« *Oregon*, vous voyez ce que je vois ?

— Nous voyons », répondit Max.

Mark Murphy rentra les plaques blindées de la coque qui protégeaient les canons automatiques Bofors de 40 mm et activa les supports hydrauliques qui les faisaient tourner en position de tir. L'écran de son ordinateur se divisa en deux, une partie montrant la caméra de visée de la Gatling, l'autre celle du canon mitrailleur. Mark se mit à indiquer des cibles aussi vite qu'il le pouvait, déplaçant le réticule sur l'écran avec deux manettes et désignant les véhicules qu'il apercevait dès que l'ordinateur lui signalait que l'objectif était verrouillé. Le Bofors commença à expédier des obus explosifs et la Gatling à cracher une langue de feu qui jaillissait à cinq mètres du flanc de l'*Oregon*. Les armes cherchaient de nouvelles cibles avant même que les premières salves eussent fait mouche.

Les projectiles de la Gatling arrosèrent le flanc d'un tombereau, les balles à haute vélocité arrachant le moteur de son berceau, faisant voler en éclats tout ce qui se trouvait dans la cabine et perçant des trous gros comme le poing dans l'épaisse plate-forme. Sous la force des impacts les douze tonnes du véhicule basculèrent un instant, puis se retournèrent.

Deux obus de 40 mm creusèrent dans l'asphalte des cratères jumeaux juste devant un 4 × 4 chargé d'hommes debout sur les marchepieds et cramponnés aux portières. Le chauffeur donna un brusque coup de volant pour éviter les cavités mais le pneu avant gauche tomba dans un des creux fumants à l'instant où un troisième projectile touchait la roue avant droite. Le souffle lança la voiture en l'air, ses occupants projetés hors de sa carcasse fracassée comme des poupées jetées par un enfant turbulent.

« Eric, dit Murph sans lever les yeux de son ordinateur, fais-nous tourner de côté. Nous sommes à portée pour déployer les calibres 30 du pont. »

Contrôlée depuis d'autres postes de tir, chacune des M-60 de calibre 30 pouvait être braquée sur une cible. Même si on les utilisait comme armes de défense contre des tentatives d'abordage, les six mitrailleuses lourdes pouvaient fort bien s'attaquer à des hommes à terre. Elles étaient camouflées en barils de pétrole posés sur le pont et, sur un ordre de Murph, les couvercles se soulevèrent pour les libérer, les canons se dressèrent à l'horizontale en pivotant vers l'extérieur. Chaque poste de tir avait sa propre caméra à infrarouge. Lorsqu'elles furent en place, Mark reporta son attention vers ses propres systèmes d'armes et laissa ses artilleurs faire leur travail. Quelques instants plus tard, les mitrailleuses ajoutèrent leur crépitement à la symphonie qu'il dirigeait.

Il fallut encore cinq minutes pour arrêter la course des rebelles qui fonçaient vers les citernes devant lesquelles Murph dirigeait l'hydrofoil pour se préparer à débarquer. Des soldats parvinrent pourtant à traverser la cour, par deux ou par trois, se mettant à couvert quand les M-60 étaient occupées ailleurs, et un petit détachement de tireurs encercla la clôture du périmètre extérieur en se dissimulant derrière le terminal.

Murph avait fait son travail : il avait nettoyé la quasi-totalité de la zone de débarquement de Mike ; le combat n'était cependant pas encore terminé. Et, tant que Trono et ses troupes africaines n'auraient pas débarrassé la cour des rebelles qui s'y trouvaient, Linc et Ski ne pourraient pas attaquer le quai de déchargement et empêcher les insurgés de continuer à déverser dans la mer quatre cents tonnes à la minute de brut toxique.

28

VOIR TOUT CE PÉTROLE SE déverser du puits profond creusé en dessous de la plate-forme donnait à Eddie Seng une furieuse envie d'abattre les quinze rebelles qui venaient de se rendre après cinq minutes de fusillade. Comparée aux formidables efforts déployés par l'homme pour dompter la nature, la tentative des ouvriers de Petromax d'endiguer ce flot paraissait dérisoire et inefficace.

Il jeta un nouveau coup d'œil à ses prisonniers agenouillés, les bras ligotés derrière eux par les menottes en plastique qu'il avait apportées ou les bouts de fil électrique fournis par les ouvriers. Ils n'avaient pas plus de vingt-cinq ans et aucun n'osait affronter le regard glacial qu'il posait sur eux. Quant aux six rebelles abattus lors de l'attaque éclair d'Eddie, leurs corps criblés de balles avaient été allongés côte à côte sur le sol et recouverts d'un vieux bout de bâche.

Eddie comptait un seul blessé parmi ses hommes – une plaie superficielle à la jambe causée par le ricochet d'une balle. L'assaut avait été bref car dès qu'ils s'étaient rendu compte de la violence de l'attaque, les rebelles survivants avaient laissé tomber leurs armes et levé les mains ; quelques-uns avaient même commencé à pleurer. Eddie était descendu au sous-sol où il avait trouvé l'équipe du puits cantonnée dans le réfectoire, sans garde ; huit de leurs compagnons de travail avaient été abattus au début de l'assaut.

Leur contremaître avait été tué au moment où les rebelles avaient déferlé sur la plate-forme ; il incombait donc à son second de stopper le flux de pétrole. Il se détacha du groupe des hommes rassemblés autour de la tête du puits et s'approcha d'Eddie. Son bleu de travail et ses gants étaient noirs de pétrole et son visage d'ébène maculé de graisse.

« On peut le réparer, dit-il en anglais avec un fort accent. Ils ont remplacé l'arbre de Noël par un robinet de dérivation de trente centimètres de diamètre et l'ont ouvert afin de laisser jaillir le pétrole ; ils ont cassé la manette et renversé, je crois, l'arbre de Noël. »

Probablement, devina Eddie, le capuchon du puits qui répartissait le pétrole dans les pipelines reliés à la côte.

« Cela prendra combien de temps ?

— Nous avons un arbre en réserve, pas aussi solide que l'autre mais capable de supporter la pression. Trois heures peut-être.

— Alors, ne parlez plus, agissez sans perdre de temps. »

Malgré la distance et le vacarme du brut craché par le puits, Eddie distinguait la fusillade soutenue provenant du puits qu'attaquait le Président et comprit que ce dernier rencontrait des problèmes.

Cabrillo, sonné, se demandait où il se trouvait et même qui il était. Ce fut seulement lorsque le crépitement constant d'armes automatiques au loin finit par dominer le tintement qui l'assourdissait qu'il se souvint de ce qui se passait. Il ouvrit les yeux et faillit pousser un cri : il était suspendu à une douzaine de mètres au-dessus de la masse bouillonnante du pétrole qui léchait les pieds de la plate-forme ; l'explosion l'aurait projeté au loin si elle ne l'avait empêtré dans les filets de protection entourant la partie supérieure de la structure. Le container derrière lequel il s'était caché flottait maintenant sur une mer de brut et, malheureusement, il ne subsistait aucune trace du blessé qu'il avait traîné auprès de lui quand la tête du missile avait sauté.

Il se remit sur le dos et grimpa le long du filet flottant, tout en surveillant d'un œil le périmètre pour s'assurer qu'aucun rebelle ne l'avait repéré dans sa périlleuse situation. Lorsqu'il atteignit la plate-forme, il regarda prudemment par-dessus le rebord. Les terroristes contrôlaient toujours le puits et, à la riposte moins nourrie de ses hommes, il comprit que seuls deux ou trois d'entre eux continuaient à se battre, ne tirant qu'une balle de temps en temps, et qu'ils manqueraient bientôt de munitions. Ce qui ne semblait pas être le cas des rebelles qui faisaient feu aveuglément.

Quand Juan fut certain que personne ne regardait dans sa direction, il se laissa rouler hors du filet jusque sous les chenilles de la grue. Il vérifia son arme et remplaça le chargeur à moitié vide. Il n'avait pas une vue suffisante de la bataille pour se mettre à tirer sur les rebelles sans risquer une riposte d'un lance-missile. Il se réfugia donc derrière la grue en cherchant prudemment un meilleur abri.

Un insurgé jaillit soudain de derrière une caisse, et s'apprêtait à lancer une grenade dans la direction d'un Zimbabwéen blessé tapi derrière un énorme robinet lorsque Juan le cloua sur place d'une seule balle. Un instant plus tard, la grenade explosa, soulevant son cadavre et le corps d'un de ses camarades dans une colonne d'épaisse fumée.

Sans laisser à quiconque le temps de repérer d'où provenait le tir, Juan traversa la plate-forme et se jeta derrière une pile de tuyaux de forage de quinze centimètres de diamètre dont il se servit pour observer les lieux : il avait l'impression de regarder par les yeux à prismes d'une mouche, mais il distingua cependant un des rebelles sur la tour métallique, à quelques mètres de l'endroit où le pétrole ruisselait de la tête du puits.

Juan enfonça le canon de son MP-5 dans un tuyau et lâcha une rafale de trois balles ; deux d'entre elles frappèrent l'intérieur de la canalisation sans faire mouche mais la troisième atteignit le terroriste à l'abdomen : il trébucha et fut pris dans le jaillissement du pétrole. L'espace d'une seconde, il parut s'adosser à la masse de brut qui s'écoulait mais fut bientôt happé par le flot et disparut dans la cascade qui se précipitait dans l'océan.

Cabrillo contournait la pile de tuyaux quand une demi-douzaine de rebelles l'arrosèrent d'un feu nourri d'armes automatiques qui fit vibrer l'acier. Il commença à envisager l'échec de leur attaque : si Linda n'en terminait pas en bas pour venir en renfort avec son équipe, Juan devrait sérieusement songer à ordonner la retraite. L'*Oregon* ne pouvait rien faire sans courir le risque d'embraser le puits.

Le nombre de rebelles lui interdisant de regagner le sous-marin de poche, Juan songea à une alternative : s'emparer du canot de sauvetage de la plate-forme, une embarcation en fibre de verre renforcée qu'on pouvait mettre à l'eau automatiquement. Seul problème : les bossoirs du canot se trouvaient de l'autre côté de la plate-forme, dans un endroit isolé et dégagé.

Une nouvelle rafale fit tinter les tuyaux, et il pianota sur sa radio pour se brancher sur la fréquence de Linda.

« Linda, c'est Cabrillo. Laisse tomber les ouvriers et rapplique par ici dare-dare. » N'obtenant pas de réponse, il répéta son message. Où diable pouvait-elle bien être ?

Deux années de suite, elle avait passé cinq heures hebdomadaires, soit plus de cinq cents heures d'entraînement, sur les matelas apportés par Eddie Seng dans la salle d'arts martiaux de l'*Oregon*. Ce dernier avait eu pour maître un judoka qui ne se souciait plus des classements car peu de gens sur cette terre étaient capables de lui décerner un grade.

Entendre la voix de Juan suffit à Linda Ross pour surmonter son moment d'affolement : elle esquiva si rapidement que le tueur ne réalisa pas que le canon de son arme était maintenant appuyé contre sa propre hanche. Elle lui décocha en plein sternum un coup de coude qui lui coupa la respiration et lui expédia ensuite un direct entre les jambes, se rappelant les mots d'Eddie pour cette contre-attaque bien connue : « Si tu sens son poids sur ton dos, lance-le en l'air. Sinon, empoigne son entrejambe jusqu'à ce qu'il s'écroule. »

Elle sentit l'homme se dégonfler contre elle. Elle lui saisit alors le bras en relevant la hanche et le jeta par-dessus son épaule, sans le lâcher, si bien que leurs poids combinés écrasèrent contre le pont le terroriste qui, incapable d'aspirer de l'air dans ses poumons aplatis, haletait comme un poisson hors de l'eau. Linda lui décocha une manchette au creux de la gorge : les yeux de son agresseur battirent puis se révulsèrent ; il ne reprendrait connaissance que dans quelques heures.

Quand elle se releva, elle vit celui qu'elle appelait le « tireur d'élite » qui la regardait par-dessus le comptoir du réfectoire : il abaissait sa kalachnikov dont il n'avait pas osé se servir dans la mêlée. Elle lui fit une petite révérence à laquelle il répondit par un large sourire.

Linda passa une paire de menottes en plastique autour du pied du fourneau voisin et les referma par précaution autour des poignets du terroriste. Elle regagna le réfectoire où elle constata que ses deux autres équipiers gardaient toujours la porte pour s'assurer qu'aucun des ouvriers ne sortait pour affronter sur le pont un nouveau massacre.

Des corps jonchaient le sol : quelques-uns étaient morts mais la plupart n'avaient été que blessés au cours de l'échauffourée. Certains, que leurs compagnons de travail tentaient d'installer dans des positions plus confortables présentaient des plaies sur lesquelles ils pressaient des chiffons ou des lambeaux de serviette. Un homme semblait diriger tous ces efforts : un Blanc avec une frange qui pendait de son crâne roux aux mains énormes. Egalement une des plus séduisantes brutes qu'elle eut rencontrées. Il venait d'examiner un homme d'équipage adossé à une table renversée quand il l'aperçut et traversa la salle en cinq grandes enjambées.

« Ma petite dame, je ne sais pas qui vous êtes ni d'où vous rappliquez, mais, bon sang, que je suis content de vous voir. Je suis Jim Gibson, le chef des travaux. »

Linda savait que c'était le titre qu'on donnait au patron d'une plate-forme pétrolière.

« Ross, se présenta-t-elle, Linda Ross. Attendez une seconde. » Elle remit en place son casque radio qui avait glissé dans la bagarre. « Juan, c'est Linda.

— Dieu soit loué. J'ai besoin de toi et de tes hommes ici *tout de suite*. On s'occupera des ouvriers plus tard. »

Le bruit d'une fusillade qui faisait rage en fond sonore soulignait l'urgence de son appel.

« Ils sont en sûreté et j'arrive. » Elle se retourna vers le grand Texan. « Monsieur Gibson.

— Jim.

— Jim, j'ai besoin que vous gardiez vos hommes ici. Il y a encore des terroristes là-haut. Ils ont trafiqué la plate-forme et le pétrole se déverse dans l'océan. Pendant que nous nous occupons des rebelles, pouvez-vous arrêter cet écoulement ?

— Bon sang, bien sûr que oui. Que se passe-t-il ?

— Un groupe de rebelles du Congo a été engagé pour s'emparer de plusieurs plates-formes ainsi que du principal terminal pétrolier.

— C'est un acte politique ?

— Jim, je vous promets de tout vous expliquer, mais quand ce sera terminé, pour l'instant, il faut que j'y aille.

— Vous pourriez me le raconter en dînant. Je connais un excellent restaurant portugais à Cabinda City.

— J'en connais un meilleur à Lisbonne, mais je vous crois quand même. »

Mike dirigeait le *Liberté* droit vers la jetée et, à la dernière seconde, donna un violent coup de barre puis coupa les gaz. Ses ailes déjà repliées, le bateau s'enfonça plus profondément dans l'eau tandis que son flanc effleurait le quai avec une telle légèreté que cela ne dérangea même pas les moules accrochées à la paroi.

Le panneau d'écoutille avant s'ouvrit et les hommes commencèrent à débarquer sur le quai en cherchant tous les abris possibles. On entendait un crépitement d'armes légères en provenance du terminal mais, grâce aux efforts de Mark Murphy conjugués aux talents de manœuvrier de Trono, seuls quelques rebelles les avaient encore à portée de tir.

Mike rassembla son équipement et sauta sur la jetée. Ne trouvant rien à quoi il pût amarrer le bateau, il prit un fusil spécial qu'il portait en bandoulière. Il le munit successivement de deux cartouches de calibre 22, planta dans le ciment du quai deux tiges d'acier de quinze centimètres auxquelles il attacha une corde qui pendait du *Liberté*.

Au cours des années qui avaient suivi leur guerre civile, les combattants de la liberté n'avaient pas oublié les leçons chèrement acquises : ils se déployèrent donc suivant les règles, chaque homme pouvant couvrir chacun des soldats qui l'encadraient. Leur premier objectif se trouvait à moins de cent mètres. Mike jeta un coup d'œil à la pièce de tissu métallique cousue au creux de sa manche gauche et poussa un juron : le voyant d'alimentation était au plus bas.

Il n'avait pas le choix. Il dirigea donc l'assaut, bondissant d'une position à la suivante et suivi par ses hommes qui tiraient pour tenir en respect les terroristes. Pour le moment, les rebelles n'étaient qu'une poignée mais, de minute en minute, il en arrivait d'autres qui avaient échappé au réseau sophistiqué de détecteurs de l'*Oregon*.

Le contingent de soixante hommes eut sa première victime lorsqu'un tireur, émergeant soudain de derrière un petit hangar, ouvrit le feu, sa kalachnikov bloquée sur la hanche, le doigt crispé sur la détente. Une attaque suicide, mais quatre des hommes de Mike étaient au sol, l'un d'eux manifestement mort.

Sans se laisser décourager, ils fonçaient, se maintenant à couvert de façon à protéger l'avance de leurs camarades. La guerre de rues sous sa pire forme, avec des ennemis pouvant surgir de n'importe où.

La radio de Mike se mit à crachoter et il se glissa derrière un camion remorque criblé de mitraille pour écouter.

« *Liberté*, ici Œil d'Aigle, pardon de ce retard, mais je t'avais perdu. » C'était Tiny Gunderson pilotant le drone.

Trono jeta un nouveau coup d'œil à l'étrange badge incrusté sur la manche de son blouson. Le carré de tissu argenté affichait maintenant sur le papier électronique une photo du terminal émise par le drone, aussi nette que sur le grand panneau du centre d'opérations de l'*Oregon*, même si les contraintes de la transmission imposaient de n'envoyer depuis le drone que des images fixes toutes les dix secondes au lieu d'un flux continu. C'était une technologie de pointe encore soumise à des bugs que l'armée américaine ne pourrait pas utiliser couramment avant bien des années.

L'image changea : Tiny zoomait sur la position de Mike lui permettant de distinguer, derrière un entrepôt, trois rebelles qui s'apprêtaient à déborder ses hommes. Plutôt que de s'expliquer, il bondit de derrière le camion et revint sur ses pas en courant pour voir le coin du bâtiment derrière lequel ils étaient tapis. Un bouton sur le lance-grenades qu'il portait en bandoulière avec sa mitraillette bloquait le canon à une fraction de millimètre près, ce qui ralentissait le projectile et lui permettait de régler la portée à son gré. Il estima à quarante mètres l'angle du bâtiment et enregistra cette donnée. Il tira : la grenade atterrit à trente centimètres du bord de l'édifice et explosa, projetant des éclats de tôle ondulée mêlés à des lambeaux de chair.

Un nouveau regard à sa manche lui montra trois rebelles gisant dans un nuage de gaz explosif.

Grâce à leur ange gardien qui observait tout d'en haut, leur progression s'accéléra : Mike en effet montrait à ses hommes l'endroit où une embuscade se préparait sans laisser aux terroristes le temps de passer à l'action.

Ils atteignirent ainsi la station électrique du terminal sans aucune perte supplémentaire. L'édifice, bien qu'insonorisé, tremblait sous le rugissement des réacteurs utilisés pour produire l'électricité. Mike, qui avait déjà choisi les cinq soldats qui l'accompagneraient, ordonna aux autres de poursuivre leur traversée de la cour afin de soutenir l'attaque de Linc sur le quai des pétroliers.

Il entra dans la centrale en tirant une balle dans la serrure. Le fracas des réacteurs s'intensifia : sans protection pour les oreilles, ils ne supporteraient de rester à l'intérieur que quelques minutes. Les trois réacteurs étaient alignés sur des supports de béton et d'acier, des conduits métalliques étincelants aspiraient l'air et l'échappement se faisait au fond du bâtiment au moyen de canalisations noircies par la formidable chaleur qui se dégageait.

Un seul des réacteurs était en service. Max avait expliqué lors du briefing qu'une installation comme celle-là ferait fonctionner alternativement un réacteur sur deux en gardant le troisième en réserve pour les moments de pointe. Il avait été décidé que, plutôt que de raser la centrale avec le canon de 120 mm de l'*Oregon*, on mettrait hors service la machine en fonctionnement ; les hommes chargés de nettoyer le site auraient en effet besoin d'électricité.

Protégé par sa petite escouade, Mike se précipita vers la salle de contrôle située près de l'entrée. On apercevait à travers les portes coulissantes en verre à triple paroi qui dominaient la centrale quelques employés surveillés par trois gardes qui examinaient un grand tableau entouré de voyants lumineux. Les gardes et les techniciens se tenaient si près les uns des autres qu'il serait trop risqué de faire feu : Mike s'approcha donc pour tirer au-dessus de leurs têtes, faisant voler en éclats scintillants la paroi vitrée. Au simple choc, déjà violent, du fracas des réacteurs pénétrant dans la salle insonorisée, Mike ajouta celui de la grenade à concussion, une *flashbang*, qu'il balança par l'ouverture.

Il se pencha pour se protéger du souffle et pénétra le premier dans la salle. Il coinça un des rebelles avec la crosse de sa mitraillette tandis que ses deux compagnons braquaient leur kalachnikov sur les deux autres. Mike leur lança une paire de menottes en plastique et vint examiner les techniciens : l'un d'eux avait reçu un éclat de verre, mais cela n'avait pas l'air bien méchant, les autres étaient juste sonnés.

Il regarda droit dans les yeux le moins choqué et cria à pleins poumons pour se faire entendre.

« Pouvez-vous arrêter ça ? » demanda-t-il.

L'homme le regarda, hébété. Mike montra de nouveau la machine en passant la main sur sa gorge. Cette mimique fit son effet. L'ingénieur acquiesça de la tête et s'approcha d'un poste de contrôle. Utilisant une souris, il fit défiler des tableaux sur un ordinateur, cliquant sur certaines icônes au passage. Tout cela parut sans effet jusqu'au moment où le bruit strident commença à s'atténuer, cessant d'être intolérable pour être seulement déplaisant ; il continua à faiblir tandis que les pales du compresseur ralentissaient puis finit par se taire, même si les oreilles de Mike vibraient encore.

Il se tourna vers le chef de son petit groupe.

« Restez ici et empêchez quiconque de remettre cette machine en marche. Appelez-moi si des rebelles se montrent.

— Oui, *Nkosi*. Et eux ? fit-il en désignant du canon de son fusil les rebelles ligotés.

— S'ils vous posent le moindre problème, abattez-les, cria Mike qui repartait déjà en courant.

— Bien, *Nkosi* », répondit-il avec nettement plus d'enthousiasme.

Tout en entraînant ses hommes vers le pont principal de la plateforme, Linda restait en communication avec Juan qui lui décrivait l'évolution des combats. Cabrillo lui ordonna de ne pas se diriger vers l'accès sur l'extérieur le plus proche, mais de passer par l'étage inférieur de façon à sortir de l'autre côté du puits, derrière la plus forte concentration de tireurs.

Il la fit s'arrêter juste hors de vue tandis qu'il faisait des signes aux combattants qui lui restaient pour coordonner ce qu'il espérait être l'assaut final destiné soit à briser l'envie de se battre aux rebelles, soit à les écraser complètement. Il ne disposait plus que de deux chargeurs, c'était donc la dernière manœuvre qu'il tenterait.

« D'accord, Juan, nous sommes en position, dit Linda. J'en aperçois quatre derrière cette grande cuve et un autre qui se dirige vers la grue.

— Préviens-moi quand il sera à un mètre des chenilles, je lui ferai son affaire. De ton côté, occupez-vous des quatre que tu vois. Il y en a encore deux, je crois, accrochés par le filet de sécurité sur le côté du puits. Je ne sais pas s'ils ont renoncé ou quoi, alors garde-les à l'œil.

— Bien reçu. Ton type n'est plus qu'à dix mètres. »

Juan attendit, adossé aux canalisations chaudes. Tout ce chaos ne l'empêchait pas de continuer à s'interroger sur le choix par Daniel Singer de cette date. Il était convaincu que Singer avait trouvé un moyen pour déclencher, à son gré, un ouragan. Après tout, il était bien un génie sur le plan technique : son invention avait fait de lui un multimilliardaire alors qu'il n'avait pas trente ans. Comme disait Max : « Ce type a peut-être une case en moins, mais la machine tourne toujours.

— Cinq mètres », annonça Linda par radio.

Le projet de Singer reposait assurément sur une grande échelle, mais en quoi consistait-il ? Juan ignorait tout de ce qui pouvait affecter la formation et la force d'un ouragan, et n'avait aucune idée de son trajet. Une flambée de colère le prit. Pourquoi utiliser de cette façon une telle technologie ? Les ouragans et leurs cousins du Pacifique et de l'océan Indien, les typhons et les tsunamis, causaient des milliards de dollars de dégâts, faisaient chaque année des milliers de morts et ruinaient sur leur passage des multitudes d'existences. Si Singer cherchait à sauver la planète, mettre un terme à tant de malheurs constituerait aux yeux de Juan un fantastique premier pas. Ce qui le mettait en rage, c'était ce gâchis insensé. Comme cette attaque sur les plates-formes, comme la révolution de Samuel Makambo qui n'avait qu'un objectif, la glorification de son auteur, comme la corruption qui rongeait la patrie de Moses Ndebele. Tout cela l'écœurait.

« Deux mètres. »

Dieu, qu'il était fatigué de cette lutte. Quand le mur de Berlin était tombé et que l'Union soviétique s'était effondrée, ses supérieurs à la CIA s'étaient félicités d'avoir si bien accompli leur travail. Juan savait cependant que le pire restait encore à venir dans un monde divisé par des frontières religieuses et tribales.

Il était consterné d'avoir raison.

« Descends-le. »

Et Cabrillo se concentra de nouveau sur le combat ; il bondit par-dessus l'entassement de conduits de forage et lâcha une rafale qui toucha le tireur au flanc et au dos. Une fusillade nourrie éclata sur sa gauche où d'autres rebelles le prenaient pour cible, mais la riposte de Linda et de son équipe les arrêta. Juan se précipita à découvert, attirant délibérément le tir pour obliger les attaquants à se montrer. Ceux qui restaient de ses hommes y étaient préparés et, pour la seconde fois depuis le début de l'engagement, le feu des armes automatiques balaya la plate-forme comme si les portes de l'enfer s'étaient ouvertes.

Il n'avait encore jamais connu de combat rapproché plus acharné. Des balles sifflaient dans l'air, certaines passant assez près de lui pour qu'il en ressente la chaleur. Il plongea par-dessus un baril de pétrole renversé et poussé dans sa direction par les rafales d'au moins deux kalachnikovs.

Linda vit un des hommes ouvrir le feu sur Juan mais elle le manqua et il disparut derrière un enchevêtrement de canalisations. Elle se précipita à sa poursuite, s'enfonçant dans une sorte de forêt d'arbres métalliques. Les conduits se chevauchaient et se repliaient sur eux-mêmes, donnant l'avantage au tireur car il y avait toujours un obstacle pour bloquer la vue de Linda.

Se rendant compte qu'elle risquait à tout moment de tomber dans un piège, elle battit en retraite, son regard ne s'arrêtant jamais plus d'une seconde sur un point au cas où l'homme aurait débordé sa position.

Elle contournait un conduit vertical aussi large qu'un tunnel quand une main, s'agrippant soudain au canon de sa mitraillette, la fit s'étaler sur le sol. Elle chercha désespérément une noble maxime pour accompagner la dernière seconde qui lui restait à vivre, mais ne réussit qu'à se demander comment elle avait pu se faire avoir de la sorte.

La détonation retentit comme un coup de canon, et la tête du rebelle surgie au-dessus d'elle disparut purement et simplement. Elle leva les yeux et découvrit Jim Gibson debout à quelques pas de là, dans ses bottes taille 48, un gros revolver dont le canon fumait encore braqué vers le ciel.

« Théoriquement, je n'ai pas le droit de mettre les pieds sur cette plate-forme, mais j'estime que les règlements sont destinés aux gogos. Ça va, ma belle ?

— Sauvée par un authentique cow-boy ! Comment pourrais-je aller mieux ? »

Gibson, qui connaissait chaque rivet, chaque boulon et chaque soudure du puits, la guida sans mal hors de ce labyrinthe. Quand ils approchèrent de l'endroit par lequel Linda était entrée, elle réalisa qu'on n'entendait plus un coup de feu.

Elle regarda autour d'elle : cinq des terroristes étaient plantés là, les bras levés si haut qu'ils paraissaient se tenir sur la pointe des pieds ; deux autres émergeaient du filet de sécurité où ils s'étaient cachés.

« Juan, dit-elle dans son micro, je crois que c'est fini. »

Juan se coula autour du conduit, se redressa, son arme braquée sur les rebelles, et se précipita vers eux en criant :

« Par terre ! Couchez-vous ! Tous ! »

Linda accourut pour l'aider à les tenir en joue pendant qu'ils s'allongeaient sur le sol. Les Zimbabwéens commencèrent à faire le compte des blessés et des morts tandis que Juan menottait les survivants. Quand il en eut terminé, il appela son navire.

« *Nomad* à *Oregon*, objectif sécurisé. Je répète, objectif sécurisé.

— Une fois suffisait, lâcha nonchalamment Max. Je suis peut-être plus âgé que toi, mais je ne suis pas sourd. Beau boulot, cela dit, je n'ai pas douté un seul instant.

— Merci. Quelle est la situation ?

— Mike a arrêté la centrale. Du pétrole coule toujours des portiques de chargement mais bien moins fort maintenant. C'est juste la pesanteur qui entraîne le brut dans les canalisations depuis les citernes.

— Linc est prêt ?

— Notre plan consiste à lancer son canot cinq minutes après le contrôle des générateurs par Mike. Il part à l'instant. »

Le canot noir semi-rigide, tel un chasseur à réaction catapulté d'un porte-avions, fut projeté par une rampe en Téflon du garage des bateaux dans l'océan. Il avait été construit avec une coque en V pour la stabilité et un rideau gonflable pour une charge additionnelle par la division militaire de Zodiac à Vancouver, au Canada. Capable de fendre à peu près n'importe quelles vagues, comme une otarie, il atteignait, grâce à son moteur hors-bord de 300 chevaux, des vitesses supérieures à quarante nœuds.

Linc tenait le volant, Jerry à ses côtés, tous deux portant un gilet pare-balles par-dessus leur treillis. On avait vissé des boucliers à l'épreuve des balles si bien que la barre était presque invulnérable. A leurs pieds, deux longues caisses noires contenant des fusils Barrett M107 – calibre .50, portée un mille – peut-être le meilleur fusil jamais conçu.

Les eaux entourant le quai de chargement étaient tellement polluées par le brut que ni Juan ni Max n'étaient disposés à prendre le risque de voir les propulseurs de l'*Oregon* s'engorger de pétrole. Ni l'un ni l'autre n'étaient prêts à risquer d'ouvrir le feu sur les délicats portiques de chargement sans être certains à cent pour cent de la précision de ses systèmes d'armes. Il incomberait à Linc et à Ski de protéger la charge de Mike par la chaussée.

Ils fonçaient entre les vagues vers l'étrave du superpétrolier à l'ancre et ne ralentirent que quand le canot commença à fendre la nappe de pétrole. La couche, d'au moins quinze centimètres d'épaisseur, collait au flotteur en caoutchouc qui ceinturait la coque. Heureusement, les hélices plongeaient sous cette boue toxique, sinon ils auraient eu du mal à avancer.

Derrière eux, l'*Oregon* s'était déplacé pour avoir un angle de tir oblique sur ce secteur critique de l'installation. Même si elles ne pouvaient pas viser la chaussée et les énormes docks flottants, Max n'hésiterait pas à arroser l'océan tout autour avec le tir des Gatlings.

Ski, armé de grosses jumelles, observa le pétrolier pour vérifier que les terroristes ne l'utilisaient pas comme poste d'observation. Aucune présence anormale. Cependant, pour plus de sûreté, ils l'aborderaient par l'étrave, à plus de trois cents mètres des superstructures, l'emplacement le plus évident pour poster une vigie.

Ils atteignirent le cordon de bouées qui marquait la zone de cent mètres protégeant l'accès à l'énorme navire sans qu'aucun coup de feu ne parte du pont.

« Aussi bêtes qu'on le pensait », remarqua Linc.

De près, la coque du pétrolier sous sa couche de peinture protectrice rouge évoquait plutôt un mur d'acier qu'un bateau conçu pour traverser les océans et, ses réservoirs étant presque vides, le bastingage se dressait à quelque vingt mètres au-dessus de leurs têtes.

Tandis que Linc manœuvrait pour les approcher de l'étrave, Ski préparait un canon lance-grappin à crochets recouverts de caoutchouc. Juste avant que le canot glisse sous la courbe de l'étrave, il lança le grappin vers le ciel, deux fils de nanofibres traînant derrière lui. L'échelle passa par-dessus la lisse et Ski tira sur le fil qui s'accrocha solidement. Linc jeta alors contre la coque un filin auquel était attaché un puissant aimant destiné à bien arrimer le canot.

Bien que trop fin pour qu'on puisse s'en servir pour grimper, le fil de nanofibres était plus résistant que l'acier. Ski le passa par un winch vissé au pont du navire et s'assura que les étriers étaient fixés. Quand il fut prêt, Linc avait déjà ouvert les caisses capitonnées abritant les deux fusils munis d'un chargeur de dix balles, avec dix autres en réserve.

« Ton chariot t'attend », dit Ski en passant le pied dans l'étrier.

Linc l'imita et pressa le bouton qui déclenchait le winch. Le filin de nanofibres se mit à glisser dans la poulie du grappin. L'étrier de Ski se tendit et le souleva du canot, son fusil dans une main, l'autre tenant le filin. Lorsqu'il fut à près de trois mètres du canot, Linc fut hissé à son tour et les deux hommes s'élevèrent contre le flanc du pétrolier.

Il ne leur fallut que dix secondes pour arriver en haut. Ski se débarrassa de l'étrier et sauta par-dessus le bastingage. Il atterrit en douceur et épaula aussitôt, l'œil sur le viseur pour observer le pont et les superstructures, à l'affût du moindre mouvement. Son étrier s'était coincé dans la poulie et bloquait le filin, obligeant Linc à grimper par-dessus la lisse pour atteindre le pont.

« La voie est libre », annonça Ski.

Ils se dirigèrent vers l'arrière. Il n'y avait aucun signe d'activité mais ils continuèrent néanmoins à avancer avec précaution. Il leur fallut trois minutes pour atteindre la timonerie et, pour la première fois, ils se risquèrent jusqu'au flanc bâbord pour jeter un coup d'œil au quai de chargement. Les portiques jumeaux étaient plus hauts que le pétrolier, mais leurs gros tuyaux pendaient négligemment si bien que le pétrole qui s'en déversait ne tombait que d'une hauteur de six mètres avant de gicler sur le quai et de s'écouler dans la mer.

Une estimation sommaire leur montra qu'au moins une centaine d'insurgés étaient prêts à défendre le quai ; ils avaient eu le temps d'édifier des barricades et de fortifier leurs positions. La tâche serait rude pour Trono et ses hommes si Linc et Ski n'arrivaient pas à démanteler les défenses.

« Qu'est-ce que tu en penses ? demanda Ski. Ça te va ou tu veux qu'on monte plus haut ?

— La hauteur, ça ira, mais nous sommes trop exposés si quelqu'un rôde autour du bateau. Allons sur le toit du gaillard d'arrière. »

Pendant qu'ils progressaient à l'intérieur du navire et gravissaient des escaliers interminables, Linc fit à Max un rapport de situation et apprit que Mike et ses hommes avaient pris d'assaut le terminal et étaient maintenant en position.

Une porte s'ouvrit en haut des escaliers. Un homme vêtu d'un pantalon noir et d'une chemise blanche avec des épaulettes apparut. Linc avait sorti son pistolet et l'appuyait entre les yeux de l'officier avant que ce dernier ait eu le temps de réaliser qu'il n'était pas seul sur le palier.

« Non, je vous en supplie ! cria-t-il.

— Calmez-vous, le rassura Linc en éloignant son automatique. Nous sommes du bon côté.

— Vous êtes américain ?

— Exact, capitaine, dit Linc qui avait remarqué les quatre galons d'or sur ses épaulettes. Nous allons mettre un terme à cette situation. Nous avons besoin d'aller sur le toit.

— Bien sûr. Suivez-moi. Que se passe-t-il ? Tout ce que je sais, c'est que nous chargions notre cargaison normale de brut quand, tout d'un coup, un idiot a arraché les tuyaux et endommagé mon navire. J'ai appelé la capitainerie du port mais personne n'a décroché. Là-dessus, mes vigies me signalent la présence d'hommes en armes sur la jetée. Ça me rappelle les jours que j'ai passés aux îles Malouines.

— Sachez pour l'instant que votre équipage ne risque rien. Ne laissez simplement personne aller près du pont ni dans des endroits découverts.

— C'est la consigne que je leur ai donnée ce matin, lui assura le capitaine. Voilà, nous y sommes. »

Ils étaient arrivés en haut de l'escalier. Il n'y avait pas de porte, seulement un panneau dans le plafond auquel on ne pouvait accéder que par une échelle. Ski se mit à monter sans un mot.

« Merci, capitaine, dit Linc en lui tendant la main. A partir de maintenant, à nous de jouer.

— Très bien. Bonne chance. »

Ski ouvrit le panneau et un brillant soleil illumina la cage d'escalier. Il grimpa par l'ouverture, suivi de Linc. Il n'y avait pas moyen de fermer l'écoutille, ils devraient donc la surveiller pour s'assurer que personne ne montait derrière eux.

Le toit de la timonerie était un simple panneau d'acier peint en blanc à l'ombre de la cheminée du navire et d'une collection d'antennes. Quand ils furent près du bord, ils se mirent à plat ventre pour ne pas se montrer et regardèrent le quai en bas. A l'extrémité de la chaussée, ils aperçurent la petite troupe de Mike attendant leur signal. Le drone croisait dans les parages.

« *Oregon*, ici Linc. Nous sommes en position. Attendez un peu : donnez-nous le temps de désigner nos cibles. »

Après avoir installé leurs armes et disposé des chargeurs pleins au bord du toit, de façon à pouvoir changer de position, les deux hommes examinèrent les soldats ennemis, cherchant les officiers afin de priver les hommes de leurs chefs.

« Bon sang, marmonna Linc.

— Quoi ?

— A onze heures. Le type avec des lunettes de soleil qui engueule un jeune. »

Ski déplaça son fusil pour voir celui dont Linc parlait.

« Je le vois. Et alors ? Qui est-ce ?

— Le colonel Raïf Abala, le salopard qui nous a doublés au moment de la vente des armes. Le bras droit du général Makambo.

— Il ne doit plus avoir la cote si Makambo l'a envoyé ici, observa Ski. Tu veux le liquider en premier ?

— Non, je préférerais voir sa tête quand il comprendra ce qui se passe et à qui il a affaire. Tu es prêt ?

— J'ai au moins quatre officiers sur ma moitié de quai et six autres qui ont l'air de savoir ce qu'ils font. Les autres, c'est juste de la chair à canon.

— Bon, alors en piste. *Oregon*, nous sommes parés.

— Prêts à y aller », entendit-il Mike dire sur le réseau interne.

En guise de réponse, Max laissa Mark Murphy déclencher un tir nourri de la Gatling. L'eau et la nappe de pétrole à dix mètres de la jetée explosèrent sur toute sa longueur comme si l'océan avait formé un mur ininterrompu. Arrosés par cette averse malodorante, et assourdis par ce fracas, les rebelles cherchèrent à se mettre à l'abri.

Le vacarme de la Gatling noyant le crépitement de leurs propres coups de feu, Linc et Ski se mirent à l'ouvrage, tirant aussi vite qu'ils le pouvaient. Une balle, un rebelle en moins. A chaque fois. Quand ils eurent fait mouche à cinq reprises, ils purent voir les soldats affolés regarder leurs chefs tomber autour d'eux. Quand Linc regarda de nouveau par son viseur, il aperçut Abala qui hurlait des ordres à ses hommes. Mais ses exhortations ne produisaient que peu d'effet, il suffisait de voir la peur qui se lisait sur le visage de ses troupes. Au loin, Mike et son équipe progressaient le long de la chaussée.

Ski et Linc trouvèrent de nouvelles cibles : les chefs des rebelles continuèrent à être décimés. Un soldat, finissant par comprendre que les coups de feu venaient de derrière eux et d'en haut, leva les yeux vers le pétrolier ; il s'apprêtait à avertir ses camarades, mais il n'eut pas le temps d'ouvrir la bouche que Ski l'abattait d'une balle de son Barrett.

« Mike, tu es à environ vingt-cinq mètres de la première embuscade, avertit Tiny Gunderson sur sa radio.

— Qu'est-ce qu'ils fichent ? Mon écran de badge est de nouveau en rideau.

— Je serais prêt à parier qu'ils envisagent de se rendre. Non, attends, je me trompe. Il y en a un qui essaie de les regrouper, il me semble. Non, attends encore. Il s'est fait descendre. Joli coup, Ski.

— Hé, c'était moi, rectifia Linc.

— Ils se dégonflent, lança Tiny. Ils ont lâché leurs armes et lèvent les bras. »

Ce premier signe de capitulation ressembla à un barrage qui s'écroule : tout le long de la chaussée et sur le quai de chargement, des hommes déposaient leurs armes. Seul Abala semblait vouloir continuer le combat, brandissant son pistolet comme un malade. Linc le vit mettre en joue un jeune guérillero en l'invectivant, sans doute pour lui ordonner de ramasser sa kalachnikov. Linc tira une balle dans le pied d'Abala juste avant que le colonel ait pu abattre le malheureux désarmé.

L'équipe de Trono déferla sur les rebelles vaincus, empilant les kalachnikovs capturées et palpant les hommes au passage pour vérifier qu'ils n'avaient pas d'autres armes.

Linc et Ski restaient sur leur perchoir pour s'assurer que ne subsistait plus le moindre point de résistance et que l'ensemble du secteur était sécurisé.

« C'est le dernier, annonça Makambo, en se plantant devant le colonel Abala qui, sur le quai, se tordait de douleur. Comment l'a-t-on manqué, celui-là ?

— On ne l'a pas manqué, fiston, rétorqua Linc. Dès qu'il sera sorti de l'hosto, c'est ce gaillard qui nous racontera tout sur Makambo et sur Singer. »

Linc et Ski mirent dix minutes pour descendre jusqu'au quai. Linc s'approcha d'Abala et s'accroupit auprès de lui. Le colonel rebelle, presque en état de choc, ne remarqua même pas sa présence, aussi Linc lui donna-t-il une petite claque sur la joue pour l'obliger à le regarder. Un peu de bave perlait sur les lèvres d'Abala et, sous sa peau sombre, il était d'une pâleur mortelle.

« Tu te souviens de moi, connard ? » demanda Linc. Abala ouvrit de grands yeux. « C'est ça. Au bord du Congo, il y a à peu près une semaine. Tu croyais pouvoir nous doubler. Eh bien, voilà ce qui se passe dans ce cas-là. Jamais, je dis bien jamais, ne fais d'entourloupe à la Corporation. »

*

Lorsque l'armée angolaise finit par arriver au terminal Petromax, l'*Oregon* – avec son matériel, son équipage et tous les hommes de Moses Ndebele, vivants ou morts – était déjà loin.

Les forces angolaises constatèrent qu'on avait arrêté le pétrole qui s'écoulait sur le quai de chargement et que les équipes avaient obturé les deux puits offshore. Elles découvrirent également quatre-vingt-six cadavres disposés devant le bâtiment administratif et, à l'intérieur, plus de quatre cents hommes terrifiés et ligotés, dont de nombreux blessés. L'un d'eux, un pansement ensanglanté enveloppant son pied en partie arraché, portait autour du cou une pancarte sur laquelle on pouvait lire :

MON NOM EST RAÏF ABALA. JE SUIS COLONEL DANS L'ARMÉE RÉVOLUTIONNAIRE CONGOLAISE ET J'AI ÉTÉ RECRUTÉ POUR COMMETTRE CET ACTE DE TERRORISME PAR DANIEL SINGER, AUTREFOIS DE LA SOCIÉTÉ MERRICK-SINGER. JE CROIS SAVOIR QUE SI JE NE COOPÈRE PAS CEUX QUI NOUS ONT ARRÊTÉS AUJOURD'HUI ME RETROUVERONT.

BONNE JOURNÉE.

29

L'ASPECT LAMENTABLE DE L'*OREGON* N'ÉTAIT qu'un habile camouflage ; en revanche, l'état de délabrement du *Gulf of Sidra* correspondait bel et bien à la réalité. Vingt-cinq ans qu'il sillonnait la Méditerranée en trimbalant sa cargaison de pétrole pendant que ses propriétaires empochaient le moindre sou de bénéfice qu'ils pouvaient en tirer. Si quelque chose lâchait, on le remplaçait par une pièce d'occasion et du fil de fer ou bien on s'en passait carrément. Quand l'installation de traitement des eaux usées avait cessé de fonctionner, on contourna le problème en les déversant dans la mer. Le système de climatisation se contentait de déplacer l'air chaud autour des superstructures au lieu de le rafraîchir. Le réfrigérateur ne marchait plus, ce qui obligeait le chef à sortir les aliments du congélateur en calculant le délai au-delà duquel ils seraient gâtés.

Sa coque noire était striée de rouille tandis que sur les superstructures apparaissait par plaques le métal nu, et son unique cheminée était si balafrée de suie qu'il était impossible de dire qu'elle avait été jadis peinte en vert et jaune. Seul équipement moderne à bord, le nouveau canot de sauvetage accroché à l'arrière, installé sur l'insistance du capitaine quand il avait pris connaissance de leur destination.

Large de quarante mètres et aussi long que trois terrains de football, le *Gulf of Sidra* était un gros bateau même s'il paraissait petit comparé au pétrolier de 350 000 tonnes auprès duquel il était amarré dans le terminal Petromax. Sa conception démodée ne lui octroyait que sept soutes capables d'emmagasiner au maximum 104 000 tonnes de brut.

Bien qu'on fût habitué à le voir ancré devant le port mauritanien de Nouakchott, silhouette un peu floue sur l'horizon de l'ouest mouillée là depuis des semaines, son départ passa inaperçu. Il avait appareillé dès l'arrivée de Daniel Singer en provenance d'Angola et déjà parcouru plus de deux cents milles.

Le navire poursuivait une dépression tropicale se déplaçant sur l'Atlantique et susceptible de se transformer en ouragan – la tempête que Singer attendait, les conditions idéales pour tester ce dont les météorologues les plus brillants et les modèles informatiques les plus sophistiqués prédisaient un jour la venue.

La température dans sa cabine dépassant les quarante degrés, Singer avait pris l'habitude de passer le plus de temps possible sur la passerelle extérieure de la timonerie où, au moins, les dix-sept nœuds que filait le navire créaient un peu de brise.

Il venait d'entendre sur la BBC que l'attaque de Samuel Makambo avait été repoussée par les troupes angolaises. Près d'une centaine de guérilleros avaient été tués lors de la rapide contre-attaque et quatre cents faits prisonniers. Singer se demanda brièvement si le colonel Abala, le seul rebelle susceptible de l'identifier, figurait parmi les rescapés ou les morts : il décida que cela n'avait pas d'importance. Si son nom était mêlé à l'attaque, la publicité à laquelle contribuerait une comparution devant un tribunal ne ferait que répandre la rumeur. Il engagerait les plus brillants des avocats, lesquels porteraient son affaire devant la Cour internationale de La Haye. Ainsi ferait-il passer en jugement la façon dont l'humanité traitait la Terre.

Ce qui le tracassait réellement dans cette attaque manquée, c'était la quantité de pétrole répandue : estimée à environ douze mille tonnes – une catastrophe écologique certes –, elle restait néanmoins bien en deçà des millions de tonnes qu'il avait escomptées. La tempête n'emporterait donc pas le nuage d'acide arsénique de benzène qui devait répandre son poison sur tout le sud-est des Etats-Unis. La tempête ferait des dégâts mais n'apporterait pas la contamination toxique et donc la panique à laquelle il s'était attendu. Voilà ce qu'il redoutait.

Il devrait par conséquent contacter les médias pour expliquer, une fois l'ouragan passé – ou mieux encore, quand il serait sur le point de toucher le continent –, comment les remous d'un conflit dans un coin perdu du monde avaient empêché une catastrophe : un exemple supplémentaire de l'interconnexion de tous les événements terrestres et qui montrait bien dans quelle mesure l'humanité laissait son avenir dépendre des caprices du hasard.

Adonis Cassedine, le capitaine du navire, sortit de la passerelle. Contrairement à son homonyme mythologique, Cassedine avait une physionomie revêche, le visage mal rasé et des yeux de rongeur. Et, à cause d'une fracture mal soignée, son nez était si tordu que ses lunettes aux verres crasseux reposaient de travers sur ses oreilles en chou-fleur.

« Je viens de recevoir un rapport d'un porte-conteneurs qui navigue à une centaine de milles devant nous. » On était encore à des heures du coucher du soleil et pourtant son haleine empestait déjà le gin de mauvaise qualité qu'il avalait à pleins verres. Heureusement, son élocution n'était pas embarrassée et il ne titubait que légèrement. « Ils rencontrent une tempête de force 4 avec des vents de nord-est.

— L'ouragan se forme, répondit Singer. Juste à l'endroit où nous le voulions. Pas trop loin pour que sa route soit bien déterminée mais pas trop près pour risquer de ne pas s'étoffer.

— Je peux vous y conduire, déclara Cassedine, mais ça ne me plaît pas beaucoup. Ce bateau est vieux, vous savez. Sa coque est pourrie et ce que vous avez mis dans sa cale chauffe trop. Ça affaiblit le métal.

— Je vous ai pourtant montré les rapports d'ingénieurs qui disent que la coque peut supporter la charge thermique.

— Bah, fit Cassedine avec un geste las. De beaux messieurs en complet qui ne connaissent rien à la mer. Vous voulez nous emmener dans l'œil du cyclone et moi je vous dis que ce navire se brisera en deux quand nous affronterons des vents de force 6. »

Singer s'approcha du capitaine, profitant de sa haute taille pour intimider le Grec.

« Ecoutez-moi, vieux poivrot. Je vous paie une somme comme vous n'en avez jamais vu de toute votre vie, de quoi vous permettre de biberonner pendant des années. En échange, je compte que vous fassiez votre travail et que vous cessiez de me casser les oreilles avec vos prédictions, vos inquiétudes ou vos opinions. Est-ce que je me fais bien comprendre ?

— Je dis simplement...

— Rien ! rugit Singer. Vous ne dites rien du tout. Maintenant, éloignez-vous de moi avant que votre haleine me fasse vomir. »

Singer continua à foudroyer Cassedine du regard jusqu'à ce que le capitaine recule. Selon Singer en effet, la plupart des alcooliques sont des faibles ; celui-là n'était pas différent : il atteignait le stade où il accomplirait à peu près tout ce qu'on lui demanderait afin de rester dans un état constant d'ébriété. Singer n'éprouvait pas plus de scrupules à exploiter une telle faiblesse qu'à exploiter la naïveté des croisés de l'écologie de Nina Visser ou la cupidité de Samuel Makambo. S'il fallait cela pour que les gens remarquent enfin la façon dont ils détruisaient leur planète, eh bien qu'il en soit ainsi. Geoffrey Merrick n'avait-il pas exploité le génie de Singer pour créer leur invention ? Singer avait fait le plus gros du travail pendant que Merrick s'en attribuait le mérite.

Singer préférait rester dans l'ombre, croyait-on. Quelle ânerie ! Qui dédaignerait les louanges de ses pairs, les récompenses et la consécration ? Singer aurait bien sûr souhaité tout cela, mais les médias ne voyaient, semblait-il, qu'une moitié de l'entité Merrick-Singer, la moitié télégénique, la moitié qui avait le sourire facile et le don de prodiguer des histoires charmantes. Ce n'était pas la faute de Singer s'il se figeait sur une tribune de conférencier, s'il avait l'air d'un cadavre à la télé ou d'un idiot quand on l'interviewait. On ne lui avait pas laissé d'autre choix que de rester dans l'ombre – que de vivre dans l'ombre, de Merrick, s'entend.

Une fois de plus il maudit le sort qui lui refusait la présence de son associé et l'occasion de le traiter de haut. Il aurait tant aimé regarder Merrick droit dans les yeux en lui criant : « C'est ta faute ! Tu as laissé les pollueurs détruire l'environnement, et maintenant tu vas en voir les conséquences. »

Il cracha par-dessus la rambarde du *Gulf of Sidra*, en regardant sa salive tomber et rejoindre l'océan, une goutte dans le plus grand seau du monde. Singer avait été comme cela jadis, une infime parcelle de quelque chose de tellement plus grand qu'on ne pouvait l'imaginer capable d'y ajouter sa part.

Mais c'était fini : il ne serait plus jamais insignifiant.

Cabrillo ordonna, dès son retour à bord de l'*Oregon*, de mettre cap au nord, vers la zone où l'Afrique s'enfonçait dans l'Atlantique et où les vents brûlants soufflant du Sahara finissaient par provoquer une évaporation de l'eau suffisante pour engendrer des ouragans. Il ne regagna sa cabine qu'après avoir examiné les nouveaux aménagements de son navire : on avait raclé la coque du *Liberty,* refait le plein de ses réservoirs, et le canot avait retrouvé ses bossoirs ; on avait débarrassé à coups de solvants et de brosses les sous-marins de la couche de pétrole dont ils étaient enduits, rechargé leurs batteries et remis en place tout l'équipement qu'on avait retiré. On avait vérifié les Gatlings et les canons de 30 mm, nettoyé leur canon et rempli leurs caisses de munitions. Des armuriers avaient remis en caisses les kalachnikovs qu'on avait confiées aux hommes de Moses et étiqueté les quelque cinq cents fusils repris aux troupes de Makambo. Juan n'avait pas oublié la prime promise par Lang Overholt pour le retour de ces armes.

Tout cela comptait peu en regard du travail accompli à l'infirmerie par le docteur Julia Huxley et son équipe : vingt-trois patients, trente et une balles à extraire et un nombre tel d'organes et de membres à remettre en état que Julia se dit qu'elle ne quitterait jamais la salle d'opération. A peine avait-elle retiré une paire de gants de caoutchouc ensanglantés qu'une infirmière lui en tendait une neuve pour s'attaquer au patient suivant.

Enfin, après quinze heures de travail ininterrompu, en recousant l'épaule de Mike Trono, une éraflure de balle dont il ne se souvenait même pas, elle comprit que c'était sa dernière intervention. Mike sauta à bas de la table et Julia s'effondra dessus en poussant un gémissement théâtral.

« Allons, Hux, lança Mike en plaisantant. C'est bien plus dur de recevoir une blessure que de la soigner.

— Tout d'abord, répliqua-t-elle sans même ouvrir les yeux, cette petite écorchure ne mérite même pas le qualificatif de blessure. Mon chat me griffait plus fort que ça. Ensuite, si tu n'apprécies pas mon travail, je me ferai un plaisir de retirer les points de suture et de te laisser saigner encore un peu.

— Allons, allons, et ton serment d'Hippocrate ?

— Je l'ai prononcé en croisant les doigts.

— Fais de beaux rêves. Et merci », dit-il en lui déposant un baiser sur la joue.

Mike venait à peine de quitter la salle qu'une ombre se profila devant la lampe scialytique. Julia leva les yeux : le Président était planté devant elle. Son air sombre la renseigna : il savait.

« Je veux la voir. »

Julia se leva et conduisit Cabrillo dans une autre partie de l'infirmerie, une petite pièce réfrigérée avec une seule table au milieu. Quatre tiroirs en acier inoxydable s'inséraient dans une des parois. Sans un mot, elle fit glisser l'un d'eux pour révéler un sac en plastique opaque contenant un corps nu. Juan déchira le plastique qui recouvrait la tête et recula pour examiner le visage d'une pâleur grise de Susan Donleavy.

« Comment a-t-elle fait ?

— Une façon bien désagréable de mourir, résuma Julia soudain dix fois plus épuisée que quelques instants auparavant. Elle a tiré la langue aussi loin qu'elle a pu et s'est laissée tomber en avant, son menton a heurté le pont et ses dents lui ont sectionné la langue. Elle a alors roulé sur le dos et s'est en fait noyée dans son sang. Je n'arrive pas à imaginer les nerfs qu'il faut pour tomber de cette façon et ne pas essayer de se servir de ses mains pour arrêter l'hémorragie.

— Elle avait des menottes.

— Elle aurait pu tourner la tête un moment. » Julia jeta au cadavre un regard apitoyé. « Qu'en sait-on ? Peut-être a-t-elle recommencé encore et encore jusqu'à ce qu'elle trouve enfin le courage nécessaire. »

Cabrillo resta un moment silencieux. Il se rappelait la poursuite en bateau dans Sandwich Bay après que Sloane et lui eurent retrouvé Papa Heinrick assassiné : le pilote qu'il poursuivait avait délibérément foncé vers la côte plutôt que de risquer d'être capturé. Il avait peut-être eu peur, s'était dit Juan, d'affronter un séjour dans une prison africaine, mais en vérité le type s'était sacrifié pour la cause : tout comme Susan Donleavy.

« Non, déclara-t-il avec assurance. Elle a réussi dès sa première tentative.

— Tu as visionné les bandes de la caméra de sa cellule ?

— Pas la peine, répondit-il en se tournant vers elle. Je connais ce type de personnage.

— Des fanatiques.

— Oui. Se couper la langue offrait une alternative acceptable au hara-kiri pour les soldats japonais faits prisonniers pendant la Seconde Guerre mondiale.

— Je suis navrée, Juan. On raconte à bord qu'elle connaissait probablement certaines informations très utiles.

— C'est vrai. Et je crois que Geoffrey Merrick les connaît aussi. J'ai besoin que tu le réveilles.

— Pas question. Sa tension est encore trop basse. J'ai à peine sondé sa blessure pour rechercher des éclats et c'est seulement maintenant que je commence à maîtriser son infection. J'en conviens, il est dans un coma moins profond, mais son organisme refuse de reprendre connaissance.

— Julia, je n'ai pas le choix. Singer a ordonné l'attaque de Petromax à une heure bien précise, parce qu'il préparait autre chose qu'il voulait que Merrick voie – il l'a enlevé pour cette raison. Susan, au cours de son interrogatoire, a dit que Singer avait discuté quelques heures à l'Oasis du Diable avec Merrick. Je parierais que c'est à ce moment-là qu'il lui a tout raconté.

— Et tu es prêt à parier sa vie ?

— Oui, affirma Juan sans hésitation. Je ne sais pas exactement ce que mijote Singer, mais cela concerne probablement un ouragan. Je crois qu'il a conçu un moyen de les former. As-tu besoin que je t'explique ce que ça veut dire ? Souviens-toi : tu as pris un congé pour aller comme bénévole à La Nouvelle-Orléans après le passage de Katrina.

— Je suis née là-bas.

— Nous pouvons empêcher une autre ville de subir le même sort. Julia, tu as toute liberté de prendre des décisions médicales sur ce navire mais seulement parce que je le dis. Si tu préfères que je te donne un ordre, je le ferai.

— C'est bon.

— Alors allons-y. »

Hux prit quelques produits, précéda Cabrillo avant de traverser les salles de réveil. Geoffrey Merrick partageait désormais la chambre qu'il avait occupée seul avec trois Africains blessés. Son visage brûlé par le soleil était recouvert d'un gel cicatrisant qui n'empêcha cependant pas Juan de constater l'extrême pâleur du savant. Julia contrôla les constantes vitales puis injecta un stimulant dans son intraveineuse.

Merrick revint lentement à lui. Il garda d'abord les yeux fermés et le seul mouvement visible fut celui de sa langue cherchant à humecter ses lèvres sèches. Julia les tamponna avec un linge humide. Il se mit alors à battre des paupières et ouvrit les yeux. Son regard allait de Julia à Juan puis, manifestement désorienté, revenait vers la doctoresse.

« Docteur Merrick, je m'appelle Juan Cabrillo. Vous êtes en sécurité maintenant. Nous vous avons libéré des individus qui vous avaient enlevé et vous vous trouvez actuellement dans l'infirmerie de mon bateau. »

Sans laisser à Merrick le temps de répondre, Julia demanda :

« Comment vous sentez-vous ?

— J'ai soif », répondit-il d'une voix râpeuse.

Elle approcha de sa bouche un verre d'eau avec une paille et il but quelques gorgées.

« Comment va votre poitrine ?

— Engourdie, répondit-il après avoir réfléchi un moment.

— Vous avez reçu une balle, lui expliqua Juan.

— Je ne me souviens pas.

— Susan Donleavy a tiré sur vous lors de votre libération.

— On ne l'a pas battue, murmura Merrick, un fragment de mémoire lui revenant. Je croyais qu'ils l'avaient torturée, mais tout ça n'était que du maquillage.

— Daniel Singer est passé lorsque vous étiez prisonnier. Vous vous rappelez ?

— Je crois que oui.

— Et vous avez parlé tous les deux.

— Où est Susan maintenant ?

— Elle s'est suicidée, docteur. Pour nous empêcher de découvrir les intentions de Singer.

— Les puits de pétrole. » Merrick parlait d'une voix de plus en plus faible, comme si son corps luttait contre les médicaments pour tenter de perdre de nouveau conscience.

« C'est exact. Il projetait de s'attaquer aux puits de pétrole de la côte d'Angola pour provoquer une énorme marée noire. Quels autres plans avait-il ? Vous l'a-t-il dit ?

— Il faut l'arrêter. Le pétrole est toxique, conclut-il d'une voix pâteuse.

— C'est ce que nous avons fait, le rassura Juan. Son attaque a échoué. La nappe de pétrole va être contenue.

— Bateau, bredouilla-t-il.

— Il y avait un bateau au terminal mais il n'a pas été attaqué.

— Non. Singer a un bateau.

— A quoi l'utilise-t-il ?

— Une découverte de Susan, qu'elle lui a apportée. Je croyais qu'il ne s'agissait que d'un essai, mais elle l'avait déjà perfectionnée.

— Elle a perfectionné quoi, Geoff ? Qu'est-ce que Susan a perfectionné ? Docteur Merrick ?

— Un gel organique qui transforme l'eau en pudding.

— Pour quoi faire ? demanda Juan, désespéré à l'idée que Merrick pût perdre de nouveau connaissance. A quoi cela servait-il ? »

Pendant près de vingt secondes, Merrick ne dit rien.

« Chaleur, finit-il par murmurer. Ça dégage beaucoup de chaleur. »

Voilà le rapprochement que Cabrillo cherchait : les ouragans ont besoin de chaleur et Singer allait donner un coup de pouce à l'un d'eux. S'il libérait dans l'océan le contenu d'un navire chargé du gel de Susan Donleavy, probablement à l'épicentre d'une tempête en formation, la chaleur donnerait au système météorologique un coup de démarreur. Voilà comment il savait à quel moment attaquer le terminal Petromax. Les vents dominants emporteraient les vapeurs de pétrole vers le nord, dans la tornade qu'il aurait contribué à faire naître.

Juan savait que les eaux au large de la côte ouest de l'Afrique constituaient pour Singer l'endroit logique où déverser le gel, mais la zone était vaste et le temps manquait pour entreprendre des recherches. Il fallait réduire les paramètres. « Quel type de navire utilise Singer ? » Un pétrolier, vraisemblablement, mais Juan n'allait pas guider un homme à demi-conscient avec de simples soupçons.

Merrick restait muet, les yeux clos et les lèvres entrouvertes. Julia surveillait son écran de contrôle et Juan, qui connaissait l'expression de son visage, sut qu'elle n'aimait pas ce qu'elle voyait.

Il secoua l'épaule de Merrick.

« Geoff, quel genre de bateau ?

— Juan », le reprit Julia d'un ton sévère.

Merrick tourna la tête vers Juan, mais il n'arrivait pas à ouvrir les yeux.

« Un pétrolier. Il a acheté un pétrolier. »

L'écran de contrôle émit un bip périodique : le rythme cardiaque avait dangereusement ralenti. Julia repoussa Juan en criant :

« Son cœur va lâcher ! Apportez le chariot ! »

Elle écarta le drap qui lui recouvrait la poitrine tandis qu'un de ses assistants se précipitait avec un défibrillateur portable.

Au milieu de toute cette agitation, Merrick parvint à ouvrir ses yeux, embués par la douleur. Il tendit la main pour serrer celle de Cabrillo, sa bouche formant trois mots mais le souffle lui manqua pour les prononcer.

L'alarme émettait maintenant un bip continu.

« Dégage », lança Julia, les électrodes en attente au-dessus du torse nu de Merrick. Juan écarta sa main pour que Julia puisse appliquer la décharge électrique qui ferait redémarrer le cœur de Merrick. Son corps fut secoué d'une convulsion quand le courant le traversa et l'écran de contrôle montra simultanément un pic puis le tracé redevint plat.

« Epi. » L'infirmier tendit à Julia une seringue pleine d'épinéphrine. Elle piqua l'aiguille qui paraissait d'une longueur impossible entre deux côtes et injecta le produit directement dans le cœur. « On monte à deux cents joules.

— On charge, on charge, on charge, dit l'infirmier en regardant l'appareil. Allez. »

Elle appliqua de nouveau les électrodes et, une seconde fois, le corps de Merrick s'arqua sur le lit. Le tracé sur l'écran marqua encore un pic.

« Vas-y. Vas-y », répétait Julia et puis le pouls reprit, d'abord très irrégulier, mais s'améliorant régulièrement. « Apportez-moi un ventilateur de réanimation. » Elle lança à Juan un regard noir. « Ça en valait la peine ?

— Nous le saurons quand nous aurons retrouvé un pétrolier baptisé *Gulf of Sidra* », rétorqua-t-il en soutenant son regard.

30

LE TEMPS SE GÂTAIT TANDIS que l'*Oregon* fonçait vers le nord aussi vite que le lui permettait la présence de blessés à son bord. Julia avait réhabilité les habitudes du dix-neuvième siècle et installé ceux dont l'état était le plus sérieux dans des hamacs qui se balançaient avec la houle et les protégeaient quand le navire était frappé par une vague. Elle n'avait pas quitté le chevet de Merrick plus de vingt minutes depuis que le cœur de ce dernier s'était remis à battre.

Moins d'une demi-heure après son identification, Murph et Eric avaient découvert que le *Gulf of Sidra* avait levé l'ancre la veille. Le navire avait appartenu au monopole d'Etat pétrolier de la Libye jusqu'à ce qu'une vente récente l'ait fait passer sous le contrôle d'une société constituée il y avait peu, la Crooner Co.

Ces informations avaient permis aux deux compères de délimiter encore davantage le secteur où le navire pouvait se cacher, et ils fonçaient maintenant aussi vite que possible vers cette zone qui engloberait bientôt une dépression tropicale.

Pour augmenter leurs chances, Juan avait une nouvelle fois appelé Lang Overholt : il lui avait demandé le concours de la flotte de satellites espions du gouvernement des Etats-Unis pour balayer la grille où devait se situer le *Gulf of Sidra*. Maintenant que tout le monde était conscient de l'importance des enjeux, Overholt avait fait part au directeur de la CIA des découvertes de Cabrillo. Peu après, le Président avait été lui aussi mis au courant ; des instructions avaient été données aux gardes-côtes, à la marine ainsi qu'à la NUMA et à la Météorologie nationale qui surveillait les couloirs d'ouragans. Un croiseur lance-missile qui revenait de patrouiller en mer Rouge avait été détourné et un destroyer en visite à Alger avait abrégé son escale et quitté la Méditerranée. En outre, deux sous-marins nucléaires étaient assez proches pour rallier le secteur en vingt heures.

Informé de la situation, le gouvernement britannique proposa de faire partir deux navires de Gibraltar et un troisième de Portsmouth ; ils n'arriveraient sur zone que plusieurs jours après les Américains, mais on les remercia de leur aide.

Juan savait que, de tous ces bateaux accourant pour traquer le pétrolier, le premier à atteindre le bord de la tempête serait l'*Oregon*, nettement plus rapide, et qu'il lui incomberait donc d'arrêter Daniel Singer.

Sloane McIntyre suivait la coursive d'un pas encore incertain en portant un plateau-repas que Maurice avait personnellement préparé. Son bras en écharpe l'handicapait encore et l'obligea plus d'une fois à s'appuyer contre la cloison pour garder son équilibre. Il était près de onze heures et elle ne rencontra pas âme qui vive. Elle arriva à la porte qu'elle cherchait et se servit de son pied pour frapper. Pas de réponse ; elle recommença, avec le même résultat.

Elle posa alors le plateau sur la moquette du couloir, entrouvrit la porte et aperçut une faible lumière à l'intérieur.

« Juan, appela-t-elle doucement. Comme vous n'avez pas dîné, j'ai demandé à Maurice de vous préparer un petit quelque chose. »

Elle franchit le seuil, sans avoir encore le sentiment d'être indiscrète. Une lampe éclairait la moitié du bureau de Cabrillo ; l'autre partie baignait dans la lueur tamisée d'un écran d'ordinateur. Le fauteuil était repoussé en arrière, comme si Juan venait de s'interrompre dans son travail ; il ne se trouvait pourtant ni devant son classeur ni devant l'antique coffre-fort. Et le canapé installé près d'un hublot protégé par un volet était vide.

Elle posa le plateau sur le bureau et, répétant son nom, avança vers la chambre noyée dans la pénombre. Il était allongé à plat ventre et, le croyant nu, elle détourna pudiquement les yeux. Puis elle se risqua à jeter un coup d'œil et constata qu'il portait un caleçon presque de la même couleur que sa peau, bien qu'un croissant blanc pâle se dessinât au-dessus de la ceinture. Elle ne l'entendait pas respirer et fut soulagée quand elle vit sa poitrine se soulever dans un mugissement sourd.

Elle se permit alors, pour la première fois, d'examiner son moignon. La peau, rouge et plissée, paraissait à vif, sans doute à cause des combats qu'il venait de mener. Les muscles des cuisses étaient épais et, même dans le sommeil, ne semblaient pas détendus. On aurait d'ailleurs pu en dire autant de tout son corps qui était crispé. Elle retint son souffle, écouta attentivement et l'entendit grincer des dents.

Son dos, un tissu de cicatrices anciennes et de contusions récentes, portait six marques identiques – des éclats de chevrotine, probablement – et, du moins l'espérait-elle, une incision chirurgicale cicatrisée et non un coup de couteau, car elle commençait juste au-dessus du rein pour disparaître sous son caleçon.

Elle ramassa les vêtements qu'il avait jetés sur le sol et, tout en les pliant, s'interrogea sur le genre d'homme capable de payer un tel prix pour faire ce qu'il faisait. Rien chez lui ne laissait supposer en effet qu'il souffrait la nuit d'un bruxisme tel qu'il semblait sur le point de se broyer les dents. Et, bien qu'il ait à peine la quarantaine, il avait accumulé au moins deux vies entières de cicatrices. Quelle force le poussait donc vers le danger malgré ce que cela imposait à son corps ?

Certainement pas une tendance suicidaire, elle en était sûre, car sa façon de plaisanter avec Max et les autres démontrait bien que Juan Cabrillo aimait la vie plus que quiconque. Peut-être s'agissait-il alors de veiller à ce que les autres eussent l'occasion de profiter de la vie autant que lui, s'érigeant en protecteur même si ceux-là ne se rendaient jamais compte de ses efforts. Elle repensa à leur conversation : qu'aurait-il fait s'il n'avait pas été le capitaine de l'*Oregon* ? J'aurais été infirmier, avait-il répondu. Un héros anonyme donc.

Elle posa son pantalon sur un valet de nuit, et son portefeuille tomba de sa poche.

Sloane regarda Juan. Il n'avait pas bougé. Avec un vague sentiment de culpabilité, pas suffisant cependant pour l'emporter sur la curiosité, elle ouvrit le portefeuille. Il ne contenait que des billets de plusieurs sortes de monnaies. Pas de carte de crédit, pas de carte de visite, rien qui permette de l'identifier. Elle aurait dû se douter que rien sur lui ne conduirait à établir un lien avec son bateau ou renseigner ses ennemis sur son véritable personnage.

Sloane examina alors le bureau dont l'éclairage donnait l'impression que sa table de travail dominait tout l'espace. Elle s'en approcha à pas de loup, jetant encore un coup d'œil dans sa direction avant d'ouvrir avec précaution le tiroir du milieu, celui où Cabrillo gardait ses secrets. Elle trouva un briquet Dunhill en or et un coupe-cigare. Elle trouva aussi son passeport américain et constata que toutes les pages ou presque en avaient été tamponnées ; elle le préférait avec ses cheveux courts actuels plutôt que sur la photo prise six ans auparavant. Elle découvrit ensuite deux autres passeports américains dont l'un affichait la photo d'un grand rustaud, un certain Jeddediah Smith qui n'était autre que Juan déguisé – ce qu'elle mit un moment à réaliser –, d'autres encore délivrés par divers pays et sous différents noms, des cartes de crédit pour chacun de ces personnages et des certificats de capitaines de marine marchande établis au nom de Juan et de Smith. Elle découvrit une montre de gousset en or portant l'inscription « De Rosa à Hector Cabrillo », celle, probablement, du grand-père de Juan. Au milieu de tout ce bric-à-brac, quelques lettres de ses parents, sa vieille carte de la CIA, un antique pistolet à quatre canons comme pouvait en porter un joueur écumant le Mississippi, une loupe à manche d'ivoire et un couteau suisse rouillé.

Enfin, au fond du tiroir, une boîte turque en marqueterie et, à l'intérieur, une découverte à laquelle elle ne s'attendait pas : une alliance en or. Un simple anneau, certainement peu porté car il est à peine éraflé, se dit Sloane doutant qu'il pût exister une femme assez stupide pour laisser partir un homme tel que Juan. Elle examina plus attentivement la boîte et remarqua une feuille de papier pliée qui tapissait complètement le fond.

Avant de poursuivre ses investigations, elle jeta par-dessus son épaule un coup d'œil vers Juan – il dormait toujours – et saisit la feuille. C'était un rapport de police concernant un accident survenu à Falls Church, en Virginie, qui impliquait une seule voiture et n'avait fait qu'une seule victime : Amy Cabrillo. Sloane sentit ses yeux s'emplir de larmes. Le rapport de police, impersonnel, indiquait que le taux d'alcoolémie chez la femme de Juan atteignait près de trois fois la limite légale.

Sloane essuya ses larmes, replia soigneusement le rapport puis remit tout dans le tiroir comme elle l'avait trouvé. Elle reprit le plateau-repas et quitta la cabine.

Linda tournait le coin de la coursive juste au moment où Sloane refermait la porte.

« Salut, voisine, s'empressa de dire Sloane pour dissimuler sa gêne. N'ayant pas vu Juan au dîner, je lui apportais de quoi manger. Il dort.

— C'est pour cela que vous pleurez ?

— Je... bredouilla Sloane, incapable d'en dire davantage.

— Ne vous en faites pas, répondit Linda avec un sourire affectueux. Ce sera notre petit secret. Pour moi, il est probablement le meilleur homme que j'aie jamais rencontré.

— Est-ce que vous et lui... ?

— Je dois reconnaître qu'il est beau comme un dieu et que, la première fois que j'ai embarqué, l'idée m'a traversé l'esprit ; mais non, ça ne s'est jamais fait et ne se fera jamais. Il est mon capitaine et mon ami et ces deux-là sont trop importants pour tout bousiller avec une aventure.

— Mais cela n'ira jamais plus loin, n'est-ce pas ? J'ai le sentiment qu'il est l'homme d'une seule femme et que, s'il y a eu une occasion, c'est du passé.

— Vous savez pour Amy ?

— J'ai fureté dans sa cabine et j'ai vu le rapport de police.

— Ne dites pas à Juan que vous l'avez lu. Il croit que personne dans l'équipage ne sait qu'il est veuf. Max a commis l'erreur de le raconter un jour à Maurice, une vieille commère. Ce ne serait probablement qu'une aventure de courte durée, mais pas parce qu'il porte toujours le deuil d'Amy. Il a un autre amour avec qui aucune femme ne peut rivaliser.

— L'*Oregon ?*

— Alors, répondit Linda en hochant la tête, réfléchissez bien à ce que vous voulez avant d'entreprendre quoi que ce soit.

— Merci. »

Pendant qu'elles s'éloignaient, la porte de la cabine de Juan s'ouvrit lentement, et il inspecta la coursive. Le bruit du tiroir de son bureau qu'on ouvrait l'avait réveillé, mais il avait feint le sommeil pour ne pas embarrasser Sloane. Il faudrait qu'il parle à Max de son incapacité à garder un secret, et à Maurice aussi, d'ailleurs. Il referma la porte en songeant que la conversation qu'il venait de surprendre rendait un peu plus difficile une décision qu'il avait envisagé de prendre.

*

Juan, installé dans le salon de la cabine de Moses Ndebele, discutait avec ce dernier. Les hommes d'équipage, terrassés par le mal de mer, s'étaient réfugiés dans leur lit. Juan appréciait l'attitude de Ndebele, capable de pardonner le traitement que lui avait fait subir son gouvernement. Contrairement à certains qui, quand ils accèdent au pouvoir, piétinent les libertés et plongent leur peuple dans la pauvreté tant ils sont avides de richesses et de gloire, Ndebele voulait vraiment ce qu'il y avait de meilleur pour le Zimbabwe. Il parlait de réformes économiques et d'une renaissance du secteur agricole jadis florissant. Il rêvait de partager le pouvoir avec les tribus et de mettre un terme au népotisme qui avait causé la ruine d'un si grand nombre de nations africaines.

Plus que tout, il voulait que son peuple ne craigne plus le gouvernement.

Cabrillo était plus que jamais convaincu qu'il avait eu raison de traiter avec Moses qui aurait ainsi l'occasion de restaurer ce qui avait jadis été un phare de l'Afrique subsaharienne et d'en faire l'orgueil du continent. Bien sûr, il faudrait pour cela retrouver un vaisseau ayant coulé, un siècle auparavant, quelque part dans un secteur d'océan de plus d'un millier de kilomètres carrés.

Il sentit soudain le navire virer de bord, un changement de cap d'au moins quinze degrés, et il se levait quand son téléphone sonna.

« On l'a trouvé, dit-il, sachant que Max lui annonçait la nouvelle qu'ils attendaient depuis trente heures.

— Le navire a été détecté par un nouvel engin baptisé Mag-Star, un satellite militaire capable, expliqua Hanley, de déceler la distorsion sur le champ magnétique terrestre d'un gros navire avec une coque en acier.

— A quelle distance en sommes-nous ?

— A encore cent cinquante milles et, pour répondre à ta prochaine question, de tous les navires qui foncent dans cette direction, l'*Oregon* est le plus proche.

— Cela nous amènera sur zone, reprit Juan après avoir calculé la vitesse et les distances, vers le coucher du soleil que nous ne voyons pourtant guère depuis quelque temps. »

L'*Oregon*, en effet, faisait route depuis l'aube sous une épaisse couverture de nuages tandis que des vagues de plus de cinq mètres déferlaient sur sa coque. Le navire n'avait aucun mal à fendre les lames : il était conçu pour supporter bien pire et à des vitesses supérieures ; en revanche, malgré tous les efforts de Hux, les blessés passaient un rude moment. Le vent soufflait aux environs de trente nœuds avec des rafales frôlant la force huit sur l'échelle de Beaufort. Même si la pluie n'avait pas encore commencé, les prévisions annonçaient son arrivée dans les deux prochaines heures.

« Ce ne sera pas commode d'attaquer le *Gulf of Sidra* dans cette tempête, observa Max. Et le faire de nuit n'arrangera rien.

— Tu vas m'expliquer, dit Juan. J'arrive. »

Quelques instants plus tard, il s'engouffrait dans le centre d'opérations où l'équipe de pointe de la Corporation avait remplacé les vigies habituelles. La tâche était difficile, car le bateau tanguait violemment et les hommes devaient sans cesse se cramponner à un comptoir ou s'appuyer à une cloison. Eric Stone était déjà à la barre ; Mark Murphy se glissait au poste de tir tandis que Hali se branchait sur le système de communications. Linda Ross arriva bientôt, Eddie et Linc étaient déjà eux aussi en place.

Max, qui surveillait sur ses écrans ses machines chéries, s'approcha dès que Juan se fut installé sur le siège central. Sur le grand écran de contrôle, une image satellite de l'Atlantique : les nuages commençaient à s'enrouler. L'image changeait toutes les deux secondes pour montrer le développement de la tempête au cours des heures précédentes. L'œil du cyclone commençait juste à se former.

« Bien, où sommes-nous et où est le *Sidra* ? » demanda Juan.

Stone pianota sur le clavier de son ordinateur et deux icônes se mirent à clignoter sur l'écran. Le *Gulf of Sidra* était positionné juste au bord de la zone où l'œil du cyclone apparaissait, tandis que l'*Oregon* fonçait droit au sud-est.

Ils surveillèrent pendant plus d'une heure l'écran dont les données étaient mises à jour par le Bureau national de reconnaissance, l'agence gouvernementale secrète qui surveillait tous les satellites espions américains. Plus la tempête prenait la forme caractéristique d'un ouragan, plus le pétrolier de Singer collait à la zone où se renforçait le mur qui entourait l'œil du cyclone.

« Je reçois à l'instant de nouvelles informations d'Overholt, annonça Hali, le regard fixé sur son ordinateur. Le BNR aurait des renseignements complémentaires sur l'objectif. En consultant leurs récents rapports, ils ont pu retracer sa route pendant les deux heures précédant son identification. Tiens, Eric, je te transmets tout ça. »

L'icône du *Sidra* sauta de quelques centimètres sur l'écran puis avança encore : on aurait dit que c'était l'œil du cyclone qui se développait le long de sa route et non le navire qui collait à sa frange.

« Bon sang ! murmura Juan.

— J'avais raison ! s'écria Eric.

— Tu es un vrai génie, approuva Mark avant de se tourner vers Cabrillo. Nous étions tous les deux dans ma cabine – nous échafaudions des hypothèses – et nous avons un peu piraté l'ordinateur central de Merrick-Singer. Susan Donleavy ne conservait aucune note sur l'ordinateur ; soit elle avait un dossier personnel, soit elle notait tout cela à la main. En tout cas, nous n'avons trouvé, concernant son projet, que l'original de son plan et encore assez succinct. Son idée était de créer un floculent organique.

— Un quoi ?

— Un produit qui fait se regrouper les alluvions et autres solides en suspension dans l'eau, répondit Eric. On utilise cela, par exemple, dans le traitement des eaux usées pour évacuer les déchets. Elle cherchait un moyen de regrouper les matières organiques en suspension dans l'eau de mer pour transformer l'eau en gel.

— Pour quoi faire ? s'informa Max.

— Elle ne l'a pas dit, répondit Mark, et apparemment personne au comité de surveillance n'y voyait d'inconvénient car on l'a autorisée à poursuivre ses recherches sans devoir en expliquer les raisons.

— Nous savons d'après votre conversation avec Merrick que la réaction est exothermique et, à mon avis, on ne va pas la poursuivre bien longtemps : la chaleur finira par tuer les composants organiques et le gel se dissoudra dans l'eau de mer.

— Je te suis, dit Juan, mais je n'en vois pas l'intérêt.

— Si Singer répand une traînée de floculent, elle s'étalera un moment et puis se dissipera. L'ouragan absorberait une partie de la chaleur produite en passant au-dessus, mais pas vraiment assez pour provoquer des changements majeurs concernant sa violence ou sa direction.

— Ce que je pense, intervint Eric, c'est que s'il le répand suivant un cercle juste au moment où l'ouragan commence à tournoyer, il sera en mesure d'imposer la localisation et l'heure de la formation de l'œil du cyclone ; et surtout, ses dimensions.

— Et plus les dimensions de l'œil seront réduites, plus le vent le fouettera, ajouta Max.

— L'œil de l'ouragan Andrew mesurait onze milles de largeur quand il a frappé la côte de Floride, rappela Murph. Les processus naturels l'empêchent de descendre au-dessous d'une certaine surface, mais Singer peut pousser l'ouragan à une force cinq sur l'échelle de Saffir-Simpson. Il pourrait également être capable de contrôler le tracé de l'ouragan quand il traversera l'Atlantique, autrement dit le braquer comme le canon d'un fusil vers la côte de son choix. »

Cabrillo se tourna de nouveau vers l'écran. Le *Gulf of Sidra* semblait bien se comporter conformément aux prédictions d'Eric et Murph : il amorçait une spirale en utilisant la chaleur dégagée par le gel de Susan Donleavy que le navire dégageait aussi vite que ses pompes pouvaient le supporter, de façon à concentrer de plus en plus la surface de l'œil de la tempête, donnant ainsi à l'ouragan une puissance que la nature ne pourrait jamais lui conférer.

« S'il achève ce mouvement tournant, conclut Eric, nous ne pourrons pas faire grand-chose. Une fois l'œil du cyclone formé, aucune force au monde ne sera capable d'arrêter l'ouragan.

— Une idée de l'endroit où il l'envoie ?

— Si c'était moi, je choisirais une nouvelle fois La Nouvelle-Orléans, dit Murph, mais j'ignore s'il peut atteindre ce niveau de contrôle. Je parierais plutôt pour la Floride dont les eaux côtières, chaudes, ne l'affaibliront pas. Miami ou Jacksonville sont des cibles idéales. Andrew a causé environ neuf milliards de dégâts et il n'était que de force quatre. Si celui-là frappe l'une ou l'autre de ces villes avec une force six, il culbutera les gratte-ciel.

— Max, demanda Juan, quelle est notre vitesse ?

— Un poil au-dessus de trente-cinq nœuds.

— Timonier, pousse à quarante.

— Le toubib ne va pas aimer, lança Max.

— Elle m'en veut déjà de l'avoir obligée à réveiller Merrick », rétorqua Juan.

Eric suivit les ordres. L'*Oregon* se mit à fendre les vagues avec une violence accrue. Une caméra extérieure montrait l'étrave qui disparaissait presque sous les lames, et un mètre d'eau balayait le pont quand il se redressait.

Cabrillo activa sa console de transmissions pour appeler le hangar. Un technicien répondit et, à la demande de Juan, alla chercher George Adams.

« Je n'aime pas quand tu m'appelles, déclara Adams.

— George, tu peux le faire ?

— Ce sera un vrai cauchemar, répondit le pilote, mais, oui, je crois que je peux tant que la pluie n'arrive pas. Et je ne veux pas entendre de doléances si j'endommage les traverses de débarquement du Robinson.

— Je ne dirai pas un mot. Reste en stand-by dix minutes et attends mes instructions.

— Compris. »

Juan coupa la communication.

« Wepps, où en est notre système d'armes ? »

De chaque côté de l'étrave de l'*Oregon*, en dessous de la ligne de flottaison, se trouvait un tube capable de lancer une torpille russe Test-71. Chacun de ces engins télécommandés de deux tonnes avait une portée de près de dix milles, une vitesse maximale de quarante nœuds et, dans son nez, une charge de deux cents kilos d'un puissant explosif. Lorsqu'il avait conçu l'*Oregon*, Cabrillo aurait voulu des torpilles américaines MK-48 à capacités améliorées mais tous ses beaux arguments s'étaient heurtés au refus catégorique de Langston. Cela dit, les torpilles soviétiques étaient assez puissantes pour couler la plupart des bâtiments les plus lourdement armés.

« Tu n'envisages tout de même pas de torpiller le *Sidra* ? riposta

Mark. Tout le chargement de gel serait déversé en un seul endroit et, à ce stade, une telle quantité de chaleur produirait presque le même effet que si le navire avait bouclé son cercle.

— Je ne fais qu'envisager toutes les options, le rassura Juan.

— Bon, d'accord. » Mark donna alors son rapport de situation concernant les torpilles. « On les a retirées des tubes il y a trois jours pour une inspection de routine. On a remplacé une batterie sur celle du tube Un. Les deux sont maintenant à pleine charge.

— Alors quel est ton plan ? demanda Max à Juan.

— La solution la plus simple est d'envoyer là-bas une équipe par hélico pour prendre le contrôle du pétrolier et fermer les pompes d'évacuation.

— Tu sais, Président, observa alors Eric, que si nous nous éloignions suffisamment de l'œil du cyclone et que nous recommencions à décharger le gel, la chaleur dégagée devrait provoquer un regain d'évaporation et créer une nouvelle zone de basse pression, ce qui aurait pour effet de disloquer littéralement l'ouragan.

— Oh, mon Dieu ! » s'exclama soudain Hali.

Il abaissa une manette sur son tableau de bord et une voix stridente emplit la salle de contrôle.

« Je répète, ici Adonis Cassedine, capitaine du pétrolier *Gulf of Sidra*. La tempête a ouvert une brèche dans la coque. Nous sommes sous lest, nous n'avons donc pas de fuite de brut mais si les choses s'aggravent, nous devrons abandonner le navire. » Il donna ses coordonnées. « Il y a urgence. Personne n'entend donc mon message ? SOS, SOS, SOS.

— Sous lest, mon œil, marmonna Max. Que veux-tu qu'on fasse ? »

Cabrillo était assis, immobile, le menton appuyé sur une main.

« Laissons-les mariner. Même si personne ne lui répond, il continuera à envoyer des messages. Eric, quelle est maintenant l'heure prévue de notre arrivée ?

— Dans trois heures environ.

— Le *Sidra* ne tiendra pas jusque-là par une mer pareille et avec une brèche dans la coque. Surtout si la quille est atteinte. Il pourrait se briser en trois minutes », résuma Max.

Juan n'avait rien à répondre à cela. Il fallait faire quelque chose mais ses choix étaient limités. Laisser le pétrolier se disloquer tout seul était le pire et il semblait que la suggestion d'Eric de s'en servir pour désamorcer la tempête était exclue. Ce qu'on pouvait espérer de mieux, c'était que le bateau coule en répandant le moins de gel possible. Les torpilles Test-71 étaient capables de faire le travail, mais il faudrait peut-être attendre des heures avant que la coque ne disparaisse sous les vagues, et par conséquent des heures pendant lesquelles le pétrolier continuerait à dégorger sa cargaison.

L'inspiration lui vint de son expérience avec Sloane : quand leur canot avait reçu un missile tiré du yacht gardant les générateurs à turbine marémotrice, il avait coulé en un instant parce que son étrave avait été arrachée alors qu'il filait à grande vitesse. Cabrillo ne s'attarda pas à envisager les innombrables obstacles à l'idée folle qu'il venait de concevoir, il s'attacha simplement à la mettre en œuvre.

« Linc, Eddie, descendez au magasin et trouvez-moi soixante mètres d'Hypertherm, dans les casiers avec les électro-aimants. » Ce produit, de l'explosif sous forme de plastic, était un composé à base de magnésium capable de supporter des flammes de près de deux mille degrés Celsius, et on l'utilisait dans les opérations de renflouage pour découper l'acier sous l'eau. « Eddie, rendez-vous au hangar, prends ton équipement au passage. Je ne peux pas garantir l'accueil qu'on nous réservera sur le *Sidra*.

— Et moi ? demanda Linc.

— Désolé, le poids est limité.

— Manifestement, fit Max en posant une main sur l'épaule de Juan, tu as trouvé un truc tordu et qui n'exige pas beaucoup d'hommes. Tu veux bien éclairer notre lanterne ? » Cabrillo expliqua son plan et Hanley hocha la tête. « C'est bien ce que je disais : tordu et qui n'exige pas beaucoup d'hommes.

— Tu vois une autre méthode ? »

31

CONCENTRÉ, LES DOIGTS CRISPÉS SUR les commandes du petit hélico que le vent et la rotation furieuse des pales faisaient trembler sur le pas d'envol, George Adams ne songeait pas, malgré tout, à faire décoller le Robinson avant l'heure exacte prévue.

L'*Oregon* dévala le creux d'une grosse vague et un mur d'eau se dressa soudain devant le pont, sa crête qui commençait à s'incurver menaçant d'engloutir l'hélicoptère et ses trois occupants.

« Dis-moi, où on en est Eric ? dit-il tandis que le navire commençait à escalader la vague suivante.

— Tiens bon, la caméra est presque en haut. Bon, voilà, il y a une grande cuvette de l'autre côté. Tu as largement le temps. »

Le navire parvenu au sommet de la vague, Adams augmenta légèrement les gaz, sachant que, quand ils décolleraient, l'*Oregon* se déroberait sous eux au lieu de s'élever sur une vague encore cachée qui viendrait s'écraser sur l'hélico. Au moment de l'envol, le cargo plongea. George piqua du nez pour gagner de la vitesse puis redressa l'appareil pour s'élever au-dessus de la mer bouillonnante dans des rafales déchaînées. Il dut virer sous le vent pour gagner de la vitesse et de l'altitude avant de revenir dans la tempête. Ballotté par un vent debout de cinquante nœuds, le Robinson ne dépassait pas les soixante, guère plus que l'*Oregon*, mais Juan voulait atteindre le *Gulf of Sidra* le plus tôt possible.

Si tout se passait conformément au plan, les torpilles de son navire seraient à portée au moment où Eddie et lui auraient fini de préparer les charges d'Hypertherm.

« D'après mes calculs, notre temps de vol devrait être d'une heure vingt, annonça George après s'être installé pour ce trajet difficile.

— Juan ? interrogea la voix de Max dans la radio.

— Vas-y.

— Cassandre envoie un autre SOS.

— Bon, réponds-lui ce que nous avons décidé.

— Entendu. » Max laissa le canal ouvert pour que Juan puisse entendre la conversation. « *Gulf of Sidra*, ici le capitaine Max Hanley, du cargo *Oregon*, j'ai capté votre appel de détresse et je fais tout mon possible pour arriver sur zone ; seulement nous sommes encore à deux heures de distance.

— *Oregon*, Dieu soit loué !

— Capitaine Cassandre, veuillez nous préciser votre situation.

— Il y a une brèche dans la coque au milieu du navire à bâbord et nous avons une voie d'eau. Mes pompes fonctionnent à plein régime et nous ne semblons pas couler mais, si la brèche s'élargit, nous devrons abandonner le navire.

— La brèche s'est-elle déjà agrandie ?

— Négatif. Une vague géante nous a frappés par le travers et a arraché une plaque de la coque. Depuis, nous sommes restés stables.

— Si vous virez cap à l'est, nous vous rejoindrons plus vite. »

Ce n'était pas vrai mais, si le *Gulf of Sidra* changeait de cap en répandant son poison, cela déplacerait d'une façon ou d'une autre l'œil du cyclone. En fait, il s'agissait d'un test destiné à déterminer qui, du capitaine ou de Daniel Singer, détenait le contrôle du bateau.

Pendant près d'une minute, des parasites brouillèrent les ondes puis la voix de Cassandre se fit à nouveau entendre, vibrant d'une frayeur nouvelle.

« Ce n'est plus possible *Oregon*, mon chef mécanicien vient de me signaler une avarie de notre système de direction.

— On appuie très probablement un pistolet contre sa tempe », dit Juan à Max.

Ils avaient envisagé ce scénario, et Max poursuivit dont comme si de rien n'était.

« Avons bien noté vos avaries. Dans ce cas, capitaine, impossible de risquer une collision. Aussi, quand nous serons à dix milles de vous, vous demanderai-je de mettre vos canots de sauvetage à la mer.

— Pour que vous puissiez me lancer un câble et prétendre ainsi que vous nous avez sauvés ?

— Ce type est aux portes de la mort et il va s'imaginer que nous cherchons à faire main basse sur son bateau ! s'esclaffa Juan.

— Capitaine, l'*Oregon* est un bateau de pêche de mille tonnes, expliqua sans vergogne Max. Nous serions bien incapables de prendre en remorque un pétrolier d'une centaine de milliers de tonnes et en pleine tempête par-dessus le marché. Je tiens seulement à ne pas risquer qu'un vieux rafiot désemparé nous emboutisse dans cet ouragan.

— Je... je comprends, finit par bredouiller Cassandre.

— Combien d'hommes à bord ?

— Trois officiers, douze membres d'équipage et un surnuméraire. Seize hommes au total. »

Ce surnuméraire est certainement Singer, se dit Juan. Pas grand monde en tout cas, même pour les pétroliers actuels – tellement automatisés qu'ils n'embarquent qu'un équipage réduit, mais sans doute suffisant pour réaliser les projets de Singer.

« Bien reçu, répondit Max. Je vous appellerai dès que nous serons sur zone. Ici *Oregon*, terminé.

— Affirmatif, capitaine Hanley. Je vous contacterai aussitôt par radio au cas où notre situation évoluerait. Ici *Gulf of Sidra*, terminé.

— Il ne faudrait pas que tu t'habitues trop à ce titre de capitaine Hanley, plaisanta Juan une fois la communication avec le pétrolier coupée.

— Pourtant, répondit Max d'un ton rêveur, je trouve que ça sonne bien. Tu penses que Singer abandonnera le navire avec eux ?

— Difficile à dire. Même s'il a essuyé un échec, il pourrait essayer d'achever sa mission seul à bord. Ils devront ralentir pour mettre les canots de sauvetage à la mer, mais si Cassandre lui montre comment reprendre de la vitesse, il pourrait alors finir de resserrer l'œil du cyclone jusqu'à une largeur de moins de six milles.

— Tu crois ?

— Si j'étais lui, je pense que je m'efforcerais d'aller jusqu'au bout.

— Ce qui implique deux choses : la première, Singer est complètement fêlé, la seconde, Eddie et toi feriez bien de ne pas le quitter des yeux quand vous déposerez les charges.

— Nous ferons attention. »

Une heure plus tard, George annonça par radio à l'*Oregon* qu'ils avaient atteint la première étape du vol. Il était temps que le *Gulf of Sidra* débarque son équipage.

« Ici l'*Oregon* qui appelle le capitaine Cassandre, dit Max à la radio.

— Ici Cassandre, je vous écoute, *Oregon.*

— Nous sommes à dix milles de votre position. Etes-vous prêts à abandonner le navire ? demanda Max.

— Je ne cherche pas à discuter, capitaine, répondit Cassandre, mais mon radar vous situe à près de trente milles de nous.

— Vous vous fiez à un radar avec des lames de six mètres ? railla Max. Le mien ne vous signale même pas. Je compte sur mon GPS et, d'après nos estimations, vous êtes à dix milles de nous. Voici notre position actuelle, confirma Hanley en envoyant une longitude et une latitude qui corroboraient la distance qu'il annonçait.

— En effet, vous avez raison, vous êtes bien à dix milles.

— Nous pouvons nous approcher davantage à condition que vous ayez réparé votre commande de barre.

— Non, nous n'avons pas réussi, mais le surnuméraire s'est porté volontaire pour rester à bord et y travailler.

— Vous allez l'abandonner ? s'inquiéta Max, jouant le rôle du marin préoccupé.

— C'est le propriétaire du navire et il est conscient du risque, expliqua Cassandre.

— Compris, fit Max en feignant le soulagement. Quand vous aurez mis le canot à la mer et que vous vous serez dégagé du pétrolier, virez à deux cent soixante-dix degrés et envoyez un message sur la fréquence d'urgence des radiobalises de localisation des sinistres pour que nous puissions nous diriger vers vous.

— Cap à deux cent soixante-dix degrés et fréquence de 121,5 mégahertz. Nous mettons le canot à l'eau dans deux minutes.

— Bonne chance, capitaine. »

Même si Cassandre et son équipage aidaient Singer, le marin en lui avait conscience du danger qu'ils couraient en embarquant sur un canot de sauvetage par une mer pareille.

Un quart d'heure plus tard, Hali Kasim brancha les haut-parleurs du centre d'opérations sur la bande de détresse de 121,5 mégahertz pour permettre à tout le monde d'entendre.

« Tu reçois, Juan ?

— Oui, j'entends. Nous fonçons. »

Même en volant à cinq cents pieds, ils sortirent des nuages à moins d'un mille du superpétrolier que son tonnage, supérieur de quatre-vingt-dix mille tonnes à celui de l'*Oregon*, aidait à fendre plus facilement les lames sans être continuellement aspergé par les embruns. Ils aperçurent tout juste un minuscule point jaune qui s'éloignait du monstre : le canot de sauvetage. Ainsi qu'on le lui avait ordonné, Cassandre faisait route plein ouest et s'éloignait de l'*Oregon* pour éviter tout risque de collision. Ils constatèrent également que le pétrolier prenait de la vitesse.

« Regarde ça », dit George en tendant le doigt.

Près de l'arrière du *Gulf of Sidra*, à deux ou trois mètres en dessous du bastingage, jaillissait du liquide : l'échappement de son système d'aspiration d'eau de mer, un ensemble de pompes et de canalisations qui lui permettait d'embarquer ou d'expulser l'eau qui servait de ballast.

Mais les pompes ne rejetaient pas de l'eau : le fluide giclant de l'orifice d'un mètre de large, épais, visqueux, aurait en effet, s'il n'avait été clair et ne s'était répandu sur l'océan plus rapidement que la pompe ne l'éjectait, ressemblé au pétrole qui avait pollué la baie autour du terminal Petromax en Angola.

« Ça vient sur nous, prévint Eddie depuis le siège arrière. Les matières organiques du gel polluent l'eau et la transforment en bouillie. »

Ils survolèrent le superpétrolier pour inspecter les avaries à bâbord : une brèche dans la coque au-dessus de la ligne de flottaison s'étendait jusqu'au bastingage et, la coque ployant sous le choc des vagues s'ouvrait et se refermait comme une gueule verticale. La mer autour de la déchirure était couverte d'une pellicule de floculent gélatineux qui allait s'épaissir.

« Où veux-tu que je te largue ? demanda George.

— Aussi près que possible de l'étrave, répondit Juan.

— Je ne veux pas être arrosé par le jet, alors ce sera à au moins trente mètres en arrière.

— Nous n'aurons pas le temps de nous mettre à la poursuite de Singer, alors fais vite quand tu viendras nous remonter.

— Fais-moi confiance, Président, je n'ai pas du tout envie, par un vent pareil, de faire du surplace une microseconde de plus qu'il n'est nécessaire. »

Adams se plaça contre le vent et approcha du pétrolier à une trentaine de mètres d'altitude. La mer déchaînée semblait battre juste au-dessous des patins d'atterrissage. Ils passèrent au-dessus du bastingage et George freina le petit hélico et le maintint en vol stationnaire tout en perdant de l'altitude : une brillante démonstration de pilotage. Il parvint à rester à environ six mètres au-dessus du point où les plus fortes vagues soulevaient le pont.

Eddie Seng poussa la porte située en face de lui, luttant d'un pied pour la maintenir ouverte tandis que de l'autre il poussait les rouleaux d'Hypertherm hors de l'hélicoptère. Les explosifs tombèrent sur le pont où ils s'enroulèrent comme un nœud de serpents. Une fois le dernier balancé par-dessus le rebord, Eddie se redressa et le vent claqua aussitôt la porte.

« Maintenant, le plus dur », marmonna George tout en surveillant l'horizon pour estimer la hauteur des lames et la fréquence des rafales.

Quelques gouttes de pluie vinrent s'écraser sur le pare-brise, mais il ne se laissa pas distraire pour autant.

Juan et Eddie attendaient, les mains posées sur la poignée de leur porte, leur pistolet mitrailleur en bandoulière.

Une cascade d'écume inonda l'étrave du pétrolier qui fendait une nouvelle vague monstrueuse ; le navire se redressa et George commença à faire descendre le Robinson. Parfaitement calculé : le pont n'était pas à plus d'un mètre cinquante des patins de l'hélico quand le pétrolier se remit d'aplomb.

« A bientôt, les gars. »

Cabrillo et Seng ouvrirent leur porte et sautèrent sans un instant d'hésitation pendant qu'Adams s'élevait légèrement avant la prochaine lame.

Juan, en roulant sur le pont, découvrit avec surprise que le métal dégageait une chaleur telle que, même à travers l'épais tissu de son treillis, elle était difficilement supportable, et il s'empressa de se relever. Il savait qu'en quelques minutes la chaleur filtrerait à travers les semelles de caoutchouc de ses bottes ; il ne se souciait pas de sa prothèse, mais de son autre pied et de ceux d'Eddie qui risquaient des brûlures si cela se prolongeait.

« On va en baver, prédit Eddie comme s'il lisait dans les pensées de Juan.

— Les embruns devraient rafraîchir un peu le pont », répondit Juan en s'approchant de la pile d'Hypertherm.

Il fit un signe à George qui tournait à cent cinquante mètres au-dessus d'eux pour leur servir de vigie au cas où Singer surgirait.

Pour Juan, disposer l'Hypertherm le plus vite possible constituait le meilleur moyen d'arrêter l'opération.

L'explosif se présentait en bandes de six mètres munies à chaque extrémité de pinces conductrices qui propageaient le courant sur toute la longueur. Le détonateur et la batterie pouvaient être placés sur n'importe lequel des segments mais, pour obtenir le résultat désiré, il importait qu'ils fussent disposés le plus près possible du milieu.

Juan souleva les cordons d'Hypertherm sur ses épaules et sentit ses genoux prêts à fléchir.

« Paré ? grommela-t-il.

— Allons-y. »

Trébuchant sous leur charge de quelque soixante-dix kilos, les deux hommes s'avancèrent vers l'étrave, chacun traînant derrière lui des chapelets d'explosifs. Le vent et le mouvement du bateau les faisaient vaciller comme des ivrognes mais ils tenaient bon. Lorsqu'ils atteignirent enfin un secteur aspergé d'embruns, ils virent de petits panaches de vapeur qui s'élevaient du pont et qui rappelèrent à Juan une visite qu'il avait faite dans son enfance aux sources chaudes du parc de Yellowstone. Il lâcha son fardeau à dix mètres de la proue, la limite qu'ils ne pouvaient dépasser sans risquer d'être emportés par les vagues.

« Comment ça se présente, George ? demanda Juan, hors d'haleine.

— J'ai survolé la passerelle mais je n'ai vu personne. Les ponts sont un fatras de tubulures et de conduits. Je ne vois Singer nulle part.

— Et toi, Max ?

— Nous sommes à portée de torpille et nous attendons ton signal.

— Bon. »

Ce que Juan avait pris pour des embruns s'abattant sur le navire se révéla être en fait une brève averse d'une pluie violente qui se calma un peu au bout de quelques secondes. Ils avaient deux impératifs à respecter : l'un était d'empêcher le pétrolier de terminer son virage et l'autre de mettre en place les explosifs et de regagner l'*Oregon* avant que la pluie les empêche de voler. Il n'avait plus qu'à espérer un peu de chance concernant le premier point.

Eddie se mit à aligner les explosifs le long d'une soudure unissant deux sections de la coque d'un côté à l'autre du pont tandis que Juan s'affairait sur le détonateur : il le testa avec le déclencheur à distance casé dans sa poche puis le brancha sur la première longueur d'Hypertherm. Six bandes de six mètres furent nécessaires pour couvrir le pont d'un bord à l'autre. Chacune contenait une batterie qui, une fois activée, générait un champ magnétique qui fixerait les explosifs à l'acier du pont et l'empêcherait de rouler avec le bateau.

Eddie et Juan durent conjuguer leurs efforts pour faire passer une longueur d'explosifs par-dessus les deux flancs du pétrolier de façon qu'un peu d'Hypertherm trempe dans l'eau. Là encore, les électroaimants les plaqueraient contre la coque le long d'une soudure. Lorsqu'ils eurent terminé, une ligne d'explosifs couvrait chaque centimètre du navire au-dessus de la ligne de flottaison.

Eddie effectua la dernière connexion et Juan appela aussitôt George par radio. La pluie redoublait, des rafales presque horizontales réduisaient la visibilité et transformaient les lointaines superstructures en ombres fantomatiques. Tandis qu'Adams s'apprêtait à faire le plus délicat des hélitreuillages de sa brillante carrière, Cabrillo appela Hanley.

« Max, les charges sont posées. Lance les torpilles ; le temps qu'elles arrivent, nous devrions être partis.

— Bien reçu », répondit Max.

Mark Murphy, depuis le centre d'opérations, ouvrit les portes extérieures des deux tubes et enclencha sur son ordinateur le programme de lancement des torpilles. Transmise par le radar du bord et les systèmes sonar, une image en trois D de l'opération apparut sur son écran. Il voyait distinctement le *Gulf of Sidra* qui faisait route à quelque sept mille mètres de l'*Oregon :* du gâteau !

« Wepps, à mon signal, active le tube Un, ordonna Max. Feu. »

Enveloppée dans une bulle d'air surcomprimé, la torpille longue de six mètres jaillit de son tube ; elle avait déjà parcouru vingt mètres quand les batteries actionnèrent son moteur électrique ; quelques secondes encore puis la Test-71 atteignit sa vitesse opérationnelle de quarante nœuds.

Mark suivit sur son écran la torpille filant vers le pétrolier et les minces filaments – ses câbles de guidage – traînant dans son sillage : il laissait pour l'instant l'engin se diriger librement mais pouvait, grâce à un manche, le contrôler à tout moment.

« Tirez la Deux. »

Murph lança la seconde torpille, le bruit du tir résonant à travers le navire comme une quinte de toux.

« Torpilles Un et Deux lancées, annonça-t-il. Se dirigent vers l'objectif.

— Juan, prévint Max, les deux poissons sont en route, il serait temps de vous barrer.

— On s'en occupe », répondit Cabrillo.

Il observait dans la tempête la descente du Robinson : George tentait pour la troisième fois de poser l'hélico sur le pont. Les vents déchaînés avaient fait avorter les deux premières tentatives à quinze mètres au-dessus du pétrolier. Une rafale frappa l'appareil et George compensa aussitôt pour le maintenir en stationnaire au-dessus du *Sidra* qui ne dépassait pas les dix-sept nœuds.

« Allez, mon vieux George, l'encouragea Eddie en dansant d'un pied sur l'autre pour empêcher ses semelles de se carboniser. Tu peux le faire. »

Le Robinson descendit encore plus bas, ses pales fouettaient la pluie. Ils apercevaient George derrière le pare-brise en plexiglas, son beau visage de vedette de cinéma crispé par la concentration, le regard fixe. Plus que trois mètres entre les patins et le pont, mais le *Sidra* plongea dans un nouveau creux, agrandissant l'écart. Eddie et

Juan se mirent en position pour pouvoir ouvrir les portes arrière de l'hélico et s'y engouffrer le plus vite possible.

Adams réussit à maintenir l'appareil en stationnaire pendant près de quinze secondes en attendant que le pétrolier atteigne la crête de la vague. Lorsque le navire commença à retomber, il laissa le Robinson chuter d'un dernier mètre. Cabrillo et Seng parvinrent à ouvrir leurs portes et plongèrent tête la première dans la cabine juste au moment où l'hélico remontait. Adams mit sèchement les gaz et ils s'élevèrent au-dessus du superpétrolier.

« Jolie manœuvre, apprécia Juan tout en s'installant et en bouclant sa ceinture de sécurité.

— Attends pour me féliciter que je me sois posé sur l'*Oregon*, répondit Adams. Je reconnais cependant que ce n'était pas mal, ajouta-t-il avec un sourire. Oh ! Pour que vous soyez au courant, la fissure au milieu du bateau s'est agrandie, le pont commence à se fendre.

— Maintenant, dit Juan en branchant sa radio, ça ne change pas grand-chose. Max, nous sommes en route. Où sont les torpilles ?

— A deux mille mètres, et elles approchent. Disons : impact dans quatre minutes. »

La mer était trop grosse pour permettre de suivre le sillage des engins, mais les trois hommes à bord de l'hélicoptère qui volait à deux cent cinquante mètres d'altitude jouiraient d'une vue spectaculaire de l'explosion.

« Je vais amorcer l'Hypertherm sur dix secondes avant l'impact, déclara Juan. En frappant en même temps à bâbord et à tribord, il déchiquettera tout ce qui se trouve au-dessous de la ligne de flottaison et les explosifs mettront le feu à tout ce qui est au-dessus. L'étrave sautera comme un toast dans un grille-pain. »

Murph intervint sur le circuit intérieur.

« Quand j'annoncerai cinquante mètres, vas-y. »

Trois minutes tendues s'écoulèrent pendant lesquelles Murph guidait les torpilles pour qu'elles frappent les deux flancs du *Gulf of Sidra* aux points exacts sous lesquels Juan et Eddie avaient placé l'Hypertherm. Juan tenait à la main le déclencheur à distance, le pouce prêt à presser le bouton.

« Cent mètres », annonça Mark.

En convergeant vers le pétrolier, les torpilles remontaient près de la surface si bien qu'on distinguait la faible trace de leur sillage. Murph les dirigeait à la perfection.

« Soixante-quinze. »

Mieux placé, Adams fut le premier à l'apercevoir.

« Bon sang, cria-t-il soudain, qu'est-ce que c'est que ça ?

— Quoi ? Où ça ?

— Un mouvement sur le pont. »

Cabrillo découvrit alors de quoi il s'agissait : une silhouette minuscule arrivait en courant de l'avant du *Gulf of Sidra*, vêtue d'une combinaison imperméable d'un rouge presque identique à celui du pont, le camouflage idéal pour se dissimuler dans le labyrinthe des tuyaux.

« C'est Singer ! Détournez les yeux ! »

Il écrasa le bouton du détonateur et tourna la tête pour protéger ses yeux de l'éclat de l'Hypertherm en flammes. Mais sa vision périphérique ne lui signala aucune lumière éblouissante, et il regarda le navire. L'Hypertherm était toujours en place mais ne s'était pas enflammé.

« Wepps, abandonne ! Abandonne ! Abandonne ! »

Mark Murphy aurait pu déclencher l'autodestruction des torpilles, mais il préféra envoyer un signal pour ralentir les engins et utilisa les deux manches pour les faire plonger. Il suivit leur descente sur son écran. L'angle semblait à tous bien insuffisant pour les faire passer sous l'énorme masse du pétrolier, mais il ne pouvait rien faire de plus. Elles étaient maintenant assez proches pour qu'un ordre d'autodestruction enfonçât la coque du *Sidra*, le condamnant à une mort lente qui permettrait à tout le gel de s'échapper.

« Plonge, bébé, plonge », dit Eric Stone du poste de travail voisin de celui de Murph.

Max, retenant son souffle, suivait sur le grand écran de contrôle la trajectoire des torpilles. Elles passèrent à moins de deux mètres du fond du pétrolier et à trois mètres l'une de l'autre. Dans le centre d'opérations, tout le monde poussa un soupir de soulagement.

« Pose-moi là-dessus », cria Juan en désignant le pétrolier.

Adams plongea avant de dire :

« Je ne peux pas te garantir que je réussirai à venir te rechercher. Nous n'avons plus beaucoup de carburant.

— Peu importe », lança Cabrillo, la rage perceptible dans sa voix.

Le Robinson fonça vers l'avant du pétrolier comme un faucon, ses patins à quelque trois mètres du pont tandis qu'Adams poursuivait Singer sur toute la longueur du navire. Juan avait déjà débouclé sa ceinture de sécurité et, l'épaule appuyée contre la porte, se tenait prêt à sauter.

Singer avait dû entendre l'hélico car il leva la tête pour regarder derrière lui. Il ouvrit de grands yeux et se mit à courir de plus belle. Il tenait à la main un objet noir que Juan reconnut : une pile de détonateur. Singer coupa à droite pour essayer d'amener ses poursuivants vers un mât de charge d'une douzaine de mètres de hauteur et pour tenter en même temps d'atteindre le bastingage afin de jeter son détonateur à la mer.

Juan ouvrit sa porte. L'hélico volait à trois mètres au-dessus du pont et se déplaçait à au moins une quinzaine de kilomètres à l'heure. Cabrillo sauta quand même.

Il se reçut brutalement, trébucha contre les plaques brûlantes et s'écrasa finalement contre un support de canalisation. Il se releva, le corps meurtri par cette succession de culbutes, puis s'élança, pistolet au poing.

Singer qui l'avait vu sauter de l'hélicoptère redoubla de vitesse, décidé à parachever sa mission en lançant le détonateur par-dessus bord ; mais son poursuivant était encore plus déterminé, et Singer, en jetant un coup d'œil par-dessus son épaule, constata que Cabrillo gagnait du terrain.

Une nouvelle lame surgit sous le pétrolier et sa coque gémit sous le choc. La brèche sur bâbord se referma tandis que la vague frappait la quille ; puis elle passa, la brèche se rouvrit, plus béante. Singer l'avait vue ; elle était assez loin du bastingage et il réussit à l'éviter quand elle se referma, mais ne s'attendait pas à ce qu'elle déchirât les tôles avec une telle facilité.

Singer essaya d'y échapper en se penchant mais son pied glissa dans la brèche : le pantalon de son ciré se déchira et sa jambe frotta contre la plaque déchiquetée. La petite pile électrique dégringola sur le pont. Singer poussa un cri de douleur, son autre jambe tomba aussi dans l'ouverture, pendant au-dessus de la surface visqueuse du floculent qui barbotait dans le réservoir. Ses mains s'écorchaient au contact du métal brûlant tandis qu'il se débattait pour se libérer avant que la brèche se referme.

Cabrillo plongea sur lui juste au moment où, le pétrolier tanguant de nouveau, les deux côtés de l'ouverture se refermaient. Il trébucha avec Singer dans un jaillissement de liquide chaud tandis qu'un hurlement déchirant lui perçait les oreilles. Une fois son équilibre retrouvé, il regarda Singer : la partie inférieure de son corps cisaillé au niveau du bassin était tombée dans le réservoir ; un torrent de sang coulait de l'horrible plaie.

Il rampa jusqu'à Singer et le retourna sur le dos : d'une pâleur mortelle et ses lèvres déjà bleues, le moribond cessa soudain de crier, son cerveau refusant de ressentir plus longtemps la douleur, et il sombra dans l'inconscience.

« Pourquoi ? demanda Juan avant de le voir succomber.

— Il le fallait, murmura Singer. Agir avant qu'il soit trop tard.

— Vous n'avez donc pas compris que l'avenir se débrouille tout seul ? Il y a cent ans, on ne voyait jamais le soleil à Londres à cause de la pollution industrielle. Et puis la technologie a évolué et le fog a disparu. Le problème aujourd'hui, dites-vous, c'est que les voitures sont responsables du réchauffement climatique. D'ici à dix ou vingt ans, on fera une nouvelle découverte qui détrônera le moteur à combustion interne.

— Impossible d'attendre aussi longtemps.

— Alors, vous auriez dû dépenser vos milliards à l'inventer plus tôt au lieu de les gaspiller dans une démonstration qui ne pourra rien changer.

— Les gens veulent qu'on agisse, fit-il d'une voix faible.

— Pour un jour, une semaine. Les changements s'obtiennent avec des alternatives, non avec des ultimatums. »

Singer ne répondit pas, mais à l'instant où il mourut, la dernière lueur à s'effacer de son regard fut celle du défi.

De tels fanatiques ne comprendraient jamais ce qu'était un compromis et Juan savait qu'il n'aurait pas dû prendre la peine de discuter. Il se releva péniblement pour ramasser la pile électrique et se précipita vers l'avant du navire.

« Max, dis-moi où en on est.

— Tu as trois minutes avant l'explosion des charges des torpilles. »

Les fils de guidage qui se déroulaient depuis l'*Oregon* interdisaient de refermer les portes extérieures des tubes afin de faire monter d'autres torpilles du magasin. Juan devait donc déclencher l'Hypertherm, sinon le *Gulf of Sidra* se briserait avant les trente minutes nécessaires au lancement de deux nouveaux engins.

« Quoi qu'il arrive, ne m'attendez pas. Si je ne réussis pas à allumer l'Hypertherm, torpillez quand même le navire et, si nous avons de la chance, l'explosion déclenchera les charges.

— Je t'entends, mais je n'aime pas ça.

— Et moi, je me sens comment à ton avis ? » rétorqua Juan tout en courant.

Le pétrolier semblait démesurément long, et son étrave, un horizon toujours aussi lointain. La chaleur qui rayonnait du pont le faisait transpirer à grosses gouttes et chaque fois que son pied gauche frappait la tôle, il sentait les cloques de ses ampoules s'ouvrir. Mais il n'en tenait aucun compte et continuait à courir.

« Deux minutes », dit Max par radio au moment où Cabrillo atteignait le cordon d'Hypertherm qui ceinturait le pont.

Quand Singer avait arraché la pile du détonateur, il avait coupé les fils électriques qui devaient faire sauter la charge. Juan devait donc d'abord déconnecter le détonateur d'entre les deux longueurs d'explosifs pour éviter de rétablir accidentellement le circuit. Se servant du couteau de poche qu'Eddie avait récupéré à l'Oasis du Diable, il dut découper l'isolant en plastique pour dénuder les fils de cuivre afin de les rattacher ensemble. Il y en avait trois : vingt secondes chacun.

Un voyant incrusté dans le détonateur passa au vert : le circuit était rétabli.

« Plus qu'une minute, Juan. »

Il fixa une longueur d'Hypertherm d'un côté du détonateur et s'approchait du second ruban quand il entendit à la radio :

« Président, c'est Murph. Les torpilles sont à cent cinquante mètres.

— Laisse-les venir. J'ai presque fini. Voilà, c'est fait. »

Le raccord était complet. Il tourna les talons et se précipita vers l'arrière, handicapé par la douleur aiguë qui rayonnait de son pied brûlé. Il engageait maintenant une course contre la montre avec deux torpilles qui fonçaient vers le pétrolier à quarante nœuds. Il avait parcouru une trentaine de mètres quand Murph annonça que les torpilles étaient à cent mètres. Il hâta le pas malgré sa souffrance.

« Cinquante mètres, Président », lança Mark comme un reproche.

Juan laissa passer quelques secondes encore, gagnant ainsi quelques mètres avant de presser le bouton de la commande à distance.

L'Hypertherm s'embrasa dans un arc flamboyant comme un soleil, son noyau de magnésium atteignant une température de deux mille degrés Celsius. Le feu se propagea tel un éclair depuis le centre du navire, ramollissant les plaques du pont comme de la cire puis, la chaleur augmentant encore, les faisant dégouliner comme de l'eau dans la cale. Tout l'avant baignait dans un nuage de fumée toxique et de métal calciné. La lueur qui s'en dégageait emplissait le ciel qui, d'un gris sinistre, avait viré au blanc éblouissant. La ceinture d'explosifs coupa le pont et continua à trancher pour arriver en un clin d'œil jusqu'à la ligne de flottaison.

A une centaine de mètres de distance, Juan sentait le choc thermique sur son dos et, sans la pluie, il aurait sans doute perdu une partie de ses cheveux.

Aussi vite qu'il s'était enflammé et répandu d'un bord à l'autre du navire, l'Hypertherm s'épuisa de lui-même, laissant sur son passage une longue et étroite balafre dont les lèvres rougeoyaient encore.

Juan parvint à parcourir encore vingt mètres avant que les Test-71 frappent le pétrolier juste sous l'endroit où l'explosion avait coupé la coque. Le choc des deux explosions le souleva dans les airs et le projeta sur le pont tandis que de l'eau et des débris métalliques jaillissaient des points d'impact. L'étrave fut arrachée du reste du navire et coula aussitôt. La mer s'engouffra dans les cales, poussant près des trois quarts de la charge de floculent vers l'arrière par les tuyaux qui reliaient entre eux les réservoirs. Une goutte de fluide gicla par la brèche, projetant du gel à plus de trente mètres. Ils savaient que cela arriverait, mais ils avaient considéré que c'était un faible prix à payer pour garder le reste du floculent prisonnier dans les cales du pétrolier.

Juan réussit à se relever, la tête bourdonnante. Devant lui, l'océan déferlait à l'emplacement de l'étrave en une véritable muraille d'eau qui semblait de plus en plus haute à mesure que le pétrolier fonçait dans les vagues. Le *Gulf of Sidra* scellait son destin tandis que ses puissantes machines diesels continuaient à actionner l'hélice à une vitesse de dix-sept nœuds.

« Juan, c'est George. Je crois que j'ai assez de carburant pour faire une tentative.

— Tu n'auras pas le temps, dit Juan en se remettant à courir vers l'arrière : cette saloperie coule plus vite que je ne l'avais imaginé. Dans moins d'une minute, elle aura sombré.

— Je tente quand même le coup. Je te retrouve au bastingage de la plage arrière.

— Nous arrivons nous aussi, lança Max Hanley depuis l'*Oregon*. Les équipes de sauvetage s'apprêtent en ce moment si jamais tu tombes à la baille. »

Juan continuait à foncer par le côté tribord pour éviter le secteur où la coque avait été endommagée. Derrière lui, les vagues forcissaient de plus en plus. Déjà une partie du pétrolier était recouvert d'eau et le navire s'enfonçait de seconde en seconde.

Il atteignit les superstructures et s'engouffra dans l'étroit espace entre les constructions et le garde-corps, ses jambes foulant un pont de plus en plus incliné. Il arriva au mât de pavillon du *Sidra*. Aucune trace du Robinson de George Adams : Cabrillo n'aurait qu'à tenir bon en priant de ne pas être aspiré quand le navire sombrerait.

Il commençait tout juste à enjamber le bastingage lorsque l'hélico apparut derrière la superstructure déjà inclinée. De la porte arrière pendait une corde improvisée faite de bandoulières de fusils d'assaut, d'un blouson de treillis, de bouts de fil électrique ramassés quelque part dans le cockpit, et, noué tout en bas, le pantalon d'Eddie Seng qui se balançait devant lui.

Il sauta à l'instant où il flottait au-dessus de sa tête, passa un bras dans la jambe de pantalon et fut violemment tiré dans les airs, tournoyant comme une pièce de monnaie au bout d'une ficelle. En dessous, le *Gulf of Sidra* disparaissait sous les vagues, l'emplacement de sa tombe marqué par une flaque de gel des milliers de fois plus petite que ce qu'avait escompté Daniel Singer.

La première personne à l'accueillir dans le hangar de l'*Oregon* après l'incroyable exploit de George fut Maurice, impeccablement vêtu de son habituel costume noir et tenant sur un bras une serviette de bain blanche. De l'autre main il portait bien haut un plateau avec un couvercle d'argent. Comme Juan débarquait d'un pas chancelant du Robinson et que Max, Linda et Sloane se précipitaient en l'acclamant, Maurice approcha et, d'un geste aussi élégant que précis, souleva le couvercle.

« Comme vous l'aviez commandé, capitaine.

— Commandé ? »

Abruti de fatigue, Juan ne savait pas de quoi parlait le steward.

Maurice avait un tempérament trop sérieux pour sourire, mais une lueur amusée brillait dans son regard.

« Je sais que, techniquement, il ne s'agit pas d'un ouragan, mais j'ai pensé que vous apprécieriez un soufflé au homard et au fromage avec un gâteau Alaska en dessert. »

Il avait si bien calculé son coup que le délicat soufflé ne s'était pas effondré et qu'un peu de vapeur filtrait encore par le haut. Ce fut dans le hangar une explosion de rires.

Cette tempête, la dixième de l'année à se former sur l'Atlantique et assez puissante pour devenir une tempête tropicale et ainsi mériter un nom, avait commencé à évoluer en un ouragan susceptible de causer de graves dégâts ; pourtant, l'œil du cyclone ne se constitua jamais vraiment. Les météorologues ne trouvèrent aucune explication : ils n'avaient jamais vu un phénomène pareil.

Tant mieux ! La saison n'était pas assez avancée pour les tempêtes et le public, blasé, ne s'intéressa jamais vraiment à un ouragan qui n'en fut pas un. Selon la tradition, les tempêtes étaient baptisées d'un nom dont l'initiale suivait l'ordre alphabétique : la première de l'année recevait donc un nom commençant par un A, la deuxième par un B, et ainsi de suite. Quant à la dixième tempête tropicale, une tempête qui n'atteignit jamais le continent, bien peu de gens se rappelleraient qu'elle avait été baptisée Juan.

32

JUAN CONDUISAIT À TOMBEAU OUVERT ; le buggy qui transportait aussi Max, Sloane et Mafana survolait le désert sur ses gros pneus, son moteur gonflé rugissant. Moses Ndebele, interdit de voyage par les médecins de l'hôpital privé sud-africain où il était soigné – l'intervention qu'avait nécessitée son pied écrasé était trop récente –, s'était fait remplacer par son vieux sergent même s'il avait toute confiance en Cabrillo.

Ils étaient en retard : le responsable de la compagnie de location de voitures, et volontaire de la police de Swakopmund, avait dû se lancer à la poursuite d'un groupe d'Européens égarés dans le désert et responsables d'un enlèvement commis en Suisse pour procéder à leur arrestation.

Le buggy franchit une crête puis dévala de l'autre côté en laissant des sillons dans le sol pour offrir aux quatre passagers du véhicule qui tanguait sur sa suspension une vue stupéfiante sur la vallée qui s'étendait devant eux.

Le *Rove* voguait sur un océan de sable ; de petites dunes telles des vaguelettes semblaient lécher sa coque. Sa cheminée avait disparu, ses mâts de charge avaient été brisés et il ne subsistait plus la moindre écaille de peinture, pourtant il avait conservé son apparence d'avant son ensevelissement, une centaine d'années auparavant, lors de la pire des tempêtes de sable du siècle.

Non loin du navire stationnait un gros hélico de transport bleu turquoise avec le blason de la NUMA peint sur le capot du rotor. A côté, deux petites pelleteuses, qu'on avait utilisées pour retirer les dix mètres de sable qui ensevelissaient l'appareil, et quelques ouvriers paressant à l'ombre d'une grande tente blanche.

« Vous aviez raison. Félicitations ! s'exclama Juan en se penchant pour poser un baiser sur la joue de Sloane.

— En avez-vous jamais douté ? répondit-elle, rayonnante.

— Et comment », lança Max depuis la banquette arrière. Sloane tendit le bras et lui tapota gentiment la cuisse.

Juan remit le buggy en marche et dévala la dune. Les voyant arriver, les ouvriers se levèrent. Deux d'entre eux se détachèrent du groupe et s'engagèrent sur une rampe qui avait été creusée dans le sol pour permettre d'accéder au pont principal du *Rove*. Le premier portait un carton sous son bras.

Cabrillo freina au pied de la rampe, arrêta le moteur, et on n'entendit plus que la légère brise qui agitait l'air. Il retira tout ce qu'il portait en bandoulière pour descendre de voiture et aller à la rencontre des deux hommes. Solidement bâtis et d'un ou deux ans peut-être plus jeunes que lui, malgré les cheveux d'un blanc de neige de celui qui avait les yeux aussi bleus que ceux de Juan. Son compagnon était plus brun, un Latino avec une expression toujours amusée.

« Je ne connais pas beaucoup de gens susceptibles d'impressionner vraiment Dirk Pitt, déclara l'homme de la NUMA aux cheveux blancs. Alors, quand j'ai l'occasion d'en rencontrer un, je la saisis. Président Cabrillo, je présume ?

— *Juan* Cabrillo.

— Je suis Kurt Austin et ce clown est Joe Zavala. Au fait, merci de nous avoir évité cette opération de nettoyage en Angola où la NUMA est impliquée.

— Enchanté de faire votre connaissance. Comment les choses se présentent-elles ?

— Mieux que prévu. Notre bateau se trouvait dans les parages pour une mission de surveillance. Joe a réussi à modifier la pompe d'une drague pour prélever des échantillons, et nous pouvons pomper le brut directement vers des réservoirs de stockage à terre. Avec l'aide de Petromax, qui a rassemblé tous les moyens dont ils disposent dans d'autres installations au Nigeria, la marée noire devrait être complètement nettoyée en moins de deux semaines.

— Voilà une bonne nouvelle, répondit Juan avant d'ajouter, comme s'il se le reprochait : si nous étions arrivés deux heures plus tôt, tous ces efforts de nettoyage n'auraient pas été nécessaires.

— Et arriver deux heures plus tard en aurait coûté deux fois plus.

— Exact. Je vous présente Max Hanley, le président de la Corporation, Mafana, qui représente Moses Ndebele, et enfin Sloane McIntyre, grâce à qui nous contemplons ce bateau à vapeur bien que nous nous trouvions à douze kilomètres de l'océan.

— Curieux spectacle, hein ?

— Ce n'est pas un reproche, mais comment l'avez-vous découvert si vite ? »

Avant de poursuivre, Joe Zavala tira de son carton des canettes de bière bien fraîches. Il les décapsula et les distribua à la ronde.

« Le meilleur moyen, selon moi, pour combattre la poussière », expliqua Zavala. Ils trinquèrent et burent de longues gorgées. « Ça fait du bien, commenta-t-il.

— Pour répondre à votre question, dit Austin en s'essuyant la bouche, nous avons soumis le problème au génie informatique de la boîte, Hiram Yeager, qui a aussitôt entrepris de recueillir toutes les bribes d'informations concernant la tempête qui sévissait la nuit où le *Rove* a disparu : il a puisé dans les livres de bord de vieux navires, dans les mémoires d'habitants de Swakopmund, dans les journaux des missionnaires et enfin dans un rapport adressé à l'Amirauté britannique concernant les modifications imposées par la suite aux routes maritimes le long de la côte du Sud-Ouest africain. Il a tout enregistré dans son ordinateur puis y a ajouté les données météorologiques de cette zone pour le siècle qui a suivi la tempête. Le lendemain, Max fournissait la réponse.

— Max ? s'enquit Hanley.

— Le nom qu'il a donné à son ordinateur. Il a créé une carte de la côte telle qu'elle se présente aujourd'hui depuis un mille du rivage jusqu'à plus de dix milles dans les terres. Si le *Rove* s'était approché de la terre pour, par exemple, embarquer des passagers ayant fait fortune dans le diamant, il devait être enseveli quelque part dans ce secteur.

— Les variations de distances sont dues aux différences de conditions géologiques et à l'orientation des vents, ajouta Zavala.

— Une fois notre carte établie, nous avons suivi le tracé à bord d'un hélico équipé d'un magnétomètre.

— J'ai fait la même chose pendant des jours, lui expliqua Sloane, mais en mer. J'aurais dû pousser plus loin mes recherches.

— Il nous a fallu deux jours pour obtenir un signal situant peut-être le *Rove*, et c'était à moins de dix mètres de l'emplacement calculé par Max.

— C'est extraordinaire !

— J'ai essayé de convaincre Hiram de faire prédire par son ordinateur les numéros gagnants au Loto, lança alors Zavala. Il dit que sa machine en serait capable, mais il ne veut pas que je le lui demande.

— Nous avons utilisé, reprit Austin, un radar capable de pénétrer le sable pour qu'il confirme qu'il s'agissait bien d'un bateau et non d'une masse métallique, un météorite par exemple. Ensuite, il ne restait plus qu'à charrier du sable.

— De charrier pas mal de sable, précisa Zavala en préparant une nouvelle tournée de bière.

— Etes-vous déjà entrés dans l'épave ? interrogea Sloane.

— Nous vous réservions cet honneur. Bienvenue à bord. »

Il les précéda sur la passerelle jusqu'au pont en teck du *Rove*.

« Les hublots de la timonerie avaient été fracassés soit par la tempête, soit plus tard, une fois le navire enseveli. Toutefois... » Il s'interrompit pour ouvrir un panneau dont la plaque vibra. « Le désert n'a jamais pénétré dans le poste d'équipage.

— J'ai déjà débloqué le volant de fermeture, dit Zavala. Alors, Miss McIntyre, si vous voulez bien vous donner la peine. »

Sloane avança et desserra d'encore un demi-tour le volant pour libérer le pêne. Elle tira en arrière et un filet de sable s'écoula par l'ouverture. Le carré, qu'on apercevait plus loin, n'était éclairé que par deux rais de lumière filtrant par les petits hublots de deux cloisons. Hormis un peu de sable qui couvrait çà et là le plancher, on n'aurait pas dit que cent ans s'étaient écoulés : le mobilier était en place, un poêle prêt à réchauffer la théière posée sur son couvercle et une lanterne accrochée au plafond semblait n'attendre que le craquement d'une allumette pour s'illuminer.

Mais, leurs yeux s'habituant à la pénombre, ils constatèrent que ce qu'ils avaient pris pour des sacs de tissu posés sur une table était en fait les restes momifiés de deux hommes morts l'un en face de l'autre ; leur peau, devenue grise au fur et à mesure que leur corps se desséchait, semblait aussi friable que du parchemin. L'un ne portait qu'un pagne noué autour de sa taille et des plumes dont il ne restait que la tige fixée sur un bandeau autour de son crâne. Posée à côté de l'autre homme, vêtu d'une tenue de brousse, une grosse sacoche de toile qui avait sans doute été blanche onze décennies auparavant.

« H.A. Ryder, murmura Sloane, et l'autre, probablement un des guerriers hereros envoyés par leur roi pour récupérer les pierres.

— Ils avaient dû attaquer juste avant l'arrivée de la tempête, dit Austin qui revenait d'un petit couloir. Il y a une bonne douzaine de corps dans les cabines, la plupart certainement morts en se battant. Beaucoup de blessures à l'arme blanche. Aucune trace de blessure en revanche sur les cadavres des Hereros qui sont probablement morts de faim quand le *Rove* a été enterré sous le sable.

— Mais ils ne l'ont pas tué, observa Juan en désignant le corps de Ryder. Je me demande pourquoi.

— D'après leur aspect, c'étaient les deux derniers survivants, observa Zavala. Ils se seront déshydratés une fois les réserves d'eau du navire épuisées.

— A l'époque, dit Sloane, Ryder était quelqu'un de connu et il est possible qu'ils aient eu des relations, amicales peut-être, déjà avant le vol.

— Un mystère que nous ne résoudrons jamais, conclut Max en ramassant un des sacs placés sous la table. Voyons un peu celui-là. »

Il souleva la sacoche dont le cuir desséché se déchira, laissant échapper une cascade de diamants. Bruts et mal éclairés, mais étincelant comme des fragments de rayons de soleil. La petite équipe se mit à applaudir. Sloane prit une pierre de vingt carats et l'approcha du hublot pour l'examiner. Mafana ramassa une poignée de diamants et les laissa couler entre ses doigts avec une expression dans laquelle Juan vit que l'homme ne pensait pas à lui-même mais imaginait la richesse que ces pierres représentaient pour son peuple.

Le vieux sergent ouvrit les autres sacs et commença à en trier le contenu, mettant de côté les plus gros diamants et les plus purs. Il avait le choix car les mineurs qui avaient rapporté les pierres à leur roi n'avaient pris que les plus beaux parmi ceux qu'ils avaient arrachés à la terre. Quand il eut les mains pleines, il se tourna vers Cabrillo.

« Moses a dit que vous lui aviez donné une poignée de pierres en acompte, déclara Mafana avec gravité. Il m'a ordonné de vous en remettre deux à titre de remerciement de la part de notre peuple.

— Mafana, ce n'est pas nécessaire, répondit Juan, bouleversé par ce geste. Vous avez combattu avec vos hommes dont beaucoup sont morts pour ces pierres. Tel était notre accord.

— Moses a dit que vous répondriez cela et que j'étais censé alors les donner à Mr Hanley. Moses dit qu'il est moins sentimental que vous et qu'il accepterait au nom de votre équipage.

— Bien vu, dit Max en tendant ses deux mains. Ayant joué, il n'y a pas longtemps, le rôle d'un joaillier, je dirais qu'il y en a là pour environ un million de dollars.

— Vous n'auriez pas très bien tenu ce rôle, rétorqua Sloane en saisissant le plus gros diamant de la pile et en le lui montrant. C'est à peu près la valeur de cette pierre à elle seule, une fois taillée et polie. »

Max resta bouche bée tandis que tous éclataient de rire.

Une heure plus tard, quand tout le monde eut exploré le navire, Sloane rejoignit Juan debout à l'avant du *Rove*, les mains croisées derrière le dos.

« Qu'est-ce que cela veut dire ? demanda-t-elle en s'approchant. "Donnez-moi un grand vaisseau et une étoile pour le guider."

— On ne peut se guider que sur les dunes.

— J'ai lu le livre de bord du bateau. H.A. Ryder a continué à le tenir après qu'ils ont été ensevelis. Kurt avait raison : les Hereros ont bien attaqué au plus fort de la tempête ; ils ont massacré tout l'équipage jusqu'au dernier, à l'exception de Ryder qui avait sauvé des griffes d'un lion le chef herero à l'époque où ce dernier travaillait pour lui comme guide. Cela n'a d'ailleurs pas changé grand-chose · ce n'était qu'un sursis.

— Que s'est-il passé ?

— La tempête a fait rage une semaine entière. Quand elle a fini par se calmer, ils n'ont pas réussi à ouvrir les portes, y compris celle qui menait à la passerelle, et les hublots étaient trop étroits pour leur permettre de s'échapper. Ils étaient prisonniers. Ils disposaient d'assez de vivres et d'eau pour tenir près d'un mois, mais la fin était inévitable. Ils sont morts les uns après les autres jusqu'à ce qu'il ne reste plus que Ryder et le chef herero. On peut supposer que Ryder est parti le premier car rien dans le livre de bord ne concerne la mort de son compagnon.

— Vraiment la pire façon de mourir, commenta Juan en frissonnant.

— Ryder a également mentionné dans le livre de bord une chose très intéressante. Quand ses compagnons et lui se sont emparés des diamants des Hereros, ils ont laissé, a-t-il écrit, quatre pots de bière bourrés de pierres. Je sais par les témoignages historiques dont nous disposons que leur roi ne s'en est jamais servi pour acheter la protection des Britanniques contre les Allemands occupant ses terres : les diamants doivent donc être toujours là.

— N'y pensez plus, dit Juan en souriant. La dernière fois que je vous ai donné un coup de main, je me suis retrouvé coincé sur un gigantesque serpent métallique au beau milieu de l'océan puis sur un superpétrolier qui a coulé sous moi. Si vous avez envie de rechercher d'autres diamants, libre à vous. Moi, je me cantonnerai à des activités moins risquées, comme la chasse aux terroristes.

— Oh, ce n'était qu'une remarque en l'air, le taquina-t-elle.

— A propos de diamants, reprit Cabrillo en secouant la tête, j'aimerais vous poser deux ou trois petites questions.

— Allez-y.

— Etes-vous sûre d'obtenir un bon prix pour ces pierres ?

— Ma compagnie paiera près du cours rien que pour maintenir son monopole. Cela ne leur plaît pas beaucoup que je ne les rapporte pas, mais au bout du compte ils n'auront pas le choix. Ne vous inquiétez pas. Moses aura plus d'argent qu'il n'en faut pour débarrasser son pays de ses dirigeants actuels.

— Ce qui m'amène à ma seconde question. Je présume qu'une fois l'affaire réglée vous deviendrez rapidement la vedette de votre société. Je me demandais si vous n'envisageriez pas de changer de carrière.

— M'offrez-vous une situation, président Cabrillo ? s'enquit-elle avec un grand sourire.

— Un travail très prenant, dangereux mais, comme vous venez de le constater, assez bien payé. »

Elle s'approcha si près que leurs poitrines se frôlaient presque.

« J'ai bavardé avec Linda et j'ai eu l'impression qu'on ne fraternise pas beaucoup entre membres de l'équipage.

— Les aventures dans le travail, ça n'est jamais facile, et c'est encore pire quand on vit tous ensemble. »

Elle promena un doigt sur le bras nu de Juan et le regarda droit dans les yeux.

« Dans ce cas, il y a une chose que je dois me sortir de la tête avant même d'envisager d'aller jouer les pirates.

— Quoi donc ? demanda-t-il, la voix un peu rauque.

— Ça », dit-elle, et leurs lèvres se touchèrent.

Dans la collection Grand Format

Cussler (Clive)	*Atlantide* ■ *Odyssée* ■ *L'Or des Incas* ■ *La Poursuite* ■ *Raz de marée* ■ *Vent mortel* ■ *Walhalla*
Cussler (Clive), **Cussler** (Dirk)	*Le Trésor du Khan*
Cussler (Clive), **Dirgo** (Craig)	*Bouddha* ■ *Pierre sacrée*
Cussler (Clive), **Du Brul** (Jack)	*Quart mortel*
Cussler (Clive), **Kemprecos** (Paul)	*A la recherche de la cité perdue* ■ *Glace de feu* ■ *Mort blanche* ■ *L'Or bleu* ■ *Serpent* ■ *Tempête polaire* ■ *Le Navigateur*
Cuthbert (Margaret)	*Extrêmes urgences*
Davies (Linda)	*Dans la fournaise* ■ *En ultime recours* ■ *Sauvage*
Dekker (Ted)	*Adam*
Evanovich (Janet)	*Deux fois n'est pas coutume*
Farrow (John)	*La Dague de Cartier* ■ *Le Lac de glace* ■ *La Ville de glace*
Genna (Giuseppe)	*La Peau du dragon*
Hartzmark (Gini)	*A l'article de la mort* ■ *Mauvaise passe*
Kemprecos (Paul)	*Blues à Cape Cod* ■ *Le Meurtre du Mayflower*
Larkin (Patrick), **Ludlum** (Robert)	*Le Vecteur Moscou* ■ *La Vendetta Lazare*
Ludlum (Robert)	*L'Alerte Ambler* ■ *Le Code Altman* ■ *La Directive Janson* ■ *Le Pacte Cassandre* ■ *Le Protocole Sigma* ■ *La Trahison Prométhée* ■ *La Trahison Tristan*
Cobb (James), **Ludlum** (Robert)	*Le Danger arctique*
Ludlum (Robert), **Lynds** (Gayle)	*Objectif Paris* ■ *Opération Hadès*
Lustbader (Eric Van)	*Le Gardien du Testament* ■ *La Peur dans la peau* ■ *La Trahison dans la peau*
Lynds (Gayle)	*Le Dernier maître-espion* ■ *Mascarade* ■ *La Spirale*
Martini (Steve)	*L'Accusation* ■ *L'Avocat* ■ *Irréfutable* ■ *Le Jury* ■ *La Liste* ■ *Pas de pitié pour le juge* ■ *Réaction en chaîne* ■ *Trouble influence*
McCarry (Charles)	*Old Boys*
Moore Smith (Peter)	*Les Écorchés* ■ *Los Angeles*
Morrell (David)	*Accès interdit* ■ *Le Contrat Sienna* ■ *Disparition fatale* ■ *Double image* ■ *Le Protecteur* ■ *Le Sépulcre des Désirs terrestres*

O'Shaughnessy (Perri) *Entrave à la justice* ■ *Intentions de nuire* ■ *Intimes convictions* ■ *Le Prix de la rupture*

Palmer (Michael) *Le Dernier échantillon* ■ *Fatal* ■ *Le Patient* ■ *Situation critique* ■ *Le Système* ■ *Traitement spécial* ■ *Un remède miracle*

Ramsay Miller (John) *La Dernière famille*

Scottoline (Lisa) *La Bluffeuse* ■ *Dans l'ombre de Mary* ■ *Dernier recours* ■ *Erreur sur la personne* ■ *Justice expéditive*

Sheldon (Sidney) *Avez-vous peur du noir ?* ■ *Crimes en direct* ■ *Racontez-moi vos rêves*

Sinnett (Mark) *La Frontière*

Slaughter (Karin) *A froid* ■ *Au fil du rasoir* ■ *Hors d'atteinte* ■ *Indélébile* ■ *Mort aveugle* ■ *Sans foi ni loi* ■ *Triptyque*

Cet ouvrage a été imprimé
en septembre 2010 par

27650 Mesnil-sur-l'Estrée
N° d'édition : 16370
N° d'impression : 101545
Dépôt légal : octobre 2010

Imprimé en France